KB143803

PMP®의정석

# PMPerfect

용환성 저

**NODE MEDIA**
노 드 미 디 어

# 머리말

"프로젝트 관리". "프로젝트 관리자". 이 두 단어는 사회생활을 시작한 97년도부터 지금까지도 나를 계속 따라다니는 두 단어이다. 아마도 죽을 때까지 나와 함께 할 것이고 기꺼이 이 두 단어를 가슴에 안고 생활할 것이다. 프로젝트는 직장에서의 프로젝트뿐만 아니라 내 삶, 가족, 연구 등 모든 것이 프로젝트이기 때문이다.

아마 이 책을 읽는 분들은 대부분 나와 같이 직장 생활을 하면서 동시에 프로젝트 관리자에 대한 자격증인 PMP를 취득하기 위해 결심했을 것이다. 직장 생활을 하면서 공부를 한다는 것은 무척이나 힘들다. 우선, 35시간의 교육 시간을 채우기 위해 그날 그 시간에 강의에 참석하여 수업을 들어야 하고, 강의가 끝난 후 혼자만의 내재화 시간도 있어야 한다.

국내에 PMP자격 취득을 위한 수험서는 대략 4~5개 종류가 있고, 저자들 또한 모두 유명한 강사들이다. 개인적으로는 2018년도부터 새롭게 PMBOK® 6판으로 바뀌는 상황에서 PMBOK® 5판에 대한 수험서를 시장에 내놓아도 좋을까하는 고민이 많았다. 그 많은 고민의 시간에서 많은 분들께서 격려하셨고, 그 격려에 지금까지 정리하고 강의한 내용을 토대로 지금이라도 강의했던 내용들을 묶어 출판을 하고자 결심했다.

최근의 PMP® 시험 추세는 단순 암기식이 아닌 상황 문제들이 많이 출제된다. 과거에는 프로세스들의 투입물, 산출물, 도구 및 기법을 알고 있다면 합격하는데 크게 어려움이 없었다면, 현재는 ITTO라 불리는 것들을 암기할 필요가 있는 건지 의심할 정도로 다양한 상황문제들이 출제되면서 수험생들을 괴롭히고 있다.

그러나, 상황문제들도 따지고 보면 먼저 문제에서 어느 프로젝트 생명주기에서 작업을 수행하고 있는지, 어느 지식영역인지 어느 프로세스인지 파악한 후, 최종적으로 ITTO를 찾아낸다면 상황문제도 거뜬히 해결할 수 있다. 따라서, 본 수험서는 PMP®뿐만 아니라 CAPM®을 준비하는 수험생 및 프로젝트 관리에 대한 국제 표준을 이해하고자 하는 모든 사람들에게 도움이 될 것이다.

본 수험서는 준비하면서 다음의 사항들에 중점을 두고 집필하였다.

■ PMBOK® 내용에 충실하게 설명하였다.

　PMBOK® 내용은 상당히 방대하다. 수험생들이 많은 내용을 지치지 않고 끝까지 읽어나가면서 PMBOK®의 내용을 숙지할 수 있도록 충실히 설명하였다.

■ 합격을 위한 다양한 Tip과 Note를 첨가하였다.

　각 영역별로 시험에 나오는 다양한 내용들을 Tip과 Note에 적어두어 합격에 도움을 주도록 했다.

■ 각 지식영역별 프로세스에 대한 이해를 돕기 위해 데이터 흐름도를 뒤에 배치하였다.

　대부분 프로세스 흐름도를 프로세스에 대한 정의 후 기술하지만, 본 수험서에는 프로세스의 끝부분에 전·후 프로세스에 대한 투입물과 산출물의 데이터 흐름도를 별도로 배치하여 프로세스에 대한 이해를 도왔다.

끝으로 프로젝트 관리와 후학 양성에 열정을 다하시는 두 분 교수님께 감사의 뜻을 전한다. 또한, 본서의 출간을 결정해주시고 그 결과물을 끝까지 기다려주신 ㈜노드미디어 대표님 및 직원들께 감사드린다. 특히, 업무와 학업으로 챙기지 못했지만 곁에서 한 결 같이 남편을 응원하고 격려해준 아내 오지은에게 미안하고 감사하다는 말을 전한다.

2017년 3월

저자 용환성

# 차례

## Chapter 01
## Introduction

## Chapter 02
## 프로젝트, 프로젝트 관리 및 프로젝트 관리자

# Chapter 03
## 프로젝트 생애주기와 조직

# Chapter 04
## 프로젝트 통합 관리

# Chapter 05
## 프로젝트 범위 관리

## Chapter 06
## 프로젝트 일정 관리

## Chapter 07
## 프로젝트 원가 관리

# Chapter 08
## 프로젝트 품질 관리

# Chapter 09
## 프로젝트 인적자원 관리

# Chapter 10
## 프로젝트 의사소통 관리

# Chapter 11
## 프로젝트 리스크 관리

# Chapter 12
## 프로젝트 조달 관리

# Chapter 13
## 프로젝트 이해관계자 관리

→ Chapter

01

# Introduction

## PMI란?

PMI[1]는 Project Management Institute의 약자로 1969년 프로젝트 관리 분야의 발전을 목적으로 설립된 비영리 조직이다. 본사는 미국 펜실베이니아 주 뉴타운 스퀘어에 있으며, PMP 자격자는 2016년 기준으로 현재 170여 개국에서 약 710,000여 명이 활동 중에 있다.

## PMBOK란?

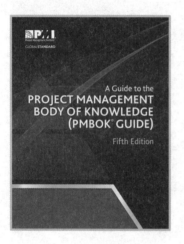

PMBOK이란 하나(Single)의 프로젝트를 관리하기 위한 표준 용어와 가이드라인 및 관리 프로세스들을 기술한 '프로젝트 관리 지식체계(Project Management Body of Knowledge)'로 2012년도에 5판으로 개정 및 출판되었다.

PMBOK는 산업계에서 인정하는 실질적인 표준(De facto Standard)으로 프로세스 지향적이며 프로젝트 관리에 대한 10개 지식 영역을 기반으로, 47개 프로세스에 대한 투입물, 도구 및 기법, 산출물을 설명하고 있다.

PMBOK 5판은 프로젝트 관리 지식영역인 통합관리, 범위관리, 일정관리, 원가관리, 품질관리, 인적자원관리, 의사소통관리, 리스크관리, 조달관리의 9가지 지식영역에 이해관계자 관리를 추가하여 10가지 지식영역으로 구성되어 있다.

## PMP®란?

PMP®는 Project Management Professional의 약자로 프로젝트 관리 전문가들을 위한 인증 시험이다. PMP® 시험은 일정, 예산 및 자원의 제약조건 하에서 프로젝트의 성과를 높이기 위해 팀을 지휘하고 업무를 지시하는 프로젝트 관리자에게 필요한 지식과 역량을 공인하기 위하여 1984년부터 미국에서 처음으로 시행하였다. 한국에는 1995년 6월 한국프로젝트경영협회(pma.or.kr)에서 최초로 도입하였고, 2001년부터는 컴퓨터를 이용한 CBT(Computer-Based Testing) 방식으로 전환하였다.

---

1 www.pmi.org

시험 시간은 4시간으로 총 200문제를 풀어야 하는데, 이 중 25문제는 향후 문제 출제의 방향을 설정하기 위한 pre-test 문제로 실제 점수에는 175문제만 반영되는 것으로 알려져 있다.

> **프로젝트 관리 전문가가 되기 위한 하나의 방법**
>
> PMP® 시험은 현재 프로젝트 관리를 업무로 하고 있는 프로젝트 관리자뿐 아니라, 프로젝트 관리자가 되고 싶은 팀원들도 PMI가 요구하는 조건이 맞으면 누구나 시험에 응시할 수 있다.

## ● PMP® 취득 효과

### 1. 재무적 측면

최근 프로젝트 관리 전문가 인증을 위한 교육비 및 응시료 등을 회사가 부담하는 곳도 있고, 인증 취득 후 수당을 지급하는 회사들도 늘고 있다. 또한, 전 세계적으로 향후 2020년까지 프로젝트 관리에 대한 역할과 직업들이 많이 생성될 것으로 전망하고 있으며, 해외의 경우이지만 연봉도 지속적으로 높아지고 있는 추세이다.[2]

### 2. 고객 측면

발주자는 인증 받은 프로젝트 관리 전문가가 프로젝트를 맡아 관리함으로써 프로젝트의 진행과 결과물에 대해서 신뢰할 수 있고, 발주자가 프로젝트 관리 전문가 자격을 인증 받은 경우에는 수행사가 프로젝트를 제대로 수행하고 있는지 감시 및 통제할 수 있는 안목이 생긴다.

### 3. 내적 측면

기존의 경험과 직관에 의한 프로젝트 관리가 아닌 프로젝트 관리의 표준 프로세스와 적절한 도구 및 기법들을 사용하여 체계적이고 효율적으로 프로젝트 관리를 할 수 있고, 국제적으로 인정받는 프로젝트 관리 표준과 프로젝트 관리에 대한 공통된 용어를 사용함으로써 조직의 프로젝트 관리 성숙도를 높일 수 있다.

### 4. 학습과 성장 측면

회사 입장에서는 조직원들이 프로젝트 관리 전문가 인증을 받음으로써 회사의 역량이 강화되는 효과와 직장 내에서 프로젝트 관리에 대한 전문성을 인정받거나 승진 및 이직에 도움이 될 수 있다.

---

2 PMI, Talent Gap : Project Management through 2020, 2013

## PMP® 응시자격

PMP® 인증을 위한 응시자격은 공통적으로 35시간 이상의 프로젝트 관리 교육을 받은 후 아래의 표를 참고하여 본인의 학력 및 프로젝트 경험 혹은 최소 프로젝트 관리 시간이 충족되는지 확인해야 한다.

**표 1-1 ❮ ❯ 응시 자격**

| 학력 | 경력 | 시간 |
|------|------|------|
| 고등학교, 전문대학 혹은 이에 준하는 학력 | -최소 5년<br>-혹은 60개월간의 전문적인 프로젝트 관리 경험 | 최소 7,500시간 |
| 학사 이상 혹은 이에 준하는 학력 | -최소 3년<br>-혹은 36개월간의 전문적인 프로젝트 관리 경험 | 최소 4,500시간 |

교육은 프로젝트의 범위, 일정, 원가, 품질, 의사소통, 리스크, 조달, 이해관계자, 및 통합 관리에 대한 내용을 다루고, 아래의 교육 기관 중 한 군데 이상에서 제공하는 교육이나 워크숍 혹은 전공과목을 수료했음을 증명하면 된다.

> **자격증과 인증의 차이**
>
> PMP® 시험은 인증 시험이다. 의사 면허증이나 운전 면허증을 자격증(License)이 없으면 수술이나 진찰을 할 수 없으며, 운전을 할 수 없다. 그러나 프로젝트 관리는 PMP® 인증(Certification)이 없어도 해당 직종의 업무를 수행할 수 있다.

- PMI에 등록된 교육기관(REP)
- PMI의 컴포넌트 단체
- 회사 지원 교육 프로그램
- 전문 교육 회사 혹은 컨설턴트
- 원격 교육과정(과정 종료 후 평가 포함)
- 대학의 정규 학과 및 평생 교육 프로그램

## PMP® 응시비용

35시간 이상의 교육과 경력 사항을 충족했다면, 이제는 실제 시험을 접수하고 비용을 납부해야 하는데 시험 비용은 1년마다 갱신하는 PMI의 개인 유료 회원인지 혹은 비회원인지에 따라 시험 비용에 있어서 금액이 조금 다르다.

PMI의 유료 회원인 경우 CBT 기준으로 US $405, 비회원인 경우 US $555를 지불해야 한다. PMI 유료 회원으로 가입하기 위해서는 별도로 회원 가입비인 US $139를 지불해야 한다. PMI의 유료회원으로 가입하여 PMP® 시험 비용을 지불할 경우 US $544가 소요되며, PMI의 유료회원과 비회원간 총 시험비용의 차이는 PMI의 회원으로 가입하여 시험을 치를 경우 US $11

를 절약할 수 있다.

첫 응시에 당당히 PMP® 인증을 통과하는 영예를 누릴 수도 있지만, 실패한 경우에는 재응시를 해야 하는데, 재응시의 비용은 PMI 유료 회원인 경우에는 US $275, PMI 비회원인 경우에는 US $375로 PMI 회원인 경우에는 US $100를 절약할 수 있다. 다만, 재응시는 1년 안에 해야 하며, 만약 1년 안에 3번 불합격한 경우에는 시험 응시를 1년간 할 수 없다.

> **교육 수료증**
> 교육을 수강하기 전에 확인해야 할 사항은 혹여 PMI로부터 교육이나 경력에 대한 검증(Audit)을 받아야 할 때를 대비하여 수료증이 영문으로 발급되는지 확인하도록 한다. 또한, 수료증은 잊어버리는 경우를 대비하여 스캔하여 클라우드 서비스에 저장해 놓는 것도 좋은 방법이다.

## PMP® 응시 연기에 따른 추가 비용

PMP® 시험 일정을 조정하거나 취소할 경우에는 수수료를 추가로 지불해야 하는데, 시험 응시일 30일 이전부터는 시험 일정 조정을 위해 $70을 지불해야 하고, 시험 응시 2일이 남은 경우에는 환불되지 않는다.

예를 들어, 시험 응시료를 지불하고 응시 일자를 7월 7일로 한 경우 6월 6일까지는 시험 응시일자를 조정하여도 수수료가 없지만, 6월 7일부터 7월 4일까지는 응시일자를 조정하기 위해서는 70달러를 지불해야 하며, 시험 응시 2일 전부터는 시험 조정이 불가하며, 시험을 취소하여도 환불이 되지 않는다는 것을 반드시 기억하여 금전적으로 손해 보는 일이 없도록 하자.

**표 1-2 ❮ ❯ 응시 연기에 따른 추가 비용 적용 사례3**

| 응시 예약일 | 응시 일자 변경일 | 변경 수수료 |
|---|---|---|
| 30일 정책 | | |
| 7월 7일 | 6월 6일 이전 변경 | 없음 |
| 7월 7일 | 6월 7일~7월 4일 | US $70 |
| 2일 정책 | | |
| 7월 7일 | 7월 4일 | US $70 |
| 7월 7일 | 7월 5일 | 시험 일정 변경 불가 및 응시료 전체 환불 불가 |

## PMP® 시험 출제 영역(2016년 1월부터 변경)

PMP® 시험의 출제 영역은 PMBOK 5판을 기준으로 착수, 계획, 실행, 감시 및 통제, 종료, 전문

---

3 PMI PMP② Handbook(26 June 2015), p.24의 내용을 수정하여 재작성

가 및 사회적 책임 영역으로 구분할 수 있으나 최근에는 전문가 및 사회적 책임 영역은 각 영역의 문제에 포함되어 출제되고 있는 추세이다.

PMI는 3년에서 5년 주기로 프로젝트 관리자에 대한 직무 분석 연구(RDS, Role Delineation Study)를 수행한다. 직무분석연구는 프로젝트 관리 업무가 점진적으로 발전하고 있기 때문에 프로젝트 관리 전문가를 인증하는 PMP® 시험도 이에 맞추어 변경하는 목적을 가지고 있다.

특히, 2016년 1월부터 변경된 시험에서는 프로젝트 착수 영역에서 Task 2, 7, 8번, 계획 영역에서는 Task 13번, 실행 영역에서는 Task 6, 7번, 감시 및 통제 영역에서는 Task 6, 7번이 새롭게 변경 및 추가되었다.

이번 개정에서 나타난 중요한 변화는 크게 4가지이다. 특히, 이전 시험에서 크게 다루지 않았던 이해관계자 관리가 본격적인 관심을 받게 되었고, PMBOK에서는 거의 언급을 하지 않았던 프로젝트의 가치 혹은 프로젝트 종료 후의 이익 실현 및 교훈 사항에 대한 내용이 추가되었다. 따라서 수험생들은 이러한 변화를 반드시 숙지하여 시험 대비를 해야 한다. 2016년 1월부터 적용되는 주요 변화 4가지는 아래와 같다.[4]

- 비즈니스 전략 및 이익 실현에 대한 강조
- 교훈의 가치
- 프로젝트 헌장의 책임
- 이해관계자 관계 강화

각 항목별로 출제 문항 비율을 보면 아래의 표와 같다.

**표 1-3** ◀ ▸ 2016년 1월부터 적용된 출제 분야별 문항비율

| 출제 분야 | 문항 비율 |
|---|---|
| 착수 | 13% |
| 계획 | 24% |
| 실행 | 30% |
| 감시 및 통제 | 25% |
| 종료 | 8% |
| 합계 | 100% |

---

4  PMI, 2015 PMP Exam Change, http://www.brainshark.com/pmiorg/2015PMPExamChange

## ● PMP® 시험 출제 영역(프로젝트 착수)

| Domain I | 프로젝트 착수 |
| --- | --- |
| Task 1 | 주어진 가정사항이나 제약조건 하에서 새로운 제품이나 서비스에 대한 타당성 평가를 위해 가용한 정보와 과거 프로젝트로부터의 교훈, 및 관련 이해관계자들과의 회의를 통해 프로젝트에 대한 평가를 수행한다. |
| Task 2* | 고객의 기대사항을 관리하고 프로젝트 목표달성을 위해 비즈니스 요구사항에 기반 하여 프로젝트의 주요 인도물을 식별한다. |
| Task 3 | 프로젝트에 대한 기대 사항을 만족시키고 지원을 얻기 위해 적절한 도구와 기법을 활용하여 이해관계자 분석을 실시한다. |
| Task 4 | 실행 전략을 제안하기 위하여 현재 환경, 조직 요인, 과거 자료 및 전문가 판단을 기반으로 초기 리스크와 가정 및 제약사항을 식별한다. |
| Task 5 | 프로젝트와 관련된 정보를 수집 및 분석하여 프로젝트 헌장 작성에 참여하고 이해관계자들이 프로젝트 헌장에 있는 모든 내용에 동의하고 확신할 수 있도록 한다. |
| Task 6 | 스폰서로부터 프로젝트 헌장을 승인받아, 프로젝트 관리자의 권한을 공식화하며, 스폰서의 프로젝트에 대한 몰입과 동의를 얻는다. |
| Task 7* | 이해관계자와 함께 효익분석(Benefit Analysis)을 수행함으로써 프로젝트가 조직의 전략과 비즈니스 가치에 대한 기대를 제대로 반영하고 있는지를 파악한다. |
| Task 8* | 승인된 프로젝트 헌장을 공유함으로써 이해관계자들이 프로젝트의 주요 인도물, 마일스톤, 그리고 자신들의 역할과 책임에 대해서 이해할 수 있도록 한다. |

## ● PMP® 시험 출제 영역(프로젝트 계획)

| Domain II | 프로젝트 계획 |
| --- | --- |
| Task 1 | 요구사항 수집 기법 등을 활용하여 프로젝트 인도물을 상세하게 정의하기 위하여 프로젝트의 요구사항, 제약 및 전제조건, 프로젝트 헌장, 교훈사항 등을 이해관계자와 함께 검토 및 평가한다. |
| Task 2 | 프로젝트의 범위를 정의하고, 유지하고 관리하기 위해 적절한 범위 관리 기법을 사용하여 승인된 프로젝트 범위를 기반으로 범위 관리 계획서를 작성한다. |
| Task 3 | 프로젝트의 원가를 관리하기 위하여 적절한 예측 기법을 활용하여 프로젝트의 범위, 일정, 자원, 및 승인된 프로젝트 헌장 및 기타 정보들을 기반으로 원가 관리 계획서를 작성한다. |
| Task 4 | 프로젝트가 적시에 완료될 수 있도록 승인된 프로젝트 인도물, 마일스톤, 범위 및 자원 관리 계획서를 기반으로 프로젝트 일정을 작성한다. |
| Task 5 | 프로젝트 팀원들의 역할과 책임을 정의하기 위해 프로젝트의 조직도를 생성하고 자원을 관리하기 위한 가이드를 제공하는 인적자원관리 계획서를 작성한다. |
| Task 6 | 프로젝트 정보의 흐름을 정의하고 관리하기 위하여 프로젝트의 조직 구조 및 이해관계자의 요구사항을 기반으로 의사소통 관리 계획서를 작성한다. |
| Task 7 | 프로젝트에서 필요로 하는 가용한 자원의 획득을 위하여 프로젝트 범위, 예산 및 일정을 고려하여 조달 관리 계획서를 작성한다. |
| Task 8 | 인도물에 대한 품질 불량을 사전에 방지하고 품질 비용을 통제하기 위해 프로젝트 범위, 리스크 및 요구사항을 기반으로 품질 관리 계획서와 프로젝트의 품질 기준을 작성한다. |
| Task 9 | 프로젝트에 대한 변경을 추적하고 관리하기 위하여 변경을 어떻게 처리하고, 통제할 것인지에 대한 변경 관리 계획서를 작성한다. |

| Domain II | 프로젝트 계획 |
|---|---|
| Task 10 | 프로젝트 생애주기 동안 불확실성과 기회를 관리하기 위해 프로젝트의 리스크를 식별하고, 분석하며 우선 순위화하는 리스크 관리 계획서를 작성한다. |
| Task 11 | 프로젝트 실행에 대한 승인을 얻기 위해 적절한 정책과 절차에 따라 관련 이해관계자들에게 프로젝트 관리 계획을 설명한다. |
| Task 12 | 프로젝트의 시작을 알리고, 주요 마일스톤 및 기타 정보를 의사소통함으로써 이해관계자들의 프로젝트 참여와 지원을 얻기 위한 킥오프 미팅을 실시한다. |
| Task 13* | 효과적으로 이해관계자의 기대사항을 관리하고 의사결정에 참여시키기 위해 그들의 요구사항, 관심 및 잠재적인 영향을 분석하여 이해관계자 관리 계획서를 작성한다. |

## ● PMP® 시험 출제 영역(프로젝트 실행)

| Domain III | 프로젝트 실행 |
|---|---|
| Task 1 | 프로젝트 요구사항을 충족시키기 위해 인적자원 관리 계획서 및 조달 관리 계획서에 기반 하여 프로젝트의 자원을 획득하고 관리한다. |
| Task 2 | 프로젝트 인도물의 완성을 위해 프로젝트 관리 계획서를 기반으로 프로젝트 팀을 이끌고, 팀워크를 개발하여 작업의 성과를 관리한다. |
| Task 3 | 작업 결과물이 품질 관리 계획서에 따라 적절한 도구와 기법을 사용하여 필요로 하는 품질 기준을 준수하고 있는지를 확인한다. |
| Task 4 | 프로젝트 요구사항을 만족하도록 변경 관리 계획서에 따라 승인된 변경이나 시정 활동이 수행되었는지 확인한다. |
| Task 5 | 프로젝트에서 리스크의 영향은 줄이고, 기회는 확대하기 위하여 리스크 관리 계획서에 따라 적절한 활동을 수행한다. |
| Task 6* | 이해관계자들의 프로젝트 참여 및 프로젝트에 대한 정보 수준을 유지하기 위해 의사소통 관리 계획서에 따라 정보의 흐름을 관리한다. |
| Task 7* | 이해관계자들의 지속적인 지원을 받고, 기대사항을 관리하기 위해 이해관계자 관리 계획서에 따라 이해관계자들과의 관계를 관리한다. |

## ● PMP® 시험 출제 영역(프로젝트 감시 및 통제)

| Domain IV | 프로젝트 감시 및 통제 |
|---|---|
| Task 1 | 계획과 실제의 차이를 식별하여 시정조치할 내역을 식별하고 정량화하기 위한 적절한 도구와 기법을 사용하여 프로젝트의 성과를 측정한다. |
| Task 2 | 프로젝트의 목표가 지속적으로 비즈니스 요구에 정렬되도록 변경 관리 계획서에 따라 프로젝트에 대한 변경을 관리한다. |
| Task 3 | 품질 관리 계획서에서 정의한 품질 기준에 따라 프로젝트 요구사항과 비즈니스 요구가 일치하도록 프로젝트의 인도물을 적절한 도구와 기법을 활용하여 검증한다. |
| Task 4 | 프로젝트에서 리스크의 영향과 기회를 관리하기 위해 프로젝트에서 리스크의 노출 수준이 변경되었는지 결정하고 대응전략이 효과적인지를 평가함으로써 리스크를 감시하고 측정한다. |

| Domain IV | 프로젝트 감시 및 통제 |
|---|---|
| Task 5 | 이슈가 프로젝트에 미치는 영향을 최소화하기 위해 적절한 도구와 기법을 통해 이슈 로그를 검토하고 필요시 이슈 로그를 수정하며 시정조치를 결정한다. |
| Task 6* | 지속적인 개선이 가능하도록 교훈 사항 관리 기법을 사용하여 교훈을 수집하고, 분석하며 관리한다. |
| Task 7* | 프로젝트 목적에 상응하는지 검증하기 위해 조달 관리 계획서에 따라 조달 활동들이 수행되는지 감시한다. |

## ● PMP® 시험 출제 영역(프로젝트 종료)

| Domain V | 프로젝트 종료 |
|---|---|
| Task 1 | 프로젝트 범위와 인도물들이 목표에 적합하게 완료되었는지 확인하기 위해 관련 이해관계자들로부터 프로젝트 인도물에 대한 공식적인 승인을 받는다. |
| Task 2 | 프로젝트 종료를 위해 프로젝트 계획에 따라 관련 이해관계자들에게 인도물의 소유권을 이전한다. |
| Task 3 | 프로젝트의 공식적인 종료를 통보하고 법적인 권리를 이전했음을 확인하기 위해 통상적인 절차에 따라 재무적, 법적 그리고 행정적 종료에 대해 이해관계자로부터 승인 받는다. |
| Task 4 | 프로젝트 평가를 위해 프로젝트 성과와 지원을 문서화하고 의사소통 관리 계획서에 따라 최종 프로젝트 보고서를 준비하고 공유한다. |
| Task 5 | 조직의 지식 기반을 현행화하기 위해 프로젝트 동안 작성된 교훈을 수집 및 분석하고 프로젝트 검토회의를 진행한다. |
| Task 6 | 미래의 유사한 프로젝트 혹은 감사에 대비하여 일반적으로 통용되는 방법과 절차대로 프로젝트 문서와 자료들을 보관한다. |
| Task 7 | 이해관계자들의 만족을 평가하기 위해 이해관계자 관리 계획서의 적절한 도구와 기법을 활용하여 관련 이해관계자로부터 피드백을 받는다. |

## ● 시험 화면

| 그림 1-1 | ◆ 시험 화면 예시 |
|---|---|

Hwan Seong Yong
Project Management
Professional(PMP)

7/200      3:48:43

다음 중 어떤 조직에서 프로젝트관리자가 프로젝트 팀에 대해 가장 큰 권한을 갖는가?

A. 기능조직
B. 약한 매트릭스 조직
C. 강한 매트릭스 조직
D. 프로젝트 전담조직

The organization structure that provides the project manager with the most authority over the project team is:

☐ A. Functional
☐ B. Weak matrix
☐ C. Strong matrix
☐ D. Projectized

| PREVIOUS | NEXT | Mark | REVIEW |
|---|---|---|---|
| | | | Calculator |

PMP® 인증 시험은 컴퓨터를 사용해 진행하는데, 시험시 제 2 언어를 한국으로 선택하면, 다음의 그림과 같이 모니터 화면에 영어와 한국어로 된 문제가 동시에 나타난다. 기본적으로 한국어를 보면서 문제를 풀되 영어 문제도 한번은 빠르게 읽어보는 것이 문제에 대한 정확한 이해를 바탕으로 정답을 선택하는데 도움이 된다.

다음은 화면에서 나타난 각 버튼들에 대한 설명이다.

◉ Previous : 이전 문제로 이동

◉ Next : 다음 문제로 이동

◉ Mark : 정확한 답을 모를 경우 체크

◉ Review : 200문제를 모두 푼 후 전체적으로 검토

◉ Calculator : 계산기

**그림 1-2** ◆ 시험 완료 전 화면

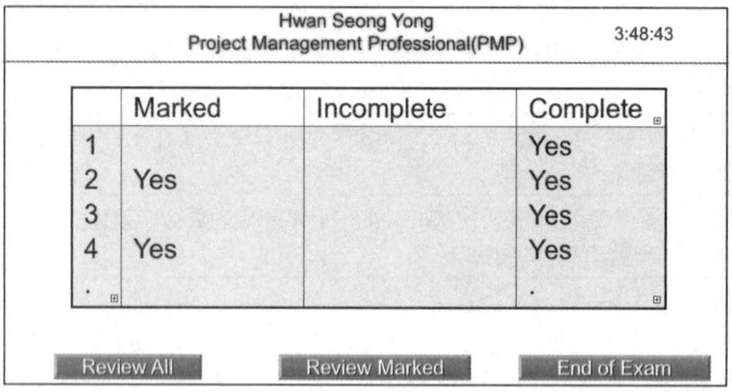

| | Hwan Seong Yong Project Management Professional(PMP) | | 3:48:43 |
|---|---|---|---|
| | Marked | Incomplete | Complete |
| 1 | | | Yes |
| 2 | Yes | | Yes |
| 3 | | | Yes |
| 4 | Yes | | Yes |
| . | | | . |

| Review All | Review Marked | End of Exam |
|---|---|---|

◉ Review All : 모든 문제를 처음부터 다시 검토하기

◉ Review Marked : Marked된 문제들만 다시 검토하기

◉ End of Exam : 모든 문제를 검토까지 마친 후 최종 제출

PMP® 시험의 200문제를 모두 풀었다면, 반드시 "**End of Exam**" 버튼을 클릭하여 시험이 완료되었음을 확인해야 한다.

## ● PMP® 자격 취득을 위한 Tip

### 1. 무조건 외우지 말고, 반복 학습을 통한 이해

많은 분들이 시험공부 전에 두꺼운 영문 PMBOK를 보고 미리 겁을 먹는다. 10개 지식 영역에 있는 모든 프로젝트 관리 프로세스의 투입물, 도구 및 기법, 및 산출물을 처음부터 달달 외는 것이 아니라 반복 학습을 통해 자연스럽게 이해되도록 하는 것이 중요하다. 적어도 영문 PMBOK를 2회 정도는 빠르게 읽어나간 후 1회 정도는 정독할 것을 추천한다.

### 2. 학습서는 1개로 수렴

많은 분들이 서점에 있는 PMP® 준비 서적들 중 무엇을 택할 것인지 고민한다. 현재 출시된 수험서들은 대부분 PMBOK를 기반으로 충실히 그 내용을 설명하고 있기 때문에 어느 것을 선택해도 무방하다. 다만, 학습을 하면서 중요한 내용들을 하나의 책으로 수렴하여 적어두고 지속적으로 반복해서 봐야 한다.

### 3. 프로젝트 지식 영역별 학습 후 프로젝트 생애주기별 학습으로 전환

PMBOK나 PMP 준비서적 모두 지식 영역 순서대로 설명을 하고 있다. 대략적인 내용이 파악이 되고 어느 영역에 어떤 내용들이 있는지 학습이 된 후라면, 지식영역 순서가 아닌 프로젝트 관리 생애주기별로 프로세스들을 연결하면서 학습하는 것을 추천한다.

### 4. 산출물에 대한 템플릿 확인

대부분의 학습자들이 산출물을 외우기만 하지 어떤 형식인지 혹은 어떤 항목들이 구체적으로 있는지 간과하고 넘어간다. 백문이 불여일견이다. PMBOK에서 이야기하는 산출물에 해당하는 사내 프로젝트 관련 문서를 참고하거나, 구글google에서 영어로 된 산출물명을 입력하면 공짜로 템플릿을 다운로드 할 수 있으니, 반드시 산출물을 확인해보자.

### 5. 자신만의 학습 패턴으로 공부하자

최근 PMP 시험을 준비하는 수험생들이 만든 인터넷 카페가 많아졌고, 이들 카페에 합격한 많은 분들이 자신의 합격 수기를 적어두었다. 그러나 합격 수기에 있는 학습 방법을 그대로 따라 하는 것도 좋지만, 본인의 생활패턴이나 자신만의 학습 방법에 맞게 공부하는 하는 것이 제일 좋다.

## 6. 나만의 용어로 학습

PMBOK은 프로젝트 관리의 전반적인 지식뿐만 아니라, 프로젝트 관리에서 사용하는 각종 용어를 학습할 수 있는 좋은 책이다. 다만, 수험생이 몸담고 있는 조직에서 사용하는 용어와 PMBOK에서 사용하는 용어가 다를 수 있다는 점에 유의하자.

## 7. 스마트 기기의 적극적인 활용

요즘은 누구나 스마트폰이나 태블릿 PC 등을 사용하고 있다. 스마트폰을 유용하게 활용하기 위해 학습한 내용을 자신만의 언어로 요약노트를 만들고, 특히 잘 외워지지 않는다거나 이해하기 어려운 부분을 스마트 폰에 수험생 본인의 음성으로 녹음을 한 후, 출퇴근길에 반복해서 듣는다면 더욱 빠르게 이해할 수 있을 것이다.

## ● PMI의 기타 자격제도

PMI에서는 PMP® 이외에도 다양한 인증 시험이 있다. 아래의 사항은 PMI에서 시행하고 있는 인증 시험에 대한 예시이다.

### 1. CAPM®(Certified Associate in Project Management)

프로젝트 관리에 대한 실무지식을 보유할 사람을 위한 인증

### 2. PMP®(Project Management Professional)

프로젝트를 진행하면서 나타날 수 있는 모든 사항을 책임질 수 있는 전문가를 위한 인증

### 3. PMI-SP®(PMI Scheduling Professional)

프로젝트 일정을 계획하고 관리하는 전문가를 위한 인증

### 4. PMI-RMP®(PMI Risk Management Professional)

프로젝트의 리스크 파악 및 평가 등 리스크 관리 전문가를 위한 인증

### 5. PMI-ACP®SM(PMI Agile Certified Practitioner)

폭포수 방법론과 애자일 방법론을 적절히 섞어 전문성을 향상하려는 전문가를 위한 인증

### 6. PMI-PBA®SM(PMI Professional in Business Analysis)

업무 분석을 체계적이고 전문적으로 하려고 하는 전문가를 위한 인증

### 7. PfMP®(Portfolio Management Professional)

조직의 목표를 달성하기 위한 포트폴리오를 관리하고자 하는 전문가를 위한 인증

### 8. PgMP®(Program Management Professional)

다수의 복잡한 프로젝트를 관리하여 조직의 전략적인 목표를 달성하고 하는 전문가를 위한 인증

그 외의 자세한 사항은 PMI 홈페이지나, PMI 한국챕터의 홈페이지 혹은 필자가 스텝으로 있는 "네이버의 PM 분야 전문 커뮤니티(http://cafe.naver.com/pmplicense)"를 참고하면 된다.

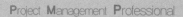
 참고자료

- http://en.wikipedia.org/wiki/Project_Management_Institute
- http://pmikorea.kr/wordpress/?page_id=76
- PMI, "Project Management Professional(PMP®) 자격 인증 안내서"
- http://www.pmi.org
- PMI, 2015 PMP Exam Change, http://www.brainshark.com/pmiorg/2015PMPExamChange
- PMI, "Talent Gap : Project Management through 2020", 2013

Chapter

02

# 프로젝트, 프로젝트 관리 및 프로젝트 관리자

학습목표

– 프로젝트와 프로젝트 관리가 무엇인지 이해한다.
– 프로젝트 관리, 프로그램 관리 및 포트폴리오 관리의 정의와 차이점을 이해한다.
– 프로젝트 관리와 운영관리 및 조직전략의 관계를 이해한다.
– 프로젝트 관리자의 역할을 이해한다.

본 장에서는 프로젝트와, 프로젝트 관리가 무엇인지 알아본다. 또한, 프로젝트 관리와 운영 관리는 어떤 차이점이 있는지 알아본다. 마지막으로 프로젝트를 성공적으로 완료해야 하는 프로젝트 관리자는 누구이며 어떤 역할을 하는지 알아본다.

## 2.1 프로젝트란?

PMBOK 5th는 프로젝트를 다음과 같이 정의하고 있다. "프로젝트는 독특하고 유일한 제품, 서비스 혹은 결과를 만들기 위해 수행하는 일시적인 노력(A Project is a temporary endeavor undertaken to create a unique product, service, or result)"이다.[1]

일시적(Temporary)이란 프로젝트의 기간이 짧다는 의미가 아니라 프로젝트는 착수일자와 종료일자가 명확하다는 것을 의미한다. 독특하고 유일하다(Unique)는 뜻은 프로젝트의 결과가 만질 수 있는 것이던 혹은 만질 수 없는 것이던 이 세상에서 하나밖에 없다는 것이다. 반면, 운영(ongoing work, business as usual)은 일반적으로 조직이나 기업의 정해진 절차에 따라 반복적으로 수행하는 프로세스이다.

프로젝트의 좋은 예로는 다음과 같은 것들이 있다.

- 놀이동산에서 고객에게 새롭게 선보일 놀이기구 제작
- 인터넷 쇼핑몰에서 고객의 주문 성향을 분석할 빅 데이터 시스템 구축
- 신규로 수주한 LNG 선박의 제작
- 특정 지역에 신도시 건설
- 시민들의 편의를 위한 새로운 노선의 지하철 공사
- 신약 제조를 위한 연구

따라서 프로젝트의 결과물은 기존 제품이나 서비스를 강화하거나 전혀 새로운 제품 혹은 서비스의 제공이 될 수 있다. 연구 프로젝트의 경우에는 연구 결과 자체가 프로젝트의 결과물이 되거나 결과 보고서 혹은 연구보고서 등의 문서가 최종 결과물이 될 수 있다.

---

1 PMI, PMBOK 5th Edition, p.3.

## 2.2 프로젝트 관리란?

프로젝트 관리(Project Management)란 PMBOK 5th의 원문으로는 "Project Management is the application of knowledge, skills, tools, and techniques to project activities to meet the project requirements.[6]"이다. 우리말로 풀이하면 "프로젝트의 요구사항을 만족시키기 위해 필요한 모든 지식, 기술, 도구 및 기법들을 프로젝트 활동에 적용하는 것이다."로 풀이할 수 있다.

PMBOK 5th에서는 5개의 프로젝트 관리 생명주기(Project Management Life Cycle)와 10개의 프로젝트 관리 지식 영역 및 47개 프로세스를 제시하고 있다.

---

**Tips**

**프로젝트 관리 프로세스 그룹과 지식영역**

- 프로젝트 관리 프로세스 그룹은 5개로 이루어져 있다.
  ① 착수(Initiating)  ② 계획(Planning)
  ③ 실행(Executing)  ④ 감시 및 통제(Monitoring and Controlling)
  ⑤ 종료(Closing)

- 프로젝트 관리 지식 영역은 10개로 구성되어 있다.
  ① 통합 관리(Integration)  ② 범위 관리(Scope)
  ③ 일정 관리(Time)  ④ 원가 관리(Cost)
  ⑤ 품질 관리(Quality)  ⑥ 인적자원 관리(Human Resource)
  ⑦ 의사소통 관리(Communication)  ⑧ 리스크 관리(Risk)
  ⑨ 조달 관리(Procurement)  ⑩ 이해관계자 관리(Stakeholder)

---

## 2.3 프로그램 관리(Program Management)

프로그램Program은 관련된 다수의 프로젝트들이나 하부 프로그램들이 결합된 그룹으로써 개별적으로 관리할 경우 얻을 수 없는 혜택과 통제 효과를 얻기 위한 통합 관리 방식을 말한다. 즉, 여러 프로젝트들을 하나의 프로그램 내에 두어 관리함으로써 각 프로젝트들이 프로그램이 계획한 일관성(Consistency)을 갖도록 한다.

프로그램 관리는 서로 다른 프로젝트들 간 상호 의존성에 초점을 두고, 프로젝트들 간에 발생하는 자원 제약사항이나 갈등들을 프로그램이라는 보다 큰 차원에서 해결하고자 노력하는

---

2 PMI, PMBOK 5th Edition, p.5.

것이다. 이때, 의사결정을 위한 근거는 프로젝트나 프로그램의 목표와 목적에 영향을 주는 조직의 방향이나 전략 방향이다.

그림 2-1 ◆ 프로그램 관리의 구성 예시

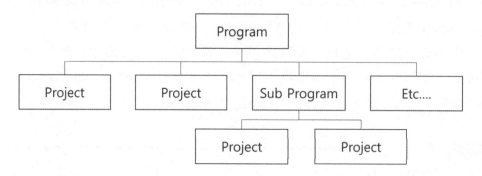

## 2.4 포트폴리오 관리(Portfolio Management)

포트폴리오Portfolio는 전략적 사업 목표 달성을 위해 프로젝트, 프로그램, 하위 포트폴리오 및 운영을 하나로 통합한 개념이다. 포트폴리오 관리는 조직의 전략적 목표를 달성하기 위해 하나 혹은 그 이상의 포트폴리오를 중앙에서 관리하여 프로젝트와 프로그램을 지속적으로 검토하면서 자원 할당에 대한 우선순위를 결정하고 전략의 일관성을 유지한다.

그림 2-2 ◆ 프로그램 관리의 구성 예시

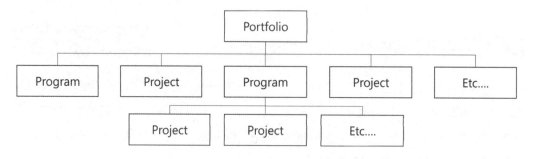

## 2.5 Project Management Office

PMO(프로젝트 관리 오피스, 사업관리 조직)은 프로젝트 관련 거버넌스 프로세스를 표준화하고

자원, 방법론, 도구, 기법 등을 조직내에 공유하고 촉진시키기 위한 관리 조직이다. PMO의 역할은 프로젝트 관리 지원 기능부터 프로젝트를 직접 관리하는 것까지 다양하다. PMBOK 5th에서 정의한 PMO의 유형은 다음과 같다.[3]

표 2-1 ◀ ❯ PMO의 구분에 따른 역할3

| 구분 | 주요 역할 | 통제력 |
|---|---|---|
| 지원형<br>(Supportive) | −컨설팅 역할<br>−템플릿 제공, 모범 관행, 훈련, 다른 프로젝트로부터의 정보/교훈사항 제공<br>−프로젝트 저장소 역할 | 낮음 |
| 통제형<br>(Controlling) | −다양한 방법을 통해 프로젝트 거버넌스(템플릿, 절차, 도구, 및 기법 등)에 대한 준수 요구<br>−프로젝트 성과 보고 | 중간 |
| 지시형<br>(Directive) | −프로젝트에 대한 의사결정에 참여<br>−프로젝트를 직접 관리하고 통제 및 지휘<br>−프로젝트 투입자원, 비용에 대한 감시 및 통제 | 높음 |

PMO는 적용 가능한 다양한 방법을 활용하여 프로젝트 관리자를 지원한다. PMO의 주요 기능은 다음과 같다.

◉ PMO가 관리하고 지원하는 프로젝트, 프로그램, 포트폴리오 등에 전반적인 자원 관리
◉ 프로젝트 관리 방법론, 모범 사례, 프로젝트 관리 표준의 식별 및 개발
◉ 프로젝트 관리자, 프로젝트 팀원, 이해관계자 등에 대한 교육 및 훈련
◉ 프로젝트 감사(Audit)를 통해 프로젝트 관리 표준, 정책, 절차 및 템플릿의 준수 여부 감시
◉ 프로젝트 정책, 절차, 템플릿 및 기타 공유 문서에 대한 작성 및 관리

프로젝트 관리자와 PMO는 궁극적으로 조직의 전략적 요구사항을 만족시키고 완료해야 한다는 목적에서는 같다. 그러나 이 둘 간에는 약간의 차이가 있다.

표 2-2 ◀ ❯ 프로젝트 관리자와 PMO의 차이

| 프로젝트 관리자 | PMO |
|---|---|
| 하나의 정해진 프로젝트 목표 달성에 집중 | 비즈니스 목표 달성에 집중 |
| 프로젝트 자원의 통제 | 프로젝트 간 공유된 자원의 활용 극대화 |
| 개별 프로젝트의 범위, 일정, 원가, 품질 등을 관리 | 전체 프로젝트 간의 프로젝트 관리 방법론, 표준, 리스크 및 기회, 지표 및 상호 의존성 관리 |

---

3 PMI, PMBOK 5th Edition, p.11

Project Management Professional

## 2.6 프로젝트 관리와 운영관리

운영(Operation)은 특정 활동을 수행하도록 할당된 자원이 산출물을 반복적으로 생산하는 지속적인 노력이다. 조직은 프로젝트만 하는 것이 아니라 기존에 생산한 서비스나 시스템을 유지하기도 한다. 전략적인 결정에 의해 프로젝트에서 만든 결과물을 운영에서는 유지하고 효율화한다. 예를 들어, 지금까지 직원들이 사용한 비용의 전표 처리를 수작업으로 하였다. 사장님께서 새로운 회계시스템 구축 프로젝트를 승인하여 앞으로 비용에 대한 전표 처리를 컴퓨터 시스템을 통해 입력하게 되었다고 하자.

분명한 것은 회계 시스템을 구축한 것 자체는 회계시스템 구축 프로젝트를 통해 인도물인 "회계 정보시스템"을 만들었다. 그 후에 모든 직원들이 프로젝트를 수행하면서 발생한 비용을 회계 시스템에서 처리하도록 한 것과 회계시스템의 유지보수는 운영 관리가 된다.

## 2.7 비즈니스 가치(Business Value)

비즈니스 가치는 사업의 전체적인 가치를 의미하는 용어이다. 따라서 비즈니스 가치는 조직 혹은 기업이 가지고 있는 유형/무형의 모든 요소를 합한 것과 같고, 경제적인 가치와 비경제적인 가치를 모두 합한 것이다.

비즈니스 가치는 효율적인 사업의 운영(ongoing operations)을 통해 만들어질 수도 있지만, 기업의 전략 실행 도구인 프로젝트, 프로그램 및 포트폴리오를 통해서도 생성될 수 있다. 즉, 비즈니스 가치 극대화를 위한 전략을 수립하고, 전략을 달성하기 위한 프로젝트를 완수함으로써 비즈니스 가치를 얻을 수 있다.

표 2-3 ◖ ◗ 비즈니스 가치의 종류

| 구분 | 내용 |
|---|---|
| 주주 가치 | 주식을 가지고 있는 주주의 가치를 극대화하는 것으로 주가나 이율, 주식의 시가총액, 배당의 가치를 말함 |
| 고객 가치 | 제품이나 서비스 자체가 아니라 그것을 통해 얻고자 하는 궁극적인 '만족'을 말함 |
| 직원의 지식 | 직원들 자체와 그들의 지식은 가장 저평가되어 있는 것들 중에 하나임 |
| 채널 파트너 가치 | 기업은 파트너들과의 관계 향상을 통해 비즈니스 가치가 상승함 |
| 공급자 가치 | 우수한 공급자들을 선택함으로써 비즈니스 가치를 향상시킬 수 있음 |
| 관리적 가치 | 경영자와 직원 간 상호 존중과 원활한 의사소통을 통해 기업의 관리가 제대로 이루어짐으로써 비즈니스 가치가 향상됨 |
| 사회적 가치 | 기업의 사회에 대한 윤리적인 경영으로써 병원건립, 자선, 야생동물 보호 등의 사회적인 활동들을 통해 비즈니스 가치를 향상시킬 수 있음 |

이러한 비즈니스 가치는 크게 주주 가치(Shareholder Value), 고객 가치(Customer Value), 직원의 지식(Employee Knowledge), 채널 파트너 가치(Channel Partner Value), 공급자 가치(Supplier Value), 관리적 가치(Managerial Value), 사회적 가치(Societal Value)[4]가 있다.

## 2.8 프로젝트 관리자의 역할과 역량

프로젝트 관리자(Project Manager)는 프로젝트 목표를 달성하기 위해 프로젝트의 성공을 책임지는 사람이다. 따라서 프로젝트 관리자는 기능 관리자(Functional Manager)나 운영 관리자(Operations Manager)와 구별된다.

**표 2-4 ◖ ◗ 기능, 운영 및 프로젝트 관리자의 차이점**

| 구분 | 내용 |
| --- | --- |
| 기능 관리자 | 생산 부서, 마케팅 부서, 영업 부서, 재무 부서와 같이 조직의 개별 기능부서의 관리·감독을 책임짐 |
| 운영 관리자 | 조직의 비즈니스 운영 효율을 유지하고 책임짐 |
| 프로젝트 관리자 | 조직의 다양한 요구에 의해 비즈니스 가치를 창출할 프로젝트의 완료를 책임짐. 프로젝트 목표 달성의 책임이 있는 자로서 수행 조직에서 선임하는 사람임 |

일반적으로 프로젝트 관리자는 조직의 전략과 프로젝트(팀)의 가교架橋 역할을 한다. 따라서 프로젝트 관리자의 선정은 조직의 생존에 매우 중요한 인물이다. 많은 조직에서 프로젝트 관리자 선정을 위해 부단한 노력을 하지만 프로젝트에 적합한 인물을 선정하기보다는 단순히 사회 경력이 많다거나 직급이 높은 사람들을 선정함으로써 프로젝트에서 실패하는 사례도 많다. 따라서 프로젝트 관리자의 경험, 지식, 및 과거 프로젝트 성과와 인성까지도 살펴보아야 한다.

훌륭한 경험과 지식을 보유한 프로젝트 관리자도 그와 맞지 않는 프로젝트를 맡는다면 프로젝트를 성공시키는데 무척 애를 먹거나 실패할 수 있다. 따라서 프로젝트 관리자의 역량, 지식, 경험, 과거 성과와 프로젝트의 유형이 잘 맞아야 프로젝트의 성공률이 높아질 것이다. 다음은 프로젝트 관리자가 갖추어야 할 역량의 일부이다.

◉ **지식** : 기업이나 본인이 속한 산업 및 프로젝트 관리에 대해 보유하고 있는 정보와 지식
◉ **성과** : 프로관리 지식을 통해 일정 수준의 성과를 달성한 정도
◉ **인성** : 리더십, 업무 태도, 개성 등 프로젝트 목표 달성을 위한 관련 활동 수행시의 행동

---

**4** https://en.wikipedia.org/wiki/Business_value

양식

프로젝트 관리자는 혼자 일하는 것이 아니라 프로젝트 팀, 고객을 포함한 이해관계자들과의 협업을 통해 프로젝트를 완수한다. 즉, 프로젝트는 기계가 하는 것이 아니라, 사람들이 함께 모여 하는 것이다.

따라서 그들과 함께 협업하기 위한 다양한 대인관계 기술을 습득하고 적용해야 한다. 일반적으로 프로젝트 관리 지식을 쌓는 것은 하드스킬Hard Skill로써 서점에서 책을 구매하여 독학하여도 단기간에 이해할 수 있다. 그러나 대인관계 기술이나 갈등관리 등의 다양한 소프트 스킬Soft Skill은 책을 읽는다고 단기간에 배울 수 있는 것이 아니다. 다음은 프로젝트 관리자가 보유해야 할 대인관계 기술의 사례이다.

**표 2-5 ← → 프로젝트 관리자가 보유해야 할 대인관계 기술 예시**

| 대인관계 기술 | 내용 |
|---|---|
| 리더십(Leadership) | −공통의 목표를 위해 팀원들을 역량을 집중시키는 것<br>−위압이나 복종이 아닌 존경과 신뢰를 통해 리더십 발휘<br>−프로젝트 착수단계부터 매우 중요한 역할을 함 |
| 팀 구축(Team Building) | 공동의 목적을 가진 사람들로 구성된 팀 간, 팀원 간은 물론이고, 리더, 외부 이해관계자, 조직 등과 협력하도록 하는 것 |
| 동기부여(Motivation) | 프로젝트 목표를 달성할 수 있는 환경을 조성하고, 팀원들의 직무 만족도를 높임으로써 프로젝트를 성공시키도록 성과에 대한 보상과 인징을 하는 것 |
| 의사소통(Communication) | 팀원, 고객, 이해관계자, 및 스폰서 등과 프로젝트에 대한 다양한 이슈, 성과보고 등을 통해 문제를 해결하며, 상호간에 신뢰를 쌓는 기술 |
| 감화(Influencing) | 공동의 목표를 향한 노력을 도출하기 위해 직권을 공유하고 대인관계 기법을 적용하는 기술 |
| 의사결정<br>(Decision making) | −명령, 상담, 합의, 임의적인 방법을 통해 특정 문제에 대해 해결책을 제시하는 기술<br>−문제정의 → 문제 해결책 도출 → 해결책 구현 계획 → 해결책 평가 계획 → 성과 및 프로세스 평가 |
| 정치 및 문화에 대한 이해<br>(Political & Cultural<br>Awareness) | −프로젝트를 둘러싼 이해관계자들 간의 정치적인 환경의 이해<br>−프로젝트에 참여하는 사람들의 규범, 배경 및 이해사항 등의 다양성을 이해하는 기술 |
| 협상(Negotiation) | 이해가 같거나 상충하는 상대와 타협 또는 합의 도달을 기대하며 협의하는 전략 |
| 신뢰 구축(Trust Building) | 프로젝트 관리자와 프로젝트 팀, 이해관계자간의 신뢰를 구축하는 역량 |
| 갈등 관리<br>(Conflict Management) | 프로젝트에서 필수적으로 발생하는 갈등을 적극적으로 관리하여 부정적인 영향을 최소화하는 역량 |
| 코칭(Coaching) | 프로젝트 팀의 역량을 배양하고 성과를 개선하는 역량 |

 위의 내용은 PMBOK 5th의 부록 X3(p.513~p.519)에 자세히 설명되어 있다. 또한, 추가적으로 프로젝트 관리자의 역량 개발에 대해 궁금한 분들은 다음의 서적을 참고하면 좋다.
* Project Manager Competency Development (PMCD) Framework 2nd Edition, PMI, 2007
* IPMA Competence Baseline (ICB) Version 3.0, IPMA, 2006

**전사적 프로젝트 관리**(OPM, Organizaitonal Project Management)

폴 딘스모어Paul C. Dinsmore는 전사적 프로젝트 관리를 조직의 목표가 서로 연관을 갖는 다수의 프로젝트에 의하여 달성될 수 있다는 원칙에 기반을 둔 조직적 경영 철학으로 정의했다.[5]

전사적 프로젝트 관리는 "프로젝트 경영"의 개념으로 1990년대부터 등장했다. 많은 기업들이 프로젝트를 추진하거나 프로젝트 조직구조로 변화하고 있으며 고객의 입장에서 다양한 가치 제공과 생산성, 효율성을 추구하기 위한 프레임워크라고 이해하면 된다.

PMI는 OPM을 포트폴리오, 프로그램 및 프로젝트 관리뿐만 아니라 조직 내의 모범적인 실무관행을 활용하여 조직의 전략이 보다 더 좋은 성과, 보다 더 좋은 결과 그리고 지속적인 경쟁력을 유지하기 위한 전략 실행의 프레임워크로 정의하고 있다. OPM은 다음의 것들을 통합한다.[6]

* 지식(포트폴리오, 프로그램 및 프로젝트 관리)
* 조직의 전략(미션, 비전, 목적, 목표)
* 사람(경쟁력 있는 자원)
* 프로세스(프로세스 개선의 적용)

**그림 2-3** ◆ 조직의 전략과 OPM간의 관계[7]

그림에서 보는 바와 같이 조직의 비전으로부터 시작해서 미션 및 조직의 전략과 목표를 달성하는 수단으로 포트폴리오, 프로그램, 및 프로젝트를 성공시키기 위한 다양한 지식, 기술, 도구 및 기법 등을 적용하는 것이 전사적 프로젝트 관리라고 볼 수 있다.

---

5 Dinsmore, P. C.(1999). Winning in Business with Enterprise Project Management. AMACOM Div American Mgmt Assn.

6 Project Management Institute.(2013). Organizational Project Management Maturity Model(OPM3). Project Management Institute.

7 PMI, Organizational Project Management Maturity Model 3rd Edition, p.4.

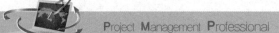
이와 같은 것을 현실화하기 위해서는 조직이 자신들의 포트폴리오, 프로그램 및 프로젝트 관리에 대한 현재 상태를 파악하는 것이 급선무이다. 따라서 PMI에서는 2013년에 전사적 프로젝트 관리 성숙도 모델(OPM3, Organizational Project Management Maturity Model)의 세 번째 판을 내놓으면서 내용을 많이 정비하였다.

PMI의 OPM3는 포트폴리오, 프로그램, 및 프로젝트 관리를 명확하게 전략과 연결시킴으로써 조직의 프로젝트 관리 능력을 향상시키는 것을 목표로 하고 있다. 특히, OPM3는 이해관계자의 참여, 프로젝트에 대한 예측, 일정관리 등의 다양한 프로젝트 관리의 기법들을 조직 구성원들이 효율적으로 사용하고 이를 통해 전략을 실현하여 경쟁력을 지속적으로 유지하는 방법을 제공하고 있다.

**01** 다음 중 프로젝트의 특징이 아닌 것은?

① 독특하고 고유한 결과물 혹은 제품을 생산한다.
② 부여된 시간이 한시적이다.
③ 정해진 인도물을 생산하기 위해 자원이나 원가가 정해져 있다.
④ 프로젝트의 결과물을 운영하기 위한 지속적인 노력을 투입한다.

**02** 다음 중 프로젝트가 아닌 것은?

① 신규로 수주한 LNG선의 제작
② 운영 중인 회계 시스템의 주기적인 성능 점검
③ 시민들의 편의를 위한 새로운 노선의 지하철 공사
④ 신약 제조를 위한 연구

**03** 다음 중 프로그램 관리를 잘 설명한 것은?

① 다수의 프로젝트들이나 하부 프로그램들이 결합된 그룹으로써 개별적으로 관리할 경우 얻을 수 없는 혜택과 통제 효과를 얻기 위한 통합 관리 방식
② 프로젝트의 인도물을 관리 가능한 요소로 분해한 것
③ 전략적 사업 목표 달성을 위해 프로젝트, 프로그램, 하위 포트폴리오 및 운영을 하나로 통합한 개념
④ 프로젝트 관련 거버넌스 프로세스를 표준화하고 자원, 방법론, 도구, 기법 등을 조직내에 공유하고 촉진시키기 위한 관리 조직

**04** 다음 중 PMO의 역할이 아닌 것은?

① 프로젝트의 표준 수립
② 프로젝트의 템플릿, 모범 관행 제공
③ 프로젝트 관리자에게 조언
④ 경영의 의사결정 참여

**05** 다음 중 PMO의 유형이 아닌 것은?

① 지원형
② 통제형
③ 지시형
④ 감시형

**06** 프로젝트 관리자의 역할로 가장 거리가 먼 것은?

① 공통의 목표를 위해 팀원들의 역량을 집중
② 고객과의 협상에서 프로젝트 팀의 이익을 위해 끝까지 주장을 관철시킴
③ 조직의 전략과 프로젝트 간의 가교 역할
④ 프로젝트를 성공시키기 위해 모든 이해관계자와 의사소통

**07** 다음 중 포트폴리오에 대한 설명 중 잘못된 것은?

① 전략적 사업 목표 달성을 위해 프로젝트, 프로그램, 하위 포트폴리오 및 운영을 하나로 통합한 개념
② 프로젝트와 프로그램을 검토하여 자원 할당 우선순위를 결정하고 일관성을 유지
③ 프로젝트나 프로그램들이 서로 의존관계에 있거나 직접 연관될 필요는 없음.
④ 포트폴리오에 속한 개별 프로젝트의 범위를 벗어나는 관련 작업 요소는 포트폴리오에 포함될 수 없다.

**08** 다음 중 기능 관리자에 대한 설명으로 맞는 것은?

① 생산 부서, 마케팅 부서, 영업 부서, 재무부서와 같이 조직의 개별 기능부서의 관리·감독을 책임짐
② 조직의 전략과 프로젝트 팀간의 가교 역할을 한다.
③ 조직의 다양한 요구에 의해 비즈니스 가치를 창출할 프로젝트의 완료를 책임짐.
④ 프로젝트 관련 거버넌스 프로세스를 표준화하고 자원, 방법론, 도구, 기법 등을 조직내에 공유하고 촉진을 책임짐.

**09** 다음 중 비즈니스 가치에 대한 설명 중 잘못된 것은?

① 사업의 전체적인 가치를 의미하는 용어
② 조직 혹은 기업이 가지고 있는 유형/무형의 모든 요소를 합한 것
③ 경제적인 가치와 비경제적인 가치를 모두 합한 것
④ 비즈니스 가치는 재무적 숫자만으로 평가할 수 있다.

**10** 프로젝트 관리의 특징에 대한 설명 중 잘못된 것은?

① 프로젝트 관리의 모든 프로세스는 한번만 수행하면 된다.
② 프로젝트의 요구사항을 만족시키기 위해 필요한 모든 지식, 기술, 도구 및 기법들을 프로젝트 활동에 적용하는 것
③ 5가지 프로세스 그룹(착수, 기획, 실행, 감시 및 통제, 종료)로 구성된다.
④ 프로젝트 관리의 모든 지식 영역과 프로세스는 상호 연관이 있다.

해설

**01** ④는 운영 관리의 특징이다.

**02** ②는 운영(Operation)의 예이다.

**03** 프로그램 관리는 다수의 프로젝트들이나 하부 프로그램들이 결합된 그룹으로써 개별적으로 관리할 경우 얻을 수 없는 혜택과 통제 효과를 얻기 위한 통합 관리 방식이다.

**04** 경영의 의사결정은 경영자들이 수행한다.

**05** PMO의 유형은 지원형, 통제형 및 지시형이 있다.

**06** 프로젝트 팀의 이익보다는 고객의 만족을 위해 정해진 프로세스를 따라 의사소통과 변경통제를 해야 한다.

**07** 포트폴리오에 속한 개별 프로젝트의 범위를 벗어나는 관련 작업 요소는 포트폴리오에 포함될 수 있다.

**08** 기능 관리자는 생산 부서, 마케팅 부서, 영업 부서, 재무 부서와 같이 조직의 개별 기능부서의 관리·감독을 책임진다.

**09** 비즈니스 가치는 조직의 매출이나 이익 등의 숫자만으로 평가할 수 없다.

**10** 프로젝트 관리 프로세스는 지속적이고 반복적으로 수행된다.

**정답**  01.④  02.②  03.①  04.④  05.④  06.②  07.④  08.①  09.④  10.①

 참고자료

- PMI, PMBOK 5th Edition.
- https://en.wikipedia.org/wiki/Business_value
- Project Manager Competency Development (PMCD) Framework 2nd Edition, PMI, 2007
- IPMA Competence Baseline (ICB) Version 3.0, IPMA, 2006
- Dinsmore, P. C.(1999). Winning in Business with Enterprise Project Management. AMACOM Div American Mgmt Assn.
- PMI, Organizational Project Management Maturity Model 3rd Edition

# 프로젝트 생애주기와 조직

학습목표

– 프로젝트 생애주기(Project Life Cycle) 와 제품생애주기의 차이를 이해한다.
– 프로젝트에 영향을 주거나 받는 이해관계자들의 종류와 역할을 이해한다.
– 프로젝트 수행에 큰 영향을 주는 프로젝트 조직구조를 이해한다.

프로젝트는 프로젝트 관리자와 이해관계자들이 모여 독특하고 유일한 결과물을 만들어낸다. 따라서 프로젝트에 참여한 모든 사람들 간의 의사소통은 매우 중요하다. 그러나 조직의 문화와 구조는 사람들이 의사소통하는 방식에 큰 영향을 준다. 따라서 프로젝트 관리자는 조직의 문화와 구조에 대한 이해가 필요하다. 특히, 글로벌한 프로젝트를 수행해야 한다면, 각 국가의 독특한 문화까지도 이해해야 한다. 이러한 다양한 요인들을 프로젝트 관리 방법론에서는 조직 프로세스 자산(OPA, Organizational Process Assets) 혹은 기업 환경 요인(EEF, Enterprise Environmental Factors)이라는 용어로 사용하고 있다.

프로젝트 관리자는 다양한 사람들과 의사소통해야 하는데, 그중에서도 프로젝트에 영향을 주거나 영향을 받는 이해관계자들을 파악하여 그들의 특성과 프로젝트에 대한 기대사항들을 분석해야 한다. 본 장에서는 이해관계자들의 분류에 대해서 알아보고 이해해관계자에 대한 상세한 내용은 13장 프로젝트 이해관계자 관리에서 학습하도록 한다.

## 3.1 조직 구조

조직구조는 프로젝트의 성공과 실패에 영향을 주는 기업 환경 요인(Enterprise Environmental Factors, EEF)이다. 프로젝트 조직은 일반적으로 기능 조직, 매트릭스 조직, 프로젝트 전담조직으로 구분한다.

### 3.1.1 기능 조직(Functional Organization)

기능 조직은 생산, 마케팅, 회계, 영업과 같은 전문 영역에 따라 구분된 부서를 말한다. 각 팀원들은 이 기능 조직에 속하며, 기능 부서장(Functional Manager)의 통제를 받는다.

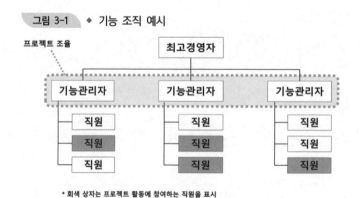

**그림 3-1** ◆ 기능 조직 예시

* 회색 상자는 프로젝트 활동에 참여하는 직원을 표시

기능조직은 조직 내에서 명시적으로 프로젝트 관리자는 없지만 내부적으로 기능 관리자에게 속한 직원이 프로젝트 관리자의 역할을 암묵적으로 수행한다. 프로젝트를 기능 부서장들이 조율하며, 직원들은 기능 부서장의 지시를 받아 최소한의 지원을 하는 형태의 조직이다. 일반적으로 이런 구조에서는 큰 프로젝트 수행은 불가능하고 기존 프로젝트의 일부 변경이나 중요하지 않은 소규모 프로젝트 수행에 적합한 구조이다. 기능 조직의 각 부서는 다른 부서와 독립적으로 프로젝트 작업을 수행하며, 각 팀원들은 기능 부서장에게만 보고하면 된다.

### 3.1.2 약한 매트릭스 조직(Weak Matrix Organization)

약한 매트릭스는 기능 조직의 특성을 많이 가지고 있다. 따라서 프로젝트 관리자가 조직상에 나타나지 않는 대신 프로젝트 촉진자(Expeditor)나 조정자(Coordinator)의 역할이 나타난다. 약한 매트릭스 조직에서도 팀원들은 기능 부서장에게 보고해야 한다.

그림 3-2 ◆ 약한 매트릭스 조직 예시

```
                        ┌──────────┐
                        │ 최고경영자 │ ┄┄┄┄┄┄┄┄┄┄ 조정자(Coordinator)
                        └──────────┘
          ┌───────────────┼───────────────┐
     ┌─────────┐     ┌─────────┐     ┌─────────┐
     │ 기능관리자 │     │ 기능관리자 │     │ 기능관리자 │
     └─────────┘     └─────────┘     └─────────┘
        │ ┌──────┐      │ ┌──────┐      │ ┌──────┐
        ├─│ 직원 │      ├─│ 직원 │      ├─│ 직원 │
        │ └──────┘      │ └──────┘      │ └──────┘
        │ ┌──────┐      │ ┌──────┐      │ ┌──────┐
        ├─│ 직원 │      ├─│ 직원 │      ├─│ 직원 │
        │ └──────┘      │ └──────┘      │ └──────┘
        │ ┌──────┐      │ ┌──────┐      │ ┌──────┐
        └─│ 직원 │      └─│ 직원 │      └─│ 직원 │
          └──────┘        └──────┘        └──────┘
```

\* 회색 상자는 프로젝트 활동에 참여하는 직원을 표시          프로젝트 조율 (촉진자, Expeditor)

---

**Tips**

**Project Expeditor와 Project Coordinator의 차이**

- **Project Expeditor(프로젝트 촉진자)**
  의사결정 권한이 없으며 프로젝트 팀원들을 지원해주고 팀원들의 의사소통을 조정하는 역할을 한다.

- **Project Coordinator(프로젝트 조정자)**
  의사결정에 대한 권한이 있으며, 상위 수준의 관리자에게 보고하기도 한다. 조직 구조상에서 보면 조정자인 coordinator는 조직의 상단에서 조정을 하기 때문에 어느 정도 의사결정 권한이 있을 수 있고, 촉진자의 경우에는 직원(팀원)들 간의 의견 조율을 하기 때문에 의사결정보다는 지원이나 조정의 역할을 한다.

### 3.1.3 균형 매트릭스 조직(Balanced Matrix Organization)

균형 매트릭스 조직은 프로젝트 관리자가 공식적으로 나타나긴 하지만, 프로젝트에 대한 권한이나 예산에 대한 사용권한은 기능 부서장이 가진다. 아래의 그림과 같이 프로젝트 관리자는 여전히 기능부서의 직원(팀원)으로 존재하고 있다. 직원들은 기능부서장과 프로젝트 관리자에게 이중 보고해야 하는 문제를 가지고 있으나, 회사 입장에서는 자원의 극대화라는 장점이 있다.

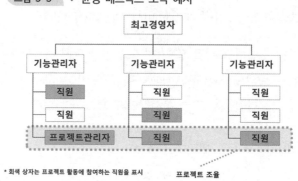

그림 3-3 ◆ 균형 매트릭스 조직 예시

### 3.1.4 강한 매트릭스 조직(Strong Matrix Organization)

강한 매트릭스 조직은 프로젝트화 된 조직의 특성을 많이 가지며, 상당한 권한을 가진 전담 프로젝트 관리자와 프로젝트 행정업무를 전담하는 직원을 가질 수 있다. 비로소 프로젝트 관리자가 권한을 제대로 발휘할 수 있도록 프로젝트 관리 조직이 별도로 나타났다. 그러나 여전히 직원들은 기능 부서장의 소속으로 있다.

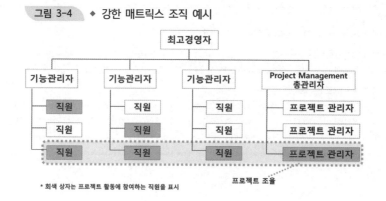

그림 3-4 ◆ 강한 매트릭스 조직 예시

### 3.1.5 프로젝트 전담 조직(Projectized Organization)

프로젝트 전담 조직은 오직 하나의 프로젝트를 위한 조직으로 구성된다. 프로젝트 전담 조직에는 팀원들이 할당되고, 조직 자원의 대부분이 프로젝트 활동에 투입되며, 프로젝트 관리자가 자원사용 및 예산 사용에 있어 많은 독립성과 권한을 행사한다. 프로젝트 전담 조직에서는 직원들이 프로젝트 관리자에게 직접 보고하거나 여러 프로젝트에 지원 서비스를 제공할 수 있다. 일반적으로 복합하거나 전문성이 필요한 프로젝트는 이런 조직구조로 대응한다. 프로젝트가 종료될 때는 팀 해체에 따른 인력의 이동배치 등의 문제가 있으므로 각 프로젝트 관리자는 기능 부서장들과 긴밀한 관계를 유지하고 팀원들의 재배치가 적절히 이루어지도록 배려해야 한다.

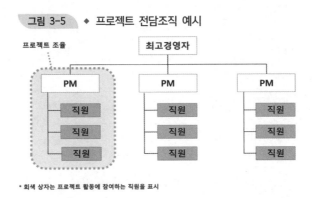

그림 3-5 ◆ 프로젝트 전담조직 예시

### 3.1.6 복합 조직(Composite Organization)

최근 조직의 구조는 여러 조직 구조를 혼합하여 구성하기도 한다. 그림에서 보듯이 많은 조직은 다양한 수준에서 모든 구조를 포함하기도 한다.

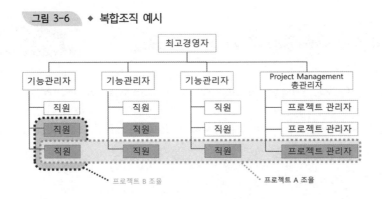

그림 3-6 ◆ 복합조직 예시

아래 표는 프로젝트에 미치는 조직 구조와 프로젝트 관리자간의 관계를 정리하였다. 프로젝트 관리자는 균형 매트릭스 조직에서부터 전임제로 일을 하며, 강한 매트릭스 조직부터는 프로젝트 관리자가 보통 이상의 권한을 갖는다. 따라서 조직에서는 프로젝트 중요성과 특성에 따라 어떤 조직으로 프로젝트를 진행할 것지를 결정하고, 프로젝트 관리자에게 어느 정도의 권한을(자원사용권/예산사용권) 부여할 것인가 결정해야 한다.

**표 3-1 ❪ ❫ 각 조직별 비교**

| 조직 구조<br><br>프로젝트 특성 | 기능조직 | 매트릭스 조직 | | | 프로젝트<br>전담 조직 |
|---|---|---|---|---|---|
| | | 약한 매트릭스 | 균형 매트릭스 | 강한 매트릭스 | |
| 프로젝트<br>관리자 권한 | 적거나 없음 | 낮음 | 낮음, 보통 | 보통, 높음 | 높음, 거의 전체 |
| 자원 가용성 | 적거나 없음 | 낮음 | 낮음, 보통 | 보통, 높음 | 높음, 거의 전체 |
| 프로젝트<br>예산 통제자 | 기능 관리자 | 기능 관리자 | 혼합형 | 프로젝트 관리자 | 프로젝트 관리자 |
| 프로젝트<br>관리자 역할 | 시간제 | 시간제 | 전임제 | 전임제 | 전임제 |
| 프로젝트 관리<br>행정 담당자 | 시간제 | 시간제 | 시간제 | 전임제 | 전임제 |

주의해야 할 것은 앞서 이야기했지만 기능조직이라고 해서 프로젝트 관리자가 아예 없는 것이 아니라 현장의 업무를 하면서 동시에 프로젝트 관리자의 역할을 수행하고 있다고 생각해야 한다. 또한, 기능조직 하에서의 프로젝트 관리자는 그 권한이 적거나 아예 없다고 보는 것이 맞다.

특히, 최근 시험 트렌드를 봤을 때 다양한 상황문제에서 조직 구조를 반드시 고려하여 답을 선택해야 한다.

## 3.2 조직 프로세스 자산과 기업 환경 요인

### 3.2.1 조직 프로세스 자산(Organizational Process Assets, OPA)

조직 프로세스 자산은 프로젝트 팀이 사용하는 조직 특유의 공식 혹은 비공식적인 계획, 프로세스, 정책, 절차, 문서 템플릿 및 기반 지식 일체를 말한다. 조직 프로세스 자산은 프로세스와 절차 및 조직 기반 지식으로 구분할 수 있다.

**표 3-2** ⊂ ⊃ 조직 프로세스 자산 중 프로세스와 절차

| 구분 | 내용 |
|---|---|
| 착수 및 기획 단계 | 요구사항 만족을 위한 조직의 표준 프로세스와 절차, 가이드라인, 인사제도, 윤리, 프로젝트 관리 정책과 표준, 프로젝트 생애주기, 템플릿(WBS, 일정계획표, 표준계약서 등) |
| 실행, 감시 및 통제단계 | 변경절차, 문제 해결 절차, 의사소통 요구사항, 리스크 통제 절차 등 |
| 단계 혹은 프로젝트 종료 단계 | 교훈 수집 절차, 최종 프로젝트 감사 절차, 프로젝트에 대한 평가, 제품 확인 및 인수 기준과 절차 등 |

**표 3-3** ⊂ ⊃ 조직 프로세스 자산 중 조직 기반 지식

| 구분 | 내용 |
|---|---|
| 프로세스 측정 데이터베이스 | 프로젝트 및 제품 관련 측정 자료를 수집 및 생성 |
| 과거 프로젝트 파일들 | 과거 프로젝트의 결과인 프로젝트 파일들 |
| 습득된 교훈과 선례정보 | 프로젝트 종료 정보, 과거 프로젝트에서 얻은 선례정보 등 |
| 형상관리 지식 | 수행 조직의 모든 표준, 정책, 절차 및 기준선 등 |
| 회계 데이터베이스 | 프로젝트 예산, 실제 발생 비용, 근로시간 등 |

## 3.2.2 기업 환경 요인(Enterprise Environmental Factors, EEF)

기업 환경 요인은 프로젝트 내에 있지 않으면서 프로젝트에 영향을 주고, 프로젝트에 제약을 가하는 요소들을 말한다. 기업환경요인은 프로젝트에 부정적이거나 긍정적인 영향을 줄 수 있기 때문에 프로젝트 관리자는 리스크 식별시 해당 요인을 잘 식별하여 관리할 필요가 있다. 아래는 기업환경요인의 몇 가지 사례이다.

- ◎ 조직의 문화 혹은 조직 구조
- ◎ 프로젝트 관리 정보 시스템(Project Management Information System)
- ◎ 정부 또는 해당 산업의 표준
- ◎ 인력 시장 등의 여건
- ◎ 이해관계자의 리스크 허용한도
- ◎ 정치적 상황
- ◎ 상용 데이터베이스
- ◎ 시설, 자원의 지리적 여건과 이에 따른 의사소통 채널

**작업 승인 시스템(Work Authorization System)**

전체 프로젝트 관리 시스템(PMIS)에 속한 하부 시스템으로, 프로젝트 작업이 담당 조직에 의해 적시에 적절한 순서로 수행될 수 있도록 프로젝트 작업을 승인(위임)하는 방법을 정의하여 문서화한 공식적인 절차 체계. 작업 승인서를 발행하는 데 필요한 순차적 단계, 문서, 추적 시스템, 정의된 승인 수준 등을 포함한다.

## 3.3 프로젝트 이해관계자와 프로젝트 거버넌스

이해관계자(Stakeholder)는 프로젝트의 결과물에 영향을 주거나 그 결과물에 의해 영향을 받는 개인이나 집단 또는 조직을 말한다. 따라서 이해관계자는 프로젝트 수행시 의사결정에 영향을 줄 수 있고, 정치적인 압력이나 프로젝트에 대한 요구사항 등을 제시할 수 있다. 또한, 이해관계자의 요구나 목표에 따라 프로젝트를 조정하는 프로젝트 거버넌스(Project Governance)는 이해관계자의 적극적인 프로젝트 참여와 조직 및 프로젝트의 목표 달성에 중요하다.

### 3.3.1 프로젝트 이해관계자(Project Stakeholders)

프로젝트에서 이해관계자는 프로젝트에 투입되는 모든 팀원, 그리고 조직 내외부에서 프로젝트에 이해관계가 있는 모든 주체이다. 따라서 프로젝트 관리 팀은 프로젝트를 성공으로 이끌기 위해 이해관계자가 누구인지를 식별하고 그들의 요구사항과 기대치를 파악함으로써 이해관계자의 영향력을 관리해야 한다. 특히, 프로젝트 관리자는 이해관계자의 기대사항을 관리하고 이해관계자와 프로젝트간의 균형을 유지하는 중요한 역할을 해야 한다. 이해관계자에 대한 식별, 분석 및 대응 계획 수립은 [13장 프로젝트 이해관계자 관리]에서 자세히 학습하도록 한다.

그림 3-7 ◆ 프로젝트 이해관계자 예시

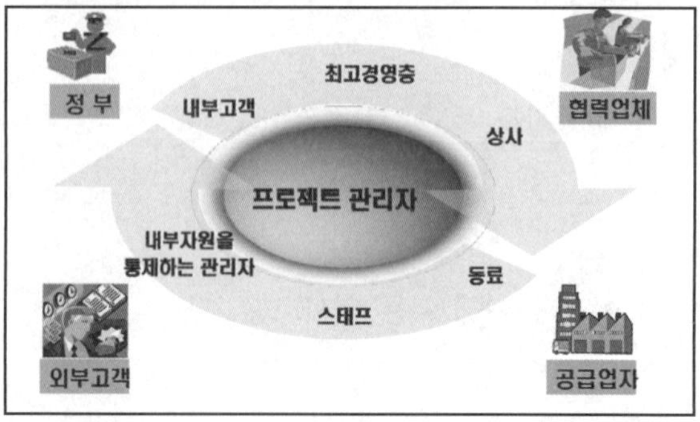

정부 / 내부고객 / 최고경영층 / 상사 / 협력업체

프로젝트 관리자

내부자원을 통제하는 관리자 / 동료 / 스태프

외부고객 / 공급업자

다음은 이해관계자들의 일부를 나열한 것이다.

◎ **고객/사용자** : 프로젝트의 결과물 혹은 서비스, 제품을 사용할 개인이나 조직
◎ **프로젝트 팀원** : 프로젝트 작업을 직접 수행하는 그룹의 구성원
◎ **프로젝트 관리팀** : 프로젝트 관리 활동에 직접 참여하는 프로젝트 팀(예 : PMO)
◎ **스폰서** : 프로젝트에 대한 자원(인적, 물적, 금전적 등)을 제공하는 개인이나 그룹
◎ **비즈니스 파트너** : 기업과 특별히 관련되어 있는 외부 조직(공급사, 협력사 등)
◎ **기능 관리자** : 인사, 회계, 구매 등의 관리와 기능 영역을 책임지는 관리자
◎ **기타 이해관계자** : 외부 컨설턴트, 전문 영역 전문가, 금융기관, 정부 관계자 등

### 3.3.2 프로젝트 거버넌스(Project Governance)

PMBOK에서는 프로젝트 거버넌스를 "조직의 거버넌스 모델에 맞춰 조정되며 프로젝트 생애주기 전반에 적용되는 관리 감독 기능이다.[1]"로 정의하고 있다. 시사경제용어 사전에 따르면, "해당 분야의 여러 업무를 관리하기 위해 정치·경제 및 행정적 권한을 행사하는 국정 관리체계[2]"로 정의하고 있다. 따라서 프로젝트 거버넌스는 프로젝트 관리와 관련된 정책, 절차, 표준, 책임 및 권한 등 모든 것을 포괄하는 기능이다라고 해도 무방할 것이다. 다음은 프로젝트 거버넌스 구성 요소의 예이다.

◎ 프로젝트의 성공과 실패 기준
◎ 프로젝트 인도물의 인수 기준
◎ 이슈 식별, 보고, 해결 절차
◎ 프로젝트 조직도
◎ 의사결정 절차
◎ 조직의 전략과 프로젝트 거버넌스 간 조율에 대한 규정, 지침
◎ 프로젝트 생애주기
◎ 프로젝트 생애주기의 단계별 검토 전략과 절차 등

---

1 PMI, PMBOK 5th, p.34.
2 시사경제용어사전, 기획재정부, 2010. 11.

## 3.4 프로젝트 생애주기(Project Life Cycle)

생애주기는 태어나서 죽을 때까지를 일컫는 말이다. 프로젝트 생애주기는 프로젝트의 착수부터 종료까지 프로젝트가 거쳐야 하는 일련의 단계를 말한다. 단계(Step, Stage)는 명시적으로 시작과 종료시점이 존재하고 단계의 종료 시점에는 현재 단계의 마무리와 함께 다음 단계를 위한 준비를 한다. 프로젝트 생애주기는 조직이나 산업에 따라 조금씩 다를 수 있다. PMBOK 5th에서는 프로젝트 생애주기를 예측형 생애주기, 반복적 및 점증적 생애주기, 및 적응형 생애주기로 구분하고 있다.

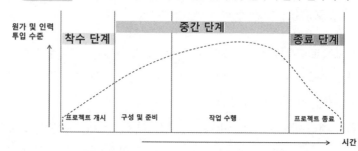

그림 3-8 ◆ 프로젝트 생애주기에 따른 인력 및 원가 투입의 변화 추이

일반적인 프로젝트 생애주기는 프로젝트 시작, 구성 및 준비, 프로젝트 작업 수행, 프로젝트 종료로 이루어진다. 그러나 프로젝트 관리 프로세스 그룹과 혼동하지 말아야 한다. 프로젝트 관리 프로세스 그룹은 착수 프로세스 그룹, 기획 프로세스 그룹, 실행 프로세스 그룹, 감시 및 통제 프로세스 그룹, 종료 프로세스 그룹의 5개로 구성되어 있다.

프로젝트 생애주기의 특징은 다음과 같다.

표 3-4 ◆ 프로젝트 생애주기의 특징

| 구분 | 착수 시점 | 실행시점 | 종료시점 |
|---|---|---|---|
| 원가 및 인력 | 낮음 | 가장 높음 | 급격한 감소 |
| 이해관계자의 영향, 리스크의 영향 | 가장 높음 | 점점 낮아짐 | 낮음 |
| 변경 및 오류 정정 비용 | 낮음 | 중간 | 가장 높음 |

원가 및 인력 측면에서는 착수 시점에서 최소한의 인력들이 프로젝트 착수 및 기획을 시작하기 때문에 비용 자체나 인력 투입면에서 낮다. 그러나 프로젝트를 실행하는 시점에서는 인

도물을 생성해야 하기 때문에 많은 인력이 투입되므로 원가 측면에서도 상당히 높았다가 프로젝트 종료 시점에서는 인력들이 철수하기 때문에 급격한 원가 및 인력의 감소가 나타난다.

반면에 이해관계자와 리스크의 프로젝트에 대한 영향은 프로젝트 착수 시점에 가장 크다. 그 이유는 프로젝트 착수자와 이해관계자들 간의 관계들로 인해 프로젝트의 목표나 목적에 영향을 많이 주기 때문이다. 리스크 또한 프로젝트 착수 시점에는 모호한 프로젝트의 범위, 일정 등으로 인해 리스크의 영향이 가장 크다 할 수 있다. 그러나 프로젝트가 점점 진행되면서 프로젝트의 범위, 일정, 원가 등이 점점 상세화 및 구체화되면서 이들의 영향력은 점차 줄어들게 된다.

변경 및 오류에 대한 정정은 프로젝트 착수 및 기획 시점에서는 대부분 소프트웨어나 종이를 이용하여 요구사항을 수집하거나 설계하기 때문에 요구사항에 대한 변경이 이 시점에 접수되어도 소프트웨어로 만든 설계도를 수정하는 것은 원가가 크게 들어가지 않는다. 그러나 프로젝트의 인도물의 생산이 점차적으로 늘어나는 실행시점 이후부터는 이미 만들어진 인도물을 수정하기 위해서는 엄청나게 많은 비용과 노력이 수반된다.

### 3.4.1 예측형 생애주기(Predictive Life Cycles)

예측형은 영어로 Predictive라고 한다. 프로젝트의 범위를 기반으로 원가와 일정을 산정하여 일련의 순차적 단계나 중첩단계를 통해 프로젝트를 진행하기 때문에 예측형 혹은 완전 계획 주도식 생애주기라고 한다. 그림에서 보는 바와 같이 요구사항을 시작으로 인도물을 고객에게 전달할 때까지 아래로 순차적으로 내려가기 때문에 폭포수 모델(Waterfall) 이라고 하며, 전통적인(Traditional) 생애주기라고도 한다.

그림 3-9 ◆ 예측형 생애주기 모델 예시

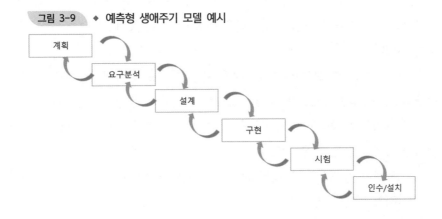

예측형 생애주기는 프로젝트의 범위가 명확하고 인도할 제품이 충분히 파악되는 프로젝트에서 유리하다. 단계가 진행될수록 요구사항을 변경하면 이전 단계로 다시 돌아가 원가나 일정에 대한 재작업을 해야 하기 때문에 프로젝트의 범위 변경이 조심스럽다.

### 3.4.2 반복적 및 점증적 생애주기(Iterative and Incremental Life Cycles)

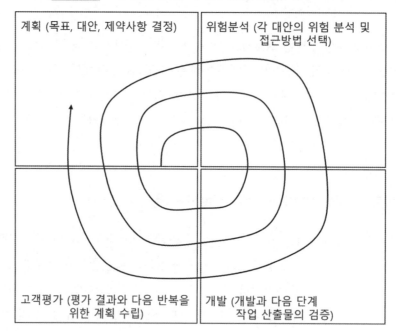

그림 3-10 ◆ 반복적 모델 중 하나인 나선형 모델의 예시

반복적 및 점증적 생애주기는 예측형 생애주기, 즉 폭포수 모형의 변형이라고 할 수 있다. 사용자의 요구사항 일부분 혹은 제품의 일부분을 반복적이고 점증적으로 개발하여 최종 결과물을 완성하는 것이다.

이 중에서 나선형(Spiral) 모델은 개발해야 할 주요 기능을 사전에 위험분석을 통하여 반복적으로 수행함으로써 최종 인도물까지 점진적으로 구현하는 방법이다. 즉, 개발해야 할 최종 인도물에 대한 개념을 형성하고, 요구사항을 분석 및 설계하면서 위험요소를 식별한다. 위험요소 식별시 최적의 대안을 마련하여 그 단계를 마무리하고, 개발을 시작한다. 개발이 완료된 인도물에 대해 고객이 평가하고 그 피드백을 받아 다음 차수의 개념을 다시 만들어서 위험분석을 하는 반복적인 개발 모형이다.

나선형 모델의 특징은 다음과 같다.

◉ 대규모 시스템 및 위험 부담이 큰 시스템 개발에 적합
◉ 프로젝트의 성공과 실패를 가늠할 중요한 기능을 먼저 개발
◉ 프로젝트의 성과를 보면서 천천히 투자가 가능
◉ 위험 부담의 최소화

반복적 및 점증적 개발 모델은 사용자의 요구사항 중 일부분 혹은 제품의 일부분을 반복적
으로 개발하여 최종 시스템으로 완성하는 모델로써 제품 개발에 대한 증분을 지속적이고 반복
적으로 개발한다. 반복적 및 점증적 개발 모델의 특징은 다음과 같다.

◉ 프로토타입과 같이 반복적이나 각 점증이 갖는 제품 인도에 초점을 둠
◉ 규모가 큰 개발 조직일 경우 자원을 각 증분 개발에 충분히 할당 가능할 수 있어, 각 증
  분의 병행 개발을 통해 개발 기간을 단축할 수 있음
◉ 과도한 증분 및 병행 개발일 경우 위험함
◉ 증분 개발 활동 및 팀간에 의사소통이 많이 일어남

그림 3-11 ◆ 증분형 모델의 예시

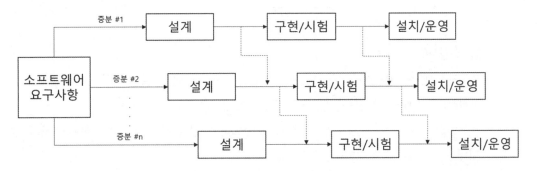

### 3.4.3 적응형 생애주기(Adaptive Life Cycles)

적응형 생애주기는 애자일 방법이라고도 한다. 예측형 생애주기를 "무겁다(Heavy-weight)"라고
도 한다. 이는 다음 단계로 움직이면 이전 단계로 다시 돌아가기 위해서는 많은 시간과 노력이
필요하기 때문이다. 그러나 적응형 생애주기는 기본적인 철학이 요구사항의 잦은 변경과 지속
적인 이해관계자의 참여를 전제로 하고 있다. 따라서 생애주기를 가볍게 설계해야 기본 전제

들을 만족할 수 있기 때문에 적응형 생애주기는 "가볍다(Light-weight)"라고 표현한다.

애자일 방법론 중 스크럼 방법론의 주요 용어를 2013년 정보통신산업진흥원(NIPA)의 소프트웨어공학 센터에서 배포한 '애자일 SW개발 101'을 통해 살펴보면 다음과 같다.

우선, 스크럼 방법론에서 주요 역할을 하는 사람들은 크게 세 부류가 있다.

**그림 3-12** ◆ 애자일 방법론의 한 유형이 스크럼(Scrum) 절차 예시3

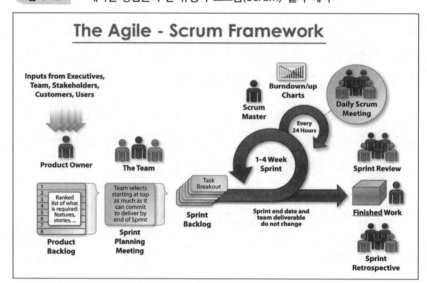

◉ **제품 책임자**(Product Owner)
- 프로젝트에서 인도물에 대한 요구사항이나 기능에 해당하는 제품 백로그(product backlog)를 만들고 우선순위를 조정 혹은 새로운 요구사항을 추가
- 스프린트에 대한 계획을 수립할 때까지 중요한 역할을 하지만 스프린트가 시작되면 최대한 스크럼 팀 운영에 관여하지 않음

◉ **스크럼 마스터**(Scrum Master)
- 스크럼의 원칙과 가치를 지키면서 스크럼 팀이 개발을 진행할 수 있도록 지원하며 스크럼 팀의 업무를 방해하는 요소를 일일 스크럼 미팅 등을 통해 제거하기 위해 노력

◉ **스크럼 팀**(Scrum Team)
- 보통 5~9명으로 구성되며 하나의 스프린트 기간 동안 구현해야 할 기능을 사용자 스

---

3 http://www.c-sharpcorner.com/UploadFile/d9c992/the-agile-scrum-framework/ 참고

토리로 도출하고 이를 구현

- 스프린트 동안 구현해야 하는 기능을 완료하기 위해 노력하며 이를 위한 권한을 가짐

그 다음으로는 스크럼 프로세스이다. 스크럼으로 대표되는 애자일 방법론은 상세한 프로세스가 없는 것이 특징이다. 이는 스크럼을 운영하는 절차를 봐도 알 수 있다.

◎ 스프린트 계획(Sprint Planning)

- 각 스프린트에 대한 목표를 세우고 제품 백로그로부터 스프린트에서 진행할 항목을 선택하고, 각 항목에 대한 담당자를 배정하고 태스크 단위로 계획을 수립함.

◎ 일일 스크럼(Daily Scrum)

- 매일 진행하는 15분간의 프로젝트 진행상황을 공유하는 회의로 모든 팀원이 참석하며 매일매일 각자가 어제 한 일, 오늘 할 일, 문제점 등을 이야기함.

◎ 스프린트 리뷰(Sprint Review)

- 스프린트 목표를 달성했는지 작업 진행과 결과물을 확인하는 회의임.
- 스크럼 팀은 스프린트 동안 작업한 결과를 참석자들에게 데모하고 피드백을 받는데, 가능하면 해당 스프린트 동안 진행된 모든 작업에 대한 데모를 진행한다. 고객의 참여는 권장 사항임.
- 스크럼 마스터는 스프린트 동안 잘된 점, 아쉬웠던 점, 개선할 사항 등을 찾기 위한 회고를 진행할 수 있음.

그 외에 스크럼에서 작성하는 주요 산출물을 살펴보면 다음과 같다.

◎ 제품 백로그(Product Backlog)

- 인도물에 담고자 하는 요구사항 혹은 기능의 우선순위를 정리한 목록으로, 고객을 대표하여 제품 책임자가 주로 우선순위를 결정함.
- 제품 백로그에 정의된 기능을 사용자 스토리라고 부르며 사용자 업무량에 대한 추정은 주로 스토리 포인트라 불리는 기준을 이용함.

◎ 스프린트 백로그(Sprint Backlog)

- 하나의 스프린트 동안 개발할 목록으로 사용자 스토리와 이를 완료하기 위한 작업을 태스크로 정의하는데 각각의 태스크의 크기는 시간 단위로 추정함.
- 일반적인 프로젝트에서 작업 패키지(Work package)로 생각해도 무방함.

◉ 번다운 차트(Burndown Chart)

- 개발을 완료하기까지 남은 작업량을 보여주는 그래프임. 작업량을 태워 버린다는 표현으로 번다운(Burndown)이라는 표현을 사용함.

그림 3-13 ◆ 번다운 차트 예시

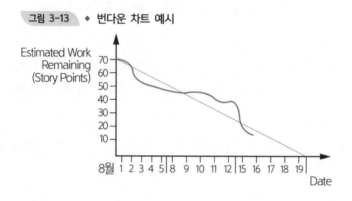

◉ 사용자 스토리(User Story)

- 사용자 스토리는 개발해야 할 대상 제품이나 서비스의 기능을 정의하는 방식으로 사용자 입장에서의 비즈니스적인 가치를 정의하는데 초점을 두고 요구사항을 정리하는 방법임.
- 일반적인 프로젝트 관리에서는 WBS Dictionary로 이해하면 좋다.

그림 3-14 ◆ 사용자 스토리 예시

프로젝트 생명주기나 구체적인 방법론을 정함에 있어서, 무조건 현재 유행하고 있는 방법론을 선택하는 것은 위험성이 매우 크다. 그 이유는 세상에 좋다고 알려져 있는 방법론이 내가

속한 조직이나 내 프로젝트에는 맞지 않을 수 있기 때문이다.

　따라서 프로젝트에 적용할 프로젝트 생명주기 모델이나 방법론은 프로젝트의 환경, 투입되는 인적자원의 역량이나 조직의 역량, 프로젝트의 복잡성 등 다양한 요소를 고려하여 프로젝트 성공에 도움을 줄 수 있는 것을 선택해야 한다.

# Chapter 03 연습문제

**01** 조직구조에서 project coordinator는 Project expeditor와 어떤 점에서 가장 다른가?

① 의사결정 권한이 없다.

② 의사결정 권한이 있다.

③ 상위 관리자에게 보고한다.

④ 프로젝트 예산 집행에 대한 사용권이 있다.

**02** 작업 승인 시스템은 어디에 사용하는가?

① 누가 어떤 작업을 해야 하는지 관리할 때 사용한다.

② 작업이 언제 그리고 어떤 순서로 완료되어야 하는지 관리할 때 사용한다.

③ 각 작업이 언제 완료되어야 하는지 관리할 때 사용한다.

④ 누가 각 작업을 수행하고 언제 완료되어야 하는지 관리할 때 사용한다.

**03** 조직구조에서 일반적으로 큰 프로젝트 수행은 불가능하고 기존 프로젝트의 소규모 변경이나 중요하지 않은 소규모 프로젝트수행에 적합한 구조는 어떤 형태인가?

① 기능조직

② 균형 매트리스 조직

③ 프로젝트조직

④ 복합조직

**04** 조직구조에서 직원들은 기능부서장과 프로젝트관리자에게 이중 보고해야 하는 문제를 가지고 있으나 회사입장에서 보면 자원의 극대화라는 측면이 있는 조직구조는 다음 중 어느 것인가?

① 약한 매트리스 조직

② 균형 매트리스 조직

③ 강한 프로젝트조직

④ 프로젝트 조직

**05** 프로젝트화 조직의 특징으로 알맞은 것은?

① 다수의 상급자에게 보고한다.

② 프로젝트에 대한 충성심이 부족하다.

③ 기능 관리자에게 보고한다.

④ 프로젝트 완료 후 되돌아갈 조직이 없을 수 있다.

**06** 프로젝트 단계에서 불확실성 가장 높고 이해관계자의 영향이 가장 큰 단계는?

① 착수단계　　　　　　　　　　　② 기획단계
③ 실행단계　　　　　　　　　　　④ 프로젝트 종료단계


**07** 폭포수 방식(Waterfall)으로 프로젝트를 진행하다가 애자일(Agile) 방식으로 프로젝트를 바꾸었다. 무엇을 변경한 것인가?

① 프로젝트 생애주기　　　　　　　② 제품 생애주기
③ 프로젝트 단계　　　　　　　　　④ 제품 단계


**08** 조직이 조직의 전체적인 전략에 항상 집중하도록 유지시키는 프레임워크는 무엇인가?

① 전사적 프로젝트 관리(Organizational project management)
② PMO 조직
③ 프로젝트 거버넌스
④ 프로그램 관리


**09** 프로젝트 관리자가 모든 프로젝트 관리 프로세스의 산출물을 수집하고, 통합하고, 배포하기 위해서 어떤 것을 집중적으로 관리하고 기능 향상을 해야 하는가?

① 작업 분류 체계(WBS)　　　　　② 프로젝트 관리 정보 시스템(PMIS)
③ 의사소통 관리 계획서　　　　　④ 범위 관리 계획서


**10** 당신이 현재 맡고 있는 프로젝트의 이전 프로젝트 관리자가 프로젝트 조직을 만들지 않았다. 또한, 프로젝트 인도물에 대한 정의도 명확히 하지 않았다. 만약 이러한 상황이라면 당신은 우선 무엇부터 해야 하는가?

① 각 단계별로 교훈을 기록한다.
② 프로젝트의 인도물을 정의한다.
③ 작업 패키지(Work package)에 대한 상세한 기술을 한다.
④ 프로젝트에 생명주기를 적용한다.

Project Management Professional

→ 프로젝트 생애주기와 조직

**연습문제 정답과 해설**

해설

**01** Project Expeditor는 의사결정권이 없지만 Project Coordinator는 약간의 의사결정권이 있다. 그러므로 Project Expeditor에 비해 Project Coordinator는 더 많은 의사결정권이 있다.

**02** 전체 프로젝트 관리 시스템에 속한 하부 시스템으로 프로젝트 작업이 담당 조직에 의해 적시에 적절한 순서로 수행될 수 있도록 프로젝트 작업을 승인(위임)하는 방법을 정의하여 문서화한 공식적인 절차 체계이다.

**03** 기능조직은 별도 프로젝트 관리자가 존재하지 않고 프로젝트에 관련한 조율만 하는 수준으로 직원들은 기능관리자(Functional Manager)의 지시를 받아 최소한의 지원을 하는 수준의 조직으로 일반적으로 큰 프로젝트 수행은 불가능하고 기존 프로젝트의 소규모 변경이나 중요하지 않은 소규모 프로젝트수행에 적합한 구조이다

**04** 균형 매트리스 조직은 프로젝트 관리자의 필요성은 인정하지만 프로젝트 및 프로젝트 자금 조달에 대한 전권을 프로젝트 관리자에게 제공하지 않는다. 이런 조직구조에서 직원들은 기능부서장과 프로젝트관리자에게 이중 보고해야 하는 문제를 가지고 있으나 회사입장에서 보면 자원의 극대화라는 측면이 있다. 이런 조직구조에서는 프로젝트관리자는 기능관리자(부서장) 밑에 있어 자원/예산사용에 제약을 받을 수 있다.

**05** 프로젝트화 조직은 프로젝트에 대한 충성심이 많으며, 한 명의 프로젝트 관리자에게 보고한다. 또한, 프로젝트가 완료된 후에 돌아갈 내 부서가 없을 수 있다는 특징이 있다.

**06** 착수 단계에서는 범위가 상세하지 않으므로 불확실성이 높고 그에 따른 이해관계자의 영향력이 크다. 점진적 구체화의 프로젝트 특성처럼 프로젝트가 진행되면서 후반으로 갈수록 범위가 상세화되므로 불확실성이 줄어든다.

**07** 폭포수 방식에서 애자일 방식으로 프로젝트 생애주기를 변경한 것이다.

**08** 전사적 프로젝트 관리는 성과와 결과를 개선하고 경쟁력을 크게 높여줄 조직 전략을 예측 가능하고 일관되게 제시할 수 있는 조직의 실무사례와 함께 프로젝트관리, 프로그램관리 및 포트폴리오관리를 활용하는 기본적 전략 실행 체계이다.

**09** 프로젝트 관리 정보시스템은 기업 환경 요인으로 프로젝트 관리자가 프로젝트 관리 프로세스의 모든 산출물을 수집, 관리, 배포할 때 사용한다.

**10** 이전 프로젝트 관리자가 프로젝트와 관련되어 전략적인 사고를 하지 않은 경우이다. 이런 경우에 인도물에 대한 정의보다는 프로젝트를 전체적으로 어떻게 진행하고 어떤 방식으로 해야 할지 결정하는 생명주기 모델을 적용하는 게 적절하다.

**정답** 01.② 02.② 03.① 04.② 05.④ 06.① 07.① 08.① 09.② 10.④

# 프로젝트 통합 관리

학습목표
- 프로젝트 헌장의 내용을 이해한다.
- 프로젝트 관리 계획서는 무엇을 포함하고 있는지 이해한다
- 프로젝트 실행 지시 및 관리의 3가지 산출물이 무엇인지를 알아보고 그 중요성을 이해한다.
- 킥오프 미팅(Kick off meeting)은 언제하고 왜 하는지 이해한다.
- 프로젝트작업 감시 및 통제는 무슨 프로세스이고 왜 필요한지 이해한다.
- 통합변경통제수행을 어떻게 처리하고 진행하는지 이해한다.
- 프로젝트 또는 단계종료 프로세스에서 종료의 의미와 종료의 순서를 이해한다.

**들어가며…**

프로젝트 통합관리 지식영역은 프로젝트 관리 프로세스 그룹 내 여러 가지 관리 프로세스와 활동을 식별, 정의, 결합, 통합 및 조정하는데 필요한 프로세스와 활동을 포함한다. 통합(Integration)은 여러 다른 부분들을 합치고 조정한다는 의미이다. 즉, 통합이란 프로젝트의 완료, 고객을 비롯한 이해관계자의 요구사항 충족 및 기대치 관리에 필수적인 통합 및 유기적 연결 조치를 모두 포괄한다고 할 수 있다.

따라서 실제적으로 프로젝트 관리 지식 영역 10가지 중 제일 중요한 지식 영역이라 할 수 있다. 프로젝트 통합관리의 예를 들면, '프로젝트의 범위가 추가되면 당연히 일정과 비용이 증가한다. 또한, 품질이나 리스크에도 영향을 미칠 수도 있다. 프로젝트 관리 계획서가 하부 관리계획을 통합하여 관리하는 것도 바로 이런 이유 때문이다.

프로젝트 관리자와 프로젝트 팀은 수행해야 할 프로젝트에 적합한 관리영역과 프로세스들을 결정한다. 작은 규모이건 큰 규모의 프로젝트이건 동일하게 모든 지식 영역과 프로세스를 수행한다면 관리를 위한 관리가 되어 오히려 프로젝트 수행에 방해가 될 것이다.

프로젝트 관리팀이 수행하는 활동의 예를 들면 다음과 같다.

• 범위 파악 및 분석을 통해 프로젝트와 제품, 서비스의 요구사항, 기준, 제약사항 및 기타 영향요인의 분석과 처리 방법의 결정
• 식별된 정보를 취합하고 이해하여 통합적인 측면에서 프로젝트 관리 계획서를 작성
• 프로젝트의 최종 인도물을 생성하는 활동 수행
• 프로젝트의 진행사항과 진척률을 측정하고 감시하여 프로젝트 목표 달성에 문제가 있을 경우 적절한 조치 수행

프로젝트 통합관리는 프로젝트 생애주기의 모든 단계를 통합 및 조정한다. 프로젝트를 공식적으로 승인하고, 프로젝트의 모든 계획들을 취합하며, 계획한 대로 인도물을 만들기 위한 프로젝트 활동을 수행한다. 또한, 프로젝트가 계획대로 진행되는지 감시 및 통제하고 만약 변경 사항이 생긴다면 공식적인 절차를 거쳐 변경이 이루어지도록 관리하며 최종적으로 생성된 인도물을 고객에게 이전한다.

프로젝트 통합관리는 이 모든 활동을 위한 6개의 프로세스가 존재하는데, 각 프로세스에 대한 상세한 설명은 표와 같다.

**표 4-1** ⊂ ⊃ 프로젝트 통합 관리 프로세스 설명

| 프로세스 | 프로세스그룹 | 설명 |
|---|---|---|
| 4.1 프로젝트 헌장 개발<br>(Develop Project Charter) | I | 조직의 내외부 요건에 따라 프로젝트가 필요함을 공식적으로 승인하고, 프로젝트 관리자에게 조직의 자원을 프로젝트에 투입할 수 있는 권한을 부여하는 문서를 작성하는 프로세스 |
| 4.2 프로젝트관리계획서 개발<br>(Develop Project<br>Management Plan) | P | 범위 관리 계획서부터 이해관계자 관리 계획서까지 프로젝트관리에 필요한 모든 계획서를 프로젝트 관리 계획서로 통합하고 문서화하는 프로세스 |
| 4.3 프로젝트 작업 지시 및 수행<br>(Direct and Manage<br>Project Work) | E | 프로젝트 목표 달성을 위해 프로젝트 관리 계획서에 정의된 프로젝트 활동을 계획한대로 진행될 수 있도록 지도, 지시, 및 수행하며 승인된 변경 사항을 이행하는 프로세스 |
| 4.4 프로젝트 작업 감시 및 통제<br>(Monitor and Control<br>Project Work) | M&C | 프로젝트 관리 계획서에 정의된 목표를 달성하고 있는지 계획과 실적을 추적하고 차이를 분석 및 검토하는 프로세스 |
| 4.5 통합변경통제 수행<br>(Perform Integrated<br>Change Control) | M&C | 모든 변경요청에 대한 검토 후 변경을 거부하거나 승인하며, 이에 따른 변경사항을 관리하고 변경사항 조치 결과를 이해관계자에게 전달하는 프로세스 |
| 4.6 프로젝트 또는 단계 종료<br>(Close Project or Phase) | C | 프로젝트 또는 단계를 공식적으로 종료하기 위해 프로젝트 관리 프로세스 그룹에 속한 모든 활동을 종료하는 프로세스 |

## 4.1 프로젝트 헌장 개발(Develop Project Charter)

프로젝트 헌장 개발은 조직의 내·외부 요건에 따라 프로젝트가 필요함을 공식적으로 승인하고, 프로젝트 관리자에게 조직의 자원을 프로젝트에 투입할 수 있는 권한을 부여하는 문서인 프로젝트 헌장을 작성하는 프로세스이다.

프로젝트 헌장은 상위 관리자나 스폰서가 작성하나 만약 프로젝트 관리자가 이미 선정되어 있다면 프로젝트 헌장 작성에 프로젝트 관리자가 참여할 수 있다. 프로젝트헌장 개발 프로세스에서 하는 일들은 다음과 같다.

◉ 프로젝트 관리자의 선정 및 권한 정의
◉ 기획(Planning) 이전에 프로젝트 헌장의 개발
◉ 프로젝트 자금을 승인할 수 있는 수준의 착수자 또는 스폰서가 프로젝트 헌장 작성
◉ 프로젝트 헌장의 승인

그러나 프로젝트 헌장 작성의 전제조건은 해당 프로젝트의 수행이 조직에 도움이 되어야

한다는 것이다. 조직에 도움이 안 되는 프로젝트를 한다면, 막대한 손해를 볼 수 있다. 따라서 프로젝트의 공식적인 승인 전에 반드시 이 프로젝트가 전략적으로나 경제적으로 조직에 이득이 되는지를 따져봐야 한다.

그 중 가장 대표적인 것이 프로젝트 선정(Project Selection)에 대한 분석이다. 보통 조직에서는 여러 프로젝트들 가운데 가장 조직의 전략에 일치하는 프로젝트를 선정한다. 프로젝트 선정을 위한 정량적 방법은 이 장의 마지막에서 자세히 다루기로 한다.

프로젝트 헌장 개발(Develop Project Charter) 프로세스의 투입물, 도구 및 기법과 산출물은 다음과 같다.

그림 4-1 ◆ 프로젝트 헌장 개발 프로세스의 ITTO

| Inputs | T&T | Outputs |
| --- | --- | --- |
| 1 프로젝트 작업기술서<br>2 비즈니스케이스<br>3 협약<br>4 기업 환경 요인<br>5. 조직프로세스 자산 | 1 전문가 판단<br>2 촉진기법 | 1. 프로젝트 헌장 |

### 4.1.1 프로젝트 헌장 개발 프로세스 투입물

#### 1. 프로젝트 작업 기술서(SOW, Statement of Work)

프로젝트 작업기술서(SOW)는 프로젝트 수행의 결과로 생산된 인도물(제품, 서비스, 결과물)이 이해관계자에게 어떤 기능, 가치를 제공할지를 상세히 기술한 문서이다. 흔히 사용하는 용어로 '품의서' 정도로 생각해도 무방할 듯하다.

만약 내부 프로젝트라면 프로젝트 착수자나 스폰서가 프로젝트 작업 기술서를 제공할 수 있으며, 외부 프로젝트라면 제안 요청서나 계약서와 같은 문서의 일부로 고객으로부터 전달받을 수 있다. 그러나 중요한 것은 프로젝트 헌장을 작성하기 위해서 프로젝트 작업 기술서에 반드시 포함되어야 할 내용은 이 프로젝트를 왜 하는지에 대한 비즈니스 요구(Business Needs)를 포함해야 한다.

## 2. 비즈니스 케이스(Business Case)

비즈니스 관점에서 이 프로젝트에 대한 투자의 당위성 여부를 판단하는데 필요한 정보를 제공한다. 일반적으로 비즈니스 요구사항과 비용-편익 분석을 통해 해당 비즈니스 케이스를 분석하기도 한다. 초기에는 비즈니스 요구사항과 비용-편익 분석의 초안이 나오며, 그 후에 비즈니스 분석가가 아래의 비즈니스 케이스를 고려하여 구체적이고 상세하게 작성하기도 한다.

◉ **시장 수요**(Market demand)
  교육시장에서 태블릿 PC를 통한 인터넷 방송의 활성화 수요

◉ **조직 요구**(Organizational need)
  기존에 운영하던 오래된 정보시스템을 새로운 컴퓨터 서버와 기능으로 업그레이드 요구

◉ **고객 요청**(Customer request)
  신도시 주민들의 신규 초등학교 건립 요구

◉ **기술 발전**(Technological advance)
  기술의 발전에 의해 금융과 새로운 기술을 융합한 핀테크 서비스 개발 프로젝트

◉ **법률 규제**(Legal requirement)
  2002년 미국 엔론사의 회계부정사건 이후 이를 방지하기 위한 국제회계기준(IFRS, International Financial Reporting Standards)의 도입 프로젝트

◉ **생태학적 영향**(Ecological impacts)
  유해물질과 미세먼지가 건강에 미치는 영향에 대한 연구

◉ **사회적 요구**(Social need)
  개발도상국의 어린 아이들을 위한 학교나 화장실 건축을 위한 공적자원지원 프로젝트

## 3. 협약(Agreements)

협약은 프로젝트를 착수하는 데 있어서 당위성을 제공하는 문서 중 하나이다. 협약은 갑과 을 간의 계약서나 양해각서(MOU, Memorandum of understanding), 합의서나 이메일 또는 기타 서류 등을 말한다.

## 4. 기업 환경 요인(Enterprise environmental factors)

프로젝트 헌장을 작성할 때 영향을 줄 수 있는 기업 환경 요인들은 다음과 같다.

◉ **조직의 문화와 구조**

우리 조직이 리크스가 큰 프로젝트를 회피하는 문화를 가지고 있는지 혹은 프로젝트를 위한 조직 구조가 기능 조직, 매트릭스 조직 혹은 프로젝트 전담 조직인지 확인이 필요하다.

◉ **시장 여건**

프로젝트를 해야 하는 당위성은 확보되었지만 자금 확보가 어려운 상황이거나 인력 시장에 투입할 인력이 있는지 시장 여건을 확인해야 한다.

◉ **정부 표준, 산업 표준 또는 규제**

해당 프로젝트를 착수하기 전에 정부나 산업계의 표준이나 규제가 있는지 확인하여 프로젝트가 그 표준이나 규제에 영향을 받을지 확인해야 한다.

### 5. 조직 프로세스 자산(Organizational process assets)

프로젝트 헌장을 작성할 때 영향을 줄 수 있는 조직 프로세스 자산들은 다음과 같다.

◉ **조직 표준 프로세스, 정책 및 프로세스 정의**

프로젝트 헌장 작성을 위해서는 조직 내부에 존재하는 결재 프로세스나 준비 서류, 혹은 정책들을 미리 확인해두어야 한다.

◉ **템플릿**

프로젝트 헌장에 대한 템플릿이 있는지 확인하고, 존재한다면 해당 템플릿을 기반으로 작성하면 된다.

◉ **선례 정보와 교훈 사항**

프로젝트 헌장 템플릿을 확보했다면 과거 유사 프로젝트에서는 프로젝트 헌장을 어떻게 작성했는지, 그 프로젝트의 성과는 어떠했는지, 혹은 유사 프로젝트에서 리스크 사항들은 무엇이 있는지 확인한다면 해당 프로젝트의 프로젝트 헌장 작성에 도움이 될 것이다.

### 4.1.2 프로젝트 헌장 개발 프로세스 도구 및 기법

### 1. 전문가 판단(Expert judgment)

프로젝트 관리자나 스폰서 등이 작성한 프로젝트 헌장이 제대로 작성된 것인지 빠진 항목은 없는지 프로젝트의 당위성이 적절한지 등을 전문가들이 검토하고 평가하는 것이다. 프로젝트 헌장이 제대로 작성되었는지 확인하고 조언을 해줄 전문가들은 다음과 같다.

- ◉ 조직 내부의 다른 부서
- ◉ 컨설턴트
- ◉ 고객 또는 스폰서를 포함한 이해관계자
- ◉ 전문가 및 기술협회
- ◉ 산업단체
- ◉ 분야별 전문가나 프로젝트 관리 오피스(PMO) 등

### 2. 촉진 기법(Facilitation techniques)

프로젝트 헌장은 프로젝트 착수자나 스폰서 등이 작성하지만, 대부분 프로젝트 헌장 작성시 고려해야 할 사항이 다양하기 때문에 많은 사람이 함께 모여 협업하면서 작성하는 경우가 많다. 촉진 기법의 예로는 브레인스토밍, 갈등 해결, 문제 해결, 회의 등이 있다.

### 4.1.3_프로젝트 헌장 개발 프로세스 산출물

### 1. 프로젝트 헌장(Project Charter)

프로젝트 헌장은 프로젝트 작업 기술서, 협약, 비즈니스 케이스 등을 전문가들과 함께 논의하면서 프로젝트를 공식적으로 승인하고 프로젝트 관리자에게 적절한 권한을 부여하며, 비즈니스 요구사항이나 가정 및 제약 사항과 프로젝트의 최종 인도물이 무엇인지를 기술한 문서이다. 다음은 프로젝트 헌장에 포함되어야 할 항목이다.

- ◉ 프로젝트의 목적 또는 당위성
- ◉ 측정 가능한 프로젝트 목표와 성공 기준
- ◉ 개략적인 프로젝트의 요구사항
- ◉ 프로젝트에 대한 가정 및 제약사항
- ◉ 개략적인 프로젝트의 리스크
- ◉ 개략적인 프로젝트 일정

◉ 개략적인 프로젝트 예산

◉ 고객 및 조달업체를 포함한 이해관계자 목록

◉ 프로젝트 스폰서, 승인권자 등 결재자 목록

◉ 배정된 프로젝트 관리자와 그의 권한과 책임

그러나 이외에도 프로젝트의 성공과 실패를 좌우할 중요한 팀원이 필요하다면 미리 프로젝트 헌장에 명단을 적을 수도 있고, 글로벌 프로젝트라고 한다면 다문화에 대한 내용 등 필요한 모든 항목들을 추가로 작성할 수 있다.

프로젝트 헌장의 작성 양은 프로젝트의 복잡도나 작성시점에서 파악된 정보의 양에 따라 달라진다.

**프로젝트 헌장의 중요성**

프로젝트 헌장은 최근 그 중요성이 강조되고 있다. 따라서, 프로젝트 헌장 작성을 위한 ITTO을 외우기보다는 왜 프로젝트 헌장을 작성해야 하며, 프로젝트 헌장의 구성요소는 어떤 것들이 있는지를 확실히 파악하는 것이 좋다.

특히, 프로젝트 헌장의 항목을 PMBOK 5th(p.67)의 데이터 흐름도를 보자. 산출물인 프로젝트 헌장은 "범위관리계획수립", "요구사항수집", "범위정의", "일정관리계획수립", 원가관리계획수립", "리스크관리계획수립", "이해관계자식별" 프로세스의 투입물이다.

즉, 프로젝트 헌장의 내용인 프로젝트와 관련된 상위수준의 범위, 일정, 예산, 리스크, 이해관계자들을 참고로 하여 범위관리, 일정관리, 원가관리, 리스크관리 및 이해관계자 관리에서 계획서 수립시 참고하는 것이다.

수험생 분들이 유심히 봐야 할 것이 바로 각 프로세스의 데이터 흐름도이다. 이 데이터 흐름도는 해당 프로세스의 투입물과 산출물을 표현한다. 또한 해당 프로세스의 산출물이 다른 지식영역의 어떤 프로세스의 투입물인지 나타낸다. 프로젝트 헌장 개발을 위해서 프로젝트 작업 기술서, 비즈니스 케이스, 협약이 필요하다는 것을 알 수 있다.

| 프로세스<br>지식영역 | 4.1 프로젝트헌장 수립 |
|---|---|
| 4. 통합관리 | 4.1 프로젝트헌장<br>수립 |
| 5. 범위 관리 | 협약,<br>비즈니스 케이스<br>프로젝트 작업기술서 |
| 6. 일정 관리 | 프로젝트 착수자/<br>스폰서 |
| 7. 원가 관리 | |
| 8. 품질 관리 | 조직 프로세스 자산<br>기업 환경요인　　기업/조직 |
| 9. 인적자원관리 | |
| 10. 의사소통 관리 | |
| 11. 리스크 관리 | |
| 12. 조달 관리 | |
| 13. 이해관계자<br>관리 | |

4.1 프로젝트헌장 수립 프로세스의 산출물은 "프로젝트 헌장"만 있다. 이 프로젝트 헌장은 프로젝트 관리 계획서 개발, 범위
관리계획 수립, 요구사항 수집, 범위정의, 일정관리계획 수립, 원가관리계획 수립, 리스크관리계획 수립, 이해관계자 식별 프
로세스의 투입물이다.

따라서 프로젝트 헌장을 투입물로 받아들이는 프로세스를 알면 프로젝트 헌장의 구성 항목들을 거꾸로 유추해 낼 수 있다.

| 프로세스<br>지식영역 | 4.1 프로젝트헌장 수립 | | | |
|---|---|---|---|---|
| **4. 통합관리** | 4.1 프로젝트헌장<br>수립       프로젝트헌장 → | 4.2 프로젝트관리<br>계획서 개발 | | |
| **5. 범위 관리** | 프로젝트헌장 → | 5.1 범위관리<br>계획수립 | 5.2 요구사항<br>수집 | 5.3 범위정의 |
| **6. 일정 관리** | 프로젝트헌장 → | 6.1 일정관리계획<br>수립 | | |
| **7. 원가 관리** | 프로젝트헌장 → | 7.1 원가관리계획<br>수립 | | |
| **8. 품질 관리** | | | | |
| **9. 인적자원관리** | | | | |
| **10. 의사소통 관리** | | | | |
| **11. 리스크 관리** | 프로젝트헌장 → | 11.1 리스크관리계획<br>수립 | | |
| **12. 조달 관리** | | | | |
| **13. 이해관계자<br>관리** | 프로젝트헌장 → | 13.1 이해관계자<br>식별 | | |

## 프로젝트 선정 방법

프로젝트를 선정하는 방법으로는 어떤 것들이 있을까? 주로 현재가치 방법(PV), 순현재가치 방법(NPV), 이익과 원가의 비율측정(BCR), 내부 수익률법(IRR), 회수 기간법(Payback period), 투자수익법(ROI) 등이 있다.

### 현재 가치(PV, Present Value)

현재 가치(PV)란 미래가치(FV, Future Value)를 현재의 가치로 환산한 값을 말한다. 일반적으로 프로젝트에서 투자는 현재 시점으로 하는 반면 프로젝트를 통한 이익은 프로젝트가 끝난 후에 발생한다. 또한 프로젝트가 끝난 후에 들어오는 이익은 현재가치로 환산했을 때 가치는 떨어지게 된다.

따라서 지금 100억 투자해서 3년 뒤에 120억이 들어오는 것이 프로젝트에 이익인지 손해인지 정량적으로 계산을 해봐야 아는 것이다. 120억이 현재 가치로 계산했을 때 투자 금액인 100억보다 클 수도 있고 작을 수도 있기 때문이다. 미래 가치를 현재 가치화할 때 영향을 주는 요소는 바로 이자율이다. 다음은 현재 가치를 계산하는 공식이다.

$$현재가치 = \frac{미래가치}{(1 + 이자율)^n}, \quad n = 년수$$

그 예시로써 다음을 생각해보자. 현재 500만원을 투자하여 년 10%의 이자율로 5년간 투자할 경우 5년 후의 미래 가치는 얼마일까?

$$\frac{5,000,000}{(1+0.1)^5} = 3,104,607원, \quad 즉 500만원을 투자해서 년 10\%의 이자율로 5년을 투자하면 현재 가치인 500만원보$$
다 적은 돈이 된다.

### 순 현재가치(NPV, Net Present Value)

NPV는 프로젝트를 통해 들어오는 모든 이익에서 프로젝트에 들어가는 모든 비용을 뺀 값이다. 따라서 NPV가 클수록 좋은 프로젝트이다.

$$NPV = Total\ Benefit - Total\ Cost$$

### 편익비용비(BCR, Benefit Cost Ratio)

NPV에서는 이익과 비용을 뺐지만 BCR은 나눈다. 공식은 다음과 같다.

$$BCR = \frac{Total\ Benefit}{Total\ Cost}$$

따라서 BCR은 1보다 값이 크면 투자가치가 있다는 것이다.

### 내부수익율(IRR, Internal rate of return)

정해진 기간 내에 투자액을 회수하기 위한 이자율(NPV가 0일 때 이자율)을 말한다. IRR이 높을수록 투자가치가 높다는 얘기이고 만약 IRR < 은행 이자율이라면 차라리 은행에 예금하는 것이 더 나을 것이다. 프로젝트 수익률이 내부적으로 정한 수익률보다 높을 경우 투자하는 것이 일반적이다. 시험에서는 IRR 계산이 복잡하기 때문에 계산하는 문제가 직접적으로 출제된 경우는 없다. 다만, IRR이 클수록 좋은 프로젝트라고 기억하기 바란다.

예를 들면, 첫해 1000원을 투자하면 1년 뒤 300원, 2년 뒤 400원, 3년 뒤 500원, 4년 뒤 400원, 5년 뒤 300원의 이익이 예측되는 프로젝트의 IRR은 다음과 같이 한다.

| year | flow | 10% | 20% | 25% | 25.7% | 30% |
|---|---|---|---|---|---|---|
| 0 | −1000 | −1000 | −1000 | −1000 | −1000 | −1000 |
| 1 | 300 | 272.7 | 250.0 | 240.0 | 238.7 | 230.8 |
| 2 | 400 | 330.5 | 277.8 | 256.0 | 253.2 | 236.7 |
| 3 | 500 | 375.6 | 289.4 | 256.0 | 251.7 | 227.6 |
| 4 | 400 | 273.2 | 192.9 | 163.8 | 160.2 | 140.1 |
| 5 | 300 | 186.3 | 120.6 | 98.3 | 95.6 | 80.8 |
| sum | 900 | 438.44 | 130.6 | 14.1 | −0.6 | −84.1 |

[표]에서 1년의 10%가 272.7273으로 나온 것은 앞에서 설명한 PV로 계산하면 된다. 즉, $300/(1+0.1)^n =$ 272.7273. 10%일 때 투자비와 이익의 합계가 438.4450이므로 '0' 이 아니다. 퍼센트를 높이다 보면 약 25.7%에서 투자와 이익의 합산이 약 '0' 이 됨을 알 수 있다. 따라서 이 프로젝트의 IRR은 약 25.7%이다.

### 회수기간법(PP, Payback Period)

투자액을 회수하기까지 걸리는 시간이 짧을수록 투자 원금의 회수가 빨리 된다는 의미이고 회수 기간이 짧을수록 좋은 프로젝트이다. 프로젝트가 장기간일 경우 적당한 분석 방법이다.

| 초기 투자 | 기대 현금 유입 | | | | |
|---|---|---|---|---|---|
| | 1년 | 2년 | 3년 | 4년 | 5년 |
| 1,000,000원 | 100,000원 | 300,000원 | 200,000원 | 300,000원 | 100,000원 |

초기에 1,000,000원을 투자할 경우 예상 현금 유입에 기반할 경우 5년으로 Payback Period가 계산된다. 만일 4년 차에 300,000원이 아니라 400,000원이 들어온다면 Payback Period는 4년으로 줄게 된다.

### 투자자본수익율(ROI, Return on Investment)

ROI는 기업에서 정해진 자금의 사용에 대하여, 대체로 이익이나 비용 절감 등 얼마나 많은 회수가 되었는지를 말한다. 만약 30,000원을 투자해서 34,000원을 벌었다면 ROI = (34,000 − 30,000)/30,000 = 0.13, 즉 13%의 수익을 회수한 것이 된다.

### [기회비용(Opportunity Cost)]

두 종류의 재화 중 어느 한 편을 포기할 경우, 포기 안 했다면 얻을 수 있는 이익의 평가액을 말한다. 예를 들어 프로젝트에 투자할 돈을 은행에 예금했다면 받을 수 있었던 그 이자가 기회비용이 된다.

### [매몰비용(Sunk Cost)]

매몰비용은 Sunk, 즉 가라앉은 비용이다. 다시 말해 이미 지출해서 회수가 불가능한 비용을 말한다. 예를 들어 프로젝트를 진행하면서 1억원의 비용을 지출했고 문제가 있어서 그 프로젝트를 중단하고 새로운 프로젝트를 진행할 때 앞에서 지출된 1억원을 새로운 프로젝트에서 고려해서는 안 된다는 것이다. 다른 말로 물속을 가라앉아서 그냥 손해 보는 돈이라고 할 수 있다.

## 4.2 프로젝트관리계획개발(Develop Project Management Plan)

[4.2 프로젝트 관리 계획서 개발] 프로세스가 왜 통합관리 영역에 있는지 생각해보자. 프로젝트를 성공적으로 완료하기 위해서는 프로젝트의 범위, 일정, 원가, 품질 등 다양한 영역들을 프로젝트 생애주기 동안 어떻게 관리할 것인지를 상세히 계획해야 한다.

프로젝트 관리 계획서는 사실 하나의 문서가 아니다. 5장 범위관리부터 13장 이해관계자 관리까지의 지식 영역별 기획 프로세스의 산출물인 계획서들과 3개의 기준선을 모두 포함한 문서이다. 따라서 통합 관리 영역에서 [4.2 프로젝트 관리 계획서 개발] 프로세스는 9개 지식 영역의 계획 수립 프로세스의 산출물인 계획서들이 제대로 작성되도록 감시하고 통제하는 역할을 한다.

프로젝트 관리 계획서는 기획 단계에서 한 번에 만들어지는 것이 아니다. 프로젝트 수행 계획을 수립하면서 처음부터 계획을 완벽하게 작성하는 프로젝트 관리자는 없다. 프로젝트 착수나 계획 수립 시점에는 요구사항이 명확하지 않아 일정이나 원가, 자원투입 등을 유사산정을 통해 개략적으로 작성할 수밖에 없다.

프로젝트가 점차 진행되면서 모호했던 요구 사항들이나 프로젝트가 명확해지면서 프로젝트 수행 중 프로젝트 관리 계획서가 상세화 된다. 한번 만들어진 프로젝트 관리 계획서가 수정되기 위해서는 변경통제위원회(CCB, Change Control Board)의 공식적인 승인을 받아야 하며 관련 이해관계자에게 프로젝트 관리 계획서가 갱신되었음을 알려야 한다.

프로젝트 관리 계획서 개발(Develop Project Management Plan) 프로세스의 투입물, 도구 및 기법과 산출물은 다음과 같다.

그림 4-2 ◆ 프로젝트 관리 계획서 개발 프로세스의 ITTO

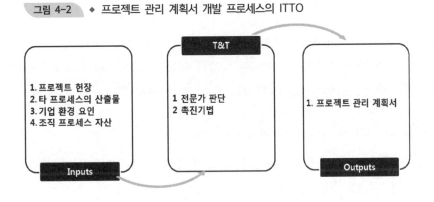

### 4.2.1 프로젝트 관리 계획서 개발 프로세스 투입물

**1. 프로젝트 헌장(Project Charter)**

[프로젝트 헌장 수립] 프로세스에서 이미 설명한 바와 같이, 프로젝트 헌장의 구성 요소는 다음과 같다.

- 프로젝트의 목적 또는 당위성
- 측정 가능한 프로젝트 목표와 성공 기준
- 개략적인 프로젝트의 요구사항
- 프로젝트에 대한 가정 및 제약사항
- 개략적인 프로젝트의 리스크
- 개략적인 프로젝트 일정
- 개략적인 프로젝트 예산
- 고객 및 조달업체를 포함한 이해관계자 목록
- 프로젝트 스폰서, 승인권자 등 결재자 목록
- 배정된 프로젝트 관리자와 그의 권한과 책임

프로젝트 관리 계획서, 즉 범위 관리 계획서, 요구사항 관리 계획서, 일정 관리 계획서, 원가 관리 계획서, 품질 관리 계획서, 프로세스 개선 계획서, 인적자원관리 계획서, 의사소통 관리 계획서, 리스크 관리 계획서, 조달관리 계획서, 및 이해관계자 관리 계획서가 프로젝트 헌장의 내용을 반영하여 잘 작성되었는지 확인해야 한다.

**2. 타 프로세스 그룹의 산출물(Outputs from other processes)**

프로젝트 관리 계획서는 하나의 문서가 아니라 타 기획 프로세스의 산출물인 범위 관리 계획서부터 이해관계자 관리 계획서까지의 모든 문서와 범위 기준선, 일정 기준선, 및 원가 기준선 등을 포함해야 한다. 그 외에 변경 관리 계획서 및 형상 관리 계획서도 포함해야 한다.

**3. 기업 환경 요인(Enterprise environmental factors)**

프로젝트 관리 계획서를 작성할 때 정부 또는 산업 표준, 조직 구조, 조직 문화, 인력에 대한 고용 및 해고 지침, 성과 검토 등이 영향을 줄 수 있다.

## 4. 조직 프로세스 자산(Organizational process assets)

프로젝트 관리 계획서를 작성하기 위해서는 다음과 같은 조직 프로세스 자산을 참고해야 한다.

- ◉ 프로젝트 관리 계획서 템플릿
- ◉ 유사 프로젝트에서 작성했던 프로젝트 관리 계획서들
- ◉ 프로젝트 관리 계획서 작성시 교훈 사항
- ◉ 조직내 프로젝트 관리 계획서 작성 절차, 정책, 지침 및 문서 결재 라인

## 4.2.2 프로젝트 관리 계획서 개발 프로세스 도구 및 기법

### 1. 전문가 판단(Expert judgment)

프로젝트 관리 계획서는 프로젝트 관리자와 프로젝트 팀이 작성한다. 그러나 프로젝트의 유형이나 특성에 따라 이들이 잘 모르거나 판단을 내릴 수 없는 영역도 존재한다. 이럴 때 전문가들이 필요하다.

전문가들은 조직 내부의 다른 부서의 팀장이나 프로젝트 관리자, 컨설턴트, 고객 또는 스폰서를 포함한 이해관계자, 전문가 및 기술협회, 산업단체, PMO 등의 개인 혹은 조직이다. 이들 전문가들은 다음의 작업들을 진행할 때 도움을 줌으로써 프로젝트 관리 계획서가 제대로 작성되도록 지원한다.

- ◉ 프로젝트 요구사항을 충족시키기 위한 프로젝트 관리 프로세스 테일러링
- ◉ 프로젝트에 적용할 형상관리 수준 정의
- ◉ 공식적인 변경통제 프로세스의 영향을 받을 프로젝트 문서 판단
- ◉ 프로젝트 작업에 대한 우선순위 결정
- ◉ 프로젝트 활동 수행을 위한 인적 혹은 물적 자원의 수준 결정
- ◉ 그 외에 전문가들이 도움을 줄 수 있는 모든 활동들에 전문가 판단 적용

전문가 판단이 PMBOK에서 도구 및 기법으로 많이 사용됨을 볼 수 있는데, 이는 '전문가의 도움을 받는다'라는 의미로 생각하면 된다.

### 2. 촉진 기법(Facilitation techniques)

프로젝트 팀이나 팀원이 골방에 틀어박혀 프로젝트 관리 계획서를 작성하는 것이 아니다. 작

성된 프로젝트 관리 계획서를 기반으로 프로젝트 관리자, 프로젝트 팀원, 스폰서, 이해관계자 및 전문가들이 함께 모여 프로젝트 관리 계획서의 적절성과 타당성을 검토해야 한다.

당연히 사람들이 함께 회의를 진행하면서 특정 문제 해결을 위해 아이디어도 제시해야 하고, 갈등이 생기면 이를 풀어야 한다. 프로젝트 관리 계획서 작성 활동을 성공적으로 수행할 수 있도록 도움을 줄 수 있는 브레인스토밍, 문제해결, 갈등해결, 회의 관리 등이 촉진 기법에 속한다.

### 4.2.3 프로젝트 관리 계획서 개발 프로세스 산출물

#### 1. 프로젝트 관리 계획서(Project management plan)

프로젝트 관리 계획서는 프로젝트를 수행, 감시 및 통제하는 방법과 절차를 기술한 문서이다. 다양한 기획 프로세스의 산출물인 계획서와 기준선을 프로젝트 관리 계획서 내에 포함한다.

- ◉ 범위 기준선
- ◉ 일정 기준선
- ◉ 원가 기준선
- ◉ 범위 관리 계획서
- ◉ 요구사항 관리 계획서
- ◉ 일정관리 계획서
- ◉ 원가관리 계획서
- ◉ 품질관리 계획서
- ◉ 프로세스 개선 계획서
- ◉ 인적자원관리 계획서
- ◉ 의사소통관리 계획서
- ◉ 리스크관리 계획서
- ◉ 조달관리 계획서
- ◉ 이해관계자 관리 계획서
- ◉ 변경관리 계획서
- ◉ 형상관리 계획서

이상의 다양한 계획서와 기준선들이 프로젝트 관리 계획서에 포함되지만, 추가적으로 다음의 내용들도 포함될 수 있다.

◉ 프로젝트 전반에 적용될 프로젝트 생애주기

◉ 프로젝트 거버넌스 적용 수준

◉ 프로젝트 관리 정보 시스템(PMIS, Project Management Information System)

◉ 프로젝트 계획과 실적을 검토하는 정기 검토 회의 절차, 횟수 및 참석자 등

프로젝트 관리 계획서는 스폰서나 이해관계자들과 합의하여 결정된 후, 프로젝트 관리 계획서를 변경해야 하는 경우에는 반드시 공식적인 변경통제 절차와 변경통제위원회(CCR)와 합의하여 갱신해야 한다.

또한, 프로젝트 관리 계획서는 5장 범위관리부터 13장 이해관계자 관리의 계획 수립 프로세스와 통제 프로세스의 투입물로 사용된다. 특히, 통제 프로세스에는 계획과 실적을 비교하여 변경할 부분이 생기면 변경관리 계획서에 기술한 절차대로 변경을 하며, 그 변경에 대해서는 형상 관리 계획서의 절차대로 형상을 관리해야 하기 때문에 프로젝트 관리 계획서가 각 통제 프로세스에 반드시 투입물로 사용되는 것이다.

**표 4-2 ← → 프로젝트 관리 계획서와 프로젝트 문서의 차이점**

| 프로젝트 관리 계획서 | 프로젝트 문서 | |
|---|---|---|
| • 범위관리 계획서 | • 활동속성 | • 프로젝트 팀원 배정 |
| • 요구사항관리 계획서 | • 활동원가 산정치 | • 프로젝트 작업기술서 |
| • 일정관리 계획서 | • 활동기간 산정치 | • 품질 체크 리스트 |
| • 원가관리 계획서 | • 활동목록 | • 품질통제 측정치 |
| • 품질관리 계획서 | • 활동자원 요구사항 | • 품질 매트릭스 |
| • 프로세스 개선 계획서 | • 협약 | • 요구사항 문서 |
| • 인적자원관리 계획서 | • 산정 기준서 | • 요구사항 추적 매트릭스 |
| • 의사소통관리 계획서 | • 변경 기록부 | • 자원분류체계(RBS) |
| • 리스크 관리 계획서 | • 변경요청 | • 자원달력 |
| • 조달관리 계획서 | • 예측<br>  −원가 예측<br>  −일정 예측 | • 리스크 등록부 |
| • 이해관계자 관리 계획서 | • 이슈 기록부 | • 일정 데이터 |
| • 범위 기준선<br>  −프로젝트 범위 기준선<br>  −작업분류체계(WBS)<br>  −작업분류체계 사전 | • 마일스톤 목록 | • 판매자 제안서 |
| • 일정 기준선 | • 조달 문서 | • 공급자 선정기준 |
| • 원가 기준선 | • 조달 작업 기술서 | • 이해관계자 등록부 |
| • 변경관리 계획서 | • 프로젝트 달력 | • 팀 성과평가 |
| • 형상관리 계획서 | • 프로젝트 헌장 | • 작업성과 자료 |
| | • 프로젝트 자금 요구사항 | • 작업성과 정보 |
| | • 프로젝트 일정 | • 작업성과 보고서 |
| | • 프로젝트 일정 네트워크도 | |

PMBOK에서는 프로젝트 관리 계획서(Project Management Plan)와 프로젝트 문서(Project Documents)를 명확히 구분하고 있다. 수험생들은 두 문서에 각각 포함되는 문서들을 확실히 알아두어야 한다.

특히, 프로젝트 헌장은 프로젝트 관리 계획서에 포함되지 않는다는 것을 명심하자.

### Kick off meeting

키오프 미팅은 PMBOK 어디에도 나오지 않는다. 키오프 미팅은 PMP 시험 가이드라인 중 프로젝트 관리자가 해야 할 기획 활동에 나온다. 그렇다면 키오프 미팅은 무엇일까?

키오프 미팅은 [4.2 프로젝트 관리 계획서 개발] 프로세스가 완료되기 전, 프로젝트 실행 단계 시작 전인 그 사이에서 진행되어야 한다. 키오프 미팅에는 프로젝트의 주요 이해관계자(고객, 판매자, 프로젝트 팀, 경영자, 기능 관리자, 스폰서 및 프로젝트 관리자)들이 참석한다.

키오프 미팅에서 논의해야 할 항목은 다음과 같다.
- 프로젝트의 스폰서 및 프로젝트 관리자 소개
- 주요 고객 및 이해관계자 소개
- 프로젝트의 범위, 정의 및 목적 검토
- 개략적인 프로젝트 일정, 마일스톤, 역할 및 책임
- 인도물에 대한 검토
- 이슈 및 리스크에 대한 검토
- 이후 단계에 대한 설명

[프로젝트 관리 계획서 개발] 프로세스는 프로젝트 헌장과 타 계획 프로세스의 산출물을 기반으로 전문가들과 함께 촉진기법을 사용하여 프로젝트 관리 계획서를 작성하는 프로세스이다.

| 프로세스<br>지식영역 | 4.2 프로젝트관리계획서 개발 |
|---|---|
| 4. 통합관리 | 4.1 프로젝트 헌장<br>수립 → 프로젝트헌장 → 4.2 프로젝트관리<br>계획서 개발 |
| 5. 범위 관리 | |
| 6. 일정 관리 | 기업/조직 |
| 7. 원가 관리 | 조직 프로세스 자산<br>기업 환경요인 |
| 8. 품질 관리 | 다른 프로세스의<br>산출물 |
| 9. 인적자원관리 | 의사소통관리 계획서,<br>원가관리 계획서,<br>인적자원관리 계획서,<br>프로세스 개선 계획서, |
| 10. 의사소통 관리 | 품질관리 계획서,<br>요구사항관리 계획서,<br>리스크관리 계획서, |
| 11. 리스크 관리 | 일정관리 계획서,<br>범위관리 계획서,<br>이해관계자관리 계획서, |
| 12. 조달 관리 | 원가기준선,<br>일정기준선,<br>범위기준선, |
| 13. 이해관계자<br>관리 | 변경관리계획서<br>형상관리계획서 |

다음의 데이터 흐름을 보면 프로젝트 관리 계획서는 대부분 기획 프로세스 그룹 및 감시 및 통제 프로세스에 속하는 모든 프로세스들에 투입물로 활용된다는 것을 알 수 있다. 그 외에 프로젝트 또는 단계 종료 프로세스에 사용 된다. 작성된 프로젝트 관리 계획서는 모든 기획 프로세스 그룹의 프로세스와 감시 및 통제 프로세스 그룹의 투입물로 사용된다. 특히, 감시 및 통제 프로세스 그룹의 모든 프로세스에 프로젝트 관리 계획서가 사용되는 이유는 변경관리 계획서, 형상관리 계획서가 포함되어 있기 때문임을 꼭 이해하고 있어야 한다.

| 지식영역 ＼ 프로세스 | 4.2 프로젝트관리계획서 개발 | | |
|---|---|---|---|
| 4.통합관리 | 4.2 프로젝트관리계획서 개발 | 프로젝트관리계획서 → | 4.3 프로젝트작업 지시 및 관리, 4.4 프로젝트작업 감시 및 통제 4.5 통합변경 통제 수행,　　4.6 프로젝트 또는 단계종료 |
| 5.범위관리 | | 프로젝트관리계획서 → | 5.1 범위관리계획 수립, 5.5 범위 검수, 5.6 범위통제 |
| 6.시간관리 | | 프로젝트관리계획서 → | 6.1 일정관리계획 수립, 6.7 일정통제 |
| 7.원가관리 | | 프로젝트관리계획서 → | 7.1 원가관리계획 수립, 7.4 원가통제 |
| 8.품질관리 | | 프로젝트관리계획서 → | 8.1 품질관리계획 수립 8.3 품질통제 |
| 9.인적자원관리 | | 프로젝트관리계획서 → | 9.1 인적자원관리계획 수립 |
| 10.의사소통관리 | | 프로젝트관리계획서 → | 10.1 의사소통관리계획 수립, 10.3 의사소통통제 |
| 11.위기관리 | | 프로젝트관리계획서 → | 11.1 리스크관리계획 수립, 11.6 리스크통제 |
| 12.조달관리 | | 프로젝트관리계획서 → | 12.1 조달관리계획 수립, 12.3 조달통제, 12.4 조달종료 |
| 13.이해관계자관리 | | 프로젝트관리계획서 → | 13.2 이해관계자관리계획 수립, 13.4 이해관리자참여 통제 |

## 4.3 프로젝트 작업 지시 및 관리(Direct and Manage Project Work)

[4.3 프로젝트 작업 지시 및 관리] 프로세스는 프로젝트의 목표 달성을 위해 프로젝트 관리 계획서에서 계획한 그대로 실행하는 프로세스이다. 또한, 변경통제위원회에서 승인한 변경사항을 구현한다.

따라서 [4.3 프로젝트 작업 지시 및 관리] 프로세스의 산출물로는 인도물(Deliverable)이 생성된다. 인도물이 100% 완료된 것인지 아니면 60% 완료된 것인지의 정보를 담은 작업 성과 자료(WPD, Work Performance Data)가 함께 생성된다.

만약, 프로젝트 관리 계획서나 인도물 혹은 프로젝트 문서 등이 계획했던 것과 일치하지 않아 변경 요청을 하였고 변경통제위원회에서 승인을 하였다면 "인도물＋승인된 변경요청"이 투입물이다.

[4.3 프로젝트 작업 지시 및 관리] 프로세스에서는 승인된 변경요청을 기반으로 변경해야 할 프로젝트 관리 계획서 혹은 인도물을 대상으로 시정조치, 예방조치 혹은 결함수정 조치를 한다.

◉ **시정 조치**(Corrective Action)

프로젝트 작업의 성과를 프로젝트 관리 계획과 일치시키는 활동이다. 즉, 이미 계획과 실제 성과가 틀어졌을 경우, 프로젝트 관리자 혹은 팀에게 프로젝트 계획에 맞추도록 지시한다.

◉ **예방 조치**(Preventive Action)

프로젝트 작업의 미래 성과를 프로젝트 관리 계획과 일치시키는 활동이다. 즉, 프로젝트 성과가 프로젝트 계획에서 벗어날 조짐이 보일 경우 이를 빨리 예방하여 벗어나지 않도록 지시하는 활동이다.

◉ **결함 수정**(Defect Repair)

부적합한 제품 또는 제품 구성요소를 수정하기 위한 활동이다.

특히, [4.3 프로젝트 작업 지시 및 관리] 프로세스에서는 리스크를 관리하고, 리스크 대응 계획을 수행한다는 것과 교훈 사항을 수집 및 분석하고 승인된 프로세스 개선활동을 수행한다는 것을 꼭 기억해두자.

프로젝트 작업 지시 및 관리(Direct and Manage Project Work) 프로세스의 투입물, 도구 및 기법과 산출물은 다음과 같다.

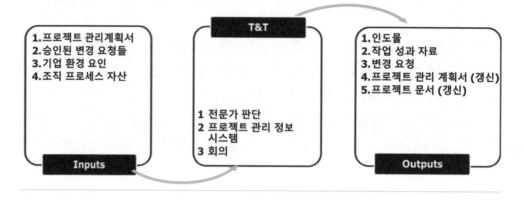

그림 4-3 ◆ 프로젝트 작업 지시 및 관리 프로세스의 ITTO

**Inputs**
1. 프로젝트 관리계획서
2. 승인된 변경 요청들
3. 기업 환경 요인
4. 조직 프로세스 자산

**T&T**
1 전문가 판단
2 프로젝트 관리 정보 시스템
3 회의

**Outputs**
1. 인도물
2. 작업 성과 자료
3. 변경 요청
4. 프로젝트 관리 계획서 (갱신)
5. 프로젝트 문서 (갱신)

### 4.3.1 프로젝트 작업 지시 및 관리 프로세스 투입물

**1. 프로젝트 관리 계획서(Project management plan)**

프로젝트 관리 계획서에 기술한 계획대로 작업을 수행하여 인도물을 생산해야 하기 때문에 당연히 프로젝트 관리 계획서가 투입물로 필요하다.

◉ 범위 관리 계획서와 범위 기준선을 참고하여 인도물을 생산하고

◉ 해당 인도물을 언제까지 만들어야 하는지는 일정 기준선과 일정관리 계획서를 참고

◉ 인도물을 얼마에 만들어야 하는지는 원가 기준선 및 원가관리 계획서 등을 참고한다.

**2. 승인된 변경 요청(Approved change requests)**

프로젝트의 계획이나 인도물이 계획한대로 진행되고 만들어지면 프로젝트가 순탄하게 진행되겠지만, 그런 프로젝트는 존재하지 않는다. 프로젝트를 진행하면서 계획도 수정이 필요하고, 이미 생성한 인도물은 변경이 필요할 수 있다.

[4.5 통합변경통제 수행] 프로세스는 계획과 실제가 다른 경우 이에 대한 공식적인 요청된 변경요청을 변경통제위원회가 승인하거나 거절하는 프로세스이다. 변경의 대상은 프로젝트 자체, 프로젝트의 인도물, 프로젝트 관리 계획서 혹은 프로젝트 문서 등 모든 것이 포함된다.

따라서 변경통제위원회에서 승인된 변경요청에 의해 시정조치, 예방조치, 및 결함수정을 할 수 있다.

## 3. 기업 환경 요인(Enterprise environmental factors)

[4.3 프로젝트 작업 지시 및 관리] 프로세스의 기업 환경 요인은 프로젝트 작업을 수행하는데 영향을 줄 수 있는 정부의 정책, 조직의 문화나 구조, 조직의 인사행정, 이해관계자의 리스크 허용한도(Risk Tolerance) 등이 있다.

> **Tips**
>
> ### 리스크 허용 한도 (Risk Tolerance)
>
> 이해관계자의 리스크 허용한도가 프로젝트에 왜 영향을 줄까? 모든 사람은 식별된 리스크를 대하는 저마다의 성향이 존재한다. 프로젝트 일정이 3일 지연될 것으로 예상된다고 생각해보자.
>
> 이해관계자인 홍길동(Risk Taker)은 리스크에 대범해서 3일 지연되는 것은 일정이 지연되는 것도 아니라고 생각하여, 프로젝트 팀에게 맡은 바 업무에 충실하면 충분히 일정이 정상화 될 것이라고 프로젝트 팀을 안심시킨다.
>
> 다른 이해관계자인 김철수(Risk Averter)는 프로젝트의 일정이 3일이나 지연되는 것은 아주 큰 문제라고 난리치면서 프로젝트 관리자, 프로젝트 팀원들을 불러놓고 호통을 치면서 당장에 대책을 마련하지 않으면 지연에 따른 책임을 묻겠다고 민감해할 수 있다.
>
> 반면에 이해관계자 김영희(Risk Neutral)은 3일 지연될 수 있는 원인을 철저히 파악하고, 일정이 계속 지연될 것인지 혹은 복잡한 업무 처리로 인한 단순 지연인지를 분석한 후, 여러 대안을 마련하여 프로젝트를 진행시킬 수도 있다.
>
> 이해관계자의 리스크에 대한 3가지 성향은 프로젝트 관리자 및 프로젝트 팀이 프로젝트 활동을 수행하는데 다양한 영향을 줄 수 있기 때문에 기업환경요인으로 볼 수 있다.
>
> 보다 자세한 내용은 11장 프로젝트 리스크 관리 영역에서 다루기로 한다.

## 4. 조직 프로세스 자산(Organizational process assets)

[4.3 프로젝트 작업 지시 및 관리] 프로세스의 조직 프로세스 자산은 인도물을 생산하기 위한 다음과 같은 다양한 요인들이 영향을 미칠 수 있다.

- 인도물 생산을 위한 표준 지침이나 작업 지시
- 프로젝트 팀 간 혹은 팀원 간 인도물 생산을 위한 다양한 의사소통 요구사항이나 매체
- 인도물을 생산하면서 발생하는 이슈를 처리하기 위한 절차나 지침
- 프로세스 및 제품 관련 측정 데이터를 수집하고 지원하기 위한 프로세스 측정 절차, 지침, 및 데이터베이스
- 유사 프로젝트에서 활동 수행 중 발생한 다양한 자료(결함조치 내역, 이슈처리 결과, 리스

크 등록부, 리스크 대응 조치 등)

## 4.3.2 프로젝트 작업 지시 및 관리 프로세스 도구 및 기법

### 1. 전문가 판단(Expert judgment)

프로젝트에서 인도물을 생성하기 위해서는 인력자원이나 재료 혹은 특수한 기법이나 도구들이 투입되어야 한다. 이러한 투입물들이 해당 인도물을 생성하는데 적합한지 여부를 전문가들이 판단하기도 한다. 프로젝트 관리자 혹은 프로젝트 팀이 해당 전문지식이 없다면 교육이나 훈련을 통해 습득할 수 있고, 외부 전문가를 활용할 수 있다.

### 2. 프로젝트 관리 정보 시스템(Project management information system)

각 작업에 대한 승인정보, 프로젝트에 대한 진척정보, 혹은 형상변경에 대한 정보나 작업에 대한 팀원과 이해관계자간의 의사소통 정보 및 주간/월간 보고 등의 모든 것들이 프로젝트 관리 정보 시스템을 통해 일어날 수 있다.

### 3. 회의(Meetings)

프로젝트를 실제 수행하는데 있어서 완성된 인도물에 대한 평가나 검토 혹은 이슈 해결을 위한 대안 모색 등 이해관계자를 비롯한 프로젝트 관리자 및 팀원들 간 회의가 실행 단계에서 이루어져야 한다. 회의는 보통 다음 세 가지 유형에 속한다.

- 정보 교환
- 브레인스토밍, 대안평가
- 의사결정

## 4.3.3 프로젝트 작업 지시 및 관리 프로세스 산출물

### 1. 인도물(Deliverables)

인도물은 프로젝트를 수행하면서 생성되는 측정 가능하고 검증 가능한 다양한 제품, 결과, 혹은 서비스를 의미한다.

**그림 4-4** ◆ 인도물의 제작부터 인수까지의 절차

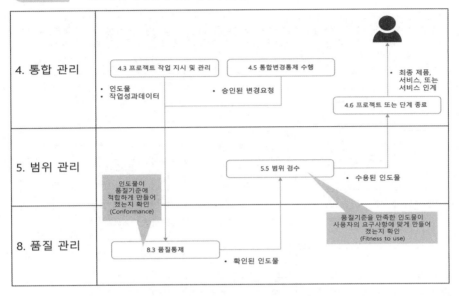

PMBOK는 특정 산업의 프로젝트 관리를 위한 가이드가 아니기 때문에 특정 프로젝트의 인도물을 생성하기 위한 구체적인 방법들과 인도물을 명시하지 않았다. 예를 들어, 소프트웨어 시스템 개발 프로젝트에서 프로그램 개발을 위한 화면설계서, 데이터베이스 설계서, 작동하는 소프트웨어 등을 언급하지 않았다.
인도물은 프로젝트의 최종 목표인 요구사항을 만족하는 제품, 결과 혹은 서비스와 인도물을 생성하기 위한 각종 문서들까지 포함한다는 것을 알아두자.

[프로젝트 작업 지시 및 관리] 프로세스의 산출물인 인도물이 생성되면, [8.3 품질 통제] 프로세스를 통해 품질 요구사항이나 품질 기준에 부합했는지 확인하며, 확인이 완료된 인도물은 [5.5 범위 검수] 프로세스에서 인도물이 요구사항에 맞게 생성되었는지 검증 후, 최종적으로 이해관계자에게 이전된다.

## 2. 작업 성과 자료(Work Performance Data)

작업 성과 자료는 프로젝트 인도물을 생성하면서 측정된 실제 관찰 및 측정치이다. [4.3 프로젝트작업 지시 및 관리] 프로세스에서 만들어진 작업성과자료는 계획대비 실적(Plan vs Actual) 비교를 위해 통제 프로세스의 투입물로 사용된다.

작업성과자료의 구체적인 예로는 일정 진행률, 완성된 인도물과 미완성 인도물, 활동의 실제 시작일과 실제 종료일, 승인된 원가와 실제 발생한 원가, 현재 진행 중인 일정 활동의 실제

완료율, 변경요청 횟수 등이 있다.

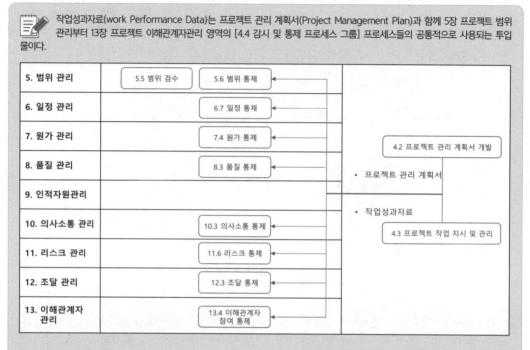

작업성과자료(work Performance Data)는 프로젝트 관리 계획서(Project Management Plan)과 함께 5장 프로젝트 범위 관리부터 13장 프로젝트 이해관계자관리 영역의 [4.4 감시 및 통제 프로세스 그룹] 프로세스들의 공통적으로 사용되는 투입물이다.

따라서 통제 프로세스들의 투입물은 2개의 공통적인 산출물과 함께 각 지식영역별로 통제 프로세스에 필요한 산출물들이 사용된다고 보면 학습하기 쉽다.

### 3. 변경 요청(Change Requests)

프로젝트를 수행하면 반드시 계획대로 진행되지 않으며, 인도물 또한 처음 예상한 품질을 맞추지 못할 수 있다. 이러한 경우 변경요청을 통해 문서, 인도물 또는 기준선(baseline)의 변경을 공식적으로 요청한다. 변경 요청은 직접적 또는 간접적으로 외부 또는 내부에서 발생할 수 있다. 또한, 발생된 변경요청이 프로젝트의 후반에 부정적인 영향을 끼치지 않도록 사전에 방지하는 예방조치 혹은 시정조치도 포함된다.

### 4. 프로젝트 관리 계획서 갱신(Project management plan updates)

변경통제위원회(CCB)에 의해 승인된 변경 요청(Approved Change Request)에 의해 프로젝트 관리 계획서 중 변경 대상 문서들이 갱신될 수 있다.

## 5. 프로젝트 문서 수정(Project documents updates)

변경통제위원회(CCB)에 의해 승인된 변경 요청(Approved Change Request)에 의해 프로젝트 문서들 중 변경 대상 문서들이 갱신될 수 있다.

모든 변경에 대해서 항상 변경통제위원회(CCB)의 승인을 얻어야 할까? 변경통제위원회의 구성은 스폰서, 고객, 고객사 PM, 이사회 및 프로젝트 관리자 등으로 이루어 질 수 있다. 구성원들을 살펴보면 각자의 업무에 너무나 바쁜 사람들이다. 따라서, 매번 변경요청에 대해서 프로젝트 관리자가 일일이 승인을 얻는다면 무척이나 귀찮아 할 것이다.

프로젝트 관리자는 고객의 변경 요청에 대해 팀원들과 영향력에 대한 철저한 분석 후 일정, 원가, 품질, 리스크 등에 문제가 없다면 자체적으로 해결할 수 있다. 그런데 사용하라고 예비비, 예비일정이 있는 것이다. 그러나, 프로젝트 관리자가 승인한 것도 반드시 변경요청서와 변경로그를 그 근거로 남겨야 한다. 변경통제위원회에는 그 진행 내역에 대해서 주기적인 의사소통을 하면 된다.

반면, 범위, 일정, 원가를 변경시키는 변경요청은 반드시 변경통제위원회의 승인을 얻어서 진행하여야 향후 발생할 수 있는 책임 소재에 대해서 명확하게 할 수 있다.

프로젝트 작업 지시 및 관리 프로세스는 프로젝트 관리 계획서에 따라 프로젝트의 인도물을 생성하는 프로세스이다. 또한, 통합변경통제 수행에서 승인된 변경요청에 따라 시정 조치, 예방 조치, 혹은 결함수정을 한다.

| 프로세스 / 지식영역 | 4.3 프로젝트 작업 지시 및 관리 | | |
|---|---|---|---|
| 4. 통합관리 | 4.2 프로젝트관리계획 개발 → 프로젝트관리계획서 → 4.3 프로젝트 작업 지시 및 관리 | ← 승인된 변경요청 ← | 4.5 통합변경통제 수행 |
| 5. 범위 관리 | | | |
| 6. 일정 관리 | | | |
| 7. 원가 관리 | 조직 프로세스 자산 기업 환경요인 | | |
| 8. 품질 관리 | 기업/조직 | | |
| 9. 인적자원관리 | | | |
| 10. 의사소통 관리 | | | |
| 11. 리스크 관리 | | | |
| 12. 조달 관리 | | | |
| 13. 이해관계자 관리 | | | |

[4.3 프로젝트 작업 지시 및 관리] 프로세스는 계획한 대로 프로젝트의 작업을 수행하는 프로세스라고 했다. 프로젝트의 상세한 계획인 프로젝트 관리 계획서를 기반으로 인도물을 생성하고, 그에 따른 작업 성과 자료를 만든다. 작업 수행 도중 수정할 필요가 있을 경우 변경요청을 제기하기도 한다. 이러한 작업 성과 자료는 감시 통제 프로세스 그룹의 모든 프로세스에 투입물로 활용된다는 것을 꼭 기억해 두자.

| 프로세스 지식영역 | 4.3 프로젝트 작업 지시 및 관리 | | |
|---|---|---|---|
| 4. 통합관리 | 4.2 프로젝트관리 계획서 개발 | 4.3 프로젝트 작업 지시 및 관리 → 변경요청 | 4.5 통합변경통제 수행 |
| 5. 범위 관리 | 프로젝트관리계획서(갱신) | 작업성과자료 | 5.5 범위검수, 5.6 범위통제 |
| 6. 일정 관리 | | 작업성과자료 | 6.7 일정통제 |
| 7. 원가 관리 | | 작업성과자료 | 7.4 원가통제 |
| 8. 품질 관리 | | 인도물, 작업성과자료 | 8.3 품질통제 |
| 9. 인적자원관리 | 프로젝트 문서들 ← 프로젝트문서(갱신) | | |
| 10. 의사소통 관리 | | 작업성과자료 | 10.3 의사소통 통제 |
| 11. 리스크 관리 | | 작업성과자료 | 11.6 리스크 통제 |
| 12. 조달 관리 | | 작업성과자료 | 12.3 조달통제 |
| 13. 이해관계자 관리 | | 작업성과자료 | 13.4 이해관계자참여 통제 |

## 4.4 프로젝트 작업 감시 및 통제(Monitor and control Project Work)

[4.4 프로젝트 작업 감시 및 통제] 프로세스는 프로젝트 관리 계획서에서 정의한 프로젝트 범위, 일정, 원가, 품질 등의 성과 목표를 달성하기 위해 프로젝트의 진행 상황을 추적, 검토, 및 보고하는 프로세스이다. 따라서 프로세스의 결과물은 프로젝트의 현재 진행 상태와 프로젝트의 미래 상태를 예측하고 기술한 작업 성과 보고서와 변경요청이 산출물로 생성된다.

[4.3 프로젝트작업 지시 및 관리] 프로세스는 프로젝트 관리 계획서대로 인도물을 생산하는 프로세스라고 한다면, [4.4 프로젝트작업 감시 및 통제] 프로세스는 프로젝트의 성과 정보를 수집, 측정 및 분석하고 향후의 추세에 대한 평가를 수행한다. 또한, 확인된 변경사항의 확인을 통해 이슈가 해결되었는지를 결정하기도 한다. [4.4 프로젝트작업 감시 및 통제] 프로세스는 다음과 같은 활동들을 한다.

◉ 프로젝트 관리 계획과 실제 성과 비교(Plan vs. Actual)
◉ 계획과 실제 비교를 통한 조치 유형 결정(시정조치, 예방조치, 결함수정, 갱신)
◉ 새로운 리스크 식별, 기존 리스크 재분석, 리스크의 추적 및 감시, 리스크 상태보고 등
◉ 승인된 변경사항 구현 여부 확인
◉ 프로젝트 진척률 측정 및 프로젝트 진척 예측을 위한 정보 제공
◉ 프로젝트의 현재 일정, 원가 사용을 기반으로 미래의 일정 및 원가 예측
◉ 프로젝트 상위의 프로그램 및 포트폴리오 관리 부문에 프로젝트에 대한 성과보고

결국, [4.4 프로젝트작업 감시 및 통제] 프로세스는 계획과 실제 진척을 비교하고, 그 비교 결과를 기반으로 프로젝트의 향후 일정과 원가 예측 및 리스크의 식별과 재평가를 기술한 "작업 성과 보고서"를 작성하는 프로세스이다.

그림 4-5 ◆ 프로젝트 작업 감시 및 통제 프로세스의 ITTO

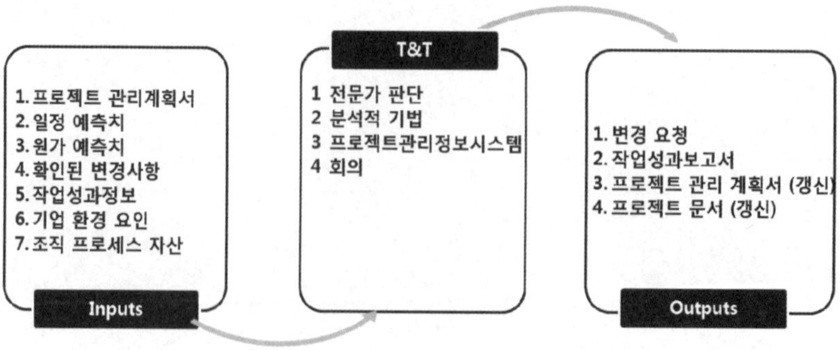

| Inputs | T&T | Outputs |
| --- | --- | --- |
| 1. 프로젝트 관리계획서<br>2. 일정 예측치<br>3. 원가 예측치<br>4. 확인된 변경사항<br>5. 작업성과정보<br>6. 기업 환경 요인<br>7. 조직 프로세스 자산 | 1 전문가 판단<br>2 분석적 기법<br>3 프로젝트관리정보시스템<br>4 회의 | 1. 변경 요청<br>2. 작업성과보고서<br>3. 프로젝트 관리 계획서 (갱신)<br>4. 프로젝트 문서 (갱신) |

프로젝트 작업 감시 및 통제(Monitor and Control Project Work) 프로세스의 투입물, 도구 및 기법과 산출물은 위와 같다.

### 4.4.1 프로젝트 작업 감시 및 통제 프로세스 투입물

#### 1. 프로젝트 관리 계획서(Project management plan)

프로젝트의 진행을 감시하고 통제한다는 것은 프로젝트의 계획과 실제 진척을 비교하는 것이다. 따라서 비교 대상인 계획 정보가 투입물로 들어와야 한다. 프로젝트의 계획은 프로젝트 관리 계획서이다. 반면에 계획과 실제 진척 비교는 작업성과정보(WPI, Work Performance Information)에 기술되어 있다.

#### 2. 일정 예측치(Schedule forecasts)

[4.4 프로젝트작업 감시 및 통제] 프로세스는 최종적으로 프로젝트의 현재 상태와 미래에 대한 예측 자료를 작업 성과 보고서라는 형태로 문서를 작성한다. 따라서 작업 성과 보고서에는 일정과 원가에 대한 예측치가 기술되어 있어야 한다. 만약, 일정 진척을 획득 가치 기법(EVM, Earned Value Method)으로 한다면, 잔여분산정치(Estimate to Complete, ETC)로부터 계산될 수 있다. 또한, 일정차이(SV, Schedule variance)나 일정성과지수(SPI, Schedule performance index)로 표현될 수 있다. 획득가치기법에 대한 자세한 내용은 7장 프로젝트 원가 관리에서 학습하기로 한다.

---

**Tips**

일정 예측치와 원가 예측치는 일반적으로 프로젝트 관리자가 이해관계자에게 프로젝트의 진척을 보고할 때를 생각해보면 왜 투입물로써 들어가는지 이해하기 쉽다. 대부분 주간보고, 월간보고시 프로젝트 관리자는 다음과 같은 사항들을 보고할 것이다.
-이번 주 진척 계획과 실제 진척률
-계획과 실제의 차이에 대한 대안 분석과 계획
-리스크 및 이슈 사항
-다음 주 일정 및 인력계획 등

그런데 이 정도 사항만 보고하면 상급자는 프로젝트 관리자에게 다시 물어볼 것이다.
"그래서, 프로젝트가 언제 끝날 수 있는 건가요? 원래 예산에서 다 할 수 있는 건가요? 추가적인 자금이 있어야 하나요?"

이 질문에 대한 답변을 위해 일정 예측치와 원가 예측치가 필요하다고 이해하면 된다. PMBOK에는 일정예측치는 일정차이(SV, Schedule Variance), 일정성과지수(SPI, Schedule Performance Index)로 표현하고, 원가예측치는 원가차이(CV, Cost Variance), 원가성과지수(CPI, Cost Performance Index)로 표현한다고 되어 있다. 사실, 이러한 변수들은 프로젝트의 현재 상태를 표현하는 변수들이다. 예측치는 이 변수들을 이용하여 계산해야 한다.

### 3. 원가 예측치(Cost forecasts)

일정 예측치와 마찬가지로 작업 성과 보고서에는 향후 프로젝트가 현재 상태로 진행될 경우 원가가 얼마나 추가되는지 혹은 감소되는지를 예측한 원가 예측치가 기술되어야 한다. 원가 예측치는 획득 가치 기법으로 프로젝트를 진행하는 경우 EAC(Estimate At Completion, 완료시 점산정치)로 알 수 있다.

### 4. 확인된 변경사항(Validated changes)

모든 프로젝트 관리 프로세스에서는 변경을 요청할 수 있다. 우선, 제기된 변경 요청은 [4.5 통합변경통제 수행] 프로세스에서 변경통제위원회(CCB)가 변경을 승인하면 승인된 변경요청 (Approved Change Requests)이 된다.

그 후에 승인된 변경요청은 [4.3 프로젝트작업 지시 및 관리]의 투입물이 되어 시정조치, 예방조치, 결함수정 및 갱신의 작업을 인도물이나 프로젝트 관리 계획서 혹은 프로젝트 문서에 적용한다.

최종적으로 시정조치, 예방조치, 결함수정 및 갱신된 인도물, 프로젝트 관리 계획서 혹은 프로젝트 문서는 제대로 만들었는지 다시 검토를 해야 한다. 이때, 승인된 변경 요청과 인도물 이 [8.3 품질통제] 프로세스의 투입물이 되어, 확인된 변경사항(Validated Changes)과 검증된 인도물(Verified Deliverables)이 생성된다.

[4.4 프로젝트작업 감시 및 통제]에서는 확인된 변경 사항과 작업 성과 정보를 토대로 해당 변경사항에 대해 확인된 내용을 작업 성과 보고서에 기술하고 보고하면 된다.

### 5. 작업 성과 정보(Work performance information)

작업 성과 정보는 각 지식영역의 통제 프로세스에서 수집된 정보라고 보면 된다. 즉, 작업 성과 자료인 프로젝트 데이터Data를 의미 있는 정보인 프로젝트 정보(Information)으로 변환하는 것이다.

### 6. 기업 환경 요인(Enterprise environmental factors)

[4.4 프로젝트작업 감시 및 통제] 프로세스에 영향을 미치는 기업환경요인은 다음과 같다.

◎ 정부 또는 산업표준
◎ 이해관계자의 리스크 허용한도(이해관계자의 리스크 허용한도에 따라 현재 프로젝트 상황 에 따른 프로젝트의 향후 대응 방법이나 계획에 영향을 줄 수 있다.)

◉ 프로젝트 관리 정보 시스템(일정관리 소프트웨어, 형상관리 시스템 등)

## 7. 조직 프로세스 자산(Organizational process assets)

[4.4 프로젝트 작업 감시 및 통제] 프로세스에 영향을 미치는 조직프로세스 자산은 다음과 같다.

◉ 감시 및 통제에 대한 절차, 규정 및 의사소통 방법
◉ 이슈 및 결함 식별과 해결 절차 및 규정
◉ 범위, 일정, 원가, 및 품질 차이에 대한 감시 및 변경통제 절차와 규정
◉ 리스크 범주, 리스크 발생확률 및 영향 정의 등의 리스크 통제 절차와 규정
◉ 교훈(Lessons Learned) 데이터베이스 : 과거 유사 프로젝트에서 현재 프로젝트와 비슷한 유형의 문제점들에 대한 해결방법을 찾을 수 있다.

### 4.4.2 프로젝트 작업 감시 및 통제 프로세스 도구 및 기법

## 1. 전문가 판단(Expert judgment)

프로젝트에 대한 현재 및 미래 상황을 계획대비 실제 성과 자료를 기반으로 판단한다. 따라서 전문가들이 회의(Meetings)를 진행하면서 분석 기법(Analytical Techniques)을 통해 판단을 한다.

## 2. 분석적 기법(Analytical techniques)

프로젝트 수행과정에서 발생할 가능성이 있는 제반 변수와 환경변화, 그들간의 관계를 기반으로 잠재적인 결과를 예측하는 적용 가능한 모든 분석 기법을 사용하여 프로젝트를 예측하고 판단할 수 있다.

◉ 회귀 분석(Regression analysis)
◉ 그룹화 방법(Grouping methods)
◉ 원인 분석(Root cause analysis)
◉ 예측방법(Forecasting Methods)
◉ 고장형태영향분석(Failure Mode and Effect Analysis, FMEA)
◉ 결함수분석(Fault tree analysis)

◉ 예비분석(Reserve Analysis) : 예비 분석은 일정과 원가를 대상으로 할 수 있다.

◉ 추세분석(Trend analysis)

◉ 획득가치 관리(Earned value management)

◉ 차이분석(Variance analysis) 등

### 3. 프로젝트관리정보시스템(Project management information system)

프로젝트관리정보시스템은 기업환경요인 중 하나이다. 시스템을 통해 프로젝트가 운영된다면 일정관리나 원가관리 등의 계획대비 실적에 대한 분석을 손쉽게 수행할 수 있다.

### 4. 회의(Meetings)

프로젝트 진행에 대한 감시 및 통제를 위해서는 계획대비 실적자료를 기반으로 전문가들과 프로젝트 관리자 및 프로젝트 팀이 대면, 가상, 공식 또는 비공식적인 회의를 통해 논의할 수 있다.

### 4.4.3 프로젝트 작업 감시 및 통제 프로세스 산출물

### 1. 변경 요청(Change Requests)

[4.4 프로젝트작업 감시 및 통제] 프로세스는 계획대비 실적을 비교하여 작업 성과 보고서를 작성하는 프로세스라고 했다. 따라서 계획한 대로 실적이 나오지 않으면 그 차이를 분석하여 시정조치, 예방조치, 결함수정 및 갱신을 요청한다.

### 2. 작업 성과 보고서(Work performance reports)

이해관계자들과 프로젝트의 성과에 대한 의사소통은 반드시 공식적인 의사소통 채널을 통해 진행되어야 한다. 또한, 작업성과보고서는 프로젝트관리정보시스템에 전자적으로 기록하거나 워드프로세스 도구를 이용해 문서화를 해야 한다. 이후 프로세스에서 작업성과보고서를 토대로 추가적인 활동들을 수행한다.

작업성과보고서의 예로는 주간보고서, 월간보고서, 메모, 사유서, 권고사항, 착수보고서, 중간보고서, 최종보고서 등이 있다.

**표 4-3** ⟍ → 작업 성과 보고서를 투입물로 받는 프로세스들

| 작업성과보고서를<br>투입물로 받는 프로세스 | 주요 역할 |
| --- | --- |
| 9.4 프로젝트팀 관리 | 작업성과보고서와 프로젝트팀성과측정치를 토대로 프로젝트 팀의 성과가 늦다면 신규 인력의 투입이나 교육/훈련 혹은 인원교체 등의 대안을 마련하고, 성과가 좋다면 성과에 대한 보상을 통해 프로젝트에 대한 동기부여를 할 수 있다. |
| 10.2 의사소통 관리 | 주간/월간보고서와 같은 작업성과보고서를 각 이해관계자의 의사소통요구사항에 맞게 전달한다. |
| 11.6 리스크 통제 | 작업성과보고서는 새로운 리스크의 식별이나 기존 리스크의 재평가에 도움을 준다. |
| 12.3 조달 통제 | 프로젝트에서 협력업체의 조달 수행과 관련된 성과보고나 전체 프로젝트의 조달 성과에 대한 성과 평가를 할 수 있다. |

## 3. 프로젝트 관리 계획서 갱신(Project management plan update)

프로젝트 관리 계획서대로 진척이 되고 있는지를 비교하여 현재와 미래를 예측한 작업 성과 보고서를 작성하기 때문에 식별된 차이를 반영하기 위해 프로젝트 관리 계획서를 갱신할 수 있다. 갱신 대상은 프로젝트 관리 계획서를 구성하는 모든 문서가 된다.

## 4. 프로젝트 문서 갱신(Project documents updates)

계획대비 실적의 차이 분석으로 인해 프로젝트 관리 계획서만 갱신되는 것이 아니다.

- ◉ 리스크 등록부
- ◉ 작업성과보고서
- ◉ 일정 및 원가 예측치
- ◉ 이해관계자 등록부
- ◉ 변경로그 및 이슈로그
- ◉ 조달문서
- ◉ 프로젝트 자금 요구사항 등이 갱신될 수 있다.

작업 성과 자료, 작업 성과 정보, 및 작업 성과 보고서의 차이점.

**-작업 성과 자료(WPD, Work performance Data)**

프로젝트 작업 활동을 수행하는 동안 식별된 실제 관찰 및 측정 자료이다. 작업 성과 자료의 예로는 보고된 실제 작업 완성률(%), 품질 및 기타 성과 측정치, 일정 활동의 시작 및 종료일자, 변경 요청 수, 발생한 결함 수, 실제 원가, 실제 기간 등이 있다.

추가적으로 고려해야 할 것은 작업 성과 자료는 [4.3 프로젝트 작업 지시 및 관리] 프로세스의 산출물이며 각 지식영역별 감시 및 통제 프로세스 그룹의 투입물이다. 따라서 해당 지식 영역의 실행 자료가 포함된다고 생각해야 한다.

**-작업 성과 정보(WPI, Work Performance Information)**

작업 성과 정보는 모든 감시 및 통제 프로세스 그룹의 산출물이다. 계획대비 실적에 대한 차이점을 분석하고 향후 어떤 의사결정을 해야 할지에 대한 기초자료를 제공한다.

성과 정보의 예로는 인도물의 상태, 변경 요청의 구현 상태, 완료하기 위해 예측된 산정치 등이 있다.

**-작업 성과 보고서(WPR, Work Performance Report)**

의사결정, 이슈제기, 조치결정 또는 현황파악 목적으로 작업 성과 정보와 원가 예측치, 일정 예측치 등의 정보를 보고서 형태로 작성한 것이다. 작업 성과 보고서는 이해관계자와 의사소통하는데 사용된다.

작업성과 보고서의 예로는 월간보고서, 주간보고서, 상태 보고서, 메모, 정당성 사유서, 정보 기록, 전자 상황판, 권장사항 문서, 개신 문서 등이 있다.

[4.4 프로젝트작업 감시 및 통제] 프로세스는 계획대비 실적의 차이를 분석하고 대안을 마련하여 작업 성과 보고서를 작성하는 프로세스라고 이해해야 한다. 작성 성과 보고서 작성을 위해서는 프로젝트 관리 계획서, 확인된 변경사항, 작업 성과 정보, 일정 예측치, 원가 예측치가 필요하다.

| 프로세스<br>지식영역 | 4.4 프로젝트작업 감시 및 통제 | |
|---|---|---|
| **4. 통합관리** | 4.2 프로젝트관리계획서<br>개발 | 프로젝트관리계획서 → 4.4 프로젝트작업<br>감시 및 통제 |
| **5. 범위 관리** | 5.5 범위검수, 5.6 범위통제 | 작업성과정보 |
| **6. 일정 관리** | 6.7 일정통제 | 일정 예측치, 작업성과정보 |
| **7. 원가 관리** | 7.4 원가통제 | 원가 예측치 |
| **8. 품질 관리** | 8.3 품질통제 | 확인된 변경사항 |
| **9. 인적자원관리** | 기업/조직 | 조직 프로세스 자산<br>기업 환경요인 |
| **10. 의사소통 관리** | 10.3 의사소통 통제 | 작업성과정보 |
| **11. 리스크 관리** | | 작업성과정보    11.6 리스크 통제 |
| **12. 조달 관리** | | 작업성과정보    12.3 조달통제 |
| **13. 이해관계자<br>관리** | 13.4 이해관계자참여<br>통제    작업성과정보 | |

생성된 작업 성과 보고서는 통합변경통제 수행 프로세스의 투입물이 된다. 또한, 프로젝트 팀의 성과 평가를 위한 프로젝트 팀 관리 프로세스, 이해관계자에게 성과 보고를 위한 의사소통 관리 프로세스, 신규 리스크 식별을 위한 리스크 통제 프로세스 및 조달에 대한 성과 보고를 위한 조달 통제 프로세스에 활용된다.

| 지식영역 ＼ 프로세스 | 4.4 프로젝트작업 감시 및 통제 | | | | |
|---|---|---|---|---|---|
| 4. 통합관리 | 4.2 프로젝트관리계획서 개발 | ←프로젝트관리계획서(갱신) | 4.4 프로젝트작업 감시 및 통제 | 변경요청 작업성과보고서→ | 4.5 통합변경통제 수행 |
| 5. 범위 관리 | | | | | |
| 6. 일정 관리 | | | | | |
| 7. 원가 관리 | | 프로젝트문서(갱신) | | → | 프로젝트 문서들 |
| 8. 품질 관리 | | | | | |
| 9. 인적자원관리 | | | | 작업성과보고서→ | 9.4 프로젝트팀 관리 |
| 10. 의사소통 관리 | | | | 작업성과보고서→ | 10.2 의사소통관리 |
| 11. 리스크 관리 | | | 11.6 리스크 통제 | ←작업성과보고서 | |
| 12. 조달 관리 | | | 12.3 조달통제 | ←작업성과보고서 | |
| 13. 이해관계자 관리 | | | | | |

## 4.5 통합변경통제 수행(Perform Integrated Change Control)

[4.5 통합변경통제 수행] 프로세스는 각 프로세스들의 변경요청을 검토하고, 변경통제위원회 (CCB)를 통해 변경사항을 거부 또는 승인하며, 그 결과인 인도물, 프로젝트 관리 계획서, 프로젝트 문서, 및 조직 프로세스 자산의 변경을 관리하고 그 변경사항에 대한 결과를 전달하는 프로세스이다.

통합변경통제 수행에 대한 책임은 전적으로 프로젝트 관리자에게 있다. 특히, 변경요청은 모든 이해관계자들이 요청할 수 있기 때문에 공식적인 변경통제절차를 따르지 않으면 큰 혼란이 발생할 수 있다. 또한, 변경요청은 문서가 아닌 구두로도 발생할 수 있기 때문에 이를 반드시 문서화하는 것이 매우 중요하다.

문서화된 변경요청은 프로젝트 스폰서나 프로젝트 관리자가 승인 혹은 거절 할 수 있으며, 필요한 경우 변경통제위원회를 설치하여 진행할 수 있다. 다만, 고객이나 스폰서가 변경통제위원회에 포함되지 않은 경우 변경통제위원회의 결정 후 고객이나 스폰서의 최종 결정이 필요한 경우도 있다

　통합변경통제 수행(Perform Integrated Change Control) 프로세스의 투입물, 도구 및 기법과 결과물은 다음과 같다.

그림 4-6　◆ 통합변경통제 수행 프로세스의 ITTO

### 4.5.1 통합변경통제 수행 프로세스 투입물

1. 프로젝트 관리 계획서(Project Management Plan)

[4.5 통합변경통제 수행] 프로세스는 프로젝트 계획에 대한 변경을 식별하고, 승인 혹은 거절, 변경에 대한 관리를 하는 프로세스이다. 따라서 변경의 대상이 되는 프로젝트 관리 계획서가 투입물이 되는 것은 당연하다. 그 변경의 대상은 범위, 일정, 원가, 및 품질 등 모든 관리 계획서를 포함한 기준선이 된다.

또한, 변경관리나 형상관리에 대한 절차와 규정을 준수해야 하기 때문에 프로젝트 관리 계획서내의 변경관리 계획서 및 형상관리 계획서를 참고해야 한다.

## 2. 작업 성과 보고서(Work Performance Reports)

변경에 대한 승인 혹은 거절은 프로젝트의 진척 정도와 남아있는 일정이나 프로젝트 원가를 반드시 고려해야 한다. 따라서 작업 성과 보고서를 참고하여 요청된 변경을 승인해주어도 향후 프로젝트 완료에 문제가 없을 것인지 판단해야 한다.

## 3. 변경 요청(Change Requests)

[4.5 통합변경통제 수행] 프로세스의 목적 자체가 주먹구구식의 변경요청을 통제하는 것이기 때문에 변경 요청이 투입물이 되는 것이 당연하다. 변경요청의 결과로써 시정조치, 예방조치, 및 결함수정과 갱신이 있다. 시정조치와 예방조치는 일반적으로 프로젝트의 기준선에 영향을 크게 주지 않고, 기준선 대비 성과에만 영향을 미친다는 점을 기억해두자.

## 4. 기업 환경 요인(Enterprise Environmental Factors)

기업 환경 요인 중 프로젝트 관리 정보시스템은 통합변경 통제절차에 영향을 줄 수 있다. 최근에는 웹상에서 사용할 수 있는 다양한 프로젝트 관리 정보시스템들을 무료로 사용할 수 있기 때문에 프로젝트의 상황에 따라 적절한 소프트웨어를 이용하는 것도 좋다.

## 5. 조직 프로세스 자산(Organizational Process Assets)

[4.5 통합변경통제 수행] 프로세스에 영향을 미치는 조직프로세스자산은 다음과 같다.

◉ 변경관리나 형상관리에 대한 조직내 절차나 규정
◉ 변경 요청에 대한 승인 권한(조직도)
◉ 통합변경통제에 대한 교훈사항

### 4.5.2 통합 변경 통제 수행 프로세스 도구 및 기법

**1. 전문가 판단(Expert judgment)**

프로젝트 계획에 대한 변경은 전문가들이나 이해관계자들과 함께 회의(Meetings)를 통해 결정할 수 있다.

**2. 회의(Meetings)**

프로젝트 관리자와 프로젝트 팀은 이해관계자 혹은 변경통제위원회와 함께 회의에서 변경요청 사항을 검토, 승인, 거부 등을 결정한다. 변경통제위원회의 결정 사항은 반드시 문서화하여 프로젝트 관리 정보 시스템에 등록하고, 변경로그를 작성하여 이해관계자들에게 배포해야 한다.

**3. 변경통제 도구(Change control tools)**

인도물, 프로젝트 관리 계획과 기준선 및 프로젝트 문서에 대한 변경을 프로젝트에 참여하는 모든 사람들이 적절한 접근권한에 맞추어 접근이 용이한 도구를 선택해야 한다.

### 4.5.3 통합 변경 통제 수행 프로세스 산출물

**1. 승인된 변경요청(Approved change requests)**

투입물인 변경요청(Change Request)을 프로젝트 관리 계획서나 작업 성과 보고서를 토대로 전문가나 변경통제위원회가 판단하여 향후 프로젝트 진행에 필요하다면 이를 승인한다. 변경요청이 승인되면 [4.3 프로젝트작업 지시 및 관리]에서 적절한 조치를 수행한다. 다만, 변경통제위원회에서 결정한 변경요청에 대한 승인 혹은 거절을 반드시 변경로그(Change Log)에 기록하여 이해관계자들에게 배포해야 한다.

**2. 변경로그(Change log)**

변경로그에는 요청된 변경이 승인이 되었건 거부되었건 무조건 기록하고, 주기적으로 이해관계자에게 배포되어야 한다.

### 3. 프로젝트 관리 계획서 갱신(Project management plan updates)

프로젝트 관리 계획서에 속한 모든 계획서와 기준선이 변경의 대상이다. 간혹, 변경요청에 의해 일정 기준선을 변경할 경우, 과거의 데이터까지 모두 변경하는 사례도 있다. 과거의 일정 데이터를 수정하게 되면 과거 성과에 대한 선례 정보(Historical Data)가 틀어져 정보의 무결성이 파괴될 수 있으므로 유의하자.

### 4. 프로젝트 문서 갱신(Project documents updates)

프로젝트 문서에 속하는 모든 문서들이 변경의 대상이 된다.

---

**Tips**

**변경통제위원회(CCB, Change Control Board)**

변경통제위원회는 프로젝트에 대한 변경 사항을 검토, 평가, 승인, 보류 또는 거부할 책임과 결정사항에 대한 기록 및 의사소통을 담당하기 위해 구성된 공인 위원회이다.

프로젝트 스폰서나 프로젝트 관리자가 포함될 수 있다.

---

[4.5 통합변경통제 수행] 프로세스는 실행과 통제 프로세스들에게서 생성된 변경요청을 프로젝트 관리 계획서와 작업 성과 보고서를 토대로 요청된 변경을 변경통제위원회와 함께 승인 혹은 거절하는 것이다. 따라서 그 산출물로 프로젝트 관리 계획서 혹은 프로젝트 문서에 대한 승인된 변경요청과 변경로그가 생성된다는 것을 기억하자.

| 지식영역＼프로세스 | 4.5 통합변경통제수행 | | | |
|---|---|---|---|---|
| **4. 통합관리** | 4.2 프로젝트관리계획서 개발 | 4.3 프로젝트작업 지시 및 관리 | 4.4 프로젝트작업 감시 및 통제 | 4.5 통합변경통제 수행 |
| **5. 범위 관리** | 프로젝트관리계획서 | 변경요청 | 변경요청, 작업성과정보 | 변경요청 → 5.5 범위검수, 5.6 범위통제 |
| **6. 일정 관리** | 조직 프로세스 자산 | | | 변경요청 → 6.7 일정통제 |
| **7. 원가 관리** | 기업 환경요인 [기업/조직] | | | 변경요청 → 7.4 원가통제 |
| **8. 품질 관리** | | | | 변경요청 → 8.2 품질보증수행, 8.3 품질통제 |
| **9. 인적자원관리** | | | | 변경요청 → 9.4 프로젝트팀 관리 |
| **10. 의사소통 관리** | | | | 변경요청 → 10.3 의사소통 통제 |
| **11. 리스크 관리** | | | | 변경요청 → 11.6 리스크 통제 |
| **12. 조달 관리** | 12.1 조달관리계획 수립, 12.2 조달수행, 12.3 조달통제 | | | 변경요청 |
| **13. 이해관계자 관리** | 13.3 이해관계자참여관리, 13.4 이해관계자참여통제 | | | 변경요청 |

[4.5 통합변경통제 수행]의 산출물로는 승인된 변경요청과 변경로그가 나온다. 승인된 변경요청은 시정조치, 예방조치 및 결함수정을 위해 프로젝트 작업 지시 및 관리 프로세스의 투입물이 된다. 또한, 승인된 변경요청은 변경요청이 제대로 되었는지 품질 검사를 위해 인도물과 함께 품질 통제 및 조달 통제 프로세스의 투입물이 된다.

더불어 변경로그는 변경에 대한 사항을 이해관계자에게 알리기 위해 이해관계자 참여 관리의 투입물로 사용된다.

| 지식영역＼프로세스 | 4.5 통합변경통제수행 | | |
|---|---|---|---|
| **4. 통합관리** | 4.2 프로젝트관리계획서 개발 | 4.3 프로젝트작업 지시 및 관리 | 4.5 통합변경통제 수행 |
| **5. 범위 관리** | | 승인된 변경요청 | |
| **6. 일정 관리** | 프로젝트관리계획서(갱신) | | |
| **7. 원가 관리** | | 프로젝트문서(갱신) | 프로젝트 문서들 |
| **8. 품질 관리** | | 승인된 변경요청 | 8.3 품질통제 |
| **9. 인적자원관리** | | | |
| **10. 의사소통 관리** | | | |
| **11. 리스크 관리** | | | |
| **12. 조달 관리** | | 승인된 변경요청 | 12.3 조달통제 |
| **13. 이해관계자 관리** | | 변경로그 | 13.3 이해관계자참여 관리 |

100

## 4.6 프로젝트 또는 단계 종료(Close Project or Phase)

[4.6 프로젝트 또는 단계종료] 프로세스는 프로젝트의 각 단계나 프로젝트 전체를 공식적으로 종료하기 위해 모든 프로젝트 관리 프로세스들을 종료하는 프로세스이다. 따라서 프로젝트 관리자는 프로젝트 전체 혹은 이전 프로젝트 단계부터 현재까지의 모든 문서와 정보를 검토하여 프로젝트의 목표가 충족되었는지 확인한다.

　　프로젝트 또는 단계 종료(Close Project or Phase) 프로세스의 투입물, 도구 및 기법과 산출물은 다음과 같다.

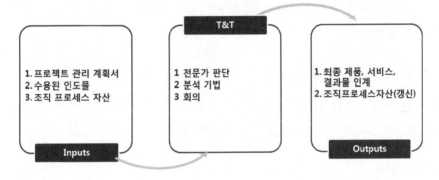

그림 4-7　◆　프로젝트 또는 단계 종료 프로세스의 ITTO

### 4.6.1 프로젝트 또는 단계 종료 프로세스 투입물

**1. 프로젝트 관리 계획서(Project management plan)**

프로젝트의 각 단계 혹은 프로젝트 자체의 공식적인 종료를 위해서는 당연히 프로젝트 관리 계획서에 기술한대로 절차를 밟아야 하기 때문에 프로젝트 관리 계획서를 참조해야 한다.

**2. 수용된 인도물(Accepted Deliverables)**

프로젝트가 공식적으로 종료되기 위해서는 프로젝트의 목표였던 인도물이 요구사항에 맞게 생성되었는지 확인해야 하며 수용된 인도물을 프로젝트 관리 계획서에 있는 내용들과 비교하여야 한다. 이때 수용된 인도물은 [5.5 범위 검수]의 산출물이다. 만약 프로젝트가 중간에 취소된 경우에는 부분 또는 중간 단계의 인도물을 포함할 수 있다.

**3. 조직 프로세스 자산**(Organizational process assets)

프로젝트 또는 단계 종료에 영향을 미치는 조직 프로세스 자산은 다음을 포함한다.

- 프로젝트 또는 단계 종료를 위한 지침 혹은 절차
- 선례정보와 교훈

### 4.6.2 프로젝트 또는 단계 종료 프로세스 도구 및 기법

**1. 전문가 판단**(Expert judgment)

수용된 인도물을 토대로 프로젝트 관리 계획서에 있는 절차대로 프로젝트 또는 단계 종료를 전문가들과 함께 판단한다.

**2. 분석 기법**(Analytical techniques)

프로젝트 또는 단계 종료를 위해서 회귀분석이나 추세분석 등이 사용될 수 있다. 또한, 교훈사항에 대한 정리를 위해 다양한 분석 기법이 사용될 수 있다.

**3. 회의**(Meetings)

프로젝트 또는 단계 종료를 위해 프로젝트 관리자나 프로젝트 팀이 전문가들과 함께 회의를 진행하면서 분석 기법을 이용할 수 있다.

### 4.6.3 프로젝트 또는 단계 종료 프로세스 산출물

**1. 최종 제품, 서비스 또는 결과 인계**(Final product, service, or result transition)

최종 승인된 제품, 서비스 또는 결과를 고객에게 인계한다.

**2. 조직 프로세스 자산 수정**(Organizational process assets updates)

프로젝트를 통해 생성된 다양한 프로젝트 파일, 문서, 및 선례 정보들을 분류하고 문서화한다.

다음은 프로젝트를 종료하는 순서이다. 프로젝트 종료 절차에 대해서는 시험에 간혹 출제되고 있기 때문에 다음의 순서를 꼭 기억해두어야 한다.

- 요구사항에 대한 모든 작업이 완료되었다는 확인 (confirm works are done)

- 모든 조달 작업에 대한 종료 (Complete procurement activities)

- 제품, 서비스 등에 대한 최종 승인 (Formal Acceptance)

- 재무적 종료 작업의 완료 (Complete a financial closure)

- 승인된 제품, 서비스 등에 대한 이전 (Transfer a final deliverable)

- 프로젝트에 대한 고객의 의견 요청 (Request project feedbacks from customers)

- 최종 성과 보고서 완료 (Writing a final performance report)

- 각종 기록, 문서 등에 대한 보관 (Archive records, documents, etc)

- 교훈 사항에 대한 최종 정리 및 보관 (Lessons Learned)

- 팀원 해제 (Release teams)

[4.6 프로젝트 또는 단계 종료] 프로세스는 수용된 인도물을 고객에게 인계하기 위해 회의를 통해 전문가들의 판단을 통해 공식승인 ◉ 문서정리 ◉ 교훈정리 ◉ 팀 해체의 순서를 프로젝트 관리 계획서에 기술한 대로 진행하는 프로세스이다. 따라서 종료를 위해서는 고객들이 수용한 인도물과 프로젝트 관리 계획서가 필요하다.

| 프로세스　　지식영역 | 4.6 프로젝트/단계 종료 |
|---|---|
| 4. 통합관리 | 4.2 프로젝트관리 계획서 개발 　프로젝트관리계획서→　4.6 프로젝트/단계 종료 |
| 5. 범위 관리 | 5.5 범위검수 　수용된 인도물 |
| 6. 일정 관리 | |
| 7. 원가 관리 | |
| 8. 품질 관리 | |
| 9. 인적자원관리 | 조직프로세스자산　　기업/조직 |
| 10. 의사소통 관리 | |
| 11. 리스크 관리 | |
| 12. 조달 관리 | |
| 13. 이해관계자 관리 | |

모든 인도물과 산출물들을 수용한 후에는 최종 제품, 서비스 및 결과물을 고객에게 이전한다.

| 프로세스<br>지식영역 | 4.6 프로젝트/단계 종료 |
|---|---|
| 4. 통합관리 | |
| 5. 범위 관리 | |
| 6. 일정 관리 | |
| 7. 원가 관리 | |
| 8. 품질 관리 | |
| 9. 인적자원관리 | |
| 10. 의사소통 관리 | |
| 11. 리스크 관리 | |
| 12. 조달 관리 | |
| 13. 이해관계자<br>관리 | |

4.6 프로젝트/단계 종료

최종 제품,
서비스/결과물 인계

고객

조직프로세스자산(갱신)

기업/조직

# Chapter 04 연습문제

**01** 프로젝트의 종료 시 투입물에 포함되지 않는 것은 무엇인가?

① 프로젝트 계획　　　　　　　　　② 인수된 인도물
③ 프로젝트 교훈　　　　　　　　　④ 작업성과보고서

**02** 프로젝트 교훈(lessons learned)은 누구에 의해 작성 및 완료되는가?

① 프로젝트 관리자 및 프로젝트 팀　　② 스폰서
③ 품질관리 책임자 및 품질관리 팀원　　④ 고객 및 사용자

**03** 당신은 문제가 예상되는 프로젝트를 수행하는 프로젝트 관리자로 최근에 임명되었다. 프로젝트의 현황을 분석해보니 프로젝트 일정은 지연이 되고 있으며 많은 갈등과 변경사항을 포함하고 있다. 프로젝트 획득가치분석을 통해 당신은 현 프로젝트가 계속 진행되면 중 후반에 비용초과가 예상되었다. 이런 상황에서 당신은 프로젝트 관리자로서 어떤 조치를 취할 것인가?

① 상위 관리자와 협의한다.
② 프로젝트 팀원과 협의한다.
③ 프로젝트 팀원과 같이 영향을 분석하고 대안을 찾아본다.
④ 프로젝트 계획을 변경한다.

**04** 프로젝트에 대한 기술적인 업무가 모두 종료되었다. 이제 마지막으로 프로젝트 관리자와 팀원이 하여야 하는 일은?

① 교훈(lessons learned) 작성한 것을 최종 정리한다.
② 남은 예비비 부분을 환원 조치한다.
③ 최종 범위검증을 위해 고객과 요구사항 문서를 같이 검토한다.
④ 리스크 등록부를 최종 업데이트 한다.

**05** 프로젝트 헌장 작성시 프로젝트 타당성 검토 시 Linear Programming은 프로젝트 선택 기준의 유형 중 어디에 속하는가?

① 편익측정 방법　　　　　　　　　② 수학적 모델링법
③ 경제적 모델　　　　　　　　　　④ 점수화 모델(Scoring model)

**06** 착수단계에서 프로젝트 헌장(project charter)을 통해 프로젝트 관리자에게 프로젝트 수행을 위해 공식적으로 무엇을 기술하는가?

① 팀원의 임의 선정을 할 수 있다.
② 프로젝트 관리자의 권한을 명시한다.
③ 리스크 책임자를 선정한다.
④ 프로젝트를 위해 관리자에게 프로젝트 관리기법 교육의 기회를 부여 받는다.

**07** 프로젝트 진행 중 프로젝트의 취소, 즉 조기종료가 되는 이유가 아닌 것은?

① 프로젝트 팀원의 부족
② 프로젝트 자금 공급의 중단
③ 비즈니스 타당성 분석결과 회사전략과 불일치
④ 중대한 변경으로 인한 범위변경

**08** 프로젝트 수행에 있어서 Project 종결 시 가장 중요하게 수행하여야 하는 것은 다음 중 무엇인가?

① 프로젝트 자금사용의 재무적 자료
② 범위 검수를 통한 인도물의 공식적 인수
③ 외부 업체와의 구매 관련 자료
④ 요구사항 추적 매트릭스

**09** 프로젝트 감시 및 통제단계에서 상대적으로 가장 적게 사용되는 것은?

① 원인 결과 분석(Cause and effect analysis)
② 작업 성과 보고(Work Performance Reports)
③ 비용 효과 분석(Cost-Effective Analysis)
④ 획득 가치 분석(Earned Value Analysis)

**10** 팀원에 대한 배정 및 팀 성과개발 등 동기부여, 문제 해결, 작업 범위 검사가 일어나는 프로세스 그룹은?

① 착수(Initiation)　　　　　　　　　② 기획(Planning)
③ 실행 및 감시/통제(Implementation)　　④ 종료(Close out)

**11** 프로젝트화 조직인 경우 프로젝트 종료 시 제일 마지막 하는 일은?

① 팀 구성원 재배치　　　　　　　　② 프로젝트 문서 보관
③ 계약 클레임 종결　　　　　　　　④ 고객에 인도물 이관

**12** 회사에서 프로젝트 수행지원을 위해 프로젝트정보시스템 구입을 검토하고 있다. 사용 모델을 선택하는데 있어서 가장 중요하게 고려해야 하는 것은?

① 실현 가능성(Realization)　　② 사용 편리성(Ease to use)
③ 유동성(Flexibility)　　④ 비용(Cost)

**13** 프로젝트 종료단계에서 이해관계자들간 대부분 갈등의 원인은?

① 비용 초과　　② 일정 지연문제
③ 기술적 이슈　　④ 보상문제

**14** 프로젝트 관리자는 프로젝트 수행목표 준수를 위해 팀원과 화합하고 팀을 통합하여야 한다. 이에 통합자로서의 PM의 역할을 가장 잘 설명하고 있는 것은?

① 팀원이 프로젝트 목표를 이해하도록 꾸준한 교육을 지원하는 것
② 팀 개발 활동을 통해 Teamwork을 향상시키고 모든 팀 멤버들을 하나의 응집력 있는 전체로 두는 것
③ 팀 개인들의 고충을 이해하고 갈등을 순차적으로 정리하는 것
④ 팀 관리를 통해 수시로 변경요청을 통해 팀의 성과 향상을 위해 노력하는 것

**15** 프로젝트 헌장(project charter)에 기술되어야 할 사항 중 가장 중요하게 기술되어야 할 사항은?

① 프로젝트에 관한 상세한 위험 및 제한사항
② 프로젝트 관리자와 기능관리자의 책임과 권한
③ 프로젝트 관리조직의 지정
④ 상세한 프로젝트 산출물

**16** 프로젝트 헌장(project charter)은 누구에 의해서 승인되어야 하는가?

① 프로젝트 관리자　　② 프로젝트에 대한 스폰서나 PMO
③ 운영 조직의 최고 수장　　④ 기능 관리자와 프로젝트 관리자

**17** 다음 중 어떤 프로젝트를 선택해야 하는가?

- 프로젝트 A - NPV : $30,000, 투자회수기간 : 6년
- 프로젝트 B - NPV : $60,000, 투자회수기간 : 3년
- 프로젝트 C - NPV : $90,000, 투자회수기간 : 4년

① 프로젝트 A　　② 프로젝트 B
③ 프로젝트 C　　④ 없음

**18** 다음 중 프로젝트 선택의 편익(benefit) 측정방법이 아닌 것은?

① Scoring model
② multi objective programming
③ payback period
④ IRR(Internal rate of return)

**19** 통합변경통제수행 프로세스에서 변경통제위원회(CCB)는 변경요청사항에 대한 승인 혹은 거절을 할 수 있다. 변경통제위원회의 구성원은 어떻게 되는가?

① 프로젝트와 관련된 이해관계자
② 자금책임을 가지고 있는 스폰서
③ 인도물을 인도받는 고객
④ 외부 컨설팅

**20** 통합 변경 통제를 실시하는 근본적인 이유는 무엇인가?

① 변경요청 되는 내용을 정확히 이해하기 위해서
② 변경요청을 통제하여 요청 회수를 줄이기 위해서
③ 변경요청 내용을 가장 빠르게 반영하기 위해서
④ 변경요청 시 변경내용의 정식 문서화를 통한 절차확립 및 버전 관리 등을 철저히 하기 위해서

해설

**01** 프로젝트의 종료 시에는 범위검증을 마친 공식 인수된 인도물과 그 동안 축척한 교훈사항들이 투입된다. 작업성과 보고서는 종료 시에는 투입되지 않고, 실행 및 감시 및 통제시 프로젝트 성과의 실적근거로 투입되어 진다.

**02** 프로젝트 교훈은 프로젝트 관리자의 지휘아래 관리자 및 팀원이 수시로 프로젝트 진행 중 주기적으로 작성하다가 종료 시 최종 마무리하여 조직 프로세스 자산에 이관시켜야 마무리 된다. 그 외에 이해관계자도 포함된다.

**03** 문제가 예상되면 관리자나 팀과 협의도 해야겠지만, 여기에서 묻는 것은 보다 더 구체적인 답변을 요구하는 것이 다. 이미 획득가치 성과 분석을 통해서 이미 프로젝트 중 후반에 비용초과의 결과를 가져올 것이라는 분석이 나왔기 때문에 대안을 찾아보는 것이 적절하다

**04** 프로젝트에 대한 모든 기술적인 업무가 종료되었다는 것은 고객과의 인도물 인수승인까지 완료된 것을 의미한다. 따라서 이제는 그 동안 정리해 온 교훈 작성(lessons learned)을 마무리하고 보관하는 것이다. 그리고 팀 해체에 따른 문제를 정리하는 것이다.

**05** 프로젝트 선정 방법에는 다음의 두 가지 범주 가운데 하나로 분류된다.
  ▶ 수학적 모델링법 : Linear Programming, non-Linear Programming, dynamic programming, Integer programming, multi-objective programming
  ▶ 편익 측정방법 : Scoring model, economic model, comparative approach, benefit contribution 시험에는 수학적 모델링법과 편익 측정 방법과의 구분할 수 있도록 하여야 한다.

**06** 프로젝트 헌장은 프로젝트를 공식적으로 승인하는 문서로 프로젝트 스폰서에 의해 승인된다. 관련내용에 따라 프로젝트관리자에게 프로젝트수행에 필요한 자원(인력 포함)을 사용할 권한을 제공한다.

**07** 프로젝트가 pre-mature closing or cancellation이 되는 이유로 볼 수 없는 것은 프로젝트를 수행하기 위한 팀원의 부족문제이다. 프로젝트가 진행되면 조직내외의 노력을 통해 팀원을 보충하고 프로젝트를 수행하여야 한다. 그러나 자금공급의 중단이나, 타당성분석결과의 부정적 결과 및 중대한 변경으로 인한 기준선 준수 불가는 프로젝트 중단사유가 될 수 있다. 중대한 변경 시는 별도 프로젝트로 수행하거나, 대대적인 기준선 변경합의 후 진행할 수 있다.

**08** 모든 프로젝트 종결 시에는 범위검수를 통한 고객/스폰서의 공식적인 승인이 중요하다. 왜냐하면 고객의 요구사항이 범위검수라는 프로세스를 걸쳐 공식적인 서면 승인을 통해서 검수되어야 프로젝트가 완료되었다고 할 수 있기 때문이다.

**09** 원인결과분석(Cause and effect analysis)은 품질통제에서 사용하고, 작업성과보고(Work Performance Reports)는 전체 감시 및 통제에서, 획득가치분석(Earned Value Analysis)은 원가통제에서 사용되나, 비용효과분석(Cost-Effective Analysis)은 다른 3가지보다는 상대적으로 적게 사용된다.

**10** 실행 및 통제 단계에서 팀원 배정 및 동기부여, 문제해결, 작업범위 검사가 일어난다.

**11** 프로젝트 종료 시에는 교훈정리, 모든 문서 조직프로세스 자산보관, 팀원의 해체에 따른 재배치 문제이다. 따라서 가장 마지막 하는 일은 팀 구성원의 해산 및 재배치이다.

**12** 조직이 프로젝트 정보시스템 구매를 위해서 고려해야 하는 분야는 유동성(Flexibility), 실현가능성, 사용편리성(Ease to use), 비용(Cost) 등이다. 가장 주의 깊게 고려해야 하는 것은 원하는 성능의 실현가능성이다.

**13** 프로젝트 종료단계에서 발생할 수 있는 갈등의 주된 원인은 일정이다. 가장 일반적인 갈등의 원인은 일정, 프로젝트 우선순위, 자원 등이 있다. 프로젝트가 종료 단계로 갈수록 일정의 완수가 가장 중요하기 때문이다.

**14** 이 문제는 통합자로의 역할을 묻는 것이므로, 통합자로서의 PM의 역할은 모든 팀 멤버들을 하나의 응집력 있는 전체로 두는 것이 가장 적절하다.

**15** 프로젝트 헌장(project charter)에는 프로젝트 관리조직의 지정(즉 PM의 임명)에 대한 요건이 지정되어야 한다.

**16** 프로젝트 헌장(project charter)는 재정적 책임을 가지는 스폰서 또는 PMO 등에 승인되어야 한다.

**17** 투자회수 기간이 짧으면서 NPV가 큰 프로젝트를 선택한다.

**18** 프로세스 선정방법 중에는
  ▶ 수학적 모델링법 : Linear Programming, non–Linear Programming, dynamic programming, Integer programming, multi–objective programming
  ▶ 편익 측정방법 : Scoring model, economic model, comparative approach, benefit contribution 시험에는 수학적 모델링법과 편익 측정 방법과의 구분할 수 있도록 하여야 한다.

**19** 변경통제위원회(CCB)는 변경요청을 심의하여 승인 또는 거부할 수 있는 역량을 가진 주제 관련 조직 내 또는 외부 이해관계자들로 구성된다.

**20** 변경요청 시 통합변경통제를 통해 정식적인 변경절차를 수립하고 변경내용의 문서화 및 추적 시스템, 버전 관리 등의 철저한 유지관리를 위해서다.

| 정답 | 01.④ | 02.① | 03.③ | 04.① | 05.② | 06.② | 07.① | 08.② | 09.③ | 10.③ |
|------|------|------|------|------|------|------|------|------|------|------|
|      | 11.① | 12.① | 13.② | 14.② | 15.③ | 16.② | 17.③ | 18.② | 19.① | 20.④ |

Chapter

05

# 프로젝트 범위 관리

학습목표
- 프로젝트에서 범위 관리의 필요성을 이해한다.
- 작업분할체계(WBS), 작업 패키지(work package), 통제 계정을 이해한다.
- 범위 기준선을 이해한다.
- 범위 검수 프로세스와 품질통제 프로세스간의 차이를 이해한다.

### 들어가며…

프로젝트의 결과인 인도물을 이해관계자가 원했던 모습으로 전달하기 위해서는 그들의 요구사항을 정확히 파악해야 한다. 미국의 한 조사기관인 스탠디쉬 그룹(Standish Group)은 매년 소프트웨어 개발 프로젝트의 성공과 실패에 대한 원인을 조사 및 분석하여 보고하고 있다. 이 보고서에서 수년간 상위에 올라오는 프로젝트 실패의 원인으로 '불명확한 요구사항'과 '이해관계자의 프로젝트 참여부족'을 꼽고 있다. 이처럼 요구사항은 프로젝트의 성공에 큰 영향을 주는 요소이다.

이해관계자의 요구사항을 정확하게 파악하고, 문서화하며 가시화(Visualization)하는 프로젝트 관리 지식 영역이 바로 프로젝트 범위 관리 영역이다. 특히, 프로젝트의 범위 관리에서 작업분류체계(WBS, Work Breakdown Structure)는 이해관계자들의 요구사항을 단순히 글이 아닌 트리 형태로 가시화하는 도구로써 이해관계자와 프로젝트 팀이 프로젝트의 범위를 확정하는데 매우 유용하다.

프로젝트 관리자는 프로젝트에서 이해관계자와 협의하여 수행하기로 한 범위만을 빠짐없이 해야 한다. 협의한 범위외의 요구사항은 변경통제 절차를 통해 철저하게 관리해야 한다. 따라서 프로젝트 범위 관리에서는 요구사항을 철저하게 수집하고, 이해관계자와 협의를 통해 범위를 정의하고 이를 가시화하여 향후 프로젝트에서 범위의 변경에 대한 통제를 수행한다. 더불어 [8.3 품질통제] 프로세스를 통해 품질이 검증된 인도물이 규격(Specification)에 맞는지 검사해야 한다.

프로젝트에서 말하는 범위는 두 종류가 있다. 첫 번째, 제품 범위(Product Scope)는 제품, 서비스 또는 결과를 설명하는 특성과 기능을 말한다. 두 번째, 프로젝트 범위(Project Scope)는 지정된 특징과 기능을 갖춘 제품, 서비스 또는 결과를 제공하기 위해 완수해야 하는 작업을 의미한다. 서로 다른 의미이기는 하지만 일반적으로 프로젝트 범위가 제품 범위보다는 포괄적인 개념으로 이해하면 된다.

**표 5-1 ❬ ❭ 제품범위와 프로젝트 범위 간 차이**

| 범위 | 정의 프로세스 | 비교 프로세스 |
|---|---|---|
| 제품 범위 | [5.2 요구사항 수집] | [5.5 범위 검수] [8.3 품질 통제] |
| 프로젝트 범위 | [4.2 프로젝트 관리 계획서 개발] | |

프로젝트 범위관리는 이 모든 활동을 위한 6개의 프로세스가 존재하는데, 각 프로세스에 대한 상세한 설명은 표와 같다.

**표 5-2 ❬ ❭ 프로젝트 범위 관리 프로세스 정의**

| 프로세스 | 프로세스그룹 | 설명 |
|---|---|---|
| 5.1 범위관리계획 수립<br>(Plan Scope Management) | P | 프로젝트의 요구사항 및 범위를 수집, 정의하고 범위 변경을 통제하기 위한 범위관리 계획서를 작성하는 프로세스 |
| 5.2 요구사항 수집<br>(Collect Requirements) | P | 프로젝트의 목적을 달성하기 위해 이해관계자의 필요사항과 요구사항을 식별 및 문서화하여 관리하는 프로세스 |

| 프로세스 | 프로세스그룹 | 설명 |
|---|---|---|
| 5.3 범위 정의(Define Scope) | P | 프로젝트와 제품에 대한 상세한 기술하고 프로젝트에 포함되거나 포함되지 않는 범위를 명확히 정의하는 프로세스 |
| 5.4 WBS 작성(Create WBS) | P | 프로젝트 인도물과 프로젝트 작업을 작고 더 관리하기 편한 요소로 분할하여 가시화하는 프로세스 |
| 5.5 범위 검수(Validate Scope) | M&C | 완료된 프로젝트 인도물을 공식적으로 인수하도록 하는 프로세스 |
| 5.6 범위 통제(Control Scope) | M&C | 프로젝트 및 제품 범위의 상태를 감시하고 범위 기준선에 대한 변경을 관리하는 프로세스 |

## 5.1 범위관리계획 수립(Plan Scope Management)

[5.1 범위관리계획 수립] 프로세스는 프로젝트의 범위를 어떻게 정의하고 검수하며 통제할 것인지를 상세히 정의한 프로젝트 범위관리 계획서를 작성하는 프로세스이다. 따라서 프로젝트의 범위를 어떻게 관리할 것인지에 대한 가이드와 방향을 제시한다.

범위관리 계획서는 프로젝트 관리자나 프로젝트 팀원들 및 이해관계자들이 범위에 대한 추가나 변경 및 수정을 변경통제절차에 따라 진행하도록 함으로써 프로젝트 범위에 대한 무분별한 변경을 방지하여 범위 추가(Scope Creep)나 금도금(Gold Plating)을 줄이는 데 도움을 준다.

범위관리 계획(Plan Scope Management) 프로세스의 투입물, 도구 및 기법과 산출물은 다음과 같다.

**그림 5-1** ◆ 범위관리계획 수립 ITTO

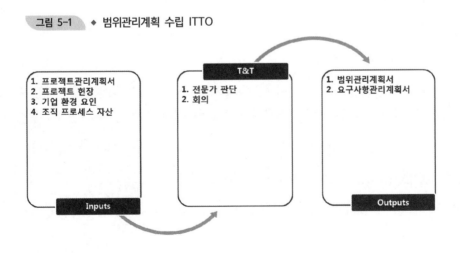

### 5.1.1 범위관리계획 수립 프로세스 투입물

**1. 프로젝트 관리 계획서(Project Management Plan)**

프로젝트 범위관리 계획서를 작성하기 위해서 프로젝트 관리 계획서 중 어떤 부속 관리 계획서를 참고할까 생각해보자. 우선, 이해관계자들로부터 요구사항을 수집해서 범위로 확정해야한다. 또한, 이해관계자들은 다양하기 때문에 그들이 한날한시에 모두 모일 수 없다. 따라서 그들과 함께 요구사항 도출 회의를 진행할 적절한 시점을 선정해야 한다. 인도물이 요구사항에맞게 만들어졌는지 검수를 위한 시점과 방법과 절차 그리고 최종 결정권자도 정의해야 한다. 요구사항이 변경될 경우 변경통제 절차와 형상관리 절차 및 관련 도구들을 정의해야 할 것이다. 따라서 대략 아래와 같은 프로젝트 관리 계획서의 일부분을 참고할 수 있다.

- 이해관계자 관리 계획서
- 일정 관리 계획서
- 원가 관리 계획서
- 리스크 관리 계획서
- 품질 관리 계획서
- 의사소통관리 계획서
- 변경관리 계획서
- 형상관리 계획서 등

**2. 프로젝트 헌장(Project Charter)**

[4.1 프로젝트 헌장 개발] 프로세스에서 설명하였지만, 프로젝트 헌장에는 개략적인 수준의 프로젝트에 대한 설명 및 제품에 대한 특성이나 프로젝트에서 해야 할 업무 등을 기술했기 때문에 이를 참고한다.

**3. 기업환경요인(Enterprise Environmental Factors)**

프로젝트의 범위를 느슨하게 혹은 철저하게 정의하는 조직 문화, 혹은 시장상황 등이 영향을 끼치기 때문에 이를 고려해야 한다.

## 4. 조직 프로세스 자산(Organizational Process Assets)

조직에서 프로젝트 범위관리 계획을 작성하는 정책과 절차, 과거 유사 프로젝트의 범위관리 계획과 관련된 정보나 교훈 사항 혹은 범위 관리 계획서 템플릿 등을 참고한다.

## 5.1.2 범위관리계획 수립 프로세스 도구 및 기법

### 1. 전문가 판단(Expert Judgment)

범위관리 계획서 작성에 대한 교육을 받았거나 과거 유사한 프로젝트를 수행한 경험을 보유한 전문가 혹은 기술이나 지식을 가진 개인 또는 그룹의 도움을 받을 수 있다.

### 2. 회의(Meetings)

프로젝트 팀원, 프로젝트 관리자, 스폰서, 특정 이해관계자, PMO 및 전문가들과 주기적인 회의를 통해 범위관리 계획서 작성을 함께 작성하거나 도움을 받는다.

## 5.1.3 범위관리계획 수립 프로세스 산출물

### 1. 범위관리 계획서(Scope Management Plan)

프로젝트의 범위를 어떻게 어떤 방식으로 정의하여 확정하며 범위 변경에 대한 감시 및 통제, 그리고 인도물에 대한 검수와 인수 등과 관련된 다양한 의사결정을 누구와 어떻게 언제 해야 하는지에 대한 절차와 방법을 상세히 기술한 문서이다. 다음은 범위관리 계획서에 포함되어야 할 내용 중 일부이다.

- ◉ 수집해야 할 요구사항의 종류
- ◉ 프로젝트 범위 기술서 작성을 위한 프로세스
- ◉ 프로젝트 범위 기술서로부터 WBS를 작성하는 프로세스
- ◉ 작성된 WBS를 관리하고 승인 받는 프로세스
- ◉ 완료된 인도물에 대한 공식적인 인수 프로세스
- ◉ 범위 변경에 따른 범위 기준선(프로젝트 범위 기술서, WBS, WBS Dictionary)에 대한 변경관리 및 형상관리 프로세스

◉ 범위 관리 도구 정의

◉ 범위 관리 기준의 정의(예: 요구사항 변경율, WBS완료율, WBS변경율 등)

## 2. 요구사항관리 계획서(Requirement Management Plan)

요구사항관리 계획서는 요구사항들을 어떻게 언제 누구에게서 수집하고 분석하며, 요구사항의 추가, 삭제, 수정 등에 대한 상세한 절차와 방법을 기술한 문서로 프로젝트 관리 계획서의 일부분이다. 다음은 요구사항 관리 계획서에 포함되어야 할 내용 중 일부이다.

◉ 요구사항 활동에 대한 계획, 추적, 보고 절차와 방법

◉ 요구사항을 어떤 이해관계자가 가지고 있으며, 언제 만나야 하는지에 대한 계획

◉ 요구사항 우선순위 프로세스

◉ 요구사항 변경에 대한 프로세스

◉ 요구사항의 형상관리에 대한 프로세스

◉ 요구사항 추적 매트릭스에 기입할 요구사항 속성, 작성 방식 등의 요구사항 추적 방식

프로젝트에서 제일 중요한 것은 프로젝트 범위를 어떻게 관리하고 확정할 것인가 결정하는 것이다. 프로젝트의 범위를 개념적 차원에서 정의한 프로젝트 헌장과 다양한 계획서들을 참고로 하여 전문가들과 함께 회의를 통해 범위관리 계획서와 요구사항관리 계획서를 작성한다.

이후 범위관리계획서는 범위 관리의 기획 프로세스들인 [5.2 요구사항수집], [5.3 범위정의], [5.4 WBS작성] 프로세스의 투입물로 사용된다. 그러나 요구사항관리계획서는 [5.2 요구사항수집] 프로세스의 투입물로만 사용된다.

| 프로세스<br>지식영역 | 5.1 범위관리계획 수립 | | |
|---|---|---|---|
| 4. 통합관리 | 4.1 프로젝트 헌장 수립 ──프로젝트헌장── | 프로젝트관리계획서 | 4.2 프로젝트관리계획서 개발 |
| 5. 범위 관리 | | 5.1 범위관리계획 수립 | |
| 6. 일정 관리 | | | |
| 7. 원가 관리 | | 조직 프로세스 자산 | |
| 8. 품질 관리 | | 기업 환경요인<br>기업/조직 | |
| 9. 인적자원관리 | | | |
| 10. 의사소통 관리 | | | |
| 11. 리스크 관리 | | | |
| 12. 조달 관리 | | | |
| 13. 이해관계자 관리 | | | |

범위관리 계획수립의 산출물인 범위관리계획서와 요구사항관리 계획서는 5장 범위관리의 기획 프로세스 그룹의 프로세스들만 사용한다. 두 개의 관리 계획서는 프로젝트 관리 계획서의 일부분으로서 그 외의 많은 프로세스들의 투입물로 사용된다는 것을 기억해두자.

| 지식영역 \ 프로세스 | 5.1 범위관리계획 수립 | | | |
|---|---|---|---|---|
| 4. 통합관리 | | | | |
| 5. 범위 관리 | 5.1 범위관리계획 수립 | 5.2 요구사항수집 | 5.3 범위 정의 | 5.4 WBS작성 |
| 6. 일정 관리 | 범위관리계획서, 요구사항관리계획서 | 범위관리계획서 | 범위관리계획서 | |
| 7. 원가 관리 | | | | |
| 8. 품질 관리 | | | | |
| 9. 인적자원관리 | | | | |
| 10. 의사소통 관리 | | | | |
| 11. 리스크 관리 | | | | |
| 12. 조달 관리 | | | | |
| 13. 이해관계자 관리 | | | | |

Memo

## 5.2 요구사항 수집(Collect Requirements)

범위관리 계획서와 요구사항 관리 계획서를 작성한 후에는 계획서대로 이해관계자들을 만나 요구사항을 수집해야 한다. 요구사항은 제품 범위를 포함한 프로젝트 범위를 정의하고 관리하기 위한 토대가 되며 향후 이 요구사항이 프로젝트 범위로 확정되기 때문에 매우 중요하다.

[5.2 요구사항 수집] 프로세스는 프로젝트의 목적을 달성하기 위해 이해관계자의 필요사항과 요구사항을 결정하고 문서화하는 프로세스이다. 이해관계자들의 요구사항을 제대로 파악하고 프로젝트의 목적, 프로젝트에 대한 기대사항을 문서화하고 수치화한다.

따라서 이해관계자들의 참여와 그들에 대한 관리가 매우 중요하기 때문에 투입물로써 프로젝트 헌장과 더불어 이해관계자 등록부와 이해관계자 관리 계획서를 포함하게 된다.

특히, 요구사항은 향후 작업분류체계(WBS, Work Breakdown Structure)의 토대가 된다. 이후 작업분류체계는 원가, 일정, 품질, 및 리스크나 조달관리 등의 계획수립의 기초가 되기 때문에 요구사항의 수집은 매우 중요하다

요구사항은 크게 사업적 요구사항, 이해관계자의 요구사항, 프로젝트 요구사항 등 그 분류가 다양한데, 아래는 요구사항의 종류를 분류하고 정리한 표이다.

**표 5-3 ⟳ 요구사항의 종류**

| 요구사항 종류 | 내용 |
|---|---|
| 사업적 요구사항<br>(Business requirements) | 사업적인 이슈 혹은 기회, 프로젝트를 시작하게 된 이유와 같이 전략적인 측면에서의 요구사항 |
| 이해관계자 요구사항<br>(Stakeholder requirements) | 이해관계자 혹은 이해관계자 그룹의 요구사항 |
| 솔루션 요구사항<br>(Solution requirement) | 기능적 요구사항(functional requirements) : 제품의 기능<br>예) 제품에 대한 프로세스, 데이터, 상호작용, 기능 등<br><br>비기능 요구사항(Nonfunctional requirements) : 기능적 요구사항을 보완함.<br>예) 신뢰성, 보안성, 성능, 안전, 서비스 수준 등 |
| 이전 관련 요구사항<br>(Transition requirements) | 데이터 이전, 교육/훈련에 대한 요구, AS-IS에서 TO-BE로의 전환 등 |
| 프로젝트 요구사항<br>(Project requirements) | 프로젝트가 만족시켜줘야 할 활동, 프로세스 혹은 조건들<br>예) 프로젝트 관리 요구사항, 보안, 품질 관련 요구사항 등 |
| 품질 요구사항<br>(Quality requirements) | 프로젝트의 인도물 혹은 프로젝트 요구사항에 대한 성공적인 완수를 검증하기 위해 필요한 상태 혹은 기준들 |

요구사항 수집(Collect Requirements) 프로세스의 투입물, 도구 및 기법과 산출물은 다음과 같다.

그림 5-2 ◆ 요구사항 수집 프로세스의 ITTO

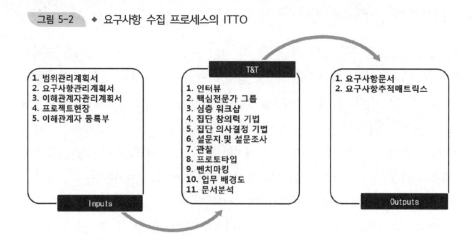

**1. 범위관리계획서**
**2. 요구사항관리계획서**
**3. 이해관계자관리계획서**
**4. 프로젝트헌장**
**5. 이해관계자 등록부**

Inputs

T&T
**1. 인터뷰**
**2. 핵심전문가 그룹**
**3. 심층 워크샵**
**4. 집단 창의력 기법**
**5. 집단 의사결정 기법**
**6. 설문지.및 설문조사**
**7. 관찰**
**8. 프로토타입**
**9. 벤치마킹**
**10. 업무 배경도**
**11. 문서분석**

**1. 요구사항문서**
**2. 요구사항추적매트릭스**

Outputs

## 5.2.1 요구사항 수집 프로세스 투입물

### 1. 범위관리 계획서(Scope Management Plan)

범위관리 계획서는 프로젝트 팀이 어떤 유형의 요구사항을 수집할 것이며, 어떻게 수집할 것인지를 결정하는 데 도움을 준다.

### 2. 요구사항관리 계획서(Requirement Management Plan)

요구사항 관리 계획서에서 정의한 대로 언제, 누가, 누구와, 어떻게 요구사항을 수집하고 문서화할 것인지를 결정하기 위해 참고한다.

### 3. 이해관계자 관리 계획서(Stakeholder Management Plan)

이해관계자 등록부는 이해관계자들의 목록과 성향, 그들의 프로젝트에 대한 기대사항과 요구사항을 기술한 목록이다. 이해관계자 등록부를 토대로 이해관계자와 얼마나 자주 어떻게 의사소통하면서 그들의 프로젝트에 대한 참여를 유도할지를 계획한 것이 이해관계자 관리 계획서이다.

의사소통 요구사항과 참여수준을 파악함으로써, 적극적으로 프로젝트에 참여하는 사람과 그렇지 않은 사람별로 요구사항을 어떻게 수집하고, 정의하고 평가하여 문서화할 것인지를 결정하기 위해 참고한다.

## 4. 프로젝트 헌장(Project Charter)

개략적인 수준의 프로젝트 요구사항과 프로젝트 설명이 기술되어 있기 때문에 참고한다.

## 5. 이해관계자 등록부(Stakeholder Register)

프로젝트에 대한 요구사항은 이해관계자가 가지고 있다. 따라서 이해관계자 목록과 그들의 성향, 기대사항, 요구사항이 기술되어 있는 이해관계자 등록부를 참고하여 회의를 통해 요구사항을 수집하는 것은 매우 중요하다.

## 5.2.2 요구사항 수집 프로세스 도구 및 기법

### 1. 인터뷰(Interview)

이해관계자와 직접적인 회의를 통해 요구사항 정보를 취득하는 방법이다. 인터뷰를 하기 전에 인터뷰에 대해 사전준비를 하거나 즉흥적으로 질문을 하기도 하고, 녹취도 하면서 요구사항을 수집할 수 있다.

### 2. 핵심전문가 그룹(Focus Group)[1]

미리 검증된 이해관계자 및 관련 전문가들이 함께 모여 제품이나 서비스 등에 대한 그들의 기대사항 혹은 태도에 대해서 토론하면서 요구사항을 수집하기도 한다.

### 3. 심층 워크숍(Facilitated Workshop)

워크숍을 개최하여 이해관계자들을 함께 모이게 한 후, 제품 혹은 서비스에 대한 요구사항을 정의하는 기법이다. 심층 워크숍은 빠르게 요구사항을 정의할 수 있고, 이슈 발생시에 빠르게 해결이 가능하다는 장점이 있다. 심층 워크숍의 예로 JAD(Joint Application Design/Development)나 QFD(Quality Function Deployment)를 들 수 있다.

### 4. 집단 창의력 기법(Group Creativity Techniques)

집단 창의력 기법은 말 그대로 한 무리의 집단이 함께 모여 창의적인 기법들을 사용하여 아이디어를 도출하거나 의견의 일치를 통해 의사결정하는 사용하는 기법이다. 집단 창의력 기법에

---

1 https://en.wikipedia.org/wiki/Focus_group

는 브레인스토밍, 브레인 롸이팅(BrainWriting), 명목 집단법, 마인드 매핑, 친화도, 집단 의사결정법과 같은 것이 있다.

### 브레인스토밍(Brainstorming)

프로젝트 및 제품 요구사항과 관련된 다양한 아이디어를 창출하여 취합하는 기법으로 아이디어에 대한 투표나 우선순위 기능은 없다. 브레인스토밍을 위해서는 다음과 같은 사항을 고려하도록 한다.

첫 번째, 아이디어를 되도록 많이 제시하도록 한다. 많은 숫자의 아이디어가 나왔다면 그 안에 좋은 의견이 있을 확률도 높을 것이다.

두 번째, 아이디어에 대한 비판이나 비난을 자제하도록 한다. 아이디어에 대한 비판은 나머지 사람들을 위축시킴으로써 아이디어 제시보다는 입을 다물게 하는 악영향이 있다.

세 번째, 엉뚱발랄한 아이디어도 자유롭게 이야기할 수 있는 분위기를 만들어야 한다. 특히, 부서에서 진행할 경우 경력이나 전문지식이 높은 사람들이 그렇지 않은 사람들이 내놓은 아이디어에 대해 평가하기 시작하면 모든 사람들이 일시에 아이디어를 내놓지 않을 수 있다.

네 번째로는 도출된 아이디어를 통해 전혀 새로운 아이디어를 창출할 수 있는 방법들과 논의가 필요하다.

그러나 브레인스토밍은 장점에도 불구하고 다음과 같은 단점들이 있다.

첫 번째, 제시된 아이디어의 약 10%만이 유효할 수 있거나 아예 사용할 수 없는 아이디어가 많은 경우 시간 낭비일 경우도 있다.

두 번째, 핵심을 찌르는 아이디어가 아닌 주변만 겉도는 아이디어만 양산될 수 있다.

세 번째, 아이디어를 제시하여 채택된 사람에 대한 보상이 없거나 적을 수 있다.

네 번째, 아이디어를 제시하는 참여자들의 수준에 따라 아이디어의 질이 결정될 수 있다.

### 명목 집단법(Nominal Group Technique)

명목 집단법은 사회자(Moderator)가 제시한 질문에 참석자들이 대답하는 과정을 통해 아이디어를 수집한 후, 참석자들이 수집된 아이디어들을 중요한 순서대로 우선순위를 정하거나 대안을 제시하는 방법이다. 한 사람이 토론을 주도하는 것을 방지하고 모든 참여자가 토론에 참여하여 결론을 도출하거나 집단이 선호하는 안을 도출하는 방법이다.

명목집단법은 브레인스토밍의 단점을 보완하기 위해 시행하기도 하는데, 명목집단법은 다음과 같은 방법으로 진행한다.

- 다른 사람과 토의 주제에 대해 상의하지 않는다.
- 주어진 주제에 대한 자신의 생각을 포스트잇이나 노트에 정리한다.
- 주어진 시간 안에 작성하여 제출한다.
- 제시된 아이디어들을 사회자가 정리하여 투표로 결정한다.

### 다기준 의사결정 기법(Multi-Criteria Decision Analysis)

수많은 아이디어를 평가하여 순위를 매기기 위한 기준을 세우는데 필요한 체계적인 분석 방법을 제공하는 의사결정 매트릭스를 활용하는 기법이다.

예를 들어, 고가의 자동차를 구매하고자 할 때 단순히 자동차 제작사의 브랜드만으로 결정하는 것이 아니라 자동차의 연비, A/S의 편리성, 기업 브랜드, 가격, 자동차의 디자인 등 다양한 요소를 고려하여 결정하는 것을 다기준 의사결정 기법이라 한다.

다기준 의사결정 기법으로 자주 사용되는 것으로는 1970년대 초 피츠버그 대학에 의해 개발된 계층 분석적 의사결정 기법(AHP, Analytic Hierarchy Process)라는 것이 있다. 이는 의사결정의 목표나 평가 기준이 다양하고 복잡한 경우 상호 연계성이 적은 대안들을 체계적으로 평가할 수 있도록 개발된 기법이다.

### 친화도(Affinity Diagram)

효과적인 검토 및 분석을 위하여 수많은 아이디어를 몇 개의 그룹으로 분류하는 기법으로 일본의 인류학자인 카와키타 지로(Kawakita Jiro)가 개발한 사회과학 방법론이다.

이 방법을 이용하면 다양한 아이디어나 정보를 몇 개의 연관성 높은 그룹으로 분류하고 파악할 수 있어 문제에 대한 해결안을 도출할 수 있다.

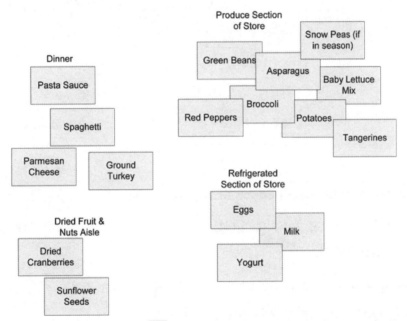

출처 https://www.flickr.com/photos/rosenfeldmedia/2159445698 참고

### 마인드 매핑(Mind Mapping)

마인드맵이란 문자 그래도 '생각의 지도'라는 의미로써 정보를 가시적으로 조직화하여 이미지화해 사고력, 창의력, 기억력을 높이는 하나의 방법이다. 현재는 조직 내에서 아이디어를 도출해내는 하나의 방법으로 많이 사용하고 있다.

마인드맵은 영국의 토니 부잔이 1960년대 브리티시 컬럼비아대 대학원 시절에 사람들이 그림과 상징물을 활용해 생각을 그리면 훨씬 더 의사소통하는데 효과적이라는 생각으로 '마인드 맵'을 고안해 냈다.

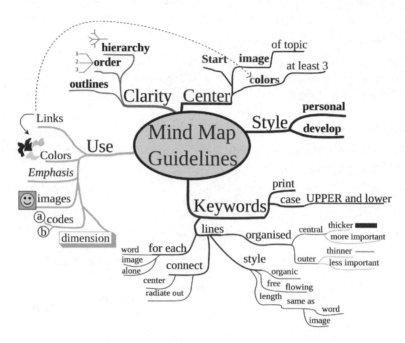

출처 https://commons.wikimedia.org/wiki/File%3AMindMapGuidlines.svg 참고

## 5. 집단 의사결정 기법(Group Decision Making Techniques)

여러 이해관계자들이 워크숍이나 기타 회의를 통해 합의된 의견을 도출하기 위해 다음 방법을 사용하여 의사결정을 한다.

◉ **만장일치**(Unanimity) : 모든 사람이 한 가지 의견에 동의하고 결정

◉ **과반수**(Majority) : 구성원의 50% 이상이 동의

◉ **다수결**(Plurality) : 구성원의 50%가 안 되더라도 가장 많은 수의 의견으로 결정

◉ **단독결정**(Dictatorship) : 한 사람의 의견으로 결정

## 6. 설문지 및 설문조사(Questionnaires and Surveys)

요구사항을 수집하기 위해 설문지를 작성하고, 배포하여 많은 사람들로부터 빠르게 정보를 수집할 수 있다. 요구사항을 수집할 대상자가 지역적으로 분산되어 있을 때 유용하다.

## 7. 관찰(Observations)

개인들이 일을 어떻게 처리하는지, 프로세스를 어떻게 수행하는지 관찰을 함으로써 요구사항을 수집하는 것이다. 예를 들어, 업무 처리 시스템을 구축하기 위해 현업들과 인터뷰나 회의를 통해 그들의 요구사항을 파악할 수 있지만, 그들의 업무 활동을 옆에서 지켜보면서 업무 프로세스를 파악하는 것도 하나의 관찰 기법이라 할 수 있다.

**직무 현장체험**(Job Shadowing)

직무 현장체험은 실무 현장에서의 업무 학습, 경력 개발, 및 리더십 개발을 위한 방법이다. 기본적으로 직무 현장체험은 다른 직무를 하고 있는 사람, 가르칠 것이 있는 사람 혹은 직무 관련하여 직원을 쫓아다니면서 학습하는데 도움을 줄 수 있는 사람과 함께 일을 하면서 특정 행동이나 역량을 학습하는 방법이기 때문에 많은 기업들이 학습을 위한 도구로 많이 활용하고 있다. 따라서 직무 현장체험을 통해 요구사항을 수집하고자 하는 자가 현장업무 담당자와 함께 지내면서 개선이나 제거되어야 할 업무나 새로운 요구사항을 수집할 수 있다.

## 8. 프로토타입(Prototypes)

실제 프로젝트의 인도물을 만들기 전에 비슷한 모형을 제작하여 이해관계자들에게 보여줌으로써 그들의 실제적인 요구사항을 알아내는 방법이다. 예를 들어, 휴대폰이나 자동차에 대한 모형을 만들거나, 정보 시스템 구축에서 사용자들이 사용할 화면을 미리 손으로 스케치하거나 화면 설계서를 빠르게 제작하여 보여주는 것도 프로토 타입의 일종이라 할 수 있다.

## 9. 벤치마킹(Benchmarking)

비교 대상의 조직이나 제품 혹은 서비스를 선정하여 비교한 후 차이점을 식별하거나, 개선을 위한 아이디어나 성과 측정을 위한 기준들을 도출하는 기법이다.

## 10. 업무 배경도(Context Diagrams)

프로세스, 장비, 컴퓨터 시스템 등의 비즈니스 시스템 및 사람들과 시스템들이 상호작용하는 것을 그래픽하게 표현함으로써 업무의 흐름을 파악하는 기법이다.

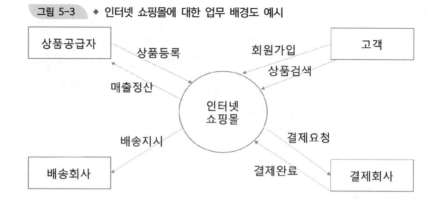

그림 5-3 ◆ 인터넷 쇼핑몰에 대한 업무 배경도 예시

## 11. 문서 분석(Document Analysis)

사업계획서나 계약서 혹은 제안요청서 등 기존에 작성된 문서들을 분석함으로써 요구사항을 식별하고 수집하는 기법이다. 분석대상 문서로는 기존 제품의 매뉴얼, 법규 관련 문서, 제안요청서(RFP, Request For Proposal), 사업계획서, 계약서 등이 있다.

### 5.2.3 요구사항 수집 프로세스 산출물

### 1. 요구사항 문서(Requirements Documentation)

다양한 문서 및 이해관계자들로부터 수집한 개별 요구사항들을 정리한 문서이다. 요구사항은 프로젝트 초기에는 개략적이었다가 프로젝트가 점차 진행됨에 따라 상세화되고 구체화되는 특성을 가지고 있다.

요구사항이 범위 기준선으로 확정되기 위해서는 요구사항이 구체적이고 측정, 테스트, 및 추적 가능하게끔 완전하며 일관되고 수용 가능한 수준이어야 한다.

요구사항 문서에 포함되어야 할 항목으로는 다음과 같은 것들이 있다.

- ◉ **요구사항 ID** : 요구사항에 대한 일련번호
- ◉ **요구사항 분류** : 요구사항이 기능 요구사항인지 비기능 요구사항인지의 구분
- ◉ **요구사항 명칭** : 요구사항에 대한 간략한 정의
- ◉ **요구사항 설명** : 요구사항에 대한 상세한 설명
- ◉ **요구사항 제기일자** : 요구사항을 이해관계자가 제기한 일자

◎ **제기자** : 요구사항을 제기한 이해관계자

◎ **조치(적용) 내용** : 요구사항을 어떻게 구체화하고 상세화하여 인도물로 만들 것인지에 대한 설명

◎ **수용여부** : 요구사항을 수용할 것인지 거부할 것인지 여부

**표 5-4 ◦ ▸ 요구사항 문서 예시**

| 요구사항 ID | 요구사항 제기 내역 | | | | | | | | | 수용여부 |
| | 요구사항 구분 | 요구사항 분류 | 요구사항 명칭 | 요구사항 세부내용 | 제기일자 | 제기자 | RFP 고유번호 | 조치(적용) 내용 | |
|---|---|---|---|---|---|---|---|---|---|
| RFN- STOC -001 | 입고/ 출고 시스템 | 기능 요구 사항 | 메인 화면 | 시작화면<br>-등록번호 및 품목 조회 및 선택<br>-입고대기, 상품재고 현황 조회 | 2015. 6.24 | 제안 요청서 | SFR-01 3 | 2015.6.24.:입고 출고팀의 협의에 따라 확정함. | Y |
| RFN- STOC -002 | 입고/ 출고 시스템 | 기능 요구 사항 | 사업자 정보 확인 및 관리 | 사업자 정보 확인 및 관리<br>-사업자 정보 조회<br>-홍보내용 및 인증정보입력<br>-개별속성관리 | 2015. 6.25 | 제안 요청서 | SFR-01 4 | 2015.6.24.:입고 출고팀의 협의에 따라 확정함. | Y |
| RFN- STOC -003 | 입고/ 출고 시스템 | 기능 요구 사항 | 상품 기본정보 관리 | 상품 기본정보 관리<br>-상품 정보 조회<br>-홍보내용 관리<br>-개별 속성 관리 | 2015. 6.26 | 제안 요청서 | SFR-01 5 | 2015.6.24.:입고 출고팀의 협의에 따라 확정함. | Y |

요구사항 문서에 포함되는 내용은 프로젝트 규모나 종류 혹은 조직의 상황별로 다르다.

## 2. 요구사항 추적 매트릭스(Requirements Traceability Matrix)

수집되어 정리된 요구사항이 중간 인도물이나 최종 인도물의 어느 기능 혹은 부품 및 제품에 반영되고 있는지를 지속적으로 추적할 수 있도록 일목요연하게 정리한 표이다. 요구사항 추적 매트릭스의 작성을 통해 모든 요구사항들이 프로젝트 종료시 반드시 인도물에 반영되어 고객에게 전달된다는 것을 확신시켜 줌으로써 프로젝트 범위 관리의 품질 향상과 더불어 프로젝트 팀에 대한 이해관계자의 신뢰성을 향상 시켜줄 수 있다.

**표 5-5 ◦ ▸ 요구사항 추적표 샘플**

| 요구사항 ID | 요구사항 | 세부업무명 | 세부요구사항 | 유형 | 분석단계 | | | | 설계단계 | | | |
| | | | | | 유즈케이스 ID | 유즈케이스명 | 테이블명 | 프로세스 ID | 프로세스 | UI 패키지명 | UI ID |
|---|---|---|---|---|---|---|---|---|---|---|---|
| TM- PD 001 | 서비스 소개 | 서비스 개요 | 서비스 개요 정보 및 노출 HTML | 기능 | TM- RU001 | 서비스 개요 | N/A | TM- DP 001 | 서비스 개요 | -스마트교육이란?)스마트교육 정의<br>-스마트교육이란?)스마 | TM- DS139 |

| 요구사항 ID | 요구사항 | 세부 업무명 | 세부 요구사항 | 유형 | 분석단계 | | | | 설계단계 | | |
|---|---|---|---|---|---|---|---|---|---|---|---|
| | | | | | 유즈 케이스 ID | 유즈 케이스 명 | 테이블 명 | 프로 세스 ID | 프로 세스 | UI 패키지명 | UI ID |
| | | | 페이지 | | | | | | | 트교육 추진경과 및 방향<br>－스마트교육이란?〉스마트교육 기대효과<br>－디지털교과서란? | |
| TM-PD002 | 서비스 소개 | 서비스 투어 | 서비스 투어 정보노출(플래시 배제)<br>－ 서비스 지원 하위 서비스 이용 안내에 | 기능 | TM-RU002 | 서비스 투어 | N/A | TM-DP002 | 서비스 투어 | 서비스 지원〉이용안내 | TM-DS007 |
| TM-PD003 | 회원 가입 | 사용자 회원 가입 | 교사/학생을 위한 회원 가입(학부모 가입은 시범 서비스에서 구현 제외, 사용자 유형 공통 코드 생성까지 적용)<br>－교사회원은 교사 공인인증(EPK)외 별도 인증하지 않음<br>－일반사용자는 공공 I-PIN을 통해 본인인증 | 기능 | TM-RU003 | 학생/교사 회원 가입 | TB_REG_USERS (학적 정보만 저장, 그 외 SSO에서 처리) | TM-DP003 | 사용자 회원 가입 | －회원가입〉회원종류 선택<br>－회원가입〉만14세미만〉약관동의<br>－회원가입〉만14세미만〉실명인증<br>－회원가입〉만14세미만〉부모동의)공인인증서 인증<br>－회원가입〉만14세미만〉상세정보 입력<br>－회원가입〉만14세미만〉가입완료<br>－회원가입〉만14세이상〉약관동의<br>－회원가입〉만14세이상〉실명인증<br>－회원가입〉만14세이상〉상세정보 입력<br>－회원가입〉만14세이상〉가입완료<br>－회원가입〉교사회원〉약관동의<br>－회원가입〉교사회원〉실명인증<br>－회원가입〉교사회원〉상세정보 입력<br>－회원가입〉교사회원〉가입신청 완료 | TM-DS021<br>TM-DS022<br>TM-DS023<br>TM-DS025<br>TM-DS026<br>TM-DS027<br>TM-DS028<br>TM-DS029<br>TM-DS030<br>TM-DS031<br>TM-DS032<br>TM-DS033<br>TM-DS034<br>TM-DS035 |

요구사항 추적 매트릭스는 [5.5 범위검수] 및 [5.6 범위통제]의 투입물임을 꼭 기억하자.

이해관계자들로부터 프로젝트에 대한 요구사항을 수집하여 향후 프로젝트 수행 중 요구사항이 어떻게 변하는가를 추적하는 프로세스이다. 따라서 산출물로는 수집한 요구사항을 정리한 요구사항 문서와 요구사항이 어떻게 변하는지를 지속적으로 모니터링하는 요구사항 추적 매트릭스가 작성된다.

프로젝트에 대한 개념적인 요구사항이 기술된 프로젝트 헌장, 요구사항을 제기할 이해관계자가 기록된 이해관계자 등록부와 이해관계자 관리 계획서를 토대로 범위관리 계획서와 요구사항관리 계획서에 정의된 절차와 일정에 따라 적절한 요구사항 수집 기법을 통해 요구사항 문서와 요구사항 추적표를 작성한다.

| 지식영역＼프로세스 | 5.2 요구사항 수집 |
|---|---|
| 4. 통합관리 | 4.1 프로젝트 헌장 수립 → 프로젝트헌장 |
| 5. 범위 관리 | 5.1 범위관리계획 수립 → 범위관리계획서, 요구사항관리계획서 → 5.2 요구사항수집 |
| 6. 일정 관리 | |
| 7. 원가 관리 | |
| 8. 품질 관리 | |
| 9. 인적자원관리 | |
| 10. 의사소통 관리 | |
| 11. 리스크 관리 | |
| 12. 조달 관리 | |
| 13. 이해관계자 관리 | 이해관계자등록부    이해관계자관리계획서<br>13.1 이해관계자식별    13.2 이해관계자관리 계획 수립 |

요구사항 수집 프로세스의 산출물로는 당연히 요구사항 문서가 만들어지고, 요구사항이 향후 프로젝트를 진행하면서 어떻게 변경되었는가를 기록한 요구사항 추적 매트릭스가 생성된다.

요구사항 문서는 5장의 프로세스 전체에서 사용되며, 요구사항에 맞게 인도물이 생성되었는지 확인하기 위해 8장의 품질통제 프로세스와 조달 관리 계획 수립시 조달해야 할 물품, 재료, 사람 등을 식별하기 위해 12장 조달관리 계획 수립 프로세스에 사용된다.

요구사항 추적 매트릭스는 통제 프로세스인 범위 검수와 범위 통제 프로세스에서만 사용되는 투입물임을 기억해두자.

| 지식영역 　　　　 프로세스 | 5.2 요구사항 수집 | | | | |
|---|---|---|---|---|---|
| 4. 통합관리 | | | | | |
| 5. 범위 관리 | 5.2 요구사항수집 | 5.3 범위 정의 | 5.4 WBS작성 | 5.5 범위 검수 | 5.6 범위통제 |
| 6. 일정 관리 | | 요구사항문서 | 요구사항문서 | 요구사항문서, 요구사항추적매트릭스 | 요구사항문서, 요구사항추적매트릭스 |
| 7. 원가 관리 | 요구사항문서 | | | | |
| 8. 품질 관리 | 8.1 품질관리계획 수립 | | | | |
| 9. 인적자원관리 | | | | | |
| 10. 의사소통 관리 | | | | | |
| 11. 리스크 관리 | 요구사항문서 | | | | |
| 12. 조달 관리 | 12.1 조달관리계획 수립 | | | | |
| 13. 이해관계자 관리 | | | | | |

## 5.3 범위 정의(Define Scope)

우리는 지금까지 프로젝트의 요구사항을 수집했다. 이제부터는 수집된 요구사항을 고객이 이해하고 프로젝트 팀이 이해할 수 있는 문서로 만들고 고객에게 확인을 받아야 한다. 그 첫 번째 과정이 요구사항을 프로젝트의 범위에 포함(include)을 해야 하는지 제외(exclude)를 해야 하는지 결정하고 이를 문서화해야 한다. 따라서 [5.3 범위 정의] 프로세스는 프로젝트 범위 기술서를 작성하는 프로세스라고 이해하면 된다.

프로젝트 착수 및 기획 시점에서 요구사항이 완벽하게 수집되었다고 모든 요구사항이 프로젝트의 범위가 되는 것이 아니다. 어떤 요구사항은 도저히 수용 불가능한 것도 있다. 또한, 어떤 요구사항은 이해관계자도 모호하게 이야기한 것도 있다. 모호한 요구사항은 추후에 프로젝트가 계속 진행되다 보면 구체적이고 명확하게 기술할 수 있다. 이것을 우리는 점진적 구체화(Progressively Elaboration)이라 한다. 만약, 모호했던 요구사항이 구체화되면 프로젝트 범위 기술서가 갱신되고, 이에 따라 WBS, WBS Dictionary, 일정, 원가, 품질 등 관련된 모든 문서들이 갱신될 수 있다.

범위 정의(Define Scope) 프로세스의 투입물, 도구 및 기법과 산출물은 다음과 같다.

그림 5-4 ◆ 범위 정의 프로세스의 ITTO

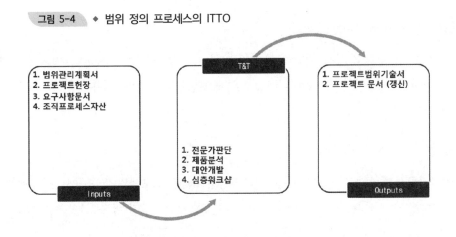

### 5.3.1 범위 정의 프로세스 투입물

**1. 범위관리 계획서**(Scope Management Plan)

프로젝트의 범위에 대한 정의를 주먹구구식으로 할 수 없다. 따라서 범위 관리 계획서에 기술

한 절차, 시간, 방법, 및 템플릿을 이용하여야 한다.

## 2. 프로젝트 헌장(Project Charter)

혹시라도 추상적 수준의 프로젝트 개요나 제품의 특징이 기술된 프로젝트 헌장에서 추가적으로 프로젝트의 범위로 정의할 것이 있으면 참고한다. 만약, 공식적으로 프로젝트 헌장을 사용하지 않는다면, 그에 상응하는 공식 문서나 비공식적 문서 등을 통해 범위 정의에 필요한 정보를 습득할 수 있다.

## 3. 요구사항 문서(Requirements Documentation)

프로젝트의 범위에 포함할지 여부를 확정하기 때문에 당연히 요구사항 문서가 필요하다.

## 4. 조직프로세스 자산(Organizational Process Assets)

프로젝트 범위 기술서 작성을 위한 정책, 절차 그리고 템플릿 혹은 이전 프로젝트의 파일들 및 교훈 사항들을 참고한다.

## 5.3.2 범위 정의 프로세스 도구 및 기법

### 1. 전문가 판단(Expert Judgment)

프로젝트 범위 기술서 작성시 해당 분야의 다양한 내외부 전문가의 도움을 받아 프로젝트의 범위에 포함할지, 제외할지 판단하고 특히, 범위에 포함한다면 어떤 내용인지도 자세히 파악해 두는 것이 좋다.

### 2. 제품 분석(Product Analysis)

프로젝트 관리자는 프로젝트 팀 혹은 전문가들과 함께 프로젝트의 요구사항을 제품 분해(Product Analysis), 시스템 분석, 요구사항 분석, 시스템 공학, 가치 공학(value engineering)과 같은 전문적 기법을 통해 요구사항을 프로젝트의 범위로 도출한다.

### 3. 대안 식별(Alternatives Generation)

요구사항을 프로젝트의 범위로 도출해서 프로젝트 작업으로 만들어 수행할 몇 가지 대안을 개발하는 기법으로 브레인스토밍, 수평적 사고, 대안 분석 등이 있다.

## 4. 심층 워크숍(Facilitated Workshop)

중요 이해관계자들이 집중적인 워크숍을 통해 프로젝트의 범위를 결정하는 방법으로 합동 어플리케이션 개발(JAD)나 품질 기능 전개(QFD)가 있다.

예를 들면 프로젝트에서 100개의 요구사항이 도출되었다고 가정하자. 프로젝트 관리자와 프로젝트 팀은 전체 요구사항에서 이번 프로젝트에서 수용 가능한 것과 수용 불가능한 요구사항을 구분해야 한다.

따라서 다양한 전문가들과 함께 100개의 요구사항을 하나하나 순서대로 점검해서, 어떤 요구사항은 프로젝트 내에서 가능하고 필수적인 것이라 프로젝트의 범위로 확정한다. 또 어떤 요구사항은 기획 시점에서는 그 내용이 모호하기 때문에 최대한 제품분석, 대안개발 등을 통해 가능한 대안을 도출하고 범위로 확정할 수 있다.

그러나 이러한 과정을 통해서도 프로젝트 내에서 도저히 할 수 없을 것으로 판단되는 것은 협의를 통해 프로젝트의 범위에서 제외한다.

즉, 제품분석, 대안개발, 심층워크숍은 요구사항에 대한 실현 가능성을 프로젝트 팀과 전문가들이 함께 고민하는 도구 및 기법으로 이해해야 한다.

**심층 워크숍**(Facilitated Workshop)

프로젝트에 연관된 여러 부서의 다양한 이해관계자들을 모두 모아 워크숍을 실시하는 형태로 동시공학(Concurrent Engineering)의 개념과 유사하다. 예를 들어 새로운 스마트폰을 개발할 계획을 가지고 있는 경우 생산부서, 마케팅 부서, 디자인 부서가 모두 모여 새로운 제품에 대해 협업을 진행하는 것을 들 수 있다. 소프트웨어 개발 분야에서는 합동 어플리케이션 개발(JAD, Joint Application Development)이 많이 사용되며 제조 분야에서는 품질 기능 전개(QFD, Quality Function Deployment)가 많이 사용된다.

1) 합동 어플리케이션 개발(JAD, Joint Application Development) – 소프트웨어 개발 프로젝트에서 개발에 참여하는 다양한 이해관계자(개발자, 설계자, 사용자, 경영진, 전문가 등)들이 모여 워크숍을 하면서 함께 개발을 진행하는 형태이다. 특히, 업무를 순차적으로 하는 부서들이 한자리에 모여 다음 공정 또는 프로세스에서 발생할 가능성이 있는 프로젝트 이슈를 조기에 발견하고 해결하기 위한 활동이며 이때, 워크숍의 리더 역량이 상당히 중요하다. 또한 반드시 최종 의사결정권자를 함께 참여 시켜야 하며 이런 과정을 효과적으로 진행하면 요구사항이 조기에 명확히 도출될 수 있으며 추가적으로 프로토타이핑과 함께 적용하면 효과가 더욱 높아진다.

2) 품질 기능 전개(QFD, Quality Function Deployment) – 주로 제조업 분야에서 신제품을 개발할 때, 고객의 요구사항이 구체적으로 식별 및 분석되고 개념 정립, 설계, 생산까지 반영될 수 있도록 여러 이해관계자(생산부서, 판매부서, 연구부서, 개발부서 등)가 모여서 개발을 진행하는 기법으로 1970년대에 일본에서 개발된 기법이다. 일본은 2차 세계대전 이후 당시 맥아더 장군의 자문으로 일본에 함께 건너온 데밍(Deming) 박사로부터 전수받은 품질기법을 지속적으로 발전 시켰고 이로 인해 품질 경영의 꽃을 피웠다.

품질기능을 전개한다는 의미는 판단이 모호하고 정량적으로 측정하기 어려운 고객의 요구사항을 정량적으로 측정할 수 있는 기술 특성에 매핑시켜 품질목표를 설정한다는 의미로 이해하면 좋을 것이다.

### 5.3.3 범위 정의 프로세스 산출물

**1. 프로젝트 범위 기술서**(Project Scope Statement)

프로젝트 범위 기술서는 프로젝트 범위 혹은 제품 범위, 주요 산출물, 가정사항과 제약사항을 기술한 문서이며 이해관계자들 간 프로젝트 범위에 대한 상호 이해를 기반으로 확정된다.

이 문서에는 프로젝트의 범위에 포함해야 할 것 뿐만 아니라 범위에 포함되지 않는 사항을 명확히 해야 하는데, 포함될 것 보다는 범위에 포함되지 않아야 할 것을 명확히 하는 것이 오히려 중요하다고 할 수 있다. 프로젝트 범위에서 제외되는 사항을 명확히 기술함으로써 프로젝트 종료시점에 발생할 수 있는 분쟁을 사전에 방지할 수 있다.

이렇게 중요한 프로젝트 범위 기술서에는 다음과 같은 항목들이 포함되어 작성되어야 한다.

**표 5-6 ❝ ❞ 프로젝트 범위 기술서의 주요항목 예시**

| 범위 기술서 항목 | 설명 |
| --- | --- |
| 제품 범위 명세서 | 프로젝트 헌장과 요구사항 문서에 기술된 제품, 서비스 등에 대한 내용을 기술하나 프로젝트가 진행되면서 모호한 부분이 점진적으로 구체화된다. |
| 프로젝트 인도물 | 프로세스, 단계 또는 프로젝트의 완료를 위해 생성해야 하는 측정 가능하고, 검증 가능한 제품, 결과 또는 서비스이다. 프로젝트 관리 계획서, 프로젝트 문서 및 결과물의 생성을 위해 작성된 기타 부속 문서들도 모두 포함될 수 있다. |
| 제품 인수 기준 | 인도물이 인수되기 위한 조건으로, 향후 품질 기준이나 검수 기준으로 활용될 수 있다. |
| 프로젝트 제외 사항 | 프로젝트의 범위에서 제외되는 요구사항을 명시함으로써 분쟁과 오해의 소지를 사전에 줄일 수 있다. |
| 프로젝트 제약 사항 | 프로젝트 범위와 관련된 제한 사항들을 기술한다. 예를 들어, 요구사항 추가시 일정, 원가의 제약 부분에 대해서 기술한다. |
| 프로젝트 가정 사항 | 프로젝트 범위와 관련하여 특정 프로젝트 가정 사항을 열거하고 설명한다. 그러한 가정사항이 오류로 판명되는 경우의 잠재적인 영향도 추가적으로 설명한다. |

**2. 프로젝트 문서 수정**(Project Documents Updates)

프로젝트에 대한 요구사항을 수집하고 범위로 확정하면서 수많은 이해관계자들을 만나게 되는데, 분석한 이해관계자들의 참여도와 영향력 혹은 프로젝트에 대한 요구사항들이 수정될 것이

있으면 이해관계자 등록부를 수정하며, 요구사항 자체가 추가되거나 수정 및 삭제된다고 하면
요구사항 문서나 요구사항 추적 매트릭스도 수정되어야 한다.

수집된 많은 요구사항들을 이해관계자와 협의를 통해 프로젝트 범위 기술서를 작성하기 위해서는 우선, 조직 내에 프로젝트 범위 기술서를 작성하는 절차나 정책 및 템플릿이 있는지 살펴보고 확보해야 한다.

그런 후에 범위 관리 계획서에서 계획한 대로 관련된 이해관계자, 전문가들과 정해진 일정과 방법 및 절차대로 프로젝트의 범위를 확정한다. 그 확정된 내용을 프로젝트 범위 기술서로 정리하는 것이다.

| 지식영역＼프로세스 | 5.3 범위 정의 |
|---|---|
| **4. 통합관리** | 4.1 프로젝트 헌장 수립 → 프로젝트헌장 조직프로세스자산 ← 기업/조직 |
| **5. 범위 관리** | 5.1 범위관리계획 수립   5.2 요구사항수집   5.3 범위정의 |
| **6. 일정 관리** | 범위관리계획서   요구사항문서 |
| **7. 원가 관리** | |
| **8. 품질 관리** | |
| **9. 인적자원관리** | |
| **10. 의사소통 관리** | |
| **11. 리스크 관리** | |
| **12. 조달 관리** | |
| **13. 이해관계자 관리** | |

Memo

범위 정의 프로세스의 산출물인 프로젝트 범위 기술서는 범위 기준선의 하나이며, 프로젝트 관리 계획서의 일부가 된다. 특히, 프로젝트 범위 기술서는 WBS작성 프로세스, 6장의 활동 순서 배열, 활동 기간 산정 및 일정 개발 프로세스의 투입물로 활용된다.

| 프로세스<br>지식영역 | 5.3 범위 정의 |
|---|---|
| 4. 통합관리 | |
| 5. 범위 관리 | |
| 6. 일정 관리 | |
| 7. 원가 관리 | |
| 8. 품질 관리 | |
| 9. 인적자원관리 | |
| 10. 의사소통 관리 | |
| 11. 리스크 관리 | |
| 12. 조달 관리 | |
| 13. 이해관계자<br>관리 | |

5.3 범위정의 → 프로젝트범위기술서 → 5.4 WBS작성

6.3 활동순서배열  6.5 활동기간산정  6.6 일정개발

프로젝트범위기술서  프로젝트범위기술서  프로젝트범위기술서

프로젝트 문서들

프로젝트문서(갱신)

Project Management Professional

## 5.4 작업분류체계 작성

이전 프로세스인 [5.3 범위 정의] 프로세스에서 프로젝트의 범위를 확정하였다면 [5.4 WBS 작성(Create WBS)] 프로세스에서는 프로젝트 인도물과 프로젝트 작업을 보다 작고, 관리 가능한 구성요소로 세분하는 프로세스이다.

프로젝트의 범위는 프로젝트 범위 기술서만으로도 충분하지만 왜 작업분류체계(Work Breakdown Structure)를 만들까? 그 이유는 프로젝트 범위 기술서는 프로젝트의 범위를 글, 즉 문자로만 작성한 것이다. 글로 작성된 문서를 이해관계자들이나 프로젝트 팀원들에게 배포하면 프로젝트의 범위를 이해하는데 시간도 오래 걸리고 문장 자체를 오해할 수 있어 원하지 않는 인도물이 생성될 수 있다.

이러한 오류를 줄이고자 프로제트 범위 기술서의 내용을 체계적이고 가시적이며 구체적인 그림으로 표현한 것이 작업분류체계이다. 즉, 작업분류체계(WBS, Work Breakdown Structure)란 프로젝트 팀이 프로젝트의 목표를 달성하고, 필요한 인도물들을 생성하기 위해 프로젝트를 수행하면서 완료할 업무의 범위를 인도물 중심으로 세분화하여 분할한 계층도이다.

작업분류체계 작성(Create WBS) 프로세스의 투입물, 도구 및 기법과 결과물은 다음과 같다.

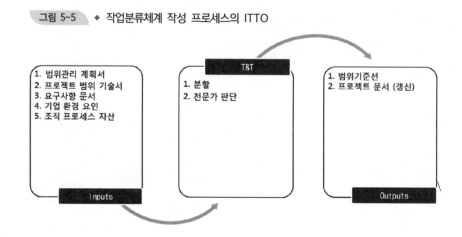

그림 5-5 ◆ 작업분류체계 작성 프로세스의 ITTO

### 5.4.1 작업분류체계 작성 프로세스 투입물

**1. 범위관리 계획서**(Scope Management Plan)

범위 관리 계획서에는 WBS작성 도구나 WBS작성 절차와 규칙, 및 최종적인 WBS의 승인 절

차와 책임자 등을 명시했기 때문에 참고한다.

## 2. 프로젝트 범위 기술서(Project Scope Statement)

프로젝트 범위 기술서는 WBS를 작성하기 위한 프로젝트의 범위와 범위에서 제외된 요구사항 및 내·외부 가정사항과 제약조건들이 기술되어 있기 때문에 참고한다.

## 3. 요구사항 문서(Requirements Documentation)

프로젝트의 범위에 대한 요구사항이 혹시라도 프로젝트 범위 기술서에 누락되어 있거나 잘못 기술된 것은 없는지 다시 한번 참고하며, 특히나 기능적인 요구사항 보다는 비기능적인 요구 사항이 어떤 것이 있는 파악하기 위해 참고한다. 비기능 요구사항은 작업분류체계에 명시적으로 나타낼 수 없기 때문에 WBS 사전(Dictionary) 등에 기술하는 것도 좋은 방법이며, 품질통제 혹은 범위 검수시 필요하다.

## 4. 기업 환경 요인(Enterprise Environmental Factors)

WBS를 작성할 때 특정 산업별로 표준이 되는 WBS가 있는지를 확인하는 것도 추천한다. 예를 들어, 미국의 국방성은 국방 프로젝트에서 작업분류체계를 어떻게 작성해야 하는지에 대한 표준인 MIL-STD-881B(Work Breakdown Structures for Defense Material Items)를 제정하여 국방성 프로젝트 진행시 반드시 참고하도록 하고 있다. 또한, PMI도 WBS에 대한 실무표준을 제정하여 홈페이지에 게시하였으니 참고하면 좋다.[2]

## 5. 조직 프로세스 자산(Organizational Process Assets)

조직 내에 현재 프로젝트와 유사한 형태의 과거 프로젝트에서 작성한 WBS 샘플과 WBS 작성에 대한 교훈 사항들이 있는지 살펴봐야 한다. 또한, 조직 내 작업분류체계 작성에 대한 정책, 절차, 및 템플릿이 있는지 살펴봐야 한다.

### 5.4.2 작업분류체계 작성 프로세스 도구 및 기법

## 1. 분할(Decomposition)

분할은 프로젝트의 인도물들을 더 작고 관리 가능한 요소인 작업 패키지로 세분화하는 것으로

---

2 Practice Standard for Work Breakdown Structures-Second Edition(Reaffirmed) 참고

작업 및 인도물을 원가 추정 및 기간 산정이 가능한 수준까지 분할한다. WBS의 가장 낮은 단계를 작업 패키지(Work package)라 하는데, Work package의 수준은 프로젝트의 규모와 복잡성에 따라 다르다. 아래는 WBS를 분할하는 순서이다.

◉ 프로젝트 범위 기술서로부터 프로젝트 인도물 및 관련 작업을 식별
◉ WBS 형태로 구성 및 체계화
◉ 상위 수준부터 하위수준으로 분할
◉ WBS의 각 요소에 대해 식별 코드를 개발하고 배정
◉ 분할의 적정성을 검증(하위 레벨의 WBS 요소를 합치면 그 상위 요소가 되어야 함)

## 2. 전문가 판단(Expert Judgment)

프로젝트 관리자나 팀원 혹은 관련 업무 전문가와 함께 작업분류체계가 제대로 세분화되었는지 판단한다.

### 5.4.3 작업분류체계 작성 프로세스 산출물

### 1. 범위 기준선(Scope Baseline)

범위 기준선은 WBS, WBS Dictionary, 및 프로젝트 범위 기술서를 통칭하는 용어이다. 고객으로부터 승인을 받아 확정된 범위 기준선은 변경이 있을 경우에는 공식적인 통합변경통제 절차를 통해서만 변경이 가능하다.

### 2. 프로젝트 문서 갱신(Project Documentation Updates)

만일 승인된 변경 요청이 있다면 그로 인해 프로젝트 문서가 수정된다. 다음의 프로젝트 문서들이 갱신될 수 있다.

◉ 요구사항문서
◉ 프로젝트 일정
◉ 리스크 등록부 등

## 작업분류체계(WBS, Work Breakdown Structure)

작업분류체계는 프로젝트 목표를 달성하는데 필요한 인도물을 산출하기 위하여 프로젝트 팀이 실행할 작업을 인도물 중심으로 분할한 계층 구조 체계이다. 따라서 작업분류체계는 프로젝트의 전체 범위를 구성하고 정의하며, 프로젝트 작업을 관리하기 쉽도록 작은 작업 단위로 세분한다.

작업분류체계의 아래로 내려갈수록 프로젝트 작업이 점차 상세하게 정의된다. 작업분류체계 구성 요소 중 최하위 요소를 '작업 패키지(Work Package)'라고 하며, 이 패키지 단위로 일정을 계획하고, 원가를 산정하며, 프로젝트의 범위 변경을 감시 및 통제할 수 있다. 반면에 Work package로 분할했지만, 아직 명확히 정의되지 않은 패키지를 'Planning Package'라고 부른다. 이는 향후 프로젝트가 진행되면서 상세화 및 구체화된다.

작업분류체계(WBS)는 현재 승인된 프로젝트 범위기술서에 명시되어 있는 작업을 나타내며, 이해관계자는 작업분류체계를 이루는 구성요소를 사용하여 프로젝트의 인도물을 검토할 수 있다.

> **그림 5-6** ◆ 자전거에 대한 WBS 예시

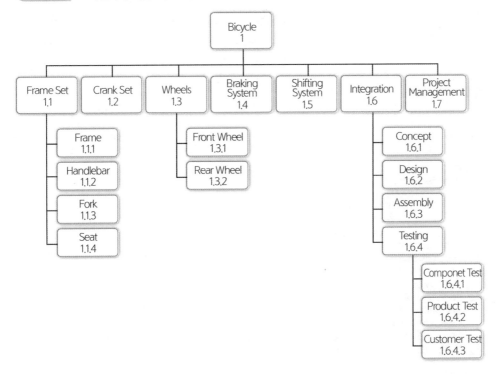

## WBS 작성 방법

- 작성 방식 : 상향식 방법과 하향식 방법이 있음.
- 작성 유형 : – 프로젝트 생애주기로 구성
  - 인도물 중심으로 구성
  - 프로젝트 팀 외부의 조직이 만든 요소들을 합쳐서 구성

- 하위의 WBS 혹은 work package를 합하면 상위 WBS 요소가 되어야 함.
- 너무 상세한 분할은 과도한 관리 업무를 발생 시킬 수 있음.
- 프로젝트 초기에 명확히 정의되지 않은 업무는 추후에 명확해지면 분할해야 함.

### [Work package size를 결정하는 경험 법칙]

**(1) 8/80 법칙:**

하루 8시간, 월~금요일까지, Work package 크기는 하루 이상 2주 이하의 크기로 결정

**(2) Report 보고 법칙:**

만약 작업 수행 결과를 일주일 단위로 보고한다면, Work package 크기는 일주일 작업 분량임.

**(3) 유용성의 법칙:**

Work package 크기는 작업에 대해 비용이나 기간을 산정하기 용이해야 하고, 자원을 배정하기 용이해야 하며, 작업 진척을 추적할 수 있어야 함.

**(4) 100%의 법칙:**

100%의 범칙의 위에서 설명한 어느 법칙보다 중요하다. 그 이유는 프로젝트에서 정의한 범위가 완벽하게 WBS에 반영되어야 한다는 것이다. 또한, 어떤 경우에라도 고객의 요청에 의해 범위가 추가될 때 WBS에 반드시 포함되어야 한다.

**그림 5-7** ◆ WBS 사전 예시

Project Title : _____          Date          Prepared          :
_____

1. Project
   1.1. Major Deliverable
      1.1.1. Deliverable
         1.1.1.1. Work Package
         1.1.1.2. Work Package
         1.1.1.3. Work Package
      1.1.2. Work Package
   1.2. Major Deliverable
      1.2.1. Work Package
      1.2.2. Work Package
   1.3. Major Deliverable
      1.3.1. Work Package
      1.3.2. Deliverable
         1.3.2.1. Work Package
         1.3.2.2. Work Package

| WBS Work Package(작업단위) Dictionary | | | 책임자 | | |
|---|---|---|---|---|---|

| 프로젝트명 : | | | 작성일 : | | |
|---|---|---|---|---|---|

| 작업 패키지명 : | | WBS ID : | | 예상 시작일 | 종료일 |
|---|---|---|---|---|---|

작업 기술 :

인도물 :
1.
2.

| 작업 상세 내용 | | | | | | | | | |
|---|---|---|---|---|---|---|---|---|---|
| 활동 ID | 활동명 | 자원 | 인적자원 | | | 재료/장비 | | | 전체 합계 |
| | | | 시간 | 시간당 비용 | 합계 | 재료/장비명 | 비용 | 합계 | |
| | | | | | | | | | |
| | | | | | | | | | |
| | | | | | | | | | |

품질 관련 요구 사항 :

검수 기준 :

기술적인 사항 :

예상되는 위기 :

기타 내용 :

**Tips**

## WBS와 Schedule은 다르다.

예전에 어느 기업에 프로젝트 관리 컨설팅을 진행하면서 관리자분께서 WBS가 너무 많아 고민이라는 이야기를 했다. 얼마나 WBS가 많은가 궁금해서, 그 관리자분께 WBS를 보여 달라 했는데, 컴퓨터에서 간트 차트를 보여주었다. 또한, 심지어 정보시스템 감리 도중 WBS Dictionary를 작성한 문서를 제시했더니 감리원분이 쓸데없는 문서를 만들었다고 프로젝트 팀에게 이야기 한 일화도 있다.

이 이야기는 현장의 많은 프로젝트 관리자 및 프로젝트 팀원들이 WBS와 일정을 잘못 이해하고 있다는 사례일 것이다.

WBS와 WBS Dictionary의 작성 여부가 프로젝트 성공에 얼마나 영향을 주는지는 아직 학술적으로 검증된 바 없다. 하지만, 글자로만 된 프로젝트의 범위를 가시화하는 도구인 WBS의 사용을 적극적으로 활용한다면 최소한 명확한 업무 파악과 업무 분장에 큰 도움이 될 것이다.

최종적으로 프로젝트에서 고객에게 전달할 인도물을 모든 이해관계자가 알아보기 쉽도록 분할한 작업분류체계를 작성하는 프로세스이다. 작업분류체계 작성을 위해서는 우선, 범위 관리 계획서에 작성한대로 진행하여야 하며, 프로젝트의 범위를 기술한 프로젝트 범위 기술서, 요구사항 문서 등을 참고하여 전문가들과 함께 프로젝트의 범위를 분할하도록 한다. 이때, 과거 유사 프로젝트에서 이미 작성한 작업분류체계 샘플은 있는지, 작업분류체계를 작성하는 정책, 템플릿은 있는지 확인하며, 산업계에서 표준으로 배포한 작업분류체계 표준은 있는지 확인한다.

| 지식영역 \ 프로세스 | 5.4 WBS 작성 |
|---|---|
| 4. 통합관리 | 기업/조직    조직 프로세스 자산 / 기업 환경요인 |
| 5. 범위 관리 | 5.1 범위관리계획 수립    5.2 요구사항수집    5.3 범위정의    5.4 WBS작성 |
| 6. 일정 관리 | 범위관리계획서    요구사항문서    프로젝트범위기술서 |
| 7. 원가 관리 | |
| 8. 품질 관리 | |
| 9. 인적자원관리 | |
| 10. 의사소통 관리 | |
| 11. 리스크 관리 | |
| 12. 조달 관리 | |
| 13. 이해관계자 관리 | |

생성된 WBS, WBS 사전은 프로젝트 범위 기술서와 함께 범위 기준선으로 통합된다. 범위 기준선은 프로젝트 관리 계획서의 일부가 된다. 대부분 프로젝트 관리 계획서를 투입물로 많은 프로세스들이 활용하지만 다음의 그림에 있는 프로세스들은 특히 명시적으로 범위 기준선을 투입물로 활용하니 WBS Dictionary의 항목을 토대로 왜 다른 프로세스에서 범위 기준선을 참고하는지 이해하도록 한다.

| 지식영역 ＼ 프로세스 | 5.4 WBS 작성 | | |
|---|---|---|---|
| 4. 통합관리 | | 범위기준선 → | 4.2 프로젝트관리계획서 개발 |
| 5. 범위 관리 | 5.4 WBS작성 | 범위기준선 | 5.5 범위검수 |
| 6. 일정 관리 | | 범위기준선 | 6.2 활동정의 |
| 7. 원가 관리 | 7.2 원가산정 ← | 범위기준선 범위기준선 | 7.3 예산책정 |
| 8. 품질 관리 | | | |
| 9. 인적자원관리 | | 프로젝트문서(갱신) | 프로젝트 문서들 |
| 10. 의사소통 관리 | | | |
| 11. 리스크 관리 | 11.2 리스크 식별 ← | 범위기준선 범위기준선 | 11.3 정성적 리스크분석 수행 |
| 12. 조달 관리 | | | |
| 13. 이해관계자 관리 | | | |

## 5.5 범위 검수(Validate Scope)

[5.5 범위 검수] 프로세스는 작업이 완료된 프로젝트 인도물의 이해관계자 인수를 공식화 (Formal Acceptance)하는 프로세스이다. 범위 검수 이전에 [8.3 품질 통제] 프로세스에서 인도 물에 대한 품질 확인이 완료된 후에 인도물이 요구사항대로 만들어졌는지를 확인하게 된다.

범위 검수 프로세스를 수행함으로써 프로젝트 팀은 인도물의 이해관계자 인수 과정에 객관 성을 부여하고, 각 인도물들을 검증함으로써 최종제품, 결과, 혹은 서비스의 이해관계자 승인 확률을 높일 수 있다.

범위 검수(Validate Scope) 프로세스의 투입물, 도구 및 기법과 산출물은 다음과 같다.

그림 5-8 ◆ 범위 검수 프로세스의 ITTO

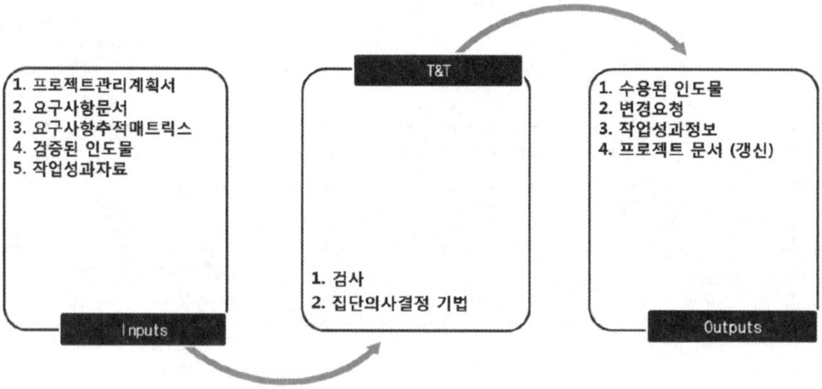

| Inputs | T&T | Outputs |
|---|---|---|
| 1. 프로젝트관리계획서<br>2. 요구사항문서<br>3. 요구사항추적매트릭스<br>4. 검증된 인도물<br>5. 작업성과자료 | 1. 검사<br>2. 집단의사결정 기법 | 1. 수용된 인도물<br>2. 변경요청<br>3. 작업성과정보<br>4. 프로젝트 문서 (갱신) |

### 5.5.1 범위 검수 프로세스 투입물

#### 1. 프로젝트 관리 계획서(Project Management Plan)

프로젝트 관리 계획서 중 범위 관리 계획서, 범위 기준선, 변경관리 계획서, 형상관리 계획서를 주로 참고한다. 그 외에 일정, 원가, 품질, 및 리스크 관련 계획서들을 참고할 수 있다.

◉ **범위 관리 계획서** : 범위 검수를 위한 상세한 절차, 규칙, 도구 및 기법과 결정권자에 대 한 정보를 포함하고 있다.

◉ **범위 기준선** : 검증된 인도물이 범위 기준선의 프로젝트 범위 기술서, WBS, WBS 사전 에 맞게 생성된 것인지 확인해야 한다.

- ◉ **변경관리 계획서** : 만약 품질검사(통제)를 통해 품질규격(사양)은 만족했지만, 요구사항을 만족시키지 못했다면 절차에 따라 변경요청을 할 수 있다.
- ◉ **형상관리 계획서** : 만약 요구사항의 변경이 있을 경우, 인도물 및 요구사항의 형상을 관리해야 할 때 참고한다.

## 2. 요구사항 문서(Requirements Documentation)

프로젝트에 대한 범위는 프로젝트 범위 기술서에 작성되어 있지만, 기능 요구사항이 아닌 비기능 요구사항을 포함하여 프로젝트, 제품 등에 대한 상세 요구사항과 인수 조건이 기술되어 있는 요구사항 문서도 참조한다.

## 3. 요구사항 추적 매트릭스(Requirements Traceability Matrix)

요구사항 추적 매트릭스는 프로젝트의 초기부터 종료까지 프로젝트의 모든 요구사항에 대한 생성, 수정, 삭제 및 인도물과의 관계를 추적할 수 있는 문서이기 때문에 이해관계자의 요구사항이 정확하게 인도물에 반영되었는지를 확인하기 위해 참조한다.

## 4. 검증된 인도물(Verified Deliverables)

범위검수 프로세스는 [8.3 품질 통제] 프로세스를 통해 각각의 인도물이 이해관계자의 품질 요구사항을 만족한 검증된 인도물을 대상으로 하기 때문에 품질 통제 프로세스의 산출물인 검증된 인도물을 참조한다.

## 5. 작업 성과 자료(Work Performance Data)

프로젝트를 진행하면서 프로젝트 종료시점에 인도물 전체에 대해서 범위 검수를 진행할 수 있지만, 개별 인도물들을 중간 중간 고객에게 전달할 수 있다. 이때, 각 인도물의 작업 성과에 대한 요구사항 준수 정도, 부적합 건수, 승인된 인도물 수 등의 내용을 참고하도록 한다.

### 5.5.2 범위 검수 프로세스 도구 및 기법

## 1. 검사(Inspection)

작업과 인도물들이 요구사항이나 프로젝트 범위 혹은 제품 인수 조건에 맞는지를 측정, 검사, 검증하는 활동으로 검토(Reviews), 제품검토(Product Reviews), 워크스루(Walkthroughs), 감사

(Audits)라고도 한다.

## 2. 집단 의사결정 기법(Group Decision Making Techniques)

프로젝트 팀 그리고 다른 이해관계자들이 모두 함께 검증하고 [8.3 품질 통제]를 통과한 인도물에 대해 만장일치, 과반수, 다수결, 단독결정 등의 집단 의사결정 기법을 통해 검사한다.

### 5.5.3 범위 검수 프로세스 산출물

## 1. 수용된 인도물(Accepted Deliverables)

인수 기준에 적합한 인도물은 공식적으로 정해진 절차를 통해 [4.6 프로젝트 혹은 단계 종료] 프로세스의 투입물이 되어 최종적으로 고객에게 인계한다.

## 2. 변경 요청(Change Requests)

만약 인도물이 정해진 품질 기준은 통과했지만 요구사항과 부합되지 않아 공식 인수가 거부되면 그 사유를 문서화하고, 결함수정을 위해 변경 요청한다.

## 3. 작업 성과 정보(Work Performance Information)

프로젝트의 단계별로 수용된 인도물을 고객에게 전달하는 경우에는 인도물의 작업 시작일자, 진척사항, 인수여부, 인수가 안 된 이유, 해결 방안 등에 대한 정보를 이해관계자에게 보고해야 한다. 즉, 인도물의 인수와 관련된 계획과 실제에 대한 차이를 보고한다.

## 4. 프로젝트 문서 갱신(Project Document Updates)

인도물 혹은 제품에 대한 검사를 진행하면서, 변경요청이 발생한다던가 혹은 프로젝트에 대한 리스크 상태가 변하는 등 다양한 프로젝트 요구사항 관련 문서들이 수정될 수 있다.

> **Tips**
>
> **Conformance Vs. Fitness to use**
>
> Conformance(적합, 일치)는 인도물을 생산하는 주체가 인도물이 품질 기준에 맞게 제작되었는지를 자체 점검하는 절차이다. 즉, 스펙(Specification)에 맞는지만 검사한다. 이는 [8.3 품질통제] 프로세스에서 수행한다.
>
> Fitness to use(사용 적합성)은 품질기준에 적합한 인도물이 요구사항에 맞게 만들어졌는가를 고객(이해관계자)이 확인하는 절차이다. 이는 [5.5 범위 검수]에서 수행하며 요구사항대로 만들어졌다면 고객이 인도물을 수용하게 되는 것이다.

프로젝트의 인도물들을 검증하기 위해서는 품질 기준을 통과한 검증된 인도물과 범위 관리 계획서, 범위 기준선(WBS, WBS Dictionary, 프로젝트 범위 기술서)과 요구사항 문서 및 요구사항 추적 매트릭스를 비교하여 프로젝트의 범위를 만족하고 있는지 전문가들과 함께 검사하여야 한다.

| 지식영역＼프로세스 | 5.5 범위 검수 | | |
|---|---|---|---|
| 4. 통합관리 | 4.2 프로젝트관리계획서 개발　—프로젝트관리계획서— | 작업성과자료 | 4.3 프로젝트 작업 지시 및 관리 |
| 5. 범위 관리 | 5.2 요구사항수집 | → | 5.5 범위검수 |
| 6. 일정 관리 | 요구사항문서, 요구사항추적매트릭스 | | |
| 7. 원가 관리 | | | |
| 8. 품질 관리 | 8.3 품질통제　——검증된 인도물 | | |
| 9. 인적자원관리 | | | |
| 10. 의사소통 관리 | | | |
| 11. 리스크 관리 | | | |
| 12. 조달 관리 | | | |
| 13. 이해관계자 관리 | | | |

인도물이 요구사항이나 범위를 만족하는 경우에는 고객에게 전달하고, 만약 부합하지 않는다면 변경 요청을 발생시켜 프로젝트의 범위를 만족시키도록 해야 한다. 또한, 검사의 결과를 프로젝트의 작업 성과 정보로 변환하여 이해관계자에게 보고하도록 한다.

| 프로세스<br>지식영역 | 5.5 범위 검수 | | | | |
|---|---|---|---|---|---|
| 4. 통합관리 | | | 4.4 프로젝트작업<br>감시 및 통제 | 4.5 통합변경통제<br>수행 | 4.6 프로젝트/단계<br>종료 |
| 5. 범위 관리 | | 5.5 범위검수 | 작업성과정보 | 변경요청 | 수용된 인도물 |
| 6. 일정 관리 | | | | | |
| 7. 원가 관리 | | | | | |
| 8. 품질 관리 | | | | | |
| 9. 인적자원관리 | | | 프로젝트문서(갱신) | 프로젝트 문서들 | |
| 10. 의사소통 관리 | | | | | |
| 11. 리스크 관리 | | | | | |
| 12. 조달 관리 | | | | | |
| 13. 이해관계자<br>관리 | | | | | |

Memo

## 5.6 범위 통제(Control Scope)

[5.6 범위 통제]는 프로젝트와 제품 범위에 대한 상태를 감시하고 범위 기준선에 대한 변경을 관리하는 프로세스로써 프로젝트 전반에 걸쳐 범위 기준선의 변경 여부를 관리한다. 범위 통제의 산출물인 모든 변경요청, 권고 및 시정조치가 [4.3 프로젝트 작업 지시 및 관리] 프로세스를 통해 처리되도록 한다. [5.6 범위 통제] 프로세스의 투입물, 도구 및 기법과 산출물은 다음과 같다.

그림 5-9 ◆ 범위 통제 프로세스의 ITTO

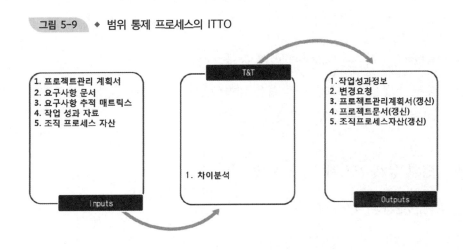

### 5.6.1 범위 통제 프로세스 투입물

**1. 프로젝트 관리 계획서(Project Management Plan)**

범위 통제를 위해서는 우선 요구사항에 대한 관리를 어떻게 하고 변경을 어떻게 추적할 것인지 등을 기술한 요구사항 관리 계획서와 프로젝트의 범위에 대한 확정, 감시 및 통제, 변경 절차들을 기술한 범위 관리 계획서를 참조하는데, 특히 범위 통제의 대상인 범위 기준선(Scope baseline)도 함께 보아야 한다. 그 이외에 요구사항과 프로젝트 범위 등 프로젝트 내에서 변경되는 모든 것에 대한 절차나 방법을 기술한 변경 관리 계획서 또는 형상 관리 계획서를 참조한다.

**2. 요구사항 문서(Requirements Documentation)**

프로젝트의 요구 사항 중 비기능 요구사항이나 요구 사항에 대한 전제 조건이나 제약 사항을

파악하기 위하여 요구사항 문서를 참조한다.

### 3. 요구사항 추적 매트릭스(Requirements Traceability Matrix)

프로젝트의 범위 변경시 요구사항 추적 매트릭스를 통해 변경의 영향을 파악할 수 있다. 또한, 변경된 요구사항은 요구사항 추적 매트릭스 문서에 기록해야 한다.

### 4. 작업 성과 자료(Work Performance Data)

[5.6 범위 통제] 프로세스를 통해 고객으로부터 접수된 변경 요청의 수, 승인된 변경요청 건수, 완료된 인도물의 수를 포함한 정보들을 작업 성과 자료로 이해관계자에게 보고한다.

### 5. 조직 프로세스 자산(Organizational Process Assets)

[5.6 범위 통제] 프로세스를 위한 공식 혹은 비공식적인 범위 통제 관련 정책, 절차, 가이드라인, 감시 및 보고방법, 사용된 템플릿 등을 참고한다.

## 5.6.2 범위 통제 프로세스 도구 및 기법

### 1. 차이 분석(Variance Analysis)

[5.6 범위 통제] 프로세스는 범위 기준선(계획)과 실제 성과의 차이를 분석하여 차이의 원인과 정도를 파악하는 것이다. 차이의 원인과 정도를 결정한 후, 시정 조치 혹은 예방 조치가 필요한지를 결정한다.

## 5.6.3 범위 통제 프로세스 산출물

### 1. 작업 성과 정보(Work Performance Information)

범위에 대한 계획대비 실적이 어떻게 수행되었는지에 대한 연관된 정보를 포함한다. 즉, 변경 요청의 종류, 식별된 범위 차이와 그 원인, 변경이 일정과 원가에 미치는 영향, 향후 범위 성과에 대한 예측 등의 정보를 포함한다.

### 2. 변경 요청(Change Requests)

범위 변경에 대한 차이 분석을 통해 알아낸 정보들과 계획에 미달된 실적을 계획에 맞추기 위

한 예방 조치, 시정 조치, 결함 수정 같은 변경이 요청된다.

## 3. 프로젝트 관리 계획서 갱신(Project Management Plan Updates)

범위에 대한 변경이 이루어지는 경우 범위기준선, 원가 기준선, 일정 기준선을 포함한 프로젝트 관리 계획서의 수정이 이루어진다.

## 4. 프로젝트 문서 갱신(Project Documents Updates)

프로젝트 범위가 변경되는 경우 요구사항문서와 요구사항 추적 매트릭스를 포함한 다양한 프로젝트 문서가 수정된다.

## 5. 조직 프로세스 자산 갱신(Organizational Process Assets Updates)

프로젝트 범위가 변경되는 경우 변경에 대한 차이의 원인들, 선택된 시정조치와 선택 이유, 범위 통제로부터 배운 교훈 사항 등이 조직 프로세스 자산으로 등록된다.

### 범위 추가(Scope Creep)

범위 추가(Scope Creep)는 좋은 의미의 범위 추가가 아니다. 프로젝트 관리자가 모르게 야금야금 범위가 늘어나는 현상을 설명하는 용어이다. 예를 들어, 프로젝트를 진행하면 고객과 프로젝트 팀원들은 친해지기 마련이다.

어느 날 서로가 부담 없이 저녁 식사를 하다가 고객이 아무런 의도 없이 프로젝트 범위에는 빠져있지만 이번 프로젝트에서 특정 기능이 있으면 추후에 업무 진행하는데 편할 것 같다는 이야기를 팀원에게 했다. 그러나 이 팀원이 고객과 친하기 때문에 혹은 그렇게 큰 요구사항이 아니라고 생각하여 프로젝트 관리자에게 이야기하지 않고 요구사항을 수용하는 것이다.

이러한 사건들이 자주 발생하면 프로젝트 관리자도 모르는 사이에 프로젝트의 범위는 지속적으로 증가하고, 추가된 범위로 인해 프로젝트 전체에 문제가 발생할 수 있는 위험이 있으므로 이러한 범위 추가는 프로젝트 초기에 팀원들에게 관련 기준을 숙지시킴으로써 모든 변경요청은 프로젝트 관리자가 반드시 알도록 해야 한다.

PMBOK에서는 일정, 원가, 및 자원의 적절한 변경없이 추가된 요구사항이나 범위 조차도 범위추가(Scope Creep)으로 간주한다.

### 금도금(Gold Plating)

금도금은 고객이 일반적인 합금 소재로 화장실의 수도꼭지를 만들어 달라고 했는데, 프로젝트 팀이 고객에게 잘 보이기 위해 합금 소재의 수도꼭지를 황금으로 만들어서 설치하는 것을 말한다. 이러한 금도금 현상은 프로젝트의 비용을 매우 증대시킬 수 있다. 따라서 프로젝트 팀은 프로젝트 범위로 확정된 것만 인도물로 만들어 제공해야 한다.

즉, 프로젝트의 범위는 고객과 합의한 범위의 것만 해야 한다. 그 외에 범위에 대한 추가, 수정, 및 삭제는 모두 공식적인 변경통제 절차를 통해 진행되어야 한다. 또한, 그 전제조건으로는 범위의 추가, 수정, 및 삭제에 대한 변경영향 분석을 수행해야 한다.

이렇듯, 범위 추가와 금도금을 사전에 방지하기 위해서 9장 프로젝트 인적자원 관리 영역에서 언급한 '기본 규칙(Ground rule)'을 제정하여 미리 이해관계자에게 배포하고 이해시키는 노력이 중요하다.

프로젝트 범위에 대한 통제는 기본적으로 통제의 대상이 되는 요구사항 문서, 요구사항 추적 매트릭스 및 범위 기준선 등을 프로젝트 관리 계획서를 참고하여 차이 분석(계획대비 실적)을 한다. 또한, 고객이 범위에 대한 변경을 요청하는 경우에는 변경 관리 계획서 및 형상 관리 계획서대로 범위에 대한 변경 요청을 수행한다.

| 지식영역 \ 프로세스 | 5.6 범위 통제 | | | |
|---|---|---|---|---|
| 4. 통합관리 | 4.3 프로젝트 작업 지시 및 관리 | 작업성과자료 | 프로젝트관리계획서 | 4.2 프로젝트관리계획서 개발 |
| 5. 범위 관리 | 5.2 요구사항수집 | | 5.6 범위통제 | |
| 6. 일정 관리 | 요구사항문서, 요구사항추적매트릭스 | | | |
| 7. 원가 관리 | | | 조직프로세스자산 | |
| 8. 품질 관리 | | | 기업/조직 | |
| 9. 인적자원관리 | | | | |
| 10. 의사소통 관리 | | | | |
| 11. 리스크 관리 | | | | |
| 12. 조달 관리 | | | | |
| 13. 이해관계자 관리 | | | | |

범위 통제의 산출물인 작업 성과 정보와 변경요청은 각각 프로젝트 작업 감시 및 통제 프로세스와 통합변경통제 수행 프로세스의 투입물이 된다는 것을 이해하고 있어야 한다.

| 지식영역 ＼ 프로세스 | 5.6 범위 통제 | | | |
|---|---|---|---|---|
| 4. 통합관리 | | 4.2 프로젝트관리계획서 개발 | 4.4 프로젝트작업 감시 및 통제 | 4.5 통합변경통제 수행 |
| 5. 범위 관리 | 5.6 범위통제 | 프로젝트관리계획서(갱신) | 작업성과정보 | 변경요청 |
| 6. 일정 관리 | | | | |
| 7. 원가 관리 | | | 프로젝트문서(갱신) | 프로젝트 문서들 |
| 8. 품질 관리 | | 기업/조직 | 조직프로세스자산(갱신) | |
| 9. 인적자원관리 | | | | |
| 10. 의사소통 관리 | | | | |
| 11. 리스크 관리 | | | | |
| 12. 조달 관리 | | | | |
| 13. 이해관계자 관리 | | | | |

158

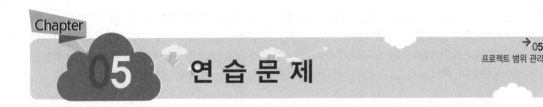

**01** 작업분류체계(WBS, Work Breakdown Structure) 구성 요소 중 원가, 범위, 일정을 산정하는데 있어서 기준이 되는 것은?

① Work package
② WBS Dictionary
③ Task
④ Activity

**02** 당신은 복잡한 업무를 정보 시스템으로 구축하는 소프트웨어 구축 프로젝트의 프로젝트 관리자로 선정되었다. 업무가 너무 복잡하여 프로젝트팀이 프로토타입을 만들어 고객과 시스템의 기능에 대해서 논의하고 있다. 지금 무엇을 하고 있는 중인가?

① 프로젝트 범위 계획
② 요구사항 수집
③ 작업분류체계 작성
④ 범위 통제

**03** 소프트웨어 개발 프로젝트에서 요구사항 수집을 위해 사용하는 합동 애플리케이션 개발 기법은 다음 중 어디에 해당하는가?

① Prototype
② Alternative Identifications
③ Product Analysis
④ Facilitated Workshop

**04** 제품을 더 싸고 더 좋게 만들기 위해 분해하였다. 무슨 기법을 사용하고 있는가?

① 경제성 공학(Economic Engineering)
② 제품 분석(Product Analysis)
③ 작업분류체계 작성(Create WBS)
④ 가치 공학(Value Engineering)

**05** 프로젝트를 진행하는 도중에 신규로 투입된 팀원이 프로젝트 관리자인 당신을 찾아와 다음과 같이 이야기를 했다. "프로젝트에서 제가 해야 할 업무가 무엇인지 알 수 가 없습니다. 제가 맡을 업무를 명확히 해주세요." 이러한 상황이라면 프로젝트 관리자인 당신은 다음의 어떤 문서를 전달하여야 하는가?

① Work package와 WBS Dictionary
② Activity List
③ Project Scope statement
④ scope management plan

**06** 프로젝트 계획에서 고객은 특수 처리된 실험실에서 고객 입회하에 인수 테스트를 요구하였다. 인수 시험 중에 고객들이 프로젝트의 요구사항에 포함되지 않은 몇 가지 인수 테스트를 요구하였다. 그러나 추가 테스트를 요구하기 위해서는 별도의 실험실이 필요한데 현재 상태로는 여유 있는 실험실이 확보되지 않고 있다. 프로젝트 관리자가 먼저 해야 할 것은?

① 추가 요구사항이 프로젝트 현장에 미칠 영향을 분석한다.
② 추가 요구사항이 프로젝트의 일정과 원가에 미칠 영향을 분석한다.
③ 고객의 요구이므로 무조건 받아들여 다른 장소의 실험실을 알아본다.
④ 고객의 요구를 거부하고 원래의 계획에 따라 인수 테스트를 진행한다.

**07** 프로젝트 관리자로서 당신이 해야 할 일 중의 하나는 프로젝트 범위 기술서를 작성하는 것이다. 프로젝트 범위 기술서에 포함되는 내용은 무엇인가?

① 프로젝트 범위가 어떻게 관리되고 범위 변경이 어떻게 프로젝트 활동에 통합될 것인지 문서화
② 향후 프로젝트의 의사결정을 내리고 이해관계자들 간에 프로젝트 범위에 대한 공통의 이해를 확인하거나 만들어내는 데 필요한 근거
③ 작업분류체계의 정의
④ 프로젝트 관리자가 프로젝트 활동에 대해 회사 지원을 마음대로 요청할 수 있도록 허가

**08** 프로젝트 관리자로서 당신은 프로젝트의 범위 변경을 관리할 책임을 지고 있다. 만약 프로젝트의 종료 기간 동안 고객이 업무 범위에 중대한 변경을 요구한다면 당신은 어떻게 해야 하는가?

① 변경을 거부한다.
② 필요한 변경을 처리한다.
③ 상위 관리자에게 보고한다.
④ 고객에게 변경의 영향에 대해 알려준다.

**09** 범위 검수는 완료된 프로젝트 범위 및 관련 인도물에 대해 이해관계자들의 공식적인 승인을 받아내는 프로세스이다. 이런 맥락에서 다음 중 범위 검수에 대한 설명으로 올바른 것은?

① 범위 검수는 품질 통제와 유사하다
② 품질 통제는 일반적으로 범위 검수 이전에 수행되지만 이들 두 프로세스는 병행하여 수행될 수 있다.
③ 범위 검수는 프로젝트의 완료를 나타낸다.
④ 범위 검수는 스폰서와 고객의 최종 승인이다.

**10** 명확하고 정확한 범위 정의(Define Scope)는 몇 개의 목적을 위해 필요한데, 다음 중 범위 정의의 목적으로 맞지 않는 것은?

① 원가, 일정, 자원에 대한 산정치의 정확성을 향상시키기 위하여
② 성과 측정과 관리를 위한 기준을 정의하기 위하여
③ 범위 관리 계획서를 작성하기 위해서
④ 명확한 책임 할당을 용이하게 하기 위하여

**11** 사용자 스토리(user story)를 작성하는 목적은 무엇인가?

① 이해관계자가 필요로 하는 요구사항들을 문서화하기 위하여

② 프로젝트에서 발행되는 이슈들을 기록하기 위하여

③ What-if 분석을 위하여

④ 진척에 대한 의사소통을 위하여

**12** 당신은 6개월짜리 프로젝트의 관리자이며, 이해관계자들에게 2주에 한 번씩 진척보고를 하고 있다. 5개월이 지난 지금 프로젝트는 예산내에서 일정대로 진행되었지만, 이해관계자는 인도물에 만족하지 못하고 있다. 이러한 상황은 프로젝트를 1달 지연시켰다. 이러한 상황을 미리 방지하기 위해서 프로젝트 관리자는 무엇을 철저히 했어야 하는가?

① 리스크 감시 및 통제                    ② 일정 통제

③ 범위 정의                              ④ 범위 통제

**13** 프로젝트의 이해관계자 중 한 명이 추가 요구사항을 논의하기 위해 프로젝트 관리자와 만났다. 프로젝트 관리자는 추가 요구사항에 대해 자세한 문서를 만들어 달라고 이해관계자에게 요청하였다. 프로젝트 관리자는 추가 요구사항의 평가를 완료한 후 무엇을 해야 하는가?

① 이해관계자에게 더 수정할 것은 없는지 물어본다.

② 통합변경통제를 완료한다.

③ 이해관계자가 변경에 대한 영향을 충분히 이해했는지 확인한다.

④ 프로젝트 계획 수립시 이러한 변경이 왜 파악되지 않았는지 원인 분석한다.

**14** 제품에 대한 인수기준은 어떤 문서에 먼저 기술되어 있어야 하는가?

① 프로젝트 범위 관리 계획서                ② 자원 배정

③ WBS                                    ④ 프로젝트 범위 기술서

**15** 다음 중 범위 검수 프로세스의 설명으로 맞는 것은?

① 합의된 규격에 맞게 작성된 인도물은 문서가 좀 부족하다고 하여도 인수가 거부될 수 없다.

② 프로젝트 팀원들은 인도물의 인수를 반드시 승인 받아야 하는데, 프로젝트 관리 팀에 의해서 이 프로세스가 진행되고 문서화된다.

③ 완료된 프로젝트 범위 및 인도물에 대한 공식적인 승인을 받아내는 것은 프로젝트 관리 팀의 역할이다.

④ 공식적인 인수는 인도물간의 모든 불일치를 최종적으로 검증하며 원활하지 않았던 변경통제와 범위 증가의 원인을 문서화한다.

→ 프로젝트 범위 관리

Chapter 05

**연습문제 정답과 해설**

**해설**

**01** 작업분류체계(WBS)에서 더 이상 분해할 수 없는 요소인 작업 패키지(Work Package)가 원가, 범위, 일정을 산정하는데 있어서 기준이 된다.

**02** 고객과 시스템에 대한 기능을 논의하면서 요구사항을 수집하고 있다.

**03** JAD(Joint Application Development)나 QFD 등은 Facilitaed workshop에 속한다.

**04** 제품을 더 싸고 더 좋게 만들기 위한 방법으로 가치 공학(Value Engineering)이 있다.

**05** 팀원에게 명확한 업무 지시를 위해서는 WBS의 work package와 work package를 자세히 기술한 WBS dictionary를 전달해야 한다.

**06** 추가 테스트 요구에 대한 변경을 위해 일정 및 원가에 미치는 영향을 변경요청서로 작성하여 통합변경통제 수행 프로세스에서 CCB의 결정을 기다린다.

**07** 프로젝트 범위 기술서에는 프로젝트의 범위에 포함되는 요구사항과 제외되는 요구사항 및 그 근거에 대한 사항들로 기술된다.

**08** 범위에 대한 변경 요청이 있을 경우에는 팀원들과 상의하여 변경으로 인한 영향력을 분석하고 이를 통합변경통제 수행 프로세스로 넘겨야 한다.

**09** 품질 통제와 범위 검증은 동시에 수행될 수 있다. 그러나 범위 검증은 고객의 최종 승인이 아니라 [4.6 Close project or phase]가 최종 승인이다. 즉, 범위 검증은 인도물에 대한 승인만 하는 것이다.

**10** 범위 정의 프로세스의 목적은 향후 원가, 일정에 대한 산정의 정확성, 성과 측정의 기준 수립 및 책임 할당을 위한 목적으로 수행된다.

**11** 애자일 방법론에서 사용하는 사용자 스토리는 요구사항을 문서화 하는 기법이다.

**12** 프로젝트 관리자와 팀은 범위 정의 프로세스에서 요구사항에 포함될 부분과 제외할 부분은 명확히 하고 의사소통 했어야 한다.

**13** 이해관계자의 요청 문서를 받아, 프로젝트 관리자와 팀은 그 영향력을 파악하여 변경요청을 한다.

**14** 프로젝트의 결과물인 제품에 대한 인수 기준은 프로젝트 범위 기술서에 적혀 있어야 한다.

**15** 범위 검증은 작성 혹은 개발이 완료된 인도물이 요구사항대로 만들어졌는지 확인하고 문서화하면 이해관계자의 인수를 확정하는 프로세스이다.

| 정답 | 01.① | 02.② | 03.④ | 04.④ | 05.① | 06.② | 07.② | 08.④ | 09.② | 10.③ |
|------|------|------|------|------|------|------|------|------|------|------|
| | 11.① | 12.③ | 13.② | 14.④ | 15.③ | | | | | |

Chapter
06

# 프로젝트 일정 관리

- 일정관리계획서의 구성요소를 이해할 수 있다.
- 자원분류체계(RBS)가 무엇이며 왜 필요한지 이해할 수 있다.
- 활동순서배열시 필요한 도구 및 기법을 이해할 수 있다.
- 활동기간 산정을 위한 다양한 도구 및 기법을 이해할 수 있다.
- 주공정법, 주공정연쇄법, 자원최적화 기법을 이해할 수 있다.
- 일정단축 기법을 이해할 수 있다.

들어가며…

5장 프로젝트 범위 관리에서는 범위 기준선을 작성하면서 기획 프로세스를 완료했다. 6장에서는 작성한 WBS와 WBS Dictionary 및 프로젝트 범위 기술서를 토대로 인도물을 만들기 위해 필요한 활동(Activity)을 도출한다. 도출된 개별 활동들 간 먼저 해야 할 활동(선행활동)과 후에 해야 할 활동(후행활동)을 구분하고 활동들을 논리적으로 연결한다. 논리적인 연결 후에는 해당 활동에 필요한 자원을 산정하고, 그 자원이 투입되었을 때 활동을 완료하기 위한 기간이 얼마나 필요한지 예측하게 된다. 이러한 일련의 과정을 거쳐 전체적인 프로젝트의 일정이 만들어진다.

일정관리 영역에서는 다양한 도구 및 기법들이 소개된다. 다른 지식영역들보다 상대적으로 많은 도구 및 기법들을 학습하기 때문에 주의를 기울여야 한다.

프로젝트 일정 관리에는 총 7개의 프로세스가 존재하며, 그 중 6개 프로세스가 기획단계 프로세스 그룹에 속한다. 각 프로세스의 자세한 설명은 다음과 같다.

**표 6-1 ❰ ❱ 프로젝트 일정 관리 프로세스 정의**

| 프로세스 | 프로세스그룹 | 설명 |
|---|---|---|
| 6.1 일정관리계획 수립<br>(Plan Schedule Management) | P | 프로젝트 일정을 계획하고, 수립하고, 관리하고, 수행하고 통제하기 위한 일정관리 정책, 절차 및 도구를 정의하고 문서화하는 프로세스 |
| 6.2 활동 정의<br>(Define Activities) | P | 프로젝트의 인도물(Deliverables)들을 만들기 위해 수행해야 하는 특정 활동(Activities)들을 식별하고 문서화하는 프로세스 |
| 6.3 활동 순서배열<br>(Sequence Activities) | P | 프로젝트 활동들 간의 선·후행 관계를 식별하고 문서화하는 프로세스 |
| 6.4 활동 자원산정<br>(Estimate Activity Resources) | P | 각 일정 활동을 수행하는 데 필요한 자원의 유형 및 수량(재료, 인적자원, 장비 등)을 산정하는 프로세스 |
| 6.5 활동기간 산정<br>(Estimate Activity Durations) | P | 산정 혹은 추정된 자원으로 개별 일정 활동을 완료하는 데 필요한 작업 기간을 산정하는 프로세스 |
| 6.6 일정개발<br>(Develop Schedule) | P | 프로젝트 일정을 작성하기 위해 활동들 간의 순서, 기간, 자원 요구사항 및 일정 상의 제약사항들을 분석하는 프로세스 |
| 6.7 일정통제<br>(Control Schedule) | M&C | 프로젝트 활동들의 진행 상태를 감시하며 프로젝트의 진척 상태를 감시하고, 일정 기준선에 대한 변경을 관리하는 프로세스 |

## 6.1 일정관리 계획수립(Plan Schedule Management)

[6.1 일정관리 계획수립] 프로세스는 프로젝트 일정을 계획, 수립, 관리, 수행, 및 통제하기 위한 일정관리 정책과 절차를 수립하고 이를 문서화하는 프로세스이다. 즉, 프로젝트 일정을 어떻게 작성하고 관리할 것인지에 대한 가이드와 방향을 제시한다.

[6.1 일정관리 계획수립] 프로세스의 산출물인 일정 관리 계획서는 일정 관리 방법과 일정 관리 도구를 식별하고, 템플릿을 준비하고, 프로젝트 일정을 개발하며, 일정통제하기 위한 기준을 획득가치 기법을 기반으로 수립한다.

일정관리 계획수립 프로세스의 투입물, 도구 및 기법과 산출물은 다음과 같다.

그림 6-1 ◆ 일정관리 계획수립 프로세스의 ITTO

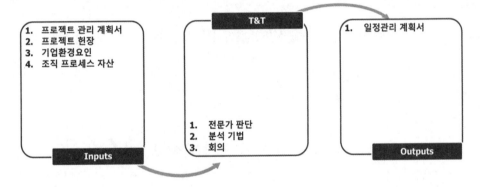

### 6.1.1 일정관리 계획수립 프로세스 투입물

**1. 프로젝트 관리 계획서(Project Management Plan)**

프로젝트 관리 계획서의 일정과 관련된 원가, 리스크, 품질 및 의사소통에 대한 의사결정들이 일정 개발에 사용된다. 특히, 범위 기준선은 향후 활동정의, 활동의 순서배열, 기간산정을 위한 기초 자료로 사용된다. 또한, 일정 기준선의 통제를 위한 변경 관리 계획서, 형상 관리 계획서도 참고해야 한다.

**2. 프로젝트 헌장(Project Charter)**

프로젝트 헌장에는 프로젝트의 개략적인 마일스톤 일정과 프로젝트 일정 승인에 대한 요구사항들이 포함되어 있기 때문에 참고한다.

## 3. 기업 환경 요인(Enterprise Environmental Factors)

다음과 같은 기업환경요인이 일정관리 계획서를 작성하는데 영향을 줄 수 있다.

- ◎ 조직 문화 및 조직 구조
- ◎ 자원의 가용성 및 숙련도
- ◎ 프로젝트 관리 소프트웨어
- ◎ 출판된 상용 자료들(예 자원 생산성 정보, 건설노무단가, 소프트웨어 대가 산정 등)
- ◎ 조직의 작업승인 시스템 등

## 4. 조직 프로세스 자산

다음과 같은 조직 프로세스 자산이 일정관리 계획서를 작성하는데 영향을 줄 수 있다.

- ◎ 프로젝트 감시 및 통제 도구
- ◎ 과거 프로젝트 일정 관련 정보
- ◎ 일정 통제 도구
- ◎ 일정 통제와 관련된 공식 혹은 비공식적인 정책, 절차 및 가이드라인
- ◎ 일정 개발 및 통제 템플릿
- ◎ 프로젝트 종료 가이드라인
- ◎ 변경 통제 절차
- ◎ 리스크 분류, 리스크 발생 확률 정의 및 영향력 등

### 6.1.2 일정관리 계획수립 프로세스 도구 및 기법

## 1. 전문가 판단(Expert Judgment)

과거 유사 프로젝트의 프로젝트 환경 및 정보들로부터 얻은 귀중한 통찰을 바탕으로 판단한다. 특정 산업 영역, 지식 영역, 교육/훈련 등에서 얻은 전문 지식을 바탕으로 프로젝트에서 수행할 활동들에 대한 적합한 절차와 기준들을 판단을 하는데 도움을 준다.

## 2. 분석 기법(Analytical Techniques)

일정 계획 기법, 일정관리 도구, 일정 산정 방법, 형식 그리고 프로젝트 관리 소프트웨어 등을 통해 프로젝트의 일정을 산정하는 방법들을 일정관리 계획서에 기술한다. 경우에 따라서 공정 중첩 단축법(Fast Track) 혹은 공정압축법(Crashing)의 기법과 방법 등에 대해 자세히 설명할 수 있다. 그러나 이러한 분석 기법들은 조직의 정책이나 절차의 영향을 받을 수 있다.

## 3. 회의(Meetings)

프로젝트 관리자, 스폰서, 선발된 프로젝트 팀원, 이해관계자 및 일정 관리와 관련된 인력들이 함께 회의를 개최할 수 있다.

### 6.1.3 일정관리 계획수립 프로세스 산출물

## 1. 일정 관리 계획서(Schedule Management Plan)

일정관리 계획서는 일정을 어떻게 개발하고, 감시하며, 프로젝트 수행 중 일정을 통제하기 위한 기준들과 활동들을 기술한 문서이다. 다음은 일정 관리 계획서에 포함되어야 할 항목이다.

◉ 프로젝트 일정 모델 개발(Project schedule model development)
  - 프로젝트 일정을 개발하는데 필요한 일정 관리 방법론과 일정 관리 도구를 구체적으로 기술
◉ 정확도 수준(Level of accuracy)
  - 현실적인 활동 기간 산정을 결정하기 위한 수용 가능한 범위를 구체화하고, 일정에 대한 여유를 포함할 수 있음
  - 측정 단위를 정의(Units of measure, 예 시간, 일, 주 단위 혹은 미터, 리터, 톤, 킬로미터 등의 양적 측정 단위 등
◉ 조직의 절차(Organizational procedures links)
  - WBS는 일정 산정과 일정 결과에 일관성을 제공하며, 일정 관리 계획에 대한 프레임워크를 제공
◉ 프로젝트 일정 모델 유지보수(Project schedule model maintenance)
  - 프로젝트 수행 중 일정 모델에 대한 상태 수정과 진척 기록
◉ 통제 한계점(Control thresholds)

- 일정에 대한 계획대비 실적에 대한 서로 합의된 차이(예 계획대비 5%, 10% 등)
◎ 성과 측정 규칙(Rules of performance measurement)
- 획득가치기법 혹은 기타 다른 방법들을 설정(예 완료율, 통제계정, SPI, SV 등)

[6.1 일정관리 계획수립] 프로세스는 일정관리 계획서를 작성하는 프로세스이다. 일정 관리 계획서에는 일정 개발과 통제를 위한 기초적인 절차, 기법, 도구를 기술한다. 따라서 개략적인 프로젝트의 일정이나 리스크 등이 기술된 프로젝트 헌장과 프로젝트 관리 계획서를 참고하여 일정관리 계획서를 작성한다.

| 프로세스 / 지식영역 | 6.1 일정관리 계획수립 | | |
|---|---|---|---|
| 4. 통합관리 | 4.1 프로젝트 헌장 수립 | 4.2 프로젝트 관리 계획서 개발 | 기업/조직 |
| 5. 범위 관리 | 프로젝트헌장 | 프로젝트관리계획서 | 조직 프로세스 자산 / 기업 환경요인 |
| 6. 일정 관리 | 6.1 일정관리계획 수립 | | |
| 7. 원가 관리 | | | |
| 8. 품질 관리 | | | |
| 9. 인적자원관리 | | | |
| 10. 의사소통 관리 | | | |
| 11. 리스크 관리 | | | |
| 12. 조달 관리 | | | |
| 13. 이해관계자 관리 | | | |

일정관리계획서는 6장 일정관리 프로세스들의 가이드라인을 제시하기 때문에 이후 일정 관리 프로세스들의 투입물로 사용되며, [11.2 리스크 식별], [11.4 정량적 리스크 분석 수행]의 투입물로도 사용된다.

| 프로세스<br>지식영역 | 6.1 일정관리 계획수립 | | | | | |
|---|---|---|---|---|---|---|
| **4. 통합관리** | | | | | | |
| **5. 범위 관리** | | | | | | |
| **6. 일정 관리** | 6.1 일정관리계획<br>수립 | 6.2 활동정의 | 6.3 활동순서<br>배열 | 6.4 활동자원<br>산정 | 6.5 활동기간<br>산정 | 6.6 일정개발 |
| **7. 원가 관리** | | 일정관리계획서 | 일정관리계획서 | 일정관리계획서 | 일정관리계획서 | 일정관리계획서 |
| **8. 품질 관리** | | | | | | |
| **9. 인적자원관리** | | | | | | |
| **10. 의사소통 관리** | | 일정관리계획서 | 일정관리계획서 | | | |
| **11. 리스크 관리** | | 11.2 리스크식별 | 11.4 정량적<br>리스크분석수행 | | | |
| **12. 조달 관리** | | | | | | |
| **13. 이해관계자<br>관리** | | | | | | |

## 6.2 **활동 정의**(Define Activities)

일정을 구성하는 가장 기본요소가 바로 활동(Activity)이다. 활동은 WBS에 정의된 인도물을 만들기 위해 필요한 작업들이다. 식별된 활동들은 상호간에 연결관계와 기간을 갖게 되고, 자원을 소비한다. 활동 정의를 통해 나온 활동 목록(Activity List)은 말 그대로 목록이므로 상세 내용이 없다. 활동에 관련된 추가정보는 '활동 속성(Activity attribute)'에 작성한다. 보통 고객이나 스폰서가 제시하는 일정상 중요한 시점인 마일스톤(Milestone)도 일정에 포함되어야 하므로 마일스톤도 도출한다.

활동을 도출하기 위한 기초자료는 WBS와 WBS Dictionary가 가장 중요하다. 특히, WBS사전에는 해당 work package에서 만들어내야 할 인도물을 완료하기 위한 활동들을 정의하는 부분이 있다. 활동 정의시 WBS사전에서 정의한 활동들을 1차적으로 참고한다. 프로젝트 범위 기술서는 WBS와 WBS사전에서 도출한 활동들이 적절한지 빠진 것은 없는지 다시 점검하기 위해 참고한다.

활동 정의(Define Activities) 프로세스의 투입물, 도구 및 기법과 산출물은 다음과 같다.

그림 6-2 ◆ 활동 정의 프로세스의 ITTO

| Inputs | T&T | Outputs |
|---|---|---|
| 1. 일정 관리 계획서<br>2. 범위 기준선<br>3. 기업 환경요인<br>4. 조직 프로세스 자산 | 1. 분할<br>2. 연동 기획<br>3. 전문가 판단 | 1. 활동 목록<br>2. 활동 속성<br>3. 마일스톤 목록 |

### 6.2.1 활동 정의 프로세스 투입물

**1. 일정 관리 계획서**(Schedule Management Plan)

일정관리 계획서에서 기술한 활동 정의 도출 기법과 절차 및 도구를 참고하여 활동을 도출한다.

## 2. 범위 기준선(Scope Baseline)

WBS와 WBS사전을 기초로 활동 목록과 마일스톤 목록을 도출하고, 도출된 활동들이 인도물을 만들기 위해 적절한지 확인하기 위해 범위 기준선을 참고한다. 또한, 범위 기준선에서 기술한 제약조건 및 가정 사항들을 검토한다.

## 3. 기업 환경 요인(Enterprise Environmental Factors)

다음과 같은 기업환경요인이 활동 정의시 영향을 줄 수 있다.

◎ 조직 문화 및 구조
◎ 상용 데이터베이스
◎ 프로젝트 관리 정보 시스템 등

## 4. 조직 프로세스 자산(Organizational Process Assets)

다음과 같은 조직 프로세스 자산이 활동 정의시 영향을 줄 수 있다.

◎ 지식 저장소 : 프로젝트에 대한 교훈 사항들이 저장됨
◎ 표준화된 프로세스
◎ 템플릿
◎ 조직의 공식 비공식 정책, 절차 및 가이드라인들 등

## 6.2.2 활동 정의 프로세스 도구 및 기법

### 1. 분할(Decomposition)

분할은 프로젝트 범위 및 프로젝트의 인도물들을 관리가 가능한 작은 부분들로 나누는 기법이다. 활동 정의(Define activities) 프로세스에서는 인도물 보다는 활동들(activities)들을 최종 산출물로 정의하기 때문에 프로젝트 팀원들을 분할 작업에 참여시키면 추후 일정 계획 수립이 더욱 정확하고 상세화 할 수 있다.

### 2. 연동 계획(Rolling Wave Planning)

연동 계획은 점증적인 계획, 점증적 상세화(progressive elaboration)라고도 한다. 반복적으로 계

획하는 기법으로 해야 할 작업들 중 가까운 미래의 작업 계획은 상세하게, 먼 미래의 작업 계획은 추상적인 수준으로 계획한다.

프로젝트 초기에 잘 알고 있는 업무는 상세하게 활동들을 도출할 수 있지만, 잘 알지 못하는 업무는 프로젝트 초기에 활동들을 도출할 수 없을 것이다. 따라서 프로젝트가 진행되면 두리뭉실했던 업무가 명확해질 것이다. 이때 다시 범위 기준선에서 모호했던 work package (Planning package)를 분할하여 활동을 도출한다.

### 3. 전문가 판단(Expert Judgment)

프로젝트 범위 기술서를 작성하는데 참여한 프로젝트 팀원, 전문가들이 활동정의 프로세스에서도 전문 지식을 제공할 수 있다.

### 6.2.3 활동 정의 프로세스 산출물

### 1. 활동 목록(Activity List)

활동 목록은 프로젝트의 목표인 인도물을 생산하는데 필요한 일정활동과 프로젝트 관리에 필요한 일정활동들을 모두 포함한 목록이다. 다음은 활동 목록을 구성하는 일부 요소이다.

- ◎ 활동 식별자
- ◎ 활동명
- ◎ 활동 내용 기술서

### 2. 활동 속성(Activity Attributes)

활동목록은 단순히 프로젝트에서 필요한 활동의 목록만 있다. 활동의 목록만 가지고는 어떤 일을 하는지 파악하기 쉽지 않다. 따라서 각 활동이 어떤 작업들을 해야 하고, 해당 작업을 수행하기 전에는 어떤 작업들이 있고, 끝난 후에는 어떤 작업을 해야 하는지 등의 다양한 내용을 담고 있는 활동 속성이라는 문서를 작성한다. 다음은 활동 속성을 구성하는 요소의 일부이다.

- ◎ 활동 식별자
- ◎ WBS ID
- ◎ 활동명

- ◉ 활동 기간
- ◉ 활동 원가
- ◉ 활동 내용
- ◉ 선행 활동
- ◉ 후행 활동
- ◉ 활동들간 선후행 관계
- ◉ 선도 및 지연
- ◉ 소요 자원
- ◉ 자원 요구사항
- ◉ 제약조건 및 가정

### 3. 마일스톤 목록(Milestone List)

마일스톤은 프로젝트에서 중요한 시점이나 사건이다. 마일스톤 목록은 프로젝트에서 중요한 시점이나 사건을 나열한 목록이다. 마일스톤은 한 순간을 나타내기 때문에 기간을 0으로 한다. 마일스톤의 예로는 착수보고, 중간보고, 종료보고, 분석단계완료, 설계단계완료, 개발단계완료 등이 있다.

그림 6-3 ◆ 마일스톤 예시

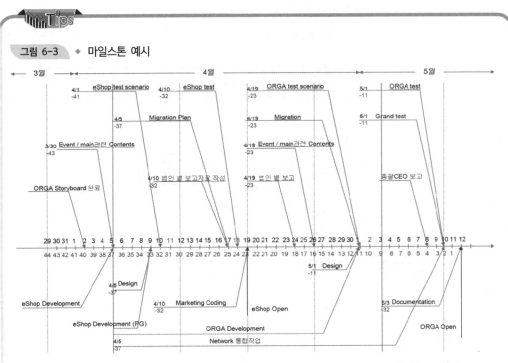

범위 기준선 중 WBS Dictionary사게 템플릿 중간 부분에 이미 해당 Work package를 만들기 위한 활동을 도출하고, 자원의 할당과 원가를 계산하는 부분이 있다. 그 항목을 활동 정의 부분에서는 1차적으로 가져다 사용하고, 후에 부족한 것들을 재정의하게 된다.

활동 속성에는 활동 정의 프로세스 이후의 다양한 일정 관리 프로세스에서 필요로 하는 항목들이 기술된다. 따라서 이후 모든 일정 관리 프로세스의 투입물로 활동목록(Activity lists)와 활동 속성(Activity Attributes)이 투입물로 활용되는 이유가 된다. 이는 WBS와 WBS Dictionary 간의 관계와 같다.

### 마일스톤(Milestone)

고대 로마는 가도를 설치하여 물품 및 문화의 교류를 장려하였다. 가도에는 로마를 기점으로 1 로마 마일마다 돌로 만든 이정표를 설치하였는데 이것이 바로 마일스톤의 기원이 되었다. 이정표는 원통형 모양에 높이는 1.8m 정도였으며 제국이 확대된 후에는 속주마다 속주의 주요도시를 기준으로 한 이정표를 설치하기도 했다.

[6.2 활동정의] 프로세스는 인도물을 완성하는데 필요한 활동을 도출하는 프로세스이다. 활동 도출을 위해서는 일정 관리 계획서에서 기술한 절차와 방법 및 일정을 기반으로 그 대상인 범위 기준선을 분석하여 활동을 도출한다.
도출된 활동 목록과 각 활동이 어떤 작업들을 해야 하는지 자세히 기술한 활동 속성 및 프로젝트에서의 중요한 시점을 명시한 마일스톤 목록도 도출한다.

| 프로세스 / 지식영역 | 6.2 활동 정의 |
|---|---|
| 4. 통합관리 | |
| 5. 범위 관리 | 5.4 WBS작성 → 범위기준선 |
| 6. 일정 관리 | 6.1 일정관리계획 수립 → 일정관리계획서 → 6.2 활동 정의 |
| 7. 원가 관리 | |
| 8. 품질 관리 | |
| 9. 인적자원관리 | 조직 프로세스 자산 / 기업 환경요인 / 기업/조직 |
| 10. 의사소통 관리 | |
| 11. 리스크 관리 | |
| 12. 조달 관리 | |
| 13. 이해관계자 관리 | |

[6.2 활동 정의] 프로세스의 산출물은 활동목록, 활동속성 및 마일스톤이 있다. 이 중 활동목록과 활동속성은 활동순서배열, 활동자원산정, 활동기간산정 및 일정개발 프로세스의 투입물로 활용된다.
그러나 마일스톤은 활동기간이 '0'인 활동이기 때문에 포함하지 않는다는 것을 기억해두자.

| 프로세스 / 지식영역 | 6.2 활동 정의 | | | | |
|---|---|---|---|---|---|
| 4. 통합관리 | | | | | |
| 5. 범위 관리 | | | | | |
| 6. 일정 관리 | 6.2 활동 정의 | 6.3 활동순서 배열 | 6.4 활동자원 산정 | 6.5 활동기간 산정 | 6.6 일정개발 |
| 7. 원가 관리 | 활동목록, 활동속성, 마일스톤목록 | 활동목록, 활동속성 | 활동목록, 활동속성 | 활동목록, 활동속성 | |
| 8. 품질 관리 | | | | | |
| 9. 인적자원관리 | | | | | |
| 10. 의사소통 관리 | | | | | |
| 11. 리스크 관리 | | | | | |
| 12. 조달 관리 | | | | | |
| 13. 이해관계자 관리 | | | | | |

## 6.3 활동순서 배열(Sequence Activities)

활동 정의 프로세스를 통해 활동들을 도출하였지만, 활동들 간의 작업순서를 무시하고 아무렇게 진행할 수 없다. 활동들 간의 순서를 식별하고 이해하고 문서화해야 일정(Schedule)을 만들 수 있다. 활동들 간의 흐름은 말로 표현하기에는 한계가 많아, 그림으로 표현하는 것이 훨씬 시각적으로 이해하기 쉽고 효율적이다.

큰 프로젝트는 수백 혹은 수천 개의 활동들이 있을 수 있다. 그 활동을 화살표로 연결하면 마치 망(Network)처럼 보이는데 이를 '프로젝트 일정 네트워크 다이어그램(Project Schedule Network Diagram)'이라고 한다. 요즘은 워낙 활동이 많고 복잡하기 때문에 관련 소프트웨어를 이용하여 작성하기도 한다.

활동 순서 배열(Sequence Activities) 프로세스의 투입물, 도구 및 기법과 산출물은 다음과 같다.

그림 6-4 ◆ 활동순서배열 프로세스의 ITTO

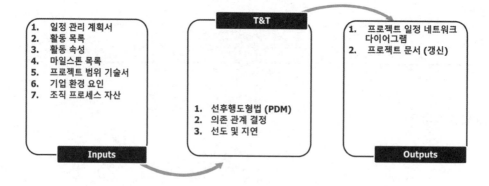

### 6.3.1 활동 순서 배열 프로세스 투입물

**1. 일정 관리 계획서**(Schedule Management Plan)

프로젝트 활동들이 어떻게 배열되어야 하는지에 대한 가이드를 제공하고, 일정 계획 방법과 도구를 정의한 일정관리 계획서를 참고한다.

**2. 활동 목록**(Activity List)

활동들 간 순서를 연결하기 위한 자료인 활동목록은 반드시 필요하다.

### 3. 활동 속성(Activity Attributes)

활동속성의 선·후행 관계를 기반으로 활동들을 연결한다.

### 4. 마일스톤 목록(Milestone List)

마일스톤도 구체적인 날짜가 지정되며 순서로 연결되어야 하기 때문에 참고한다.

### 5. 프로젝트 범위 기술서(Project Scope Statement)

활동들 간의 순서 배열에 영향을 미칠 수 있는 제품의 사양을 담고 있고 있으며, 특히, 프로젝트 범위 기술서에는 프로젝트 인도물, 프로젝트에 대한 제약조건 및 가정사항들을 담고 있기 때문에 참고한다.

### 6. 기업 환경 요인(Enterprise Environmental Factors)

다음과 같은 기업환경요인이 활동순서 배열시 영향을 줄 수 있다.

- 정부 혹은 산업 표준들
- 프로젝트 관리 시스템(PMIS, Project Management Information System)
- 일정 계획 도구
- 기업의 업무 승인 시스템 등

### 7. 조직 프로세스 자산(Organizational Process Assets)

다음과 같은 조직 프로세스 자산이 활동순서 배열시 영향을 줄 수 있다.

- 프로젝트 파일들
- 정책, 절차 및 가이드라인들
- 템플릿들 등

### 6.3.2 활동 순서 배열 프로세스 도구 및 기법

### 1. 선후행 도형법(PDM, Precedence Diagramming Method)

선후행 도형법은 일정 모델을 작성하는데 사용되는 기법으로 노드들로 활동을 표현하고, 그래픽적으로 연결한 것이다. AON(노드표기활동, Activity-on-node)는 PDM의 한 형태로 4가지 연결

형태가 있다.

- ◉ **FS 관계** : 종료-시작관계(Finish-to-Start)로 선행활동이 완료되기 전까지는 후행활동이 시작할 수 없는 관계이다.
- ◉ **FF 관계** : 종료-종료관계(Finish-to-Finish)로 선행활동이 완료되기 전까지는 후행활동이 완료될 수 없는 관계이다.
- ◉ **SS 관계** : 시작-시작관계(Start-to-Start)로 선행활동이 시작되기 전까지는 후행활동이 시작할 수 없는 관계이다.
- ◉ **SF 관계** : 시작-종료관계(Start-to-Finish)로 선행활동이 시작되기 전에는 후행활동이 완료될 수 없는 관계이다.

활동들간 연결은 4가지 형태가 있지만, 프로젝트에서는 대부분 FS 관계가 대부분이다. 아래의 그림은 활동들의 선후행 관계를 도식화하였다.

**그림 6-5** ◆ 선후행 도형법 예시

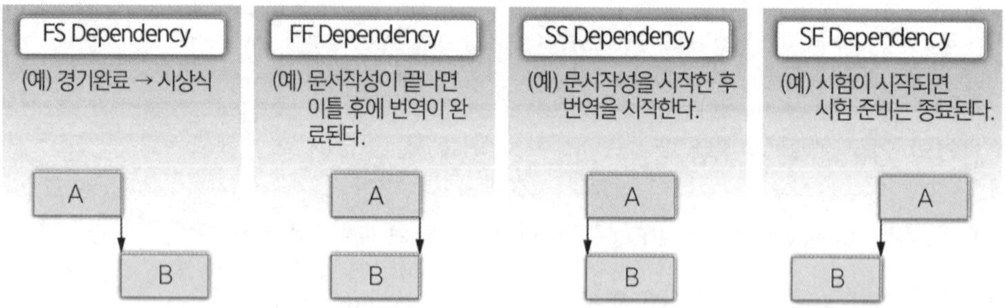

| FS Dependency | FF Dependency | SS Dependency | SF Dependency |
|---|---|---|---|
| (예) 경기완료 → 시상식 | (예) 문서작성이 끝나면 이틀 후에 번역이 완료된다. | (예) 문서작성을 시작한 후 번역을 시작한다. | (예) 시험이 시작되면 시험 준비는 종료된다. |

## 2. 의존 관계 결정(Dependency Determination)

각 활동들은 의존 관계를 기질 수 있다. 의존관계는 의무적 의존관계, 임의적 의존관계, 외부적 의존관계 및 내부적 의존관계로 나눌 수 있다.

- ◉ **의무적 의존관계**(Mandatory dependency)
  작업의 본질상 임의로 정할 수 없는 미리 정해진 선·후행 관계로 Hard logic 혹은 Hard dependencies라고도 한다. 예를 들어, 기초 공사가 완료되기 전까지는 구조물을 올릴 수 없다는 것이 의무적 의존관계에 속한다.

◉ 임의적 의존관계(Discretionary dependency)

프로젝트 팀에서 임의적으로 정할 수 있는 작업 관계로 Preferred logic 혹은 soft logic 이라고 한다. 예를 들어, 정보시스템 개발에서 상세 설계가 완료된 후에 소프트웨어 개발을 해야 하지만, 상세 설계가 된 부분부터 프로그램 개발을 진행하도록 일정을 수정하는 것이 임의적 의존관계에 속한다.

◉ 외부적 의존관계(External dependency)

프로젝트 업무 범위 외의 활동과 프로젝트 활동 사이의 관계를 말한다. 예를 들어, 산을 뚫어 도로를 만들려고 하지만 정부나 주변 주민들 혹은 환경단체들이 공사 전에 환경 영향 분석 평가를 수행해야 한다는 것이 외부적 의존관계에 속한다.

◉ 내부적 의존관계(Internal dependency)

프로젝트 활동간 선행 관계를 포함하며, 일반적으로 프로젝트 팀 내의 통제하에 있는 관계를 말한다. 예를 들어, 소프트웨어를 개발하기 전까지는 테스트를 할 수 없는 것이 내부적 의존관계에 속한다.

## 3. 선도 및 지연(Leads and Lags)

◉ Lead(선도)

후행 활동의 착수를 당길 수 있는 관계로써 선행 활동의 종료 이전에 후행 활동을 착수할 수 있는 개념이다.

◉ Lag(지연)

후행 활동의 착수를 지연 시키는 관계로써 선행 활동이 종료되고 일정 기간이 지나서 후행 활동을 착수할 수 있는 개념이다.

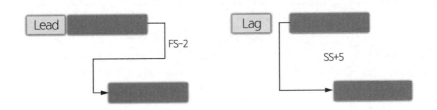

### 6.3.3 활동 순서 배열 프로세스 산출물

#### 1. 프로젝트 일정 네트워크 다이어그램(Project Schedule Network Diagrams)

프로젝트의 활동들의 논리적인 선·후행 관계를 그래픽적으로 표현한 다이어그램이다. 수작업 혹은 소프트웨어를 사용하여 작성하며, 상세하게 표현하거나 중요한 활동들만 선택하여 작성할 수 있다. 프로젝트 일정 네트워크 다이어그램을 작성하면서 선·후행 관계, 의존관계 및 선도와 지연의 관계를 잘 살펴야 한다.

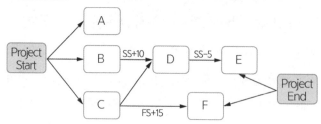

그림 6-6 ◆ 프로젝트 일정 네트워크 다이어그램 예시

#### 2. 프로젝트 문서 갱신(Project Documents Updates)

활동 순서 배열시 다음과 같은 프로젝트 문서들이 갱신될 수 있다.

- 활동 목록
- 활동 속성
- 마일스톤 목록
- 리스크 등록부 등

 심화학습

**노력 수준[Level of effort]:**

활동은 시간을 소비하는데 이 소비한 시간이 온전히 프로젝트의 산출물 생산에 소비된 시간이 아니라 단지, 소요된 시간 자체를 일로 보는 경우이다. 예를 들어, 감독관이나 관리자는 최종 제품 생산에 시간을 소비하는 것이 아니라 관리자 역할을 하는데 이러한 사람들은 시간이 지나면 일에 대한 대가로 급여를 받는다.

**세분 업무[Discrete Effort]:**

세분업무는 측정 가능한 특정 최종 제품이나 결과에 관련된 노력을 말한다. 이러한 노력은 구체적인 산출물을 생

산 하는데 들어간다.

## 배분 업무[Apportioned Effort]:

배분 업무는 어떤 업무에 전혀 다른 업무를 일부 배분한 것이다. 이 방법은 특정 Work package에 관련되어서 드물게 사용된다. 예를 들어 [생산]이라는 Work package 안에 전체의 20%를 검사하는 작업을 넣는 것으로 검사는 전체[생산]의 20%로 미리 배분되어 있는 것이다.

## 요약 활동(Summary activity 혹은 Hammock activity)

요약 활동은 프로젝트 일정의 활동을 묶은 것을 표현하는데 사용된다. 이것은 활동의 그룹에 대한 일정 정보를 요약해서 제공하기 위해 사용되며, 프로젝트 전체를 요약 활동으로 표현할 수 있다. 요약 활동은 막대 형태로 표현할 수 있으며 경우에 따라 시작일과 완료일을 표시할 수도 있다.

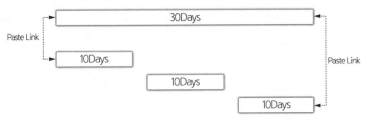

## GERT(Graphical evaluation and review techniques)

GERT는 PERT와 유사하지만 순환(looping), 조건분기(branching), 여러 프로젝트 결과 표현을 할 수 있는 장점이 있다. 예를 들어 만약 테스트라는 활동이 있는데 테스트 실패 시 다시 테스트를 수행하는 형태의 순환 구조는 PERT에서 표현할 수 없다. 그리고 테스트 결과에 따라 서로 다른 가지로 나뉘게 되는 것 역시 PERT에서 표현이 안 되지만 이러한 문제를 GERT 방식에서는 쉽게 표현해 줄 수 있다.

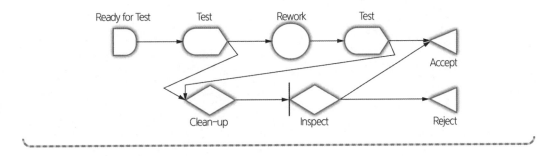

[6.3 활동순서배열] 프로세스는 프로젝트 일정 네트워크 다이어그램을 작성하는 프로세스이다. 네트워크 다이어그램을 만들기 위해서는 활동들이 필요하기 때문에 이전 프로세스의 산출물인 활동목록, 활동속성, 마일스톤 목록을 기초로 일정관리계획서에서 정의한 방법과 절차 및 도구를 사용하여 프로젝트 범위 기술서를 재검토하면서 활동 간의 논리적 관계나 의존관계 및 선도와 지연을 고려하여 연결이 정확한지 검토한다.

| 프로세스 / 지식영역 | 6.3 활동순서배열 |
|---|---|
| 4. 통합관리 | |
| 5. 범위 관리 | |
| 6. 일정 관리 | |
| 7. 원가 관리 | |
| 8. 품질 관리 | |
| 9. 인적자원관리 | |
| 10. 의사소통 관리 | |
| 11. 리스크 관리 | |
| 12. 조달 관리 | |
| 13. 이해관계자 관리 | |

5.3 범위 정의 — 프로젝트범위기술서

6.1 일정관리계획 수립  6.2 활동정의 → 6.3 활동순서배열

일정관리계획서

마일스톤목록, 활동목록, 활동속성

기업/조직

조직 프로세스 자산
기업 환경요인

[6.3 활동순서 배열] 프로세스의 산출물인 프로젝트 일정 네트워크 다이어그램은 [6.6 일정개발] 프로세스에서 주공정 기법을 통해 주공정(Critical Path)을 설정하는 데 사용된다.

| 프로세스<br>지식영역 | 6.3 활동순서배열 |
|---|---|
| 4. 통합관리 | |
| 5. 범위 관리 | |
| 6. 일정 관리 | |
| 7. 원가 관리 | |
| 8. 품질 관리 | |
| 9. 인적자원관리 | |
| 10. 의사소통 관리 | |
| 11. 리스크 관리 | |
| 12. 조달 관리 | |
| 13. 이해관계자<br>관리 | |

## 6.4 활동자원산정(Estimate Activity Resources)

활동을 수행하기 위해서는 반드시 자원(Resource)이 필요하다. 일반적으로 자원은 사람(People), 장비(Equipment), 재료(Material)가 될 수 있다. [6.4 활동자원산정] 프로세스는 활동을 수행하여 인도물을 만드는데 필요한 인적자원, 재료, 장비의 종류와 수량을 산정하는 프로세스이다. 조직의 상황에 따라 자원이 가용할 수도 있고, 그렇지 않을 수도 있으므로 자원의 유형 결정시 자원의 가용성을 고려해야 한다. 활동의 자원을 산정하는 것은 프로젝트의 원가(7.2 원가 산정)에도 직접적인 영향을 줄 수 있다.

활동 자원 산정 프로세스의 투입물, 도구 및 기법과 산출물은 다음과 같다.

그림 6-7 ◆ 활동자원산정 프로세스의 ITTO

### 6.4.1 활동 자원 산정 프로세스 투입물

**1. 일정 관리 계획서(Schedule Management Plan)**

활동에 대한 자원 산정을 위해서는 자원 산정의 측정 수준과 단위 및 기법과 도구를 명시한 일정관리 계획서를 참고한다.

**2. 활동 목록(Activity List)**

활동에 대한 자원 산정을 위해 기초 자료인 활동 목록을 참고해야 한다.

**3. 활동 속성(Activity Attributes)**

활동에 대한 자원 산정을 위해 기초 자료인 활동 속성을 참고해야 한다. [6.2 활동정의] 프로세스의 산출물인 활동속성 항목을 다시 살펴보자.

## 4. 자원 달력(Resource calendars)

자원 달력은 활동에 투입될 자원들의 가용한 일정이 기입된 달력형태의 일정표라고 생각하면 된다. 특정 자원이 언제 투입가능하고 언제 철수해야 하는지 등의 정보가 등록되어 있다. 자원 달력과 더불어 인력의 숙련도, 경험도 그리고 지역적인 위치 등을 함께 고려한다.

## 5. 리스크 등록부(Risk Register)

리스크에 대한 대응 계획을 수립하면서 활동들이 도출될 수 있다. 즉, 리스크에 대한 대응 계획으로 화재보험을 가입해야 한다면, 이를 work package에 새롭게 추가하고 화재 보험을 가입하는 활동들을 도출하고, 각 활동별로 자원을 배정할 수 있기 때문에 리스크 등록부를 참고한다.

## 6. 활동 원가 산정치(Activity Cost Estimates)

활동원가 산정치는 [7.2 원가산정] 프로세스의 산출물로써 각 활동에 대한 필요 원가를 추정한 것으로 자원 산정시 고려한다. 즉, 특정 자원이 예상된 원가를 초과한다면 대안분석과 전문가 판단을 통해 다른 인력으로 대체할 수 있다.

## 7. 기업 환경 요인(Enterprise environmental factors)

자원 산정시 해당 자원의 지리적 위치나 자원 달력상에서의 가용성, 보유 기술 등이 영향을 줄 수 있다.

## 8. 조직 프로세스 자산(Organizational process assets)

다음의 조직 프로세스 자산이 영향을 줄 수 있다.

- ◉ 직원들에 대한 인사 정책 및 절차
- ◉ 물품 및 장비 등에 대한 대여 혹은 구매정책이나 절차
- ◉ 과거 프로젝트에서 유사 작업에 대한 자원 사용 형태 정보 등

### 6.4.2 활동 자원 산정 프로세스 도구 및 기법

#### 1. 전문가 판단(Expert judgment)

자원 계획 혹은 추정에 대한 전문 지식을 갖춘 전문가 혹은 그룹의 조언을 받을 수 있다.

#### 2. 대안 분석(Alternative analysis)

활동을 완료하기 위한 특정 자원이 자원 달력상에서 가용하지 못하다면, 다양한 대안들을 만들 수 있다. 예를 들어, 특급 기술자인 홍길동이 3일에 할 수 있는 업무인데, 홍길동이 다른 프로젝트 일정으로 인해 투입할 수 없는 상황이 발생했다면, 그 대안으로 고급 기술자인 김철수를 투입하는 것으로 결정하여 해당 활동 기간을 5일로 산정할 수 있다.

#### 3. 상업적인 추정 자료들(Published estimating data)

다양한 기관 및 기업에서는 주기적으로 자재 및 자원들의 생산성 및 단위 원가를 발표하고 있다. 우리나라의 경우 건설 품셈 단가나 소프트웨어 개발자의 노무 단가 등이 이에 해당한다.

#### 4. 상향식 추정(Bottom-up estimating)

WBS의 최하위 요소인 작업 패키지(work package)의 일정과 원가 산정치들을 위쪽으로 합산하면서 상위 단계의 일정과 원가를 추정하는 기법이다. 활동 기간을 합리적으로 추정할 수 없는 경우에는 분할 기법을 사용하여 해당 활동을 더 분해함으로써 상세하고 구체화한 후에 자원을 산정할 수 있고, 유사 산정을 할 수 있다.

#### 5. 프로젝트 관리 소프트웨어(Project Management software)

프로젝트 관리 소프트웨어는 자원 산정을 계획하고, 관리하며, 자원 소요량을 산정하는데 유용한 기능을 제공할 수 있다.

### 6.4.3 활동 자원 산정 프로세스 산출물

#### 1. 활동 자원 요구사항(Activity resource requirements)

각 work package별로 활동을 완료하는데 필요한 자원의 종류와 수량, 자원의 가용성, 필요한 기술과 지식 등을 문서화한다.

## 2. 자원 분류 체계(Resource breakdown structure)

프로젝트 내에서 필요한 자원들의 형태와 종류를 체계적으로 분류한 계층도를 자원분류체계라 한다.

**그림 6-8** ◆ 자원분류체계의 예

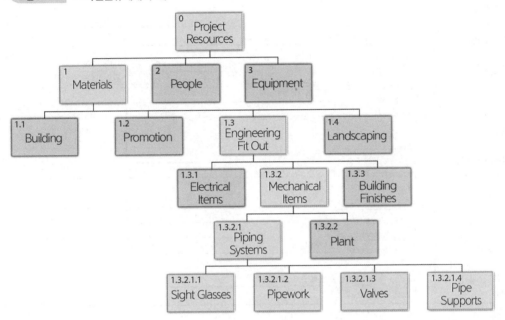

## 3. 프로젝트 문서(갱신)(Project documents updates)

다음의 조직 프로세스 자산이 갱신될 수 있다

- ◉ 활동 목록
- ◉ 활동 속성
- ◉ 자원 달력 등

[6.4 활동자원 산정] 프로세스는 각 활동에 대해 어느 정도의 자원을 투입해야 하는지를 산정하는 프로세스이다. 따라서 해당 활동에 대한 적합한 자원이 선정되면 좋지만, 만약 그 자원이 현재 상황에서 가용하지 않을 경우에는 어떤 능력과 기술을 가진 자원이 어느 정도의 수량으로 투입되었으면 좋겠다는 활동자원요구사항을 작성한다. 또한, 해당 자원에 대한 산정을 진행하면서 전체적으로 프로젝트에 어떤 자원들이 투입돼야 한다는 자원분류체계도 작성할 수 있다.

| 지식영역 ＼ 프로세스 | 6.4 활동자원산정 |
|---|---|
| **4. 통합관리** | |
| **5. 범위 관리** | 일정관리계획서 |
| **6. 일정 관리** | 6.1 일정관리계획 수립 → 6.2 활동정의 → 활동목록, 활동속성 → 6.4 활동자원산정 |
| **7. 원가 관리** | 7.2 원가산정 → 활동원가산정치 |
| **8. 품질 관리** | |
| **9. 인적자원관리** | 9.2 프로젝트팀 확보 → 자원달력 |
| **10. 의사소통 관리** | |
| **11. 리스크 관리** | 11.2 리스크 식별 → 리스크등록부 |
| **12. 조달 관리** | 12.2 조달수행 → 자원달력 |
| **13. 이해관계자 관리** | 기업/조직 → 조직 프로세스 자산, 기업 환경요인 |

[6.4 활동자원 산정] 프로세스의 산출물은 활동자원 요구사항, 자원분류체계이다. 활동자원 요구사항 및 자원분류체계는 6장의 활동기간 산정 및 일정 개발 프로세스의 투입물로 사용된다.

또한, 활동자원 요구사항은 9장 인적자원관리 계획수립과 12장 조달관리 계획 수립의 투입물로도 활용된다. 인적자원관리 계획수립 시에는 어떤 인력들이 프로젝트에 필요한지 사전에 참고하기 위해 필요하며, 조달관리 계획수립에서는 외부에서 인적자원을 조달할 필요가 있을 경우, 이를 아웃소싱하기 위해 필요하다.

| 지식영역 ＼ 프로세스 | 6.4 활동자원산정 |
|---|---|
| **4. 통합관리** | |
| **5. 범위 관리** | |
| **6. 일정 관리** | 6.4 활동자원산정 → 활동자원요구사항, 자원분류체계 → 6.5 활동기간 산정 → 활동자원요구사항, 자원분류체계 → 6.6 일정개발 |
| **7. 원가 관리** | |
| **8. 품질 관리** | |
| **9. 인적자원관리** | 활동자원요구사항 → 9.1 인적자원관리 계획 수립 |
| **10. 의사소통 관리** | |
| **11. 리스크 관리** | 프로젝트문서(갱신) → 프로젝트 문서들 |
| **12. 조달 관리** | 활동자원요구사항 → 12.1 조달관리계획 수립 |
| **13. 이해관계자 관리** | |

## 6.5 활동기간 산정(Estimate Activity Durations)

활동자원을 산정했다면, [6.5 활동기간 산정] 프로세스는 그 자원이 배정된 활동을 수행할 경우 어느 정도의 기간이 소요될지 산정하는 프로세스이다. 따라서 어떤 자원이 어느 정도 기간 내에 어떤 활동을 완료할 수 있는지를 고려하여 활동 기간을 산정한다.

활동 기간 산정의 프로세스의 투입물, 도구 및 기법과 산출물은 다음과 같다.

그림 6-9 ◆ 활동기간 산정 프로세스의 ITTO

### 6.5.1 활동 기간 산정 프로세스 투입물

**1. 일정 관리 계획서(Schedule Management Plan)**

일정 관리 계획서에는 활동기간 산정에 필요한 방법, 정확도 수준 등의 규정과 절차 등을 기술했기 때문에 참고한다.

**2. 활동 목록(Activity List)**

활동기간 산정의 대상이기 때문에 참고한다.

**3. 활동 속성(Activity Attributes)**

활동기간 산정시 해당 활동에 대한 자세한 속성을 파악하여 산정하도록 한다.

**4. 활동 자원 요구사항(Activity resource requirements)**

활동을 완료하기 위해 할당된 자원의 역량과 기술 등이 활동의 기간 산정에 중대한 영향을 주

기 때문에 활동자원 요구사항을 참고한다.

## 5. 자원 달력(Resource calendars)

해당 자원이 특정 기간 동안 투입될 수 있는지 등 자원의 가용성이 기간 산정에 영향을 주기 때문에 자원 달력을 참고한다.

## 6. 프로젝트 범위 기술서(Project Scope Statement)

프로젝트 범위기술서의 가정 및 제약조건 등이 기간 산정에 영향을 줄 수 있기 때문에 참고한다.

- ◉ **가정 사항** : 현재 상태, 정보의 가용성 및 보고 기간의 주기 등
- ◉ **제약 조건** : 숙련된 자원의 가용성, 계약 조건과 계약 요구사항 등

## 7. 리스크 등록부(Risk Register)

리스크 목록, 리스크 분석 결과 및 리스크 대응 계획 등의 정보를 확인하여 자원에 대한 기간 산정이 정확한지 확인한다.

## 8. 자원 분류 체계(RBS, Resource Breakdown Structure)

자원분류체계를 통해 해당 작업의 자원이 적정하게 활동을 수행할 수 있는지 혹은 다른 자원으로 대체할 수 있는지 확인한다.

## 9. 기업 환경 요인(Enterprise environmental factors)

다음의 조직 프로세스 자산이 영향을 줄 수 있다.

- ◉ 기간 산정 데이터베이스 및 기타 참고자료
- ◉ 생산성 관련 지표들
- ◉ 상용 정보들
- ◉ 팀 멤버들의 위치 등

## 10. 조직 프로세스 자산(Organizational process assets)

다음의 조직 프로세스 자산이 영향을 줄 수 있다.

◉ 과거 일정 산정 관련 정보들

◉ 프로젝트 일정

◉ 일정 계획 방법론

◉ 교훈(Lessons Learned) 등

### 6.5.2 활동 기간 산정 프로세스 도구 및 기법

**1. 전문가 판단(Expert judgment)**

자원의 활동 기간 산정을 위해 기간 산정 전문가들이 과거 정보들을 바탕으로 활동에 대한 기간 산정에 도움을 줄 수 있다.

**2. 유사 산정(Analogous estimating)**

유사 활동 혹은 프로젝트의 과거 정보들을 사용하여 활동이나 프로젝트의 기간을 산정하는 기법이다. 과거 유사 프로젝트들의 기간, 원가, 가중치, 복잡도를 기반으로 산정할 수 있다. 유사 산정시 과거 데이터가 실제적으로 정확한 데이터이어야 산정의 정확도가 높아진다.

유사 산정은 주로 프로젝트에 대한 구체적이고 자세한 정보가 부족한 상황에 사용하며, 시간이나 비용은 적게 들지만, 부정확하다는 단점이 있다.

**3. 모수 산정(Parametric estimating)**

모수 산정은 기간 산정을 위한 다양한 변수들을 토대로 기간을 계산하는 방법이다. 통계학적인 기법을 사용하거나, 단순한 사칙연산을 통해서도 가능하다. 예를 들어, 1시간에 25m 케이블을 설치할 수 있다면, 1000m를 설치하려면 40시간이 걸린다고 계산할 수 있다. 모수 산정 또한 모델에 사용되는 데이터가 얼마나 정확하고 구체적인지 따라 결과가 달라진다.

**4. 3점 산정(Three-point estimating)**

PERT(Program evaluation and review technique)에서 3점 추정을 사용한다.

◉ 해당 분야에 전문가들이 각 활동에 대한 절대적인 하나의 기간 산정치를 제공하면 좋겠지만, 그럴 수 없기 때문에 1958년 미국에서 폴라리스 잠수함용 미사일 개발 프로젝트에서 만들고 사용했던 PERT 기법에서 유래했다. 즉, 산정의 불확실성과 리스크를 고려하여 3가지 산정치를 활용하여

- 최빈치(Most likely): 특정 활동을 완료하는데 대부분의 사람들이 완료하는 기간
- 낙관치(Optimistic): 특정 활동을 가장 짧게 완료할 기간
- 비관치(Pessimistic): 특정 활동을 가장 늦게 완료할 기간

$$베타분포에 의한 3점 산정 = \frac{비관치 + 4 \times 최빈치 + 낙관치}{6}$$

$$삼각분포에 의한 3점 산정 = \frac{비관치 + 최빈치 + 낙관치}{3}$$

## 5. 집단 의사결정 기법(Group decision-making techniques)

팀원들이 함께 모여, 활동의 기간을 추정하는 기법으로 브레인스토밍, 델파이 기법, 명목집단법(Nominal group techniques) 등을 사용할 수 있다.

## 6. 예비 분석(Reserve Analysis)

프로젝트 일정의 불확실성을 대비하여 예비기간을 분석하여 우발사태에 대한 예비일정을 확보하도록 한다. 우발사태 예비일정은 일정 기준선에 포함된다. 예비 일정을 버퍼(Buffer)라고 부르기도 한다. 특히, 일정과 원가 부분에서 예비와 관련된 분석은 리스크 관리시 리스크 분석의 결과 및 리스크 대응 계획의 결과에 대해 필요한 예비 일정 혹은 예비비라고 생각해야 한다.

### 6.5.3 활동 기간 산정 프로세스 산출물

## 1. 활동 기간 산정치(Activity duration estimates)

활동기간 산정치는 특정 자원이 특정 활동을 완료하는데 가장 적합한 기간을 산정한 수치이다.

## 2. 프로젝트 문서 갱신(Project documents updates)

활동기간을 추정하면서 활동 속성이나 일정 수립에 대한 가정 조건들(기술 수준, 가용성, 기간 산정 기준 등)이 갱신될 수 있다.

예비 분석(Reserve Analysis)은 일정과 원가에 대해서 모두 수행한다. 일정에는 예비 일정, 원가에서는 예비비가 된다. 여러 서적들에서는 이를 우발사태 예비일정 혹은 우발사태 예비비라고 해석하기도 한다.

[6.5 활동기간 산정] 프로세스는 활동목록, 활동속성과 활동자원요구사항을 토대로 프로젝트 범위 기술서를 검토하면서 활동기간 산정치를 추정하는 프로세스이다.

| 프로세스<br>지식영역 | 6.5 활동기간산정 |
|---|---|
| **4. 통합관리** | |
| **5. 범위 관리** | 5.3 범위 정의 ──── 프로젝트범위기술서 ───────────→ |
| **6. 일정 관리** | 6.1 일정관리계획<br>수립 　6.2 활동정의　 6.4 활동자원산정　 **6.5 활동기간산정** |
| **7. 원가 관리** | 일정관리계획서　　활동목록,　　　활동자원요구사항,<br>　　　　　　　　활동속성　　　자원분류체계 |
| **8. 품질 관리** | |
| **9. 인적자원관리** | 9.2 프로젝트팀 확보 ──── 자원달력 |
| **10. 의사소통 관리** | |
| **11. 리스크 관리** | 11.2 리스크식별 ──── 리스크등록부 |
| **12. 조달 관리** | 12.2 조달수행 ──── 자원달력 |
| **13. 이해관계자<br>관리** | 기업/조직 ──── 조직 프로세스 자산<br>기업 환경요인 |

[6.5 활동기간 산정] 프로세스의 산출물인 활동기간 산정치는 일정개발 프로세스 및 리스크 식별의 투입물이 된다는 것을 기억해두자.

| 프로세스<br>지식영역 | 6.5 활동기간산정 |
|---|---|
| 4. 통합관리 | |
| 5. 범위 관리 | |
| 6. 일정 관리 | 6.5 활동기간산정 ──활동기간산정치──▶ 6.6 일정개발 |
| 7. 원가 관리 | |
| 8. 품질 관리 | |
| 9. 인적자원관리 | ──프로젝트문서(갱신)──▶ 프로젝트 문서들 |
| 10. 의사소통 관리 | |
| 11. 리스크 관리 | ──활동기간산정치──▶ 11.2 리스크식별 |
| 12. 조달 관리 | |
| 13. 이해관계자<br>관리 | |

## 6.6 일정개발(Develop Schedule)

일정 개발은 활동목록, 활동속성, 활동순서, 자원, 기간, 일정에 대한 제약사항 등을 분석하여 프로젝트 일정을 작성하는 프로세스이다. 일정 개발은 프로젝트에 투입되는 자원과 활동기간 산정의 검토를 통해 지속적으로 프로젝트 일정 모델을 수립하는 반복적인 프로세스이다. 프로젝트의 범위가 점진적으로 상세화되면서 프로젝트 일정도 점진적으로 상세화 되기 때문이다. [6.6 일정개발] 프로세스에서는 일정 기준선과 프로젝트 일정이 주요 산출물로 생성된다.

일정 개발(Develop Schedule) 프로세스의 투입물, 도구 및 기법과 산출물은 다음과 같다.

그림 6-10 ◆ 일정개발 프로세스의 ITTO

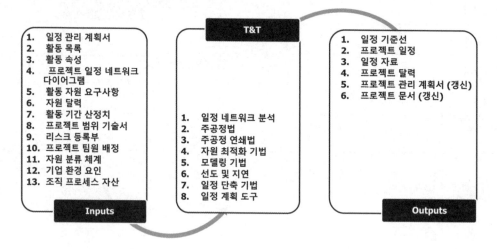

### 6.6.1 일정 개발 프로세스 투입물

**1. 일정 관리 계획서(Schedule Management Plan)**

프로젝트 일정을 수립하는데 필요한 일정 수립 방법(주공정기법이나 주공정연쇄법)과 도구 및 계산 방법이 기술되어 있어 참고한다.

**2. 활동 목록(Activity List)**

일정개발을 위한 기초자료로 활동목록을 참고한다.

**3. 활동 속성(Activity Attributes)**

198

일정개발을 위한 활동목록과 활동속성에 따라 자원과 기간이 정확하게 산정되었는지 확인하기 위해 활동속성을 참고한다.

## 4. 프로젝트 일정 네트워크 다이어그램(Project Schedule network diagrams)

프로젝트 일정을 계산하기 위한 활동들의 논리적인 선·후행 관계를 가시화한 프로젝트 일정 네트워크 다이어그램을 참고한다.

## 5. 활동 자원 요구사항(Activity Resource requirements)

일정 모델을 작성하는데 필요한 각 활동들의 필요한 자원에 대한 유형과 수량 및 식별한 자료를 토대로 프로젝트의 일정을 개발하는데 참고한다.

## 6. 자원 달력(Resource Calendars)

프로젝트 기간 동안 자원의 가용성에 대한 정보를 제공하는 자원 달력을 참고한다.

## 7. 활동 기간 산정치(Activity duration estimates)

각 활동들을 완료하는데 필요한 각 활동의 기간 산정치를 참고한다.

## 8. 프로젝트 범위 기술서(Project Scope statement)

프로젝트 일정 수립에 영향을 주는 가정 및 제약조건을 제공하는 프로젝트 범위 기술서를 참고한다.

## 9. 리스크 등록부(Risk register)

프로젝트 일정에 영향을 미치는 식별된 리스크들과 그 속성들을 제공하는 리스크 등록부를 참고한다.

## 10. 프로젝트 팀원 배정(Project staff assignments)

각 활동들에 배정이 확정된 팀원들을 기반으로 팀원들의 자원 달력 및 자원요구사항이 적합하며 활동에 대한 기간 산정이 정확한지 확인하기 위해 프로젝트 팀원 배정을 참고한다.

## 11. 자원 분류 체계(Resource breakdown structure)

프로젝트에서 필요한 자원들이 모두 배정되었는지 확인하기 위해 자원분류체계를 참고한다.

**12. 기업 환경 요인**(Enterprise environmental factors)

표준, 의사소통 채널 및 조직에서 사용하는 일정도구 등을 포함한 기업환경요인을 고려한다.

**13. 조직 프로세스 자산**(Organizational process assets)

일정 개발시 조직내에서 사용하는 일정개발 방법론과 프로젝트 달력 등의 조직 프로세스 자산을 참고한다.

### 6.6.2 일정 개발 프로세스 도구 및 기법

**1. 일정 네트워크 분석**(Schedule network analysis)

프로젝트 일정 모델을 작성하는 기법으로 주공정기법(CPM, Critical path method), 주공정연쇄법 (CCM, critical chain method), 가정형 분석(what-if analysis), 자원최적화 기법(resource optimization) 등의 기법 등을 사용한다.

일정 네트워크 분석은 일정단축 기법(schedule compression)과 다른 분석들에 사용되는 경로 수렴 혹은 경로 분기의 시점들을 포함할 수 있다.

**2. 주경로 기법**(Critical path method)

프로젝트 기간의 최단기 일정을 산정하고, 일정 모델 내에서 논리적인 네트워크 경로에서 여유 시간을 결정하는데 사용하는 기법이다. 전진 계산법(Forward pass) 및 후진 계산(Backward pass) 분석을 통해 일정 네트워크 내에서 빠른 시작일, 빠른 종료일, 늦은 시작일, 늦은 종료일을 계산한다.

분석의 결과로 나온 빠른 시작일, 늦은 시작일 및 종료일이 반드시 프로젝트 일정으로 결정될 필요는 없다. 다만 활동의 기간, 논리적인 관계, 선도와 지연 및 다른 제약조건들을 입력함으로써 활동이 수행되는데 필요한 기간을 산출한다.

- ◉ **전진계산**(Forward pass) : 프로젝트의 빠른 시작일과 빠른 종료일을 기준으로 일정을 계산하는 방법
  - –"As Soon As Possible"
  - – 일정표의 ES(Early Start date)와 EF(Early Finish date)를 계산함
- ◉ **후진 계산**(Backward pass) : 프로젝트 종료일로부터 활동의 완료일을 기준으로 일정을

역산하는 일정계산방법

- "As Late As Possible"

- 일정표의 LS(Late Start data)와 LF(Late Finish date)를 계산함.

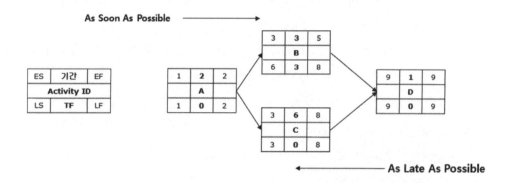

◉ 프로젝트 납기에 영향을 주지 않고 활동이 갖는 여유시간과 자유시간

- Total Float(TF) : 프로젝트 납기일을 지연시키지 않고 활동이 가질 수 있는 여유시간. LS - ES 또는 LF - EF의 절댓값

- Free Float(FF) : 후행 활동의 빠른 시작일을 지연시키지 않고 선행 활동이 가질 수 있는 여유시간. EF - ES successor

## 3. 주공정 연쇄법(Critical Chain method)

일정 네트워크 다이어그램을 작성하고, 주경로 계산은 CPM과 유사하지만, 자원 제약 사항을 고려하고, 여유시간을 고려하여 작성한다. 각 활동들에 포함된 여유 시간을 없애고, 별도로 여유 시간을 모아서 관리한다.

◉ **프로젝트 버퍼**(Project Buffer) : 각 활동에서 빼앗은 여유 시간을 모두 모아서 프로젝트 일정의 맨 끝에 배치하는 것임.

◉ **공급 버퍼**(Feeding Buffer) : Critical chain을 보호할 목적으로 non-critical chain이 critical chain과 합쳐지는 곳에 여유 시간을 둠.

◉ **자원 버퍼**(Resource Buffer) : Critical chain을 구성하는 작업에 사용될 자원을 미리 준비할 수 있도록 두는 여유시간임.

### 4. 자원 최적화 기법(Resource optimization techniques)

◉ Resource Leveling(자원 평준화)

  - 자원 제약 상황 하에서 가용한 자원의 공급을 고려하여 자원을 공평하게 배분하여 시작 일자와 종료 일자를 수정하는 기법.
  - Resource Leveling은 공용 자원이나 중요한 자원이 특정 기간에만 사용 가능하거나, 수량에서 제한이 있거나 중복 투입된 경우 사용됨.
  - Resource Leveling은 주경로(Critical path)를 변경하거나 추가시킬 수 있음.

◉ Resource Smoothing(자원 평활화)

  - 프로젝트에서 미리 정의한 자원의 한계를 넘지 않도록 활동을 조정하는 기법
  - 프로젝트의 주경로(Critical path)가 변경되지 않음.
  - 프로젝트의 종료일이 지연되지 않음.
  - 활동들은 활동들 자체의 free 및 total float 안에서 지연됨.
  - 모든 자원에 대한 최적화는 실행할 수 없음.

### 5. 모델링 기법(Modeling techniques)

◉ What-if 시나리오 분석

  - 시나리오별로 프로젝트 목적에 끼치는 긍정적, 부정적 영향들을 분석하는 것이다. 즉, 홍길동이 아니라 김철수가 투입될 경우라던가, A라는 공법이 아니라 B라는 공법을 사용했을 때 일정이 어떻게 변하는지를 시뮬레이션 할 수 있다.
  - 일정에 대한 다양한 변수들이 일정에 어떤 영향을 주는지에 대하여 일정을 계산한다.
  - 특정 상황에서 발생한 사건이 일정에 미치는 영향을 분석하고, 이에 대한 예비 일정 계산과 대응 방안들을 수립한다.

◉ 시뮬레이션(Simulation)

  - 불확실성에 대한 3점 추정법을 기반으로 확률분포를 사용하여 활동에 대한 가정사항들을 변수로 사용하여 복수의 프로젝트 일정을 계산한다.
  - 주로 사용하는 기법으로는 몬테카를로 분석(Monte Carlo Analysis)이 있다.

## 6. 선도 및 지연(Leads and Lags)

◉ **선도**(Lead) : 선행 활동에 대하여 후행 활동을 먼저 시작하는 제약 상황에서 활용

◉ **지연**(Lag) : 작업이나 자원의 영향 없이 선행 활동과 후행 활동 간에 시간차가 존재하는 제약 상황에서 활용

## 7. 일정 압축 기법(Schedule compression)

◉ 프로젝트 범위를 줄이지 않은 상태에서 일정 제약조건, 부여된 프로젝트 종료일자, 및 기타 목적들을 위해 프로젝트 일정을 단축하기 위한 기법

◉ Crashing(공정 압축)과 Fast Tracking(공정 중첩)이 있음

**표 6-2** ◖ ⇒ 일정 압축 기법의 비교

| 구분 | Crashing | Fast Tracking |
|------|----------|---------------|
| 방법 | 자원(비용)을 더 투입하여 일정을 단축시키는 방법 | 순차적으로 수행해야 하는 단계나 활동을 병행하여 수행하는 방법 |
| 대상 | 주경로상에 있는 활동 가운데 최소의 비용으로 최대의 단축을 얻을 수 있는 활동 | 연관 관계 중 의무적 의존관계를 제외한, 병행이 가능하다고 판단하는 작업 |
| 상황 | −예산이 충분하거나 여분의 자원이 있을 때<br>−재작업 가능성이나 위험요소가 증가하는 것을 원하지 않을 때 | 예산을 더 투입할 수 없을 때(재작업이 필요하거나 위험이 증가하는 상황 발생 가능) |

## 8. 일정 도구(Schedule tool)

자동화된 일정 도구는 일정 모델을 포함하고 있으며, 일정 네트워크 분석을 사용하여 활동, 네트워크 다이어그램, 자원, 활동 기간 등의 입력을 기반으로 시작 일자와 종료 일자를 생성한다.

◉ 수동 혹은 자동화 도구 사용

**그림 6-11** ◆ 일정 도구 예시

 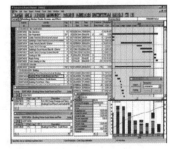 

### 6.6.3 일정 개발 프로세스 산출물

### 1. 일정 기준선(Schedule baseline)

공식적인 변경요청 절차를 통해서만 변경되는 승인된 일정 모델로써, 실제 결과와 비교의 근거가 된다. 승인된 기준선에 의한 시작일, 종료일과 실제 시작일, 종료일을 비교하여 차이분석을 한다.

### 2. 프로젝트 일정(Project schedule)

일정 모델로부터의 다양한 양식의 일정 표현물이다. 서로 연결된 활동들, 계획 일자, 기간, 마일스톤, 자원들을 표현할 수 있다. 프로젝트 일정의 예로는 바 차트(Bar Chart), 마일스톤 차트(Milestone Chart), 프로젝트 일정 네트워크 다이어그램(Project schedule network diagrams) 등이 있다.

### 3. 일정 자료(Schedule data)

일정을 설명하고, 통제하기 위한 정보의 집합체이다. 최소한 일정 마일스톤, 일정 활동들, 활동 속성 및 가정과 전제조건들이 있어야 한다. 자원 요구사항, 대안 일정, 일정 버퍼 등도 필요하다.

### 4. 프로젝트 달력(Project calendars)

일정 계획된 활동들을 위한 작업 일정과 이동이 적절한지 식별하고, 활동들의 프로젝트 일정을 계산하기 위해 서로 다른 작업 기간을 허용하는 하나 이상의 프로젝트 달력을 필요로 한다.

### 5. 프로젝트 관리 계획서 갱신(Project management plan updates)

일정 기준선, 일정 관리 계획서 등을 갱신될 수 있다.

### 6. 프로젝트 문서 갱신(Project documents updates)

활동 자원 요구사항, 활동 속성, 프로젝트 달력, 자원 달력 등의 달력들이 수정될 수 있다.

> 여유시간(TF)은 빠른 시작일과 늦은 시작일 간의 차이로 활동(Activity) 자체가 가지고 있는 여유시간을 의미한다. 반면, 자유시간은 활동과 활동 간의 여유시간을 의미한다.
>
> 주공정 연쇄법은 시험에 직접적으로 일정을 구하는 문제가 아직까지 나온 적은 없다. 주공정 연쇄법이 무엇인지에 대한 정의와 어떤 버퍼들이 있는지 알아두자.

[6.6 일정개발] 프로세스는 프로젝트 일정관리의 주요 산출물을 투입물로 하여 일정 기준선, 프로젝트 일정, 일정 자료, 프로젝트 달력을 작성하는 프로세스이다. 특히, 일정 개발 프로세스는 반복적 작업을 하는 프로세스로 정해진 일정을 완수하는데 필요한 자원들의 투입과 원가를 고려하면서 현재 프로젝트에 적합한 일정 기준선이 무엇인지 시뮬레이션 해야 한다.

| 프로세스 지식영역 | 6.6 일정개발 | | | | | |
|---|---|---|---|---|---|---|
| **4. 통합관리** | | | | | | |
| **5. 범위 관리** | | | | 5.3 범위 정의 | 프로젝트범위기술서 | |
| **6. 일정 관리** | 6.1 일정관리계획 수립 | 6.2 활동정의 | 6.3 활동순서 배열 | 6.4 활동자원 산정 | 6.5 활동기간 산정 | 6.6 일정개발 |
| **7. 원가 관리** | 일정관리계획서 | 활동목록, 활동속성 | 프로젝트일정 네트워크다이어그램 | 활동자원요구사항, 자원분류체계 | 활동기간산정치 | |
| **8. 품질 관리** | | | | | | |
| **9. 인적자원관리** | 9.2 프로젝트팀 확보 | 프로젝트 팀원 배정, 자원달력 | | | | |
| **10. 의사소통 관리** | | | | | | |
| **11. 리스크 관리** | 11.2 리스크식별 | 리스크등록부 | | | | |
| **12. 조달 관리** | 12.2 조달수행 | 자원달력 | | | | |
| **13. 이해관계자 관리** | 기업/조직 | 조직 프로세스 자산 기업 환경요인 | | | | |

[6.6 일정개발]의 산출물은 일정 자료, 일정 기준선, 프로젝트 일정, 프로젝트 달력들이 생성된다. 이 중 일정 자료, 프로젝트 일정, 프로젝트 달력은 일정통제 프로세스의 투입물로 활용되어 일정에 대한 통제의 기준으로 사용된다.

그 외에 원가 산정, 예산 결정, 및 조달관리 계획 프로세스에는 프로젝트 일정이 투입물로 활용된다는 것을 꼭 기억해두자.

| 지식영역 \ 프로세스 | 6.6 일정개발 | | | |
|---|---|---|---|---|
| 4. 통합관리 | | 일정기준선, 프로젝트관리계획서(갱신) | 4.2 프로젝트관리계획 개발 | |
| 5. 범위 관리 | | | | |
| 6. 일정 관리 | 6.6 일정개발 | 프로젝트달력, 일정자료, 프로젝트일정 | 6.7 일정통제 | |
| 7. 원가 관리 | | | 7.2 원가산정 | 7.3 예산결정 |
| 8. 품질 관리 | | 프로젝트일정 | 프로젝트일정 | |
| 9. 인적자원관리 | | 프로젝트문서(갱신) | 프로젝트 문서들 | |
| 10. 의사소통 관리 | | | | |
| 11. 리스크 관리 | | | | |
| 12. 조달 관리 | | 프로젝트일정 | 12.1 조달관리계획 | |
| 13. 이해관계자 관리 | | | | |

## 6.7 일정 통제(Control Schedule)

일정통제 프로세스는 일정 계획과 실적을 비교하고, 승인되지 않은 일정 변경이 일어나지 않도록 일정 기준선에 대한 변경 관리가 목적이다. 다른 통제 프로세스와 유사하며, 기준대비 실적을 비교해서 시정조치, 예방조치 등의 활동을 수행하여 일정에 대한 리스크를 최소화하는 프로세스이다.

일정 통제(Control Schedule) 프로세스의 투입물, 도구 및 기법과 산출물은 다음과 같다.

그림 6-12 ◆ 일정 통제 프로세스의 ITTO

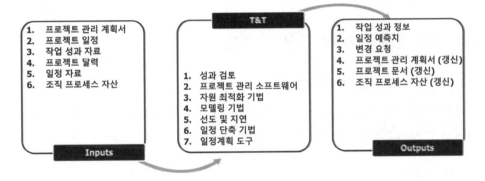

### 6.7.1 일정 통제 프로세스 투입물

**1. 프로젝트 관리 계획서(Project management plan)**

프로젝트 일정 관리 계획서 및 일정 기준선 및 변경관리 계획서 및 형상 관리 계획서가 있는 프로젝트 관리 계획서를 참고한다.

**2. 프로젝트 일정(Project schedule)**

완료된 활동들, 시작된 활동들, 수정된 활동들 등의 프로젝트 일정을 참고하여 성과 검토를 한다.

**3. 작업 성과 자료(Work performance data)**

시작된 활동과 그 활동들의 진행 상태(실제 시간, 남은 기간, 완료율), 그리고 완료 여부 등 프로젝트 진행 상태에 대한 작업 성과 자료를 참고한다.

**4. 프로젝트 달력(Project calendars)**

일정 기준선, 프로젝트 일정 및 작업성과자료를 기반으로 현재의 상태와 미래의 일정을 예측하기 위해 프로젝트 달력을 참고한다.

### 5. 일정 자료(Schedule data)

일정 자료는 일정 통제 프로세스에서 지속적으로 검토되고 통제되어야 한다.

### 6. 조직 프로세스 자산(Organizational process assets)

조직 내에 존재하는 공식 혹은 비공식적인 일정 통제 관련 정책, 절차, 가이드라인들, 일정 통제 도구, 일정 통제에 사용되는 감시 및 보고 도구들을 조직 프로세스 자산의 예이다.

## 6.7.2 일정 통제 프로세스 도구 및 기법

### 1. 성과 검토(Performance reviews)

프로젝트의 일정 진행 상태를 측정하고, 계획과 비교하고 분석하기 위해 추세분석, 주공정법, 주공정연쇄법, 및 획득가치 기법 등을 사용하여 성과를 검토한다.

### 2. 프로젝트 관리 소프트웨어(Project management software)

전문적인 프로젝트 관리 소프트웨어를 사용하면 계획 일정 대비 실제 일정에 대한 추적, 일정 차이 분석 및 보고 및 변경에 따른 일정 예측 기능을 이용할 수 있다.

### 3. 자원 최적화 기법(Resource optimization techniques)

자원 최적화 기법을 사용하여 자원의 가용성과 프로젝트 일정을 고려하여 프로젝트 일정과 자원을 적절히 배분한다.

### 4. 모델링 기법(Modeling techniques)

프로젝트 일정 모델들과 프로젝트 관리 계획서 및 승인된 기준선을 충족시키기 위해 다양한 일정에 대한 시나리오들을 검토한다.

### 5. 선도 및 지연(Leads and Lags)

선도와 지연은 일정 네트워크 분석 시 사용되며, 이는 뒤에 있는 프로젝트 활동들을 계획과 정렬시키는 방법이다.

## 6. 일정 압축 기법(Schedule compression)

늦어진 일정을 만회하기 위해 공정 중첩법이나 공정 압축법 등의 일정 압축 기법을 사용한다.

## 7. 일정 도구(Scheduling tool)

일정 자료들이 수정되고, 일정 모델에 반영되어 프로젝트의 실제 진척 상황과 잔여 작업에 대한 정보를 보여준다.

### 6.7.3 일정 통제 프로세스 산출물

## 1. 작업 성과 정보(Work performance information)

일정차이(SV), 일정성과지수(SPI) 등의 일정 관련 측정 변수들을 문서화하고 이해관계자들에게 전달한다.

## 2. 일정 예측치(Schedule forecasts)

일정 예측치는 성과 검토 시점에서 활용 가능한 일정 상태 정보와 지식을 근거로 프로젝트의 향후 일정을 산정 또는 예상한 결과이다.

## 3. 변경 요청(Change requests)

일정 차이 분석(Schedule variance analysis)의 결과는 일정 기준선을 비롯한, 범위 기준선 및 다른 프로젝트 관리 계획의 요소들을 변경시킬 수 있다.

## 4. 프로젝트 관리 계획서 갱신(Project management plan updates)

일정 기준선, 일정 관리 계획 및 원가 기준선 등이 수정될 수 있다.

## 5. 프로젝트 문서 갱신(Project documents updates)

일정 자료, 프로젝트 일정, 리스크 등록부 등이 수정될 수 있다.

## 6. 조직 프로세스 자산 갱신(Organizational process assets updates)

차이의 원인, 시정 조치, 프로젝트 일정 통제와 관련된 교훈 사항 등이 수정될 수 있다.

[6.7 일정통제] 프로세스는 일정에 대한 작업성과자료(실제 측정 자료), 일정 자료, 프로젝트 일정과 일정 기준선(계획)간의 비교를 통해 향후 프로젝트 일정에 대한 예측을 일정 예측치로 계산하며, 계획대비 실적을 비교한 작업성과 정보를 생성한다.

| 프로세스<br>지식영역 | 6.7 일정통제 | | |
|---|---|---|---|
| 4. 통합관리 | 4.2 프로젝트 관리<br>계획서 개발 | 4.3 프로젝트 작업<br>지시 및 관리 | |
| 5. 범위 관리 | 프로젝트관리계획서 | 작업성과자료 | |
| 6. 일정 관리 | 6.6 일정개발 | 프로젝트달력,<br>일정자료,<br>프로젝트일정 | 6.7 일정통제 |
| 7. 원가 관리 | | | |
| 8. 품질 관리 | | | |
| 9. 인적자원관리 | | | |
| 10. 의사소통 관리 | | | |
| 11. 리스크 관리 | | | |
| 12. 조달 관리 | 조직 프로세스 자산 | | |
| 13. 이해관계자<br>관리 | 기업/조직 | | |

210

일정에 대한 차이가 있는 경우에는 적절한 시정조치와 예방조치를 위해 변경요청을 할 수 있다. 특히, 일정 예측치와 작업 성과 정보는 [4.4 프로젝트 작업 감시 및 통제] 프로세스의 투입물로 활용되어 작업 성과 보고서를 작성하는데 사용된다는 것을 기억해 두자.

| 프로세스<br>지식영역 | 6.7 일정통제 | | |
|---|---|---|---|
| 4. 통합관리 | 4.2 프로젝트 관리<br>계획서 개발 | 4.4 프로젝트 작업<br>감시 및 통제 | 4.5 통합변경통제수행 |
| 5. 범위 관리 | 프로젝트관리계획서(갱신) | 일정예측치,<br>작업성과정보 | 변경요청 |
| 6. 일정 관리 | 6.7 일정통제 | | |
| 7. 원가 관리 | | | |
| 8. 품질 관리 | | | |
| 9. 인적자원관리 | | 프로젝트문서(갱신)　　프로젝트 문서들 | |
| 10. 의사소통 관리 | | 조직 프로세스 자산(갱신)　　기업/조직 | |
| 11. 리스크 관리 | | | |
| 12. 조달 관리 | | | |
| 13. 이해관계자<br>관리 | | | |

# 연습문제

**01** 당신은 프로젝트 관리자이다. 회의 도중에 고객이 요청하기를 이번 프로젝트가 반드시 일정을 단축하여 완료되어야 한다고 주장한다. 이런 경우 당신은 프로젝트 관리자로서 가정 먼저 무엇부터 확인하여야 하나?

① 상급자에게 보고하여 지침을 하달 받는다.
② 프로젝트의 critical path가 많아 프로젝트의 일정을 단축할 수 없다고 통보한다.
③ 고객이 공식적인 변경요청을 하면 무조건 Schedule baseline을 변경하여 일을 진행한다.
④ 팀과 협의하여 주 작업경로(critical path)의 crashing이나 fast tracking과 같은 옵션을 찾아본다.

**02** 프로젝트 일정의 의존관계에 있어서 "소프트웨어 코딩작업이 완전히 끝나야만 소프트웨어를 테스트할 수 있다" 이런 표현은 다음의 의존관계 중 어떤 것에 해당하는가?

① Hard logic
② Soft logic
③ 내부 의존성(Internal dependency)
④ 외부 의존성(External dependency)

**03** 이번 프로젝트는 세 개 이상의 주 작업경로(Critical path)를 가지고 있다. 이런 경우 프로젝트에 미치는 영향은 어떠한가?

① 주 경로에 집중할 수 있어 일정관리가 용이해진다.
② 추가적인 품질관리가 필요하다.
③ 프로젝트의 일정지연의 리스크가 증가될 수 있다.
④ 별 문제가 발생하지 않는다.

**04** 프로젝트 일정관리에서 Network Diagram과 Bar Chart의 큰 차이점은 무엇인가?

① Schedule Tolerance
② Risk Event
③ Node
④ Activity Duration

**05** 당신은 프로젝트 관리자로서 프로젝트 일정지연이 예상될 때 가장 먼저 고려해야 할 사항은 무엇인가?

① Critical Path의 변경
② 인도물에 대한 품질의 기준 변경
③ 병행작업(Parallel work) 검토
④ Scope의 축소

**06** 일정관리에서 일정변경 통제시스템(schedule change control system)을 사용하는 가장 큰 이점은 일정변경 통제시스템이 아래사항 중에서 무엇을 포함하고 있기 때문인가?

① 일정 변경을 승인하는데 필요한 승인 수준
② 일정 성과를 보고하는데 필요한 요구 수준
③ 일정 성과를 측정하는데 필요한 요구 사항
④ 일정 편차의 정도를 측정하는 기준

**07** 프로젝트 일정관리에 있어 프로젝트의 일정을 단축할 수 있는 경우는 언제인가?

① Contingency Reserve가 많이 남아 있는 경우
② 주 공정이(Critical Path) 단축되는 경우
③ Resource leveling을 통한 자원 평준화가 이루어진 경우
④ Workaround를 제때 실행한 경우

**08** 당신은 프로젝트 관리자이다. 프로젝트 일정관리에 있어 팀원이 어떤 인도물에 대한 고객 인도일을 제때에 맞추지 못하여 문제가 발생하였다. 이런 경우 당신은 프로젝트 관리자로서 프로젝트를 정상적으로 만들기 위해 어떤 조치를 취해야 하는가?

① 범위의 축소
② Scope creep을 통한 긴급조치
③ Contingency reserve의 사용
④ 자원 및 Slack Time 개선

**09** 일정관리에 있어서 활동 순서에서 어떤 활동이 slack을 많이 가지고 있는지, 아니면 가장 적은지 분석함으로써 프로젝트 기간을 예측하는 데 사용되는 것은 어떤 일정개발 기법인가?

① CPM(Critical Path Method)
② Critical chain method
③ Resource leveling
④ PERT(Program Evaluation Review Technique)

**10** 일정관리에 있어 활동의 기간 산정에 사용되는 PERT(Program Evaluation Review Technique) Method가 가장 많이 쓰이는 상황은 프로젝트 일정관리에서 어떤 상황에 처해 있는 경우인가?

① 활동들의 상호 관련성이 복잡할 때
② 활동시간 예측을 위한 기준 데이터가 없는 경우
③ 단위 활동기간의 산정이 가능하여 bottom up을 고려할 때
④ 기존에 유사한 프로젝트의 사례가 있을 때

**11** 프로젝트 착수시 계약에 의해 수행되는 활동을 초기에 정의하는 데 가장 중요하게 사용되는 것은?

① SOW(Statement of Work)　　　② Activity list

③ 프로젝트 범위기술서　　　　　④ 요구사항문서

**12** 프로젝트의 일정을 예측하기 어려운 경우에 사용되는 일정 기간 산정 기법은 다음 중 무엇인가?

① CPM(Critical Path Method)

② Critical chain method

③ What if scenario

④ PERT(Program Evaluation Review Technique)

**13** 프로젝트 일정개발에서 일정 단축의 기법으로 활동의 기간을 중첩시켜 기간을 단축하는 방식을 무엇이라고 하는가?

① Crashing

② PERT(Program Evaluation Review Technique)

③ Fast-tracking

④ Lead and lag

**14** 일정개발의 논리적 상관관계에서 활동의 후행작업을 고의로 지연시켜서 연관관계를 만드는 것을 무엇이라고 하는가?

① Lead　　　　　　　　　　　② Lag

③ Hard logic　　　　　　　　　④ Soft logic

**15** 일정관리에서 활동 자원 산정 프로세스의 중요목적은 무엇인가?

① 작업들을 완료하는데 필요한 자원의 비용을 산정하기 위해

② 작업들을 완료하는데 필요한 자원의 기간을 추정하기 위해

③ 작업들을 수행하는데 필요한 실제적 자원들을 결정하기 위해

④ 작업을 수행하는데 필요한 자원들에 대한 예비비 확보를 위해

**16** 활동의 시간을 조정함으로써 활동의 기준시간대비 자원에 대한 부하가 걸리지 않도록 활동의 시간을 조정하는 것을 무엇이라고 하나?

① Resource Leveling　　　　　② Lead and Lag

③ Fast tracking　　　　　　　　④ Crashing

**17** 일정개발의 일정단축기법인 Fast-tracking의 설명으로 가장 타당한 것은?

① 프로젝트의 기간을 단축하기 위해 자원을 투입하여 주 공정 작업의 기간을 집중적으로 줄이는 것
② 활동간의 연관관계를 병행으로 재 배치 함으로써 프로젝트의 기간을 줄이는 것
③ 유능한 자원들을 투입하여 일정을 단축하는 것
④ 자원을 평준화시켜 일정을 단축시키는 방법

**18** 일정관리의 일정개발에서 네트워크 다이어그램을 통한 전진계산(Forward Pass)을 수행하는 가장 주된 이유는 무엇인가?

① 단위활동의 여유시간(Buffer, Float)을 찾아내기 위해
② 단위활동의 Free float를 알아내어 선후행 활동의 여유시간을 찾아내기 위해
③ Critical path를 찾아내어 전체 일정을 계산하기 위해
④ 각각의 활동들의 빠른 착수/완료일을 알기 위해

**19** 마일스톤 차트(milestone chart)가 중요하게 나타내는 것은 무엇인가?

① 활동의 시작일과 완료일에 대한 상세한 보고
② 프로젝트의 여유시간에 대한 보고
③ 주 공정에 대한 일정단축내용에 대한 보고
④ 중요 인도물에 대한 일정의 시작과 완료일의 대한 보고

**20** 다음 표를 참고하여 주경로가 몇 주 걸리는지 계산하시오.

| Activity | Dependency | duration |
| --- | --- | --- |
| A | | 2 |
| B | | 2 |
| C | | 4 |
| D | | 8 |
| E | A, F | 3 |
| F | B | 4 |
| G | C, D, E | 3 |
| H | D, G | 2 |
| I | E | 7 |
| J | G | 6 |

① 16일
② 17일
③ 18일
④ 19일

**21** 20번 문제에서 활동 D와 활동 G간의 자유 시간(Free Float)은 며칠인가?

① 0일                          ② 1일

③ 2일                          ④ 3일

**22** 다음 프로젝트 일정표는 8일의 총 소요기간을 나타내고 있다. 크래싱(Crashing) 기법을 이용하여 프로젝트 전체 기간을 2일 단축하여 총 소요 기간을 6일로 계획하려 한다. A에서 E까지 5개 활동은 모두 존재해야 하며, 활동이 존재할 수 있는 한 모든 활동은 크래싱을 통해 단축될 수 있다. 이때 소요되는 최소의 단축 비용은?

| 활동 | 소요 기간 | 단위 기간당 단축 비용(1일) | 직전 선행 작업 |
|------|-----------|------------------------------|----------------|
| A | 2일 | 800,000 | – |
| B | 1일 | – | A |
| C | 3일 | 500,000 | B |
| D | 2일 | 1,000,000 | C, E |
| E | 3일 | 500,000 | A |

① 100                          ② 130

③ 150                          ④ 180

해설

**01** 고객의 요청에 대해서 프로젝트 관리자는 무조건 수용하는 것이 아니라 팀원들과 함께 변경 요청에 대한 영향력을 검토해야 하며, 이때 일정관리 부분에서는 crashing이나 fast tracking과 같은 기법을 사용할 수 있다.

**02** 활동순서 배열의 입력물인 의존사항에는 의무적 의존사항, 임의적 의존사항, 내부/외부적 의존사항 등의 4가지 유형으로 분류할 수 있다. 의무적 의존사항은 Hard logic라고도 한다. 예를 들어 건물의 경우 1층이 지어지고 나서 2층이 만들어 지는 것과 같이 필수적인 의존관계 흐름이다.

**03** 프로젝트가 여러 개의 주 경로를 가지고 있다는 것은 프로젝트의 일정이 리스크가 많다는 것을 의미한다. 따라서 일정 지연들의 리스크가 증가함을 의미한다.

**04** Gantt 차트라고도 하는 바 차트는 계획수립의 Tool로서 프로젝트의 진행사항이나 상태를 잘 묘사하는 효과적인 진도를 보여주는 Tool이다. 그러나 서로간의 흐름 및 의존관계를 보여주지 못한다. 반면에 네트워크 다이어그램은 노드(node)를 통해 각 활동 간의 논리적인 의존관계(FF, SF, FS, SS)를 잘 도식적으로 나타낸다.

**05** 일정관리의 일정개발프로세스의 도구와 기법에 일정단축기법으로 추가자원이 투입되는 공정단축(Crashing)과 작업을 병행으로 하는 병행작업(Fast tracking)이 있는데, 병행작업기법은 보통 순차적으로 진행될 활동을 병행하여 진행하는 것으로, 추가 자원이 투입되지 않고 일정을 단축할 수 있어 일차적으로 검토하여야 한다.

**06** 일정관리에 있어 일정 변경통제는 프로젝트 일정이 변경될 수 있는 절차를 명시하며, 일정변경 사항의 승인에 필요한 documentation, tracking system 및 변경 승인에 필요한 승인 계층이 포함된다.

**07** 프로젝트 일정단축이 가능한 경우는 The longest path인 Critical path가 단축되는 경우에 가능하다.

**08** 프로젝트 인도일을 놓쳤을 때는 이를 고객이 정식으로 통지하고 영향성을 분석 후, 고객과 협의를 통한 합의일정을 만든 다음에, 프로젝트 일정을 정상적으로 만들기 위해 자원을 재배정을 하거나 float(slack, 여유시간)을 개선하여 변경되는 인도일에 대응하여야 한다.

**09** 일정개발 기법에서 활동의 Buffer(Slack, float)등을 분석하여 단위활동의 여유시간을 분석하고 주 경로를 파악하여 일정을 개발하고 프로젝트 기간을 예측하는데 사용되는 것은 CPM이다.

**10** PERT는 활동의 상호연관성이 복잡할 때 사용한다.

**11** 프로젝트 착수시 작업명세서(SOW, Statement of Work)는 활동을 정의하는데 도움을 준다.

**12** PERT 기법은 활동기간 산정에 있어 기존의 유사데이터가 없거나 예측이 어려운 경우에 불확실성을 가지면서 사용되는 기법이다.

**13** 일정개발에 있어 일정단축 기법에는 대표적으로 Crashing과 Fast tracking이 있다. 이중에서 Fast tracking은 보통 순차적으로 진행될 활동을 병행하여 진행시킨다. 리스크를 수반하지만 추가 자원을 투입하지 않고 일정을 단축하기 때문에 먼저 검토 되어야 한다.

**14** Lag는 후속작업의 고의적으로 지연을 만드는 논리적 관계를 의미한다. 예를 들면, 콘크리트 작업의 경우 작업 후 일정시간이 경과되어야 후행작업(예: 바닥작업)이 가능하기 때문에 고의로 후행작업을 지연시켜야 한다. 그렇게 하지 않으면 문제가 발생한다. 따라서 Lead와 Lag는 자연스러운 활동의 논리적 관계이면 일정의 단축 및 지연 기법과는 다르다.

**15** 활동 자원 산정 프로세스의 목적은 프로젝트의 작업들을 수행하는데 필요한 실제적 자원들을 결정하기 위한 것으로 프로젝트 활동의 수행에 필요한 자원(인력, 장비, 자재)와 수량 등 활동자원을 결정하여 활동자원요구사항을 만드는데 있다.

**16** Resource leveling(자원평준화)은 활동시간의 시기를 조정함으로써 자원에 대한 부하가 걸리지 않도록 하는 것을 의미한다. 자원평준화로 인해 일정이 지연될 수도 있는 단점이 있다.

**17** Fast tracking은 보통 순차적으로 진행될 활동을 병행으로 진행시켜 일정을 단축시키는 기법이다.

**18** Forward Pass을 수행하는 목적은 Early start와 Early finish date를 먼저 찾아내는 것이다. 그래서 Forward pass가 완료되는 프로젝트 전체기간이 산출된다. 그런 다음 Backward pass를 통해 Late start 와 Late finish 가 결정되면, 각 활동별 Buffer, Slack, Float를 알 수 있으면 Critical path를 찾아낼 수 있다.

**19** 마일스톤 차트는 중요 인도물에 대한 시점을 경영층에게 보고하기 좋게 만든 일정 차트이다.

**20** 전진계산 및 후진계산을 통해 주경로를 계산하면 B → F → E → G → J로 18일이 계산된다.

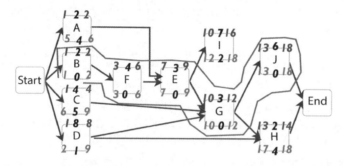

**21** 활동 D와 G간의 Free Float은 1일이다.

**22** 주경로는 A → B → C → D로 8일이 나온다. 2일을 줄여 6일로 만들려면 다음과 같은 조합이 필요하다.
1안 : A:1일, C:1일＝130만원
2안 : A:1일, D:1일＝180만원
3안 : C:2일＝100만원
4안 : C:1일, D:1일＝150만원 이다. 이 중에서 돈이 가장 적게 들어가는 3안을 실행하면 6일이 아닌 7일 나와 1일을 더 줄여야 하는 경우가 발생한다. 답은 1안 130만원이다. 특히, 6일로 크래싱을 한 결과 주경로가 1개가 아니라 2개가 생긴다는 점을 알아야 한다.

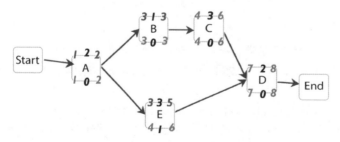

| 정답 | 01.④ | 02.① | 03.③ | 04.③ | 05.③ | 06.① | 07.② | 08.④ | 09.① | 10.① |
| --- | --- | --- | --- | --- | --- | --- | --- | --- | --- | --- |
| | 11.① | 12.④ | 13.③ | 14.② | 15.③ | 16.① | 17.② | 18.④ | 19.④ | 20.③ |
| | 21.② | 22.② | | | | | | | | |

Chapter

## 07

# 프로젝트 원가 관리

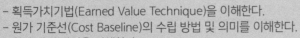

학습목표
- 획득가치기법(Earned Value Technique)을 이해한다.
- 원가 기준선(Cost Baseline)의 수립 방법 및 의미를 이해한다.
- 원가 산정 방식을 이해한다.
- 원가 산정의 정확성이 프로젝트 생애주기별로 어떻게 다른지 이해한다.
- 원가의 종류를 이해한다.

## 들어가며…

프로젝트 원가 관리는 프로젝트 범위 관리 및 일정 관리와 더불어 중요하게 관리해야 하는 영역 중 하나이다. 프로젝트의 범위가 정해지면 고객의 요구사항을 작업분류체계(WBS)로 변환하고, 각 Work package별로 활동(Activity)을 도출한다. 이때 각 Work package별로 도출된 활동들에 대해서 그 활동을 완료하기 위한 장비나 기계 등의 재료비와 인건비 등을 추산하고 합산하여 프로젝트의 예산으로 최종 결정한다.

한국 정보통신산업진흥원 부설 소프트웨어 공학센터에서 발간하는 SW공학백서(2013년도)에 따르면 한국의 IT/SW 산업 분야의 248개 기업의 총 292개 프로젝트를 분석한 결과, 그 중 203개 프로젝트의 비용 준수율은 48.3%, 292개 프로젝트들 중 납기 준수율은 73.9%였고, 비용과 납기를 모두 준수한 프로젝트는 총 292개 프로젝트 중 41.0%였다.

여전히 많은 프로젝트에서 프로젝트의 비용을 준수하는 일은 매우 어렵다고 할 수 있다. 원가 관리가 어려운 이유는 요구사항의 지속적인 변경, 프로젝트 업무에 적합하지 않은 인적자원의 투입, 혹은 재작업이나 품질 문제 등 다양할 것이다. 그러나 프로젝트에서 발생하는 다양한 요인들에 대한 관리가 어렵다고 관리하지 않으면 어떻게 될까? 아마도 추가적인 자원의 투입이나 일정 지연으로 인한 원가 증가, 리스크의 발생으로 인한 처리 비용의 증가 등으로 인해 초기에 산정한 프로젝트의 원가를 초과함으로써 프로젝트가 원가적인 측면에서 결국 실패할 확률이 높을 것이다.

7장 프로젝트 원가 관리 지식영역은 프로젝트의 원가 산정을 어떻게 하며, 향후 어떤 절차로 원가를 관리할지를 계획하고, 개별 활동들에 대한 원가를 산정하며, 산정된 개별 활동에 대한 원가 혹은 Work package별 원가를 합산하여 원가 기준선을 작성한다. 마지막으로 승인된 프로젝트 원가 기준선에 대한 상태를 감시하고 변경을 관리하는 프로세스로 구성되어 있다.

**표 7-1 ← → 프로젝트 원가관리의 프로세스 정의**

| 프로세스 | 프로세스 그룹 | 설명 |
|---|---|---|
| 7.1 원가관리계획 수립 (Plan Cost Management) | P | 프로젝트 원가에 대한 계획, 관리, 추가 예산 신청 및 통제에 대한 정책, 절차 및 문서를 작성하는 프로세스 |
| 7.2 원가 산정 (Estimate Costs) | P | 프로젝트 활동을 완료하기 위해 필요한 자원들의 금전적 추정치를 계산하는 프로세스 |
| 7.3 예산 책정 (Determine Costs) | P | 원가 기준선을 수립하고 승인받기 위해 개별활동 혹은 Work package별 추정된 원가를 합산하는 프로세스 |
| 7.4 원가 통제 (Control Costs) | M&C | 프로젝트 원가 수정을 위해 프로젝트의 상태를 감시하고, 원가 성과 기준선에 대한 변경을 관리하는 프로세스 |

## 7.1 원가관리 계획수립(Plan Cost Management)

[7.1 원가관리 계획수립] 프로세스는 프로젝트 원가에 대한 계획과 관리, 추가예산 신청, 및 원가 통제에 대한 정책과 절차 및 통제 기준을 수립하고 및 문서화하는 프로세스이다. 원가관리 계획 프로세스의 결과물인 원가관리 계획서는 프로젝트의 원가를 관리하기 위한 프로세스들과 함께 원가 관리를 위한 도구와 기법을 기술한다.

특히, 원가에 대한 관리도구로 획득가치기법을 사용한다면 원가관리 계획서를 작성하면서 반드시 원가에 대한 성과 측정 방법과 기준에 대해서 정의해야 한다.

원가관리 계획수립(Plan Cost Management) 프로세스의 투입물, 도구 및 기법과 산출물은 다음과 같다.

그림 7-1 ◆ 원가관리 계획수립 프로세스의 ITTO

| Inputs | T&T | Outputs |
| --- | --- | --- |
| 1. 프로젝트 관리 계획서<br>2. 프로젝트 헌장<br>3. 기업환경요인<br>4. 조직프로세스자산 | 1. 전문가판단<br>2. 분석기법<br>3. 회의 | 1. 원가관리계획서 |

### 7.1.1 원가관리 계획수립 프로세스 투입물

**1. 프로젝트 관리 계획서(Project Management Plan)**

원가 관리 계획서를 작성하기 위해서는 기존에 작성된 프로젝트 관리 계획서 중 다양한 관련 계획서들을 참고한다.

◉ **범위 기준선** : 프로젝트 범위 기술서와 WBS의 원가 산정을 위한 상세정보 참조

◉ **일정 기준선** : 일정 기준선을 참고하여 원가관리 시점과 비용의 발생 시점 정의.

◉ **기타 정보** : 프로젝트 관리 계획서로부터 원가 관련된 일정, 리스크, 품질원가 및 의사소통과 관련된 의사결정들에 대한 정보를 참고하며, 추가적으로 원가 변경에 따른 공식적인 절차를 밟기 위해 변경관리 계획서 및 형상관리 계획서를 참고한다.

## 2. 프로젝트 헌장(Project Charter)

프로젝트 헌장에는 개략적인 예산에 대한 정보가 기술되어 있을 수 있으며, 프로젝트 원가 관리에 영향을 미칠 수 있는 다양한 요구사항들이 정의되어 있을 수 있기 때문에 참고한다.

## 3. 기업환경 요인(Enterprise Environmental Factors)

다음과 같은 기업환경 요인들이 원가관리 계획서 작성에 영향을 줄 수 있다.

◉ 프로젝트의 원가 관리에 대한 조직문화와 조직구조

◉ 프로젝트에 필요한 제품, 서비스 등에 대한 지역 혹은 글로벌 시장 현황

◉ 1개 이상의 국가에서 프로젝트가 진행하는 경우에는 환율에 대한 정보

◉ 표준 품셈표, 소프트웨어 개발자 단가와 같이 상업적으로 만들어진 다양한 원가 관련 기준 정보(인적자원이나 재료 및 장비 등)

◉ 프로젝트 원가 관리를 위한 프로젝트 관리 정보 시스템

## 4. 조직 프로세스 자산(Organizational Process Assets)

다음과 같은 조직 프로세스 자산들이 원가관리 계획서 작성에 영향을 줄 수 있다.

◉ 조직의 원가 통제 절차(필요한 경비와 지출 내역 리뷰, 회계코드, 표준 계약)

◉ 유사 프로젝트나 이전 프로젝트에서 정리된 과거 원가 계획 혹은 통제 관련 정보 및 교훈 사항

◉ 재무 관련 데이터베이스

◉ 원가 산정과 예산 관련 공식 혹은 비공식적 정책, 절차, 지침

## 7.1.2 원가관리 계획수립 프로세스 도구 및 기법

### 1. 전문가 판단(Expert Judgment)

원가관리 계획서 작성시 재무 혹은 원가 관리 전문가들로부터 도움을 받거나 프로젝트 관리자들이 경험한 과거 유사 프로젝트의 환경이나 정보, 경험 등으로부터 도움을 받을 수 있다.

### 2. 분석 기법(Analytical Techniques)

원가관리 계획서에는 프로젝트의 원가를 예측하는 방법이나 프로젝트 자금을 끌어 모으는 방

법들을 기술할 수 있다. 즉, 프로젝트에 필요한 자원들을 구매할 것인지 대여할 것인지 등의 결정에 따라 필요한 자금이 달라진다. 이러한 상황들을 고려하여 4장에서 학습한 회수 기간법(Payback Period), 투자 수익률(ROI), 내부 수익률(IRR), 혹은 순현재가치(NPV) 등 다양한 재무 기법들을 사용할 수 있다.

### 3. 회의(Meeting)

프로젝트 관리자, 프로젝트 스폰서, 이해관계자 등 프로젝트 원가에 책임이 있는 모든 사람들이 회의를 통해 원가관리 계획서를 작성해야 한다.

### 7.1.3 원가관리 계획수립 프로세스 산출물

#### 1. 원가 관리 계획서(Cost Management Plan)

[7.1 원가관리 계획수립] 프로세스의 최종 산출물은 원가관리 계획서이다. 원가관리 계획서는 프로젝트 원가를 계획하고, 구조화하고 통제하는 방법을 설명하는 문서이다. 원가관리 계획서에는 원가관리 프로세스 및 이와 관련된 도구와 기법, 원가 통제 방법과 기준, 원가 성과에 대한 측정방법 등이 상세히 기술되어야 한다. 다음은 원가관리 계획서에 포함되어야 할 항목들이다.

- **측정 단위** : 시간, 거리, 근무 시간, 면적 등의 각 자원의 측정치에 사용할 단위
- **정밀도 수준** : 사용할 통화 단위의 소수점 반내림 혹은 반올림 범위(예 US $100.38을 $100으로 하거나, $99.69를 $100로 함)
- **정확도 수준** : 우발사태에 대한 부분을 포함한 실제 활동 원가 산정치를 결정하는데 사용되는 허용 범위(예 ±20%)
- **조직의 원가관리 절차 연계** : WBS는 원가 산정 및 통제를 위한 틀을 제공하며, 프로젝트 원가를 회계에 연동하는 통제 단위(Control Account)를 설정하여 관리한다. 통제 단위는 고유의 코드가 할당되어 조직의 회계시스템(예 ERP)과 연결된다.
- **통제 한계선** : 프로젝트 원가 감시에서 사용되는 한계선은 일부 작업이 주의할 필요가 있는 경우 허용 가능한 금액의 변화를 알리기 위해 사용되고, 한계선은 일반적으로 원가 기준선에서 비율 편차로 표현한다. 특히, 12장 프로젝트 조달관리에서 나오는 PTA(Point of Total Assumption)가 통제 한계선에 해당할 수 있다. 또한, PTA는 리스크 유발 요인으

로 식별 가능하다.

◉ **성과 측정 기준** : 성과 측정을 위한 획득가치 관리(EVM, Earned value management)에 대한 기준을 설정한다.

◉ 통제 단위의 측정이 이루어질 WBS의 수준(Level)을 정의

　－ 획득가치 측정 기법 수립(가중치가 적용된 마일스톤, 진척률, 고정비율법 등)

　－ 획득가치 기법의 다양한 성과 기준에 대한 설정(예 CPI<0.89, 혹은 0.9<CPI<0.95, CPI>0.96인 경우의 프로젝트 성과 해석과 대응책 마련 등)

　－ 프로젝트 완료 시점 산정치(EAC, Estimate at completion)를 계산하고 예측하기 위해 원가 추적 방법론과 획득 가치 관리 계산 공식을 정의

◉ **보고 형식** : 원가 보고서의 양식과 보고 주기, 원가 변경 승인자 등을 정의

◉ **프로세스 명세서** : 원가 관리 프로세스 각각에 대한 설명을 문서화

◉ **추가 상세 정보** : 원가 관리 활동에 대한 추가 사항의 제약

　－ 프로젝트 자금 조성에 대한 전략적인 선택 대안들에 대한 설명

　－ 환율 변동에 대한 보고 절차

　－ 프로젝트 원가 기록절차

프로젝트의 원가관리 계획서를 작성하기 위해서는 우선, 다른 계획 프로세스에서 작성한 관리 계획서 중 범위 기준선이나 일정 기준선 및 기타 관리 계획서들을 참고하고, 프로젝트의 예산에 대한 개략적인 정보가 있는 프로젝트 헌장을 참고한다. 또한, 과거 유사 프로젝트에서의 원가 관리에 대한 교훈 사항이나 프로젝트에서 필요한 재료들의 국제 환율 등의 기업 환경 요인을 고려함과 동시에 조직 내 원가 계획서 템플릿이나 원가 관리 계획 및 절차 등을 고려해야 한다.

프로젝트 관리 계획서와 프로젝트 헌장, 기업 환경요인 및 조직 프로세스 자산 등을 전체적으로 참고하여 다양한 원가 분석 기법(NPV, IRR, ROI, Payback Period, BCR 등)을 통해 원가에 대한 전략적인 방향과 대안을 설정하고, 원가 관리 전문가 나 유능한 프로젝트 관리자들과 함께 회의를 통해 프로젝트 원가관리 계획서를 작성한다.

| 프로세스 / 지식영역 | 7.1 원가관리계획 수립 | | |
|---|---|---|---|
| 4. 통합관리 | 4.1 프로젝트 헌장 수립 | 4.2 프로젝트 관리 계획서 개발 | |
| 5. 범위 관리 | 프로젝트헌장 | 프로젝트관리계획서 | |
| 6. 일정 관리 | | | |
| 7. 원가 관리 | | | 7.1 원가관리계획 수립 |
| 8. 품질 관리 | | | |
| 9. 인적자원관리 | 기업/조직 | 조직 프로세스 자산 기업 환경요인 | |
| 10. 의사소통 관리 | | | |
| 11. 리스크 관리 | | | |
| 12. 조달 관리 | | | |
| 13. 이해관계자 관리 | | | |

작성된 원가관리 계획서는 7장 원가산정 프로세스와 예산책정 프로세스가 계획대로 수행될 수 있도록 사용되며, 11장 리스크 식별 프로세스에서는 원가 산정에서 리스크 요인은 없는지 식별하기 위해 활용되고, 정량적 리스크 분석 수행 프로세스에서 민감도 분석이나 몬테카를로 시뮬레이션 혹은 금전적 기대가치 기법을 사용하여 원가에 대한 영향을 확률적으로 분석하는데 활용된다.

| 프로세스 지식영역 | 7.1 원가관리계획 수립 |
|---|---|
| **4. 통합관리** | |
| **5. 범위 관리** | |
| **6. 일정 관리** | |
| **7. 원가 관리** | |
| **8. 품질 관리** | |
| **9. 인적자원관리** | |
| **10. 의사소통 관리** | |
| **11. 리스크 관리** | |
| **12. 조달 관리** | |
| **13. 이해관계자 관리** | |

표 내부 다이어그램:
- 7.1 원가관리계획 수립 → 원가관리계획서 → 7.2 원가산정
- 7.1 원가관리계획 수립 → 원가관리계획서 → 7.3 예산책정
- 7.1 원가관리계획 수립 → 원가관리계획서 → 11.2 리스크 식별
- 7.1 원가관리계획 수립 → 원가관리계획서 → 11.4 정량적 리스크분석 수행

Memo

## 7.2 원가 산정(Estimate Costs)

[7.2 원가 산정] 프로세스는 프로젝트 활동을 완료하는데 필요한 자원의 금전적인 근사치를 추정하는 프로세스이다. 즉, 프로젝트의 작업들을 완료하는데 필요한 개별 원가를 추정하고 결정한다.

완료되지 않은 프로젝트의 각 활동들과 전체 소요 예산을 산정하는 것은 매우 어려운 일이다. 따라서 프로젝트의 특정 시점에서 확인된 정보를 기준으로 프로젝트의 소요 원가를 그때그때 예측하게 된다. 이때, 인적자원이나 재료 등을 구매할 것인지 대여할 것인지 등의 대안 고려와 품질이나 리스크 등에 대한 고려도 함께 해야 한다.

프로젝트의 원가는 프로젝트의 시작 시점에는 완벽한 원가 산정을 위한 충분한 정보가 없기 때문에 개략적인 산정이 가능하지만, 프로젝트를 점차 진행하면서는 상세한 정보들이 파악되고 분석 가능하게 됨으로써 구체적인 원가 산정이 가능하다. 원가 산정에 대한 추정의 정확도는 아래의 표와 같다.

| 표 7-2 ⟵ ⟶ 원가 추정의 유형 | |
| --- | --- |
| 추정의 유형 | 정확도 |
| 개략적 규모 산정(ROM, Rough Order of Magnitude) | −25% ~ +75% |
| 예산적 규모 산정(Budgetary) | −10% ~ +25% |
| 확정적 규모 산정(Definitive) | −5% ~ + 10% |

프로젝트의 생애주기에 따라 프로젝트의 원가 예측의 정확도를 표현한 것이다. 주의 할 점은 원가 추정 유형은 원가 산정 방법이 아니라는 것이다. 이는 여러분이 추정한 원가가 어느 정도의 정확도를 가질 것이니 참고하라는 정도이다.

그림 7-2 ◆ 원가 산정 프로세스의 ITTO

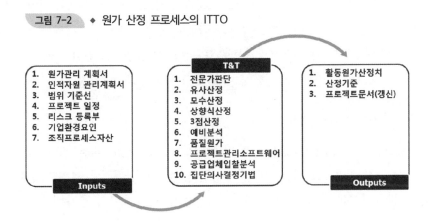

원가 산정(Estimate Costs) 프로세스의 투입물, 도구 및 기법과 산출물은 위와 같다.

## 7.2.1 원가 산정 프로세스 투입물

### 1. 원가관리 계획서(Cost Management Plan)

원가관리 계획서는 프로젝트에 대한 원가 산정 기준, 절차, 방법, 승인 절차 등이 정의되어 있기 때문에 참고한다.

### 2. 인적자원관리 계획서(Human Resource Management Plan)

원가 산정을 위해서는 프로젝트에 투입되는 팀원의 속성, 인건비, 성과에 대한 보상, 복리후생비, 교육훈련비 등의 정보가 있기 때문에 참고한다.

### 3. 범위 기준선(Scope Baseline)

원가 산정의 대상이 무엇일까 생각해보면 범위 기준선이 왜 투입물이 되는지 이해할 수 있다. 프로젝트에서 중요한 것은 인도물이다. 따라서 어떤 인도물을 만들어야 하는지 파악이 되어야, 그 인도물을 만들 재료비와 인건비를 산정할 수 있다.

범위 기준선에는 외부 계약이나 법률 사항, 보험, 지식 재산권 사용, 라이선스 등에 대한 것도 포함되므로 이들에 대한 원가 계산도 포함되어야 한다.

### 4. 프로젝트 일정(Project schedule)

만약 고급 인력이 3일에 300만원으로 작업을 완료할 수 있는데, 고급 인력의 투입 일정 제약 사항으로 투입되지 못할 경우, 중급 인력으로 교체해야 하고, 중급 인력으로 작업을 하면 6일에 250만원이 소요될 수 있다. 따라서 프로젝트 작업을 완료하기 위한 자원의 속성과 투입 기간은 프로젝트 원가 결정의 중요한 요소이므로 프로젝트 일정을 참고한다. 또한, 품질 관리 측면에서 직원의 교육 훈련 비용이나 시점에 대해서 고려해야 한다.

### 5. 리스크 등록부(Risk Register)

11장에서는 프로젝트의 리스크에 대해서 학습하는데, 프로젝트 팀이 식별한 프로젝트 리스크별로 부정적 혹은 긍정적 리스크 대응 전략을 수립한다. 따라서 긍정적인 리스크 혹은 부정적 리스크에 대한 대응 전략을 수립한다는 것은 일정의 추가 혹은 비용의 추가를 의미할 수 있다.

예를 들어, 부정적 리스크에 대한 대응전략으로 보증보험 가입을 전략으로 세웠다고 가정하자. 프로젝트 관리자는 보험가입을 범위에 포함시킬 것이다. 범위에 포함된다는 것은 WBS에 work package가 추가되고, WBS사전도 작성해야 한다. 그 후에는 보험 가입에 대한 활동들을 도출하여 각 활동별로 담당인력과 활동기간을 예측해야 한다. 마지막으로 담당인력과 활동기간이 확정되면 원가가 산출될 것이다.

## 6. 기업환경요인(Enterprise environmental factor)

다음과 같은 기업환경 요인들이 원가 산정에 영향을 줄 수 있다.

- **시장 여건** : 제품, 서비스, 결과물을 구입할 때 어떤 조건과 규정을 따르는지 알 수 있으며, 국제적인 공급과 수요의 상황이 자원의 원가에 상당히 큰 영향을 줌
- **출간된 상용정보** : 표준 품셈과 같이 기술 능력별로 인건비 혹은 재료의 표준 단가를 상용으로 출간한 데이터베이스나 공급자의 표준 공급가 등

## 7. 조직프로세스 자산(Organizational process assets)

다음과 같은 기업환경 요인들이 원가 산정에 영향을 줄 수 있다.

- 원가 산정 정책
- 원가 산정 템플릿
- 과거 유사 프로젝트의 정보
- 교훈 사항

## 7.2.2 원가 산정 프로세스 도구 및 기법

### 1. 전문가 판단(Expert Judgment)

과거 유사 프로젝트를 진행한 경험이 있는 전문가 혹은 원가 산정 전문가들이 프로젝트의 환경이나 상황 혹은 정보를 기반으로 프로젝트의 원가 산정에 도움을 줄 수 있다.

### 2. 유사산정(Analogous Estimating)

유사 산정은 하향식 산정(Top-down estimating)이라고도 하며, 과거 경험한 유사 프로젝트의 실제적인 범위, 원가, 예산 및 기간을 기반으로 현재 프로젝트의 규모, 가중치 및 복잡도를 고려

하여 프로젝트의 원가를 산정하는 방법이다. 따라서 과거 유사 프로젝트에 대한 정보나 전문가 판단을 사용하여, 프로젝트에 대한 상세한 정보가 불충분한 프로젝트 착수 시점에서 사용할 수 있는 산정 방법이다.

다른 산정 방법과 비교하면 유사산정은 비용이나 시간이 많이 들어가지 않지만, 그만큼 부정확하기도 하다. 유사 산정은 프로젝트 전체 혹은 특정 부분에 대해 적용할 수 있으며, 다른 산정 기법과 혼용하여 사용하기도 한다.

### 3. 모수 산정(Parametric Estimating)

모수는 변수라는 말이다. 따라서 모수 산정은 프로젝트의 규모, 인력, 예상되는 공수, 프로젝트의 복잡도 등 다양한 변수들을 기반으로 간단한 계산 공식의 적용부터 복잡한 수학적 알고리즘을 통한 산정까지 다양하다.

대표적으로 소프트웨어 개발 원가 산정 방법에는 소프트웨어 기능점수(Function Point)나 COCOMO II(Constructive Cost Model II) 등이 있고, parametric modeling의 한 형태인 회귀 분석(Regression Analysis)이 있다.

### 4. 상향식 산정(Bottom-Up Estimating)

상향식 산정은 개별 Work package 또는 활동의 원가를 먼저 산정한 후 상위 수준으로 올라가면서 합산하는 방식이다. '유사 산정'과 반대 개념으로 볼 수 있으며, 정확도가 높다. 상향식 산정의 원가와 정확성은 개개 활동이나 작업 패키지의 규모와 복잡성에 따라 달라지게 되며, 프로젝트 팀이 해당 프로젝트나 업무에 대해서 잘 알고 있는 경우에 사용할 수 있다.

### 5. 3점 산정(Three-Point Estimating)

3점 산정은 불확실성과 리스크를 고려하여 최빈치, 낙관치, 비관치의 3개 추정치를 사용하여 산정치의 정확도를 향상시킬 수 있다. 3가지 추정치에 대한 설명은 다음과 같다.

- **최빈치**(Most likely, ML) : 필요한 작업에 대한 가장 근사치인 원가
- **낙관치**(Optimistic, O) : 필요한 작업을 최상으로 완료할 때의 원가
- **비관치**(Pessimistic, P) : 필요한 작업을 최악으로 완료할 때의 원가

3개의 추정치로 계산하는 원가 방식은 삼각 분포와 베타 분포가 있다. 그 중 가장 많이 사용하는 것은 베타분포로 아래의 베타분포 공식은 반드시 외우도록 하자.

◉ **삼각 분포** : $cE = (O+ML+P) / 3$

◉ **베타 분포** : $cE = (O+4ML+P) / 6$

◉ **베타분포에서의 표준편차 구하기** : $(P-O) / 6$

## 6. 예비 분석(Reserve Analysis)

프로젝트의 원가 산정에 대한 불확실성에 대비하여 우발사태 예비비(contingency reserve)를 설정한다. 예비비는 리스크 식별 후 리스크 대응 활동을 위해 할당되며, 이때 예비비는 원가 기준선에 포함된다. 예비비의 산정은 고정된 특정한 원가 값을 넣거나 원가 산정 비용의 몇 퍼센트(%)를 지정하여 책정하기도 한다.

또한, 프로젝트가 점진적으로 구체화되면서 우발사태 예비비를 사용하거나, 줄이거나 혹은 아예 제거할 수도 있다.

**1. 사업 측면의 우발사태 예비비(Contingency Reserve)**

- 설정된 프로젝트 범위 내에서 발생할 수 있는 상황에 대응하기 위한 예비비
- Known-Unknown : 파악하고 대비했지만, 언제 발생할지 모르는 것(예 생산성 저하로 인건비 증가, 재작업, 물량차이, 가격 변동 등)
- 리스크에 대한 예비비로 산정하며, 원가 기준선에 포함
- 우발사태 예비비는 프로젝트 관리자가 사용에 대한 승인을 받지 않고 사용할 수 있는 금액임.

**2. 경영 측면의 관리 예비비(Management Reserves)**

- 프로젝트 범위 내에서 예측하지 못한 작업의 관리 통제를 위한 예비비
- Unknown-Unknown : 무엇이 발생할지 언제 발생할지 모르는 것
- 원가 기준선에는 포함되지 않음.
- 사용을 위해서는 스폰서나 이해관계자의 승인이 필요함.

## 7. 품질 비용(Cost of Quality)

프로젝트와 인도물에 대한 품질을 높이기 위해서는 다양한 비용들이 들어가게 되는데, 이를 품질 비용이라 한다. 품질 비용에는 직원에 대한 교육 비용, 인도물에 테스트 비용, 프로토타입 제작비용 등 다양한 예방 비용, 평가 비용, 실패 비용이 소요된다. 즉, 프로젝트에서 인도물의 품질향상을 위해 직원에 대한 품질 교육이 필요한지, 테스트 장비는 어떤 것이 필요한지, 테스트 비용 및 횟수에 따라 품질비용에 차이가 있다. 품질 비용에 대한 상세한 내용은 8장 프로젝트 품질 관리에서 자세히 설명하였다.

## 8. 프로젝트 관리 소프트웨어(Project Management Software)

프로젝트 관리 소프트웨어는 복잡한 원가산정 기법들을 손쉽게 사용할 수 있도록 하였기 때문에 수작업으로 하기 힘든 원가산정 시 큰 도움을 받을 수 있다.

## 9. 판매자 입찰분석(Vendor bid analysis)

만약, 프로젝트에서 외부 공급자들을 사용하는 경우 이들이 제안한 입찰 가격을 참고하여 프로젝트의 전체 혹은 조달하고자 하는 프로젝트 업무의 일부분에 대한 원가 추정치를 파악할 수 있다.

예를 들면, 원가 산정시 특정 Work package에 대해서 프로젝트 팀 내부에서 제작-구매 결정(Make-or-Buy Decision)을 통해 구매하기로 결정하였다면, 조달 관리에서는 제안요청서(Request for Proposal)를 작성하여 외부 공급자에게 제안을 요청한다. 제안 요청을 받은 외부 공급자들은 제안서(Proposal)을 작성하여 제출하면서 해당 제안에 대한 적절한 프로젝트 금액을 제시한다. 그 중에서 우선협상대상자로 선정된 공급자의 입찰 금액이 해당 WBS 혹은 Work package의 예상 원가가 된다.

## 10. 집단의사결정 기법(Group decision-making techniques)

집단의사결정 기법은 [5.2 요구사항 수집] 프로세스에서 설명한 것처럼 여러 이해관계자들간 합의된 의견을 도출하기 위해 사용한다. 집단의사결정 기법으로는 다음의 4가지가 있다.

- ◉ **만장일치**(Unanimity) : 모든 사람이 한 가지 의견에 동의하고 결정
- ◉ **과반수**(Majority) : 구성원의 50% 이상이 동의
- ◉ **다수결**(Plurality) : 구성원의 50%가 안 되더라도 가장 많은 수의 의견으로 결정
- ◉ **단독결정**(Dictatorship) : 한 사람의 의견으로 결정

### 7.2.3 원가 산정 프로세스 산출물

#### 1. 활동 원가 산정치(Activity cost estimates)

원가 산정은 각 활동에 대한 원가를 산정하는 것이므로 당연히 그 산출물은 각 활동 수행을 위해 필요한 재료와 자원의 원가를 수치적으로 계산한 결과값이 산출된다. 이 활동원가 산정치는 12장의 조달계획 수립 프로세스에서 활용된다는 것도 알아두자.

#### 2. 산정 기준(Basis of Estimates)

만약, 여러분이 CEO나 스폰서에게 이번 프로젝트의 원가는 5억이라고 보고한다면, CEO는 그 5억이 어떻게 나왔는지에 대한 설명을 요구할 것이다. 따라서 프로젝트의 원가 산정에 참고한 근거 자료를 문서화하여야 한다.

- 산정의 기준을 서술한 문서(예 표준품셈이나 기능점수표 등)
- 모든 가정 사항을 서술한 문서
- 다양한 제약 조건을 서술한 문서
- 가능한 산정의 범주를 표시(예 5억이며 ±5% 내에서 완료 예상)
- 최종 산정의 신뢰 수준 표시(예 5억으로 완료할 확률은 95%)

#### 3. 프로젝트 문서 갱신(Project Document Updates)

리스크 등록부, 활동원가 산정치, 활동자원 요구사항, 원가 예측치와 같은 프로젝트 문서들이 수정될 수 있다.

## 원가의 종류

- **고정비(Fixed Cost)** : 조업도操業度의 변동에 관계없이 고정적으로 발생되는 비용임. 고정자산의 감가상각비, 보험료, 지대, 제세공과, 임대료 등이 이에 속함.
- **변동비(Variable Cost)** : 조업도操業度의 변동에 따라 변하는 비용임. 자재, 납품, 임금 등이 속함.
- **직접비용(Direct Cost)** : 자재원가, 직접 인건비, 프로젝트 경비, 팀 교육 등 직접적으로 생산 및 프로젝트에 투입된 비용임.
- **간접비용(Indirect Cost)** : 보험, 세금, 관리비, 특별 급여 등 부가적으로 발생된 비용들임.
- **한계원가(Marginal Cost)** : 현 총 생산량에다 한 단위 추가 생산 시 필요한 원가임.
- **매몰비용(Sunk Cost)** : 이미 발생하여 회수가 불가능한 비용으로, 투자에 대한 평가 시 고려하지 않음.
- **기회비용(Opportunity Cost)** : 특정 대안 선택 시 다른 대안을 포기함으로써 상실한 이익임. 예를 들면 A를 택할 시는 5억원, B를 택할 경우 8억원이라는 수익이 발생한다고 하면 B를 택하고 A를 포기할 경우의 기회비용은 5억원임.
- **불변 가격(Constant Value)** : 특정 시점의 가격으로 인플레이션을 제외한 가격
- **경상 가격(Current Value)** : 인플레이션이 고려된 시장 가격

## 학습 곡선(Learning Curves)

동일한 작업에 대해 경험이 높아질수록 단위당 생산 시간이 지수 함수적으로 감소함을 의미함. 즉 작업에 대해 경험이 높아진다는 것은 그 작업에 숙련이 된다는 것이며 결국에는 작업에 대한 학습이 된다는 것임. 따라서 자원들이 특정 작업에 대해 학습이 되었는가 되지 않은가는 사업 계획을 수립하고 인력소요를 예측하는데 도움이 되고, 고가 제품을 다량 발주할 때 중요한 역할을 하기도 하며, 생산 계획 수립시 자재의 원활한 조달과 공급 물량 산정에도 도움이 됨.

## 수확체감의 법칙(Law of Diminishing Returns)

한 성분을 증가시켜 가면 단위 투입량에 대한 수확량이 점점 증가하여 극대점에 이르렀다가 이 적정 투입량보다 더 많이 투입하면 수확량이 오히려 점차 감소하는 법칙임.

각각의 활동에 대한 활동원가 산정치와 산정기준을 만들기 위해서는 원가산정 대상이 있어야 한다. 그 산정 대상은 범위 기준선, 인적자원 관리 계획서, 리스크 등록부이다. 산정 대상을 기반으로 프로젝트 일정과 기업환경요인 및 조직프로세스자산을 참고하여 원가관리계획서에서 정의한 방법, 절차대로 원가를 산정한다.

| 프로세스 / 지식영역 | 7.2 원가산정 |
|---|---|
| 4. 통합관리 | |
| 5. 범위 관리 | 5.4 WBS작성 ──범위기준선── |
| 6. 일정 관리 | 6.6 일정 개발 ──프로젝트일정── |
| 7. 원가 관리 | 7.1 원가관리계획 수립 ──원가관리계획서──▶ 7.2 원가산정 |
| 8. 품질 관리 | |
| 9. 인적자원관리 | 9.1 인적자원관리 계획 수립 ──인적자원관리계획서── |
| 10. 의사소통 관리 | |
| 11. 리스크 관리 | 11.2 리스크식별 ──리스크등록부── |
| 12. 조달 관리 | |
| 13. 이해관계자 관리 | 기업/조직 ──조직 프로세스 자산 / 기업 환경요인── |

추가적으로 살펴봐야 할 것은 활동원가 산정치가 [6.4 활동자원 산정], [11.2 리스크 식별] 및 [12.1 조달관리계획 수립]
프로세스의 투입물로 사용된다는 것이다. [6.4 활동자원 산정] 프로세스에서 활동원가 산정치는 활동원가에 맞는 자원을 선택하는데 도움을 준다. [11.2 리스크 식별] 프로세스에서 활동원가 산정치는 해당 활동을 완료하는데 산정한 원가가 충분한
지 여부를 예측하는데 도움을 준다. [12.1 조달관리계획 수립] 프로세스에서 활동원가 산정치는 판매자가 제출한 제안서의
타당성을 평가하는데 도움을 준다.

| 지식영역＼프로세스 | 7.2 원가산정 | | |
|---|---|---|---|
| 4. 통합관리 | | 프로젝트 문서(갱신) → | 프로젝트 문서들 |
| 5. 범위 관리 | | | |
| 6. 일정 관리 | | 활동원가산정치 → | 6.4 활동자원 산정 |
| 7. 원가 관리 | 7.2 원가산정 | 산정 근거, 활동원가산정치 → | 7.3 예산책정 |
| 8. 품질 관리 | | | |
| 9. 인적자원관리 | | | |
| 10. 의사소통 관리 | | | |
| 11. 리스크 관리 | | 활동원가산정치 → | 11.2 리스크식별 |
| 12. 조달 관리 | | 활동원가산정치 → | 12.1 조달관리계획 수립 |
| 13. 이해관계자 관리 | | | |

## 7.3 예산 책정(Determine Budget)

예산 책정은 추정된 개별 활동이나 작업 패키지의 원가를 집계하고 검토함으로써 프로젝트의 원가 기준선(Cost Baseline)을 수립하고 승인 받기 위한 프로세스이다. 원가 기준선을 수립함으로써 프로젝트 성과에 대한 감시 및 통제가 가능하다.

예산 결정(Determine Budget) 프로세스의 투입물, 도구 및 기법과 산출물은 다음과 같다.

그림 7-3 ◆ 예산 책정 프로세스의 ITTO

### 7.3.1 예산 책정 프로세스 투입물

**1. 원가관리 계획서(Cost Management Plan)**

프로젝트의 예산 확정을 위한 대상물, 예산 책정 절차와 방법, 및 승인자에 대해 기술되어 있기 때문에 참고한다.

**2. 범위 기준선(Scope Baseline)**

프로젝트 범위 기술서, WBS, WBS Dictionary를 다시 검토하면서 원가산정과 예산책정시 빠진 부분은 없는지 혹은 잘못 산정된 것은 없는지를 확인한다. 특히, 프로젝트 범위 기술서에 자금 사용에 대한 제약 조건이 있는지 다시 확인한다.

**3. 활동 원가 산정치(Activity Cost Estimates)**

예산 책정을 위해서 각 Work package 내의 활동별로 산정한 원가를 다시 검토하며, 최종적으로 합산하여 Work package에 대한 원가를 추정한다.

### 4. 산정 기준(Basis of Estimates)

원가 산정시 가정 사항이나 제약 조건 등이 기술된 산정 기준에 문제가 없는지 다시 검토하고 참고한다.

### 5. 프로젝트 일정(Project Schedule)

프로젝트 관리 계획서의 일부인 프로젝트 일정은 프로젝트 활동들의 계획된 시작일자와 완료 일자, 마일스톤, Work package, 통제 단위를 포함하기 때문에 이러한 정보들은 각각의 프로젝 트 자금 조달 시점을 계획하고, 자금 조달 시점까지 필요한 프로젝트 원가를 합산하는 데 유용 하게 쓰일 수 있다.

### 6. 자원 달력(Resource Calendars)

어떤 자원이 프로젝트에 배정되었고 어느 기간 동안 투입되는지에 대한 정보를 제공하기 때문 에 자원의 원가를 최종적으로 확인할 수 있다.

### 7. 리스크 등록부(Risk register)

리스크 등록부에는 리스크 발생에 대한 대응 활동 및 대응 활동에 대한 원가 산정이 적절한지 살펴봐야 한다.

### 8. 협약(Agreements)

프로젝트의 필요에 의해 외부 공급자를 통해 구매한 제품, 서비스 또는 결과물과 관련된 계약 서 정보 및 계약 원가는 예산을 결정할 때 포함된다.

### 9. 조직 프로세스 자산(Organization Process Assets)

다음과 같은 조직 프로세스 자산들이 예산 책정 프로세스에 영향을 줄 수 있다.

- ◎ 공식, 비공식 예산 결정과 관련된 정책, 절차, 혹은 지침
- ◎ 예산 책정 도구
- ◎ 예산 보고 방법

## 7.3.2 예산 책정 프로세스 도구 및 기법

## 1. 원가 합산(Cost Aggregation)

각 Work package의 원가들을 합산하면 상위 WBS의 원가가 된다. 이러한 방식으로 계속 원가를 합산하면 최종적으로는 프로젝트 전체에 대한 예산을 계산할 수 있다.

## 2. 예비비 분석(Reserve Analysis)

원가 산정시 고려했던 우발사태 예비비(Contingency Reserve)와 관리 예비비(Management Reserve)를 다시 살펴보고 결정한다.

## 3. 전문가 판단(Expert Judgment)

수행 조직 내 다른 부문, 컨설턴트, 고객을 포함한 이해 관계자 혹은 전문가와 기술인 협회, 산업 전문가 그룹 등의 전문가들이 예산 책정에 도움을 줄 수 있다.

## 4. 선례 관계(Historical Relationships)

프로젝트의 특성을 이용하여 전체 프로젝트 원가를 예측할 수 있는 수학적 모델을 개발하는데 유사 산정 혹은 모수 산정의 과거 결과들을 이용할 수 있다. 선례 관계를 이용한 유사 혹은 모수 산정 모델은 다음과 같은 경우 더욱 신뢰할 수 있다.

- ◉ 모형을 개발할 때 사용한 선례 정보가 정확한 경우
- ◉ 모형에 사용된 모수를 수치적으로 쉽게 정량화할 수 있는 경우
- ◉ 프로젝트 단계, 규모에 관계없이 적용할 수 있는 모델을 쉽게 확장할 수 있는 경우

## 5. 자금 한도 조정(Funding Limit Reconciliation)

자금의 지출이 계획한 대로 집행 된다면 좋겠지만, 자금의 한도와 지출해야 하는 비용간에 차이가 발생할 수 있다. 이러한 경우에는 자금 지출의 평준화를 위해서 작업의 시작일을 변경하거나 다음 분기의 자금을 미리 당겨서 사용하는 등의 자금 한도를 조정해야 한다.

### 7.3.3 예산 책정 프로세스 산출물

## 1. 원가 기준선(Cost Baseline)

원가 기준선은 각 활동별로 산정된 원가들을 활동의 시간 흐름에 맞추어 합산하고 누적하여

작성한 선(Line)이며 반드시 고객의 승인을 받아야 한다. 이 원가 기준선은 향후 프로젝트 진척 통제의 기준이 되지만, 관리 예비비는 포함하지 않는다.

## 2. 프로젝트 자금 요구사항(Project Funding Requirements)

원가 기준선을 기반으로 프로젝트 자금 요구사항을 도출한다. 프로젝트 자금 요구사항은 계획된 원가와 예상되는 비용을 합산하여 프로젝트 시점별로 균일하게 배분하여 주기적으로 요청하거나, 원가 기준선을 기반으로 계획된 자금을 요청할 수 있다.

## 3. 프로젝트 문서 갱신(Project Documents Updates )

예산을 책정하면서 리스크 등록부, 원가 산정치, 프로젝트 일정 등과 같은 프로젝트 문서들이 수정될 수 있다.

### 원가 기준선(Cost Baseline)

원가 기준선을 수립하기 위한 절차를 다시 설명하면, 범위 기준선에서 식별된 각 활동(Activity) 들을 완료하는데 필요한 자원들의 속성과 투입 기간을 결정한다. 그 후에 활동별로 필요한 자원과 기간을 고려하여 원가를 산정하게 되면 위의 그림에서 보는 바와 같이 프로젝트의 기간별로 필요한 프로젝트 원가와 우발사태 예비비들을 합산한 금액이 쌓이게 된다.

각 합산된 금액을 하나의 선(Line)으로 이으면 "S" 모양의 선이 나타나게 된다. 이를 이름하여 S-curve라고 한다. 이 원가 기준선에는 우발상태 예비비는 포함되지만, 관리 예비비는 포함되지 않는다.

그러나 원가 기준선에 관리 예비비를 포함하면 계약을 위한 원가(Contract Cost)가 되며, 여기에 계약에 대한 이익을 포함하면 계약 금액(Contract Price)이 된다.

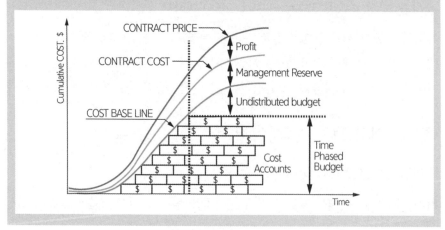

[7.3 예산 책정] 프로세스는 최종적으로 프로젝트의 예산을 확정하고, 이를 토대로 프로젝트 진척 통제의 기준이 되는 원가 기준선(Cost Baseline)을 작성하고, 원가 기준선을 토대로 프로젝트의 시점별로 얼마만큼의 예산이 필요한지 계산하여 특정 프로젝트의 시점이 되기 전에 미리 미리 자금을 청구할 수 있다.

이러한 원가 기준선과 프로젝트 자금요구사항을 작성하기 위해서는 정해진 절차와 방법대로 해야 하기 때문에 원가 관리 계획서를 참고하고, 예산 결정의 대상이 되는 원가 산정 프로세스의 산출물인 활동원가 산정치와 산정 기준을 대상으로 제대로 산정했는지 범위 기준선, 프로젝트 일정, 자원 달력, 리스크 등록부 및 협약 등을 참고하여 다시 검토한다.

산정된 활동 원가들이 이상이 없다면 원가 합산을 통해 원가 기준선을 작성한다. 원가 기준선 작성시 각 활동별 예비비의 산정과 각 프로젝트 생애주기별로 자금 조달에 문제가 없는지를 살펴서 문제가 있다고 판단되면 활동의 일정을 조정함으로써 자금에 대한 한도를 조정한다.

| 프로세스 / 지식영역 | 7.3 예산책정 | | |
|---|---|---|---|
| 4. 통합관리 | | | |
| 5. 범위 관리 | 5.4 WBS작성 | 범위기준선 | |
| 6. 일정 관리 | 6.6 일정 개발 | 프로젝트일정 | |
| 7. 원가 관리 | 7.1 원가관리계획 수립 | 7.2 원가산정 | 7.3 예산책정 |
| 8. 품질 관리 | 원가관리계획서 | 산정근거, 활동원가산정치 | |
| 9. 인적자원관리 | 9.2 프로젝트팀 확보 | 자원달력 | |
| 10. 의사소통 관리 | | | |
| 11. 리스크 관리 | 11.2 리스크 식별 | 리스크등록부 | |
| 12. 조달 관리 | 12.2 조달수행 | 자원달력, 협약 | |
| 13. 이해관계자 관리 | 기업/조직 | 조직프로세스자산 | |

작성된 원가 기준선은 프로젝트 관리 계획서의 일부분으로 포함된다. 이후 원가 기준선은 프로젝트의 성과를 측정하는 기준선(PMB, Performance Measurement Baseline)이 되어 획득가치 기법을 통해 다양한 측정을 하게 된다.

| 프로세스 / 지식영역 | 7.3 예산책정 |
|---|---|
| 4. 통합관리 | 원가기준선 → 4.2 프로젝트관리계획서 개발 |
| 5. 범위 관리 | |
| 6. 일정 관리 | |
| 7. 원가 관리 | 7.3 예산책정 → 프로젝트 자금요구사항 → 7.4 원가통제 |
| 8. 품질 관리 | |
| 9. 인적자원관리 | 프로젝트문서(갱신) → 프로젝트 문서들 |
| 10. 의사소통 관리 | |
| 11. 리스크 관리 | |
| 12. 조달 관리 | |
| 13. 이해관계자 관리 | |

## 7.4 원가 통제(Control Costs)

원가 통제 프로세스는 승인된 원가 기준선에 변경 사항이 발생하는지를 감시하고, 변경 사항이 발생할 경우 적절한 변경통제 절차에 따라 원가 기준선의 변경을 관리하는 프로세스이다. 따라서 원가 통제 프로세스에서는 기획 단계에서 작성한 원가 계획과 실제간에 차이를 분석하여 차이가 있을 경우 프로젝트의 리스크를 줄이거나 예방 활동을 위한 단초를 제공한다.

프로젝트를 수행하게 되면 당연히 계획한 것과 같이 진행되지 않는 경우가 대부분이다. 따라서 프로젝트 원가도 계획한 대로 사용되지 않으며 프로젝트 원가의 추가나 삭감이 발생하게 된다. 이러한 프로젝트 원가의 가감이 있을 경우에는 마음대로 수정하는 것이 아니라, 반드시 [4.5 통합변경통제 수행(Perform Integrated Change Control)] 프로세스를 통해 수정되어야 한다.

원가 통제 프로세스에서는 공식적으로 승인 받은 원가 기준선을 기반으로 원가 통제 시점별로 시작된 작업, 진행중인 작업, 혹은 종료된 작업들을 확인하여 해당 시점까지 완료가 되어야 할 작업들의 총 원가(계획 원가)와 실제 완료된 작업들의 총 원가(실제 원가)를 비교하여 프로젝트의 진행이 계획대로 진행되고 있는지를 확인하게 된다.

원가 통제 프로세스는 다음의 활동들을 포함한다.

◉ 원가 기준선에 대한 변경 원인의 파악과 해결
◉ 원가에 대한 변경이 발생한 경우 적절한 시점에 정확히 반영되도록 관리
◉ 프로젝트 범위가 추가되어 계획된 원가 기준선을 넘지 않도록 관리
◉ 계획 원가와 비교하여 실제 원가간에 차이가 발생한 경우 분석 및 관리
◉ 프로젝트 예산 대비 작업 성과에 대한 감시
◉ 확정된 프로젝트 원가나 자원 사용량의 승인되지 않은 변경 방지
◉ 모든 승인된 변경과 관련된 원가를 적절한 이해관계자에게 통보
◉ 허용 가능한 수준에서 초과된 원가가 관리되도록 통제

원가 통제(Control Costs) 프로세스의 투입물, 도구 및 기법과 산출물은 다음과 같다.

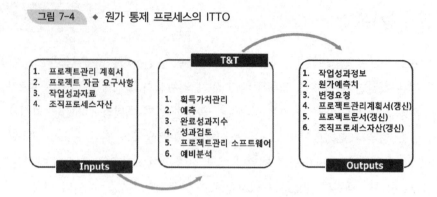

그림 7-4 ◆ 원가 통제 프로세스의 ITTO

**Inputs**
1. 프로젝트관리 계획서
2. 프로젝트 자금 요구사항
3. 작업성과자료
4. 조직프로세스자산

**T&T**
1. 획득가치관리
2. 예측
3. 완료성과지수
4. 성과검토
5. 프로젝트관리 소프트웨어
6. 예비분석

**Outputs**
1. 작업성과정보
2. 원가예측치
3. 변경요청
4. 프로젝트관리계획서(갱신)
5. 프로젝트문서(갱신)
6. 조직프로세스자산(갱신)

## 7.4.1 원가 통제 프로세스 투입물

### 1. 프로젝트 관리 계획서(Project Management Plan)

원가 통제는 계획한 절차 및 방법에 따라야 한다. 이러한 정보들은 원가 기준선과 원가관리 계획서에 기술되어 있으므로 참고한다.

◎ 원가 기준선은 원가에 대한 계획대비 실적을 비교 분석하고, 적절한 시정 조치나 예방 조치를 하기 위해 필요.

◎ 원가관리 계획서는 프로젝트의 원가가 어떻게 관리되고 통제되는지에 대한 계획이 기술되어 있음

◎ 그 외에 일정, 리스크 등의 다양한 계획서를 참고해야 한다.

◎ 추가적으로 차이분석을 통한 변경과 형상 관리를 위한 변경관리 계획서 및 형상관리 계획서를 참고한다.

### 2. 프로젝트 자금 요구사항(Project Funding Requirements)

프로젝트 자금 요구 사항은 프로젝트의 지출 내역과 예상되는 비용을 포함하고 있으므로 원가에 대한 계획 및 실제 비용이 포함될 수 있기 때문에 참고한다. 따라서 현재 분기에서 원가의 지출이 많아 다음 분기의 자금을 미리 사용할 수 있기 때문에 자금의 한도 등을 살펴봐야 한다.

### 3. 작업 성과 자료(Work Performance Data)

작업 성과 자료는 프로젝트를 진행하면서 나오는 실제 프로젝트 진척에 대한 정보이다. 예를 들어, 활동들의 실제 시작일과 실제 종료일 혹은 완료된 인도물 등과 같은 정보들로써 활동들은 금전적인 원가 정보로 환산되었기 때문에 원가 계획과 비교하기 위해 작업 성과 자료들을 참고한다.

**4. 조직 프로세스 자산(Organizational process assets)**

원가 통제 프로세스는 기존 공식 혹은 비공식 원가 통제와 관련된 정책, 절차 및 지침, 원가 통제 도구와 사용할 원가 감시 및 통제 방법과 같은 조직 프로세스 자산들의 영향을 받을 수 있다.

## 7.4.2 원가 통제 프로세스 도구 및 기법

**1. 획득 가치 관리(EVM, Earned Value Management)**

획득가치 관리는 프로젝트의 성과와 진도를 평가하고 측정하는 하나의 방법으로 프로젝트의 범위, 일정, 자원을 금전적인 수치로 환산하여 관리한다. 획득가치 관리에서 중요한 것은 성과 측정 기준선(PMB, Performance Measurement Baseline)을 만들고 관리하기 위해 범위 기준선(Scope Baseline), 일정 기준선(Schedule Baseline) 및 원가 기준선(Cost Baseline)을 통합한다는 것이다.

획득가치 관리에서는 계획 가치(Plan Value), 실제 원가(Actual Cost), 획득가치(Earned Value)의 3가지 값이 중요 변수이다. 이 3가지 변수를 토대로 과거부터 현재까지의 원가 성과 지표, 일정 성과 지표를 계산하여 프로젝트의 수행 성과를 판단할 수 있다. 또한, 3가지 변수를 토대로 계산하여 향후 프로젝트의 미래 성과를 예측할 수 있다.

**심화학습**

**획득 가치 관리(EVM, Earned Value Management)**

획득가치 관리에서는 계획 가치, 실제 원가, 획득 가치의 3가지 변수를 사용한다. 그 중에서 계획 가치(Planned Value)는 프로젝트에서 해야 할 업무인 활동과 활동의 기간, 그리고 활동을 완료할 자원을 배정하였을 때 계산된 가치이다. 예를 들어, "종료 보고서 작성"이라는 활동을 3일간 용환성이 진행한다면 자원인 용환성의 하루 동안 원가가 100만원이라면 총 3일간 일을 하기 때문에 종료 보고서 작성의 계획 원가는 3일×100만원으로 총 300만원이 된다.

획득 가치(Earned Value)는 계획된 일을 완료했을 때 얻는 가치이다. 위의 예시에서 용환성이 종료 보고서 작성이라는 활동을 완료하였다면 계획한 가치인 300만원을 획득한 것이다.

실제 원가(Actual Cost)는 특정 작업을 완료하는데 실제로 투입된 원가이다. 위의 예시에서 경우의 수는 3가지로 나누어 볼 수 있다.

### 계획한 기간에 완료한 경우

용환성이 원래 계획된 일정인 3일 동안을 지켜서 완료했다면 실제 원가도 1일 100만원으로 계산하면 3일×100만원으로 300만원이다.

### 계획된 기간 전에 완료한 경우

용환성이 원래 계획된 일정인 3일이 아니라 2일만에 완료하고 다른 작업을 진행하고 있다면, 실제 원가는 1일 100만원으로 계산하면 2일×100만원으로 200만원이다. 여기서 중요한 것은 획득 가치는 여전히 300만원이라는 점을 주목해야 한다. 즉, 원가 절감을 하면서 계획한 가치를 모두 완료했기 때문에 획득가치는 당연히 300만원이다.

### 계획된 기간을 지연시키고 완료한 경우

용환성이 원래 계획된 일정인 3일을 몇 가지 요인으로 인해 2일을 지연시켜서 완료했다면 실제 원가는 1일 100만원으로 계산하면 5일×100만원으로 500만원이며, 계획인 300만원보다 200만원을 초과 지출하였다. 그러나 여기서도 중요한 것은 획득 가치는 여전히 300만원이라는 점이다. 즉, 원가가 200만원 초과되어 원가 성과 지표는 나빠졌지만, 계획한 가치를 모두 완료했기 때문에 획득가치는 당연히 300만원이다.

위의 설명을 기반으로 획득 가치 관리에서 사용하는 변수들을 설명을 하겠다.

### 계획 가치(PV, Planned Value 혹은 BCWS, Budgeted cost of work scheduled)

- 계획된 일에 대하여 배정된 예산
- 계획 가치를 모두 합하면 완료시 예산(BAC, Budget At Completion)임.

### 획득 가치(EV, Earned Value 혹은 BCWP, Budgeted Cost of work performed)

- 수행한 일에 대한 정량적 예산
- 획득 가치를 모두 합산하면 계획 가치가 되어야 함.

### 실제 원가(AC, Actual Cost 혹은 ACWP, Actual Cost of Work Performed)

수행한 일에 대한 집행 실적

### 완료시 예산(BAC, Budget at Completion)

프로젝트 완료 시점 예산(총 예산)

### 성과 측정 계산식 및 분석

- 일정차이 (SV, Schedule Variance) = EV − PV
  집행된 예산이 얼마나 계획된 예산을 초과 또는 미달했는가?
- 원가차이 (CV, Cost Variance) = EV − AC
  제 발생비용이 집행된 예산을 얼마나 초과 또는 미달했는가?
- 일정성과지수 (SPI, Schedule Performance Index) : EV/PV
  − SPI ＞ 1 이면 계획한 것보다 완료한 업무가 많기 때문에 일정을 앞서가고 있는 것이다(a head of schedule).

- SPI = 1 이면 일정대로 진행(on schedule)
- SPI ⟨ 1 이면 일정 지연이 되고 있다(Behind schedule)
- 원가성과지수 (CPI, Cost Performance Index) : EV/AC.
  - CPI ⟩ 1 이면 원가를 적게 소모하고 있다(Under budget)
  - CPI = 1 이면 예정된 원가를 소모하고 있다(on budget)
  - CPI ⟨ 1 이면 원가 소모가 많다(Over budget)고 판단할 수 있다.

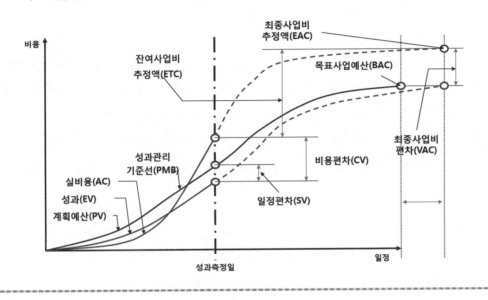

## 2. 예측(Forecasting)

프로젝트가 점차 진행되면서부터 프로젝트 관리자는 고객이나 회사의 경영층으로부터 프로젝트가 계획대로 끝날 것인지 혹은 예산 내에서 종료될 것인지 언제쯤 끝나는지 등에 질문을 받기 시작한다. 획득가치 기법에서는 프로젝트 관리자가 현재까지의 성과를 토대로 프로젝트의 미래를 예측할 수 있는 방법을 제공한다. 그 방법 중의 하나가 바로 완료 시점 산정치라 불리는 EAC(Estimate At Completion)이다. EAC를 구하는 방법은 다음과 같다.

◉ EAC = AC + (BAC − EV)

현재까지 실제 투입비용 + 완료해야 할 잔여업무의 계획원가

◉ EAC = BAC/CPI

미래의 원가 실적 추세가 지금과 같을 것으로 가정한 경우

◉ EAC = AC+[(BAC − EV)/(CPI*SPI)]

- 현재까지 실제 투입비용 + 원가 및 일정의 생산성을 함께 고려한 잔여업무의 계획원가
- 진도 측정 기준이 80/20, 50/50 등등의 경우

## 3. 완료 성과지수(To-Complete Performance Index : TCPI)

획득가치 기법에서는 프로젝트 관리자가 현재까지의 성과를 토대로 프로젝트의 미래를 예측할 수 있는 방법을 제공하는 두 가지 방법 중 나머지 하나가 바로 완료 성과 지수(TCPI)이다. 완료 성과지수는 기존에 수립한 BAC를 수정하지 못하고 현재의 상태를 그대로 가져갔을 때 프로젝트 팀이 어떤 성과치를 지속적으로 유지해야 하는지를 판단할 수 있다.

또한, 다양한 원인으로 인해 자금이 추가되었고 이로 인해 프로젝트 원가가 변경된 상황이라면 이 상황에서 프로젝트 팀이 어떤 성과치를 지속적으로 유지해야 프로젝트를 완료할 수 있는지를 판단할 수 있다.

◉ TCPI = (BAC – EV)/(BAC – AC)
  - BAC 기준이며, CPI가 1 이상이면 BAC 사용
  - 무조건 원래의 계획에 맞추어야 할 경우의 완료성과지수 계산

◉ TCPI = (BAC – EV)/(EAC – AC)
  - EAC 기준이며, CPI가 1 이하이면 EAC 사용

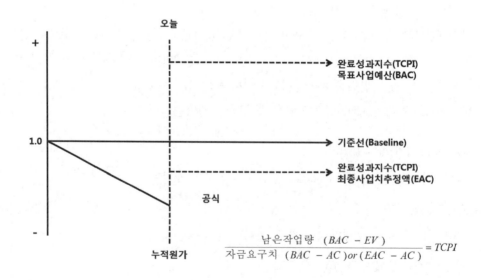

## 4. 성과검토(Performance reviews)

성과 검토는 프로젝트 활동이나 work package가 예산 초과인지 절감인지를 계획과 실적을 비교하면서 수행하는데 이러한 성과 점검 방법에는 차이 분석(Variance Analysis), 추세 분석(Trend Analysis) 혹은 획득가치 성과(Earned value performance) 등이 있다.

- ◉ **차이분석** : EVM에서 제공하는 차이분석 변수로는 원가차이(CV = EV − AC), 일정차이(SV = EV − PV), 완료시점차이(VAC = BAC − EAC) 등이 있다.
- ◉ **추세분석** : EVM에서 제공하는 CPI, SPI, CV, SV 등의 수치들을 통제도(Control Chart), 런차트(Run Chart) 혹은 Bull's eye Chart에 표시함으로써 프로젝트의 추세를 검토할 수 있다.
- ◉ **획득가치 성과** : 성과측정 기준선을 실제 일정 및 원가 성과와 비교한다.

## 5. 프로젝트 관리 소프트웨어(Project Management Software)

프로젝트 관리 소프트웨어에 계획가치, 실제 가치를 입력하면 원가 성과에 대한 계산을 자동으로 해주거나 획득 가치 관리에서 사용하는 다양한 수치들을 계산하여 보여줄 수 있다.

## 6. 예비비 분석(Reserve Analysis)

원가에 대한 감시 통제를 통해 계획 대비 실적을 비교하면서 기존에 수립한 우발사태 예비비(Contingency Reserve)나 관리 예비비(Management Reserve)가 필요한지 필요 없는지 판단한다. 즉, 변경요청을 무조건 승인하는 것이 아니라, 남아있는 일정이나 원가를 반드시 참고하여 현재의 성과추세와 남아있는 원가 내에서 변경이 가능한지 확인 후 변경요청을 승인해야 한다.

| 약어 | 명칭 | 정의 | 사용법 | 공식 | 결과 분석 |
|---|---|---|---|---|---|
| PV | Planned Value | 계획가치 | 정해진 시점에 계획된 작업의 결과값 | | |
| EV | Earned Value | 획득가치 | 지정된 시점의 계획된 값 | EV=완료된 작업의 계획 값 합계 | |
| AC | Actual Cost | 실제원가 | 지정된 시점의 완료된 실제 원가 | | |
| BAC | Budget of Completion | 프로젝트 전체 예산 | 원가기준선의 계획된 전체 원가 값 | | |
| CV | Cost Variance | 원가차이 | 한일에 비해 원가가 적으면 원가절감 | EV-AC | +=원가절감. 0=계획원가 −=원가초과 |

| SV | Schedule Variance | 일정차이 | 한일에 비해 일정이 빠르면 일정초과 | EV-PV | +=일정초과,<br>0=정상일정<br>−=일정지연 |
|---|---|---|---|---|---|
| VAC | Variance At Completion | 완료시점 예산차이 | 완료시점에서 전체예산과 완료시점의 원가 산청치의 차이 | BAC-EAC | +=원가절감,<br>0=계획원가<br>−=원가초과 |
| CPI | Cost Performance Index | 원가성과지수 | 1.00이면 원가가 계획대로 투입 | EV/AC | 〉1.0 원가절감,<br>=1.0 계획원가<br>〈1.0 원가초과 |
| SPI | Schedule Performance Index | 일정성과지수 | 1.00이면 일정이 정상 | EV/PV | 〉1.0 일정초과,<br>=1 계획일정<br>〈1.0 일정지연 |
| EAC | Estimate At Completion | 완료시점 원가 산정치 | 지금까지 발생한 실제 원가에 완료까지의 예측치의 합 | BAC/CPI, AC+BAC-EV<br>AC+Bottom-up ETC<br>AC+[(BAC−EV)/(CPI*SPI)] | |
| ETC | Estimate To Complete | 현재부터 완료까지 예측치 | 완료하는 데 필요한 산정치 | EAC-AC<br>ETC-reestimate | |
| TCPI | To Complete Performance Index | 완료성과지수 | 특정시점부처 완료 시까지의 성과지수 | (BAC-EV)/(BAC-AC)<br>(BAC-EV)/(EAC-AC) | |

## 7.4.3 원가 통제 프로세스 산출물

### 1. 작업 성과 정보(Work performance information)

작업 성과 정보는 작업 성과 자료를 토대로 계획과 실적을 비교한 것이다. 따라서 프로젝트의 성과 측정을 획득가치 관리로 한다면 CV, SV, CPI, SPI가 이에 해당된다. 이러한 정보들은 문서화되어 이해관계자에게 작업성과보고서를 통해 의사소통 한다.

### 2. 원가 예측치(Cost forecasts)

획득 가치 관리를 한다면 완료시점 원가 산정치인 EAC 및 TCPI가 예측 기법을 통해 계산되고 문서화되어 이해관계자에게 전달된다.

### 3. 변경 요청(Change requests)

계획대비 실적을 비교 검토하였는데, 이에 차이가 발생하였다면 예방이나 시정 조치를 해야 하는데 이는 [4.5 통합변경통제 수행] 프로세스를 통해 공식적으로 처리되어야 한다.

### 4. 프로젝트 관리 계획서 갱신(Project management plan updates)

변경요청이 일어난 경우 원가 기준선이나 원가 관리 계획서 혹은 영향을 받는 모든 프로젝트 관리 계획서를 수정한다.

## 5. 프로젝트 문서 갱신(Project documents updates)

변경이 일어나는 경우 원가 산정치나 원가 산정 기준을 비롯한 리스크 등록부, 품질 비용 등 프로젝트 문서를 수정한다.

## 6. 조직 프로세스 자산 갱신(Organizational Process Assets Updates)

원가 통제를 통해 계획과 실적의 차이에 대한 원인, 선택된 시정조치와 그 이유, 프로젝트 원가 통제에 대한 교훈 사항 등을 정리하여 조직 프로세스 자산을 수정한다.

원가 통제는 설정된 원가 기준선을 토대로 실시한다. 원가 기준선은 프로젝트 관리 계획서에 포함되며, 계획 가치(PV)를 제공한다. 실제 원가와 획득가치는 작업 성과 자료를 토대로 계산할 수 있다. 따라서 계획 가치와 실제 원가 및 획득가치와 더불어 측정 시점별 프로젝트 자금 요구사항을 토대로 원가 통제를 실시하여 프로젝트의 원가를 통제한다.

계획 가치와 실제 원가 및 획득가치를 기반으로 획득가치 기법을 통해 현재까지의 성과를 SPI, CPI 등을 통해 판단할 수 있다. 성과 점검을 통해 CV, SV 등을 계산할 수 있다. 또한, 예측 기법을 사용하여 EAC를 계산하여 향후 프로젝트에서 추가적인 자금이 얼마나 필요한지 계산할 수 있다.

현재를 기준으로 향후 프로젝트 팀이 어느 정도의 성과지수를 유지해야 프로젝트를 완료할 수 있는지를 완료 성과 지수(TCPI) 계산을 통해 파악할 수 있다.

| 프로세스 \ 지식영역 | 7.4 원가 통제 | | |
|---|---|---|---|
| **4. 통합관리** | 4.2 프로젝트관리계획 개발 | 4.3 프로젝트 작업 지시 및 관리 | |
| **5. 범위 관리** | 프로젝트관리계획서 | 작업성과자료 | |
| **6. 일정 관리** | | | |
| **7. 원가 관리** | 7.3 예산책정 | 프로젝트 자금요구사항 | 7.4 원가통제 |
| **8. 품질 관리** | | | |
| **9. 인적자원관리** | 조직프로세스자산 | | |
| **10. 의사소통 관리** | 기업/조직 | | |
| **11. 리스크 관리** | | | |
| **12. 조달 관리** | | | |
| **13. 이해관계자 관리** | | | |

획득 가치 기법이나 성과 분석 및 완료 성과 지수 분석을 한 결과를 작업 성과 정보로 작성하고 계산한 원가 예측치를 [4.4 프로젝트 작업 감시 및 통제] 프로세스에서 작업 성과 보고서로 작성하여 이해관계자과 의사소통한다. 만약 프로젝트가 계획한대로 진행이 되고 있지 않고 있다면 변경 요청을 통해 시정 조치를 취하도록 한다.

추가적으로 작업성과정보와 원가예측치는 작업성과보고서를 작성하는 4.4 프로젝트 작업 감시 및 통제 프로세스의 투입물로 사용된다.

| 프로세스 / 지식영역 | 7.4 원가 통제 | | |
|---|---|---|---|
| 4. 통합관리 | 4.2 프로젝트관리계획서 개발 | 4.4 프로젝트 작업 감시 및 통제 | 4.5 통합변경통제수행 |
| 5. 범위 관리 | 프로젝트관리계획서(갱신) | 작업성과정보, 원가 예측치 | 변경요청 |
| 6. 일정 관리 | | | |
| 7. 원가 관리 | 7.4 원가통제 | | |
| 8. 품질 관리 | | | |
| 9. 인적자원관리 | 조직프로세스자산(갱신) | 기업/조직 | |
| 10. 의사소통 관리 | 프로젝트 문서(갱신) | 프로젝트 문서들 | |
| 11. 리스크 관리 | | | |
| 12. 조달 관리 | | | |
| 13. 이해관계자 관리 | | | |

# Chapter 07 연 습 문 제

**01** 원가와 일정 및 품질에 대한 성과 분석을 하고자 할 때 참고해야 할 것은?

① 원가 기준선
② 일정 기준선
③ 프로젝트 헌장
④ 프로젝트 관리 계획서

**02** 당신은 과거에 원가 기준선에서 자원 비용을 낮게 책정해서 원가를 초과한 경험이 있다. 그래서, 원가와 일정을 모두 고려하여 일정을 측정하려고 한다. 만약 남은 작업의 양이 $1,000,000라면 EAC는 얼마인가?

> •PV = $1,000,000    •EV = $1,000,000    •AC : $1,200,000

① $1,800,000
② $2,000,000
③ $2,200,000
④ $2,400,000

**03** BAC와 AC를 알면 구할 수 있는 것은?

① EAC
② ETC
③ 남은 일
④ 남은 돈

**04** 공개적으로 거래되는 회사의 신제품 개발 프로젝트에 참여하고 있는 중에 프로젝트 이전 관리자가 회사 정책에 위배되는 $3,000,000의 비용을 지불했음을 발견했다. 다행히 프로젝트 비용성과 지표(CPI)는 1.2이다. 이 경우 프로젝트 관리자인 당신은 무엇을 해야 하는가?

① 상사에게 보고한다.
② 에스크로 계정에 처리한다.
③ 규모가 큰 비용 센터에 비용을 덮어둔다.
④ 지불 내용을 무시한다.

**05** 프로젝트 착수 단계에서 예산 추정시 유용한 기법은?

① 유사 산정
② 모수 산정
③ 3점 산정
④ Rough order by Magnitude

**06** 다음 중 팀 훈련비는 어디에 해당하는가?

① 직접비
② NPV
③ 간접비
④ 고정비

**07** 총예산 BAC = 160,000 전체 업무의 50% 진행 완료, 이 시점에 EAC = 200,000로 산정되었다면 TCPI는?

① 0.7
② 0.8
③ 0.9
④ 1.0

**08** Cost variance = -1400이고 Actual Cost = 4000이다. CPI는?

① 0.63
② 0.64
③ 0.65
④ 0.66

**09** 프로젝트 관리자가 예산에 관리 예비비를 편성하였다. 원가 기준선을 승인하기 이전에 프로젝트 관리자가 해야 할 일은?

① 개별 원가가 제대로 편성되었는지 확인한다.
② 원가 기준선에 우발사태 예비비를 넣는다.
③ 원가 기준선에서 관리 예비비를 제외한다.
④ 원가 기준선을 승인 받지 않는다.

**10** 프로젝트는 4주 공정인데 총 예산은 4만불이고 1주차에 20% 진행률을 보이고 있으며 1.5만불을 사용하였다. 이때 SPI는?

① 0.2
② 0.3
③ 0.4
④ 0.5

**11** 당신은 건설업에 종사한지 20년이 넘었고 기존 프로젝트의 정보에 접근할 수 있다. 프로젝트 일정과 인건비/일정 정보를 갖추고 있는 상태에서 예산을 추정하는 도구는?

① 유사 산정
② 모수 산정
③ 3점 추정
④ 상향식 산정

**12** 프로젝트 셋업(Project setup) 비용은 무엇에 해당하는가?

① 변동 비용
② 고정 비용
③ 오버헤드
④ 기회 비용

**13** 크레인 사용 중 사고가 발생하여 45,000원 비용이 발생하였는데 이는 예상하지 못한 사고였다. 어떻게 대처하는 것이 바람직한가?

① 우발사태예비비를 사용하여 해결한다.
② 스폰서에게 보고하여 예산 증액을 요청한다.
③ 스폰서에게 보고하고 관리 예비비를 사용한다.
④ 미리 잡아놓은 관리 예비비 안에서 직접 해결한다.

**14** 18개월 프로젝트에서 9개월이 진행되었다. 계획된 예산은 $5,000,000이고, 현재까지 투입된 비용은 $4,000,000이며 20%의 진척률을 보이고 있다. PV는 $2,000,000이다. 현 시점에서 EAC를 보고하려고 한다. EAC는 얼마인가?

① $4,800,000                           ② $20,000,000
③ $21,000,000                          ④ $24,000,000

**15** 프로젝트 수행 중 고객이 갑자기 범위 변경을 요청하였다. 당신은 프로젝트에서 사용할 우발사태 예비비를 10% 확보하고 있다. 그러나, 범위 변경으로 인해 일정과 원가에 영향이 있을 것으로 판단된다. 어떻게 대응해야 하는가?

① 우발예비비 내에서 고객의 요구를 수용한다.          ② CCB에 예산 변경을 요청한다.
③ 통합변경통제 절차를 따른다.                        ④ 경영진과 먼저 협의한다.

# 연습문제 정답과 해설

해설

**01** 원가 기준선은 프로젝트의 원가, 일정 및 품질에 대한 성과를 측정하고 분석하는데 기초가 되는 중요한 문서이다.

**02** EAC 계산 공식 중 이 경우에는 SPI와 CPI를 모두 고려해야 한다.
  SPI = (EV/PV) = 1,000,000/1,000,000 = 1,
  CPI = (EV/AC) = 1,000,000/1,200,000 = 0.83이다. 따라서
  EAC = AC + (BAC − EV)/(SPI*SPI)
       = 1,200,000 + (1,000,000)/0.83
       = 2,400,000
  이 된다.
  사실 12,000,000/0.83 = 2,409,639이다.

**03** BAC − AC는 프로젝트를 완료하기 위해 남은 돈이고, BAC − EV는 남은 업무량이다.

**04** 프로젝트 관리자의 윤리에 해당하는 문제로 선택지에서는 ①이 답이다. 이와 같은 윤리문제는 별도로 출제되는 것이 아니라 다양한 지식영역에서 물어볼 수 있다.

**05** 프로젝트 착수단계에서 활용할 유용한 기법은 유사산정이다. ROM은 원가 추정 기법이 아닌 것을 꼭 알아두자.

**06** 훈련비는 직접비에 해당한다.

**07** 우선 적용할 공식은 (BAC − EV)/(EAC − AC)이다. 여기서 BAC = 160,000, EAC = 200,000, 그리고 EV = 80,000으로 계산된다. 나머지 AC를 구하고 공식에 대입하면 된다.
  EAC = BAC/CPI이다.
  따라서 CPI = 0.80이다.
  CPI = EV/AC이므로
  AC = EV/CPI = 100,000 이다. 따라서,
  (BAC − EV)/(EAC − AC) = (160,000 − 80,000)/(200,000 − 100,000)
                        = 80,000/100,000 = 0.8

**08** CPI = EV/AC, CV = EV − AC = −1400이다. 여기서 AC가 4000이기 때문에
  EV = CV + AC
     = −1400 + 4000 = 2600이다. 따라서,
  CPI = 2600/4000 = 0.65이다.

**09** 관리 예비비는 원가 기준선에 포함되지 않기 때문에 승인 전에 제외한다.

**10** SPI = EV/PV이다. 총 기간 4주이고 총 예산이 40,000이기 때문에 매주 10,000의 예산이 있다고 보면 된다. 따라서 PV = 10,000이고, 20%의 진척률이기 때문에 10,000*20% = 2,000이다. 2,000/10,000 = 0.2

**11** 기존 프로젝트 정보에 접근할 수 있다고 생각해서 ① 유사산정으로 답하면 안 된다. 과거 정보를 가지고 예산을 좀 더 정확하게 추정할 수 있는 모수 산정을 해야 한다.

**12** 프로젝트 셋업 비용은 고정비에 해당된다.

**13** 예상하지 못한 비용이기 때문에 관리 예비비 사용을 위해 스폰서에게 보고하고 승인이 떨어지면 관리 예비비를 사용한다.

**14** $EAC = BAC/CPI = AC + (BAC - EV)/(SPI*CPI)$이다. BAC = 5,000,000이고, AC = 4,000,000이다. EV는 20%의 진척이기 때문에 5,000,000*20% = 1,000,000이다. 따라서,
$CPI = 1,000,000/4,000,000 = 0.25$이다.
$EAC = BAC/CPI$
$\quad = 5,000,000/0.25$
$\quad = \$20,000,000$이다.

**15** 우발사태예비비는 리스크 요인에 대한 비용이다. 그러나 우발사태예비비는 프로젝트 관리자가 곧바로 사용할 수 있다. 문제에서는 범위 변경에 핵심 요인이다. 우발사태예비비를 바로 쓰기 위해서는 리스크 등록부에 해당 work package에 대한 리스크 대응 계획이 있는지 살펴봐야 한다. 그러한 내용이 없으며 범위 변경은 비용뿐만 아니라 일정, 품질 등에 다양하게 영향을 미치기 때문에 통합변경통제 프로세스를 따라야 한다.

Chapter

**08**

# 프로젝트 품질 관리

**8.1** ◯ 품질관리 계획수립
**8.2** ◯ 품질보증수행
**8.3** ◯ 품질통제 수행

◯ 연습문제

- 품질관리 계획서의 구성 요소를 이해한다.
- 품질보증과 품질통제 프로세스 간의 차이점을 이해한다.
- 7가지 기본 품질도구를 이해한다.
- 7가지 기본 품질도구와 실험계획법 간 차이점을 이해한다.
- 품질비용을 이해한다.
- Conformance와 Fitness for use의 차이점을 이해한다.

인도물에 대한 품질은 고객의 기대수준보다 높아야 고객이 만족을 한다. 공급자 입장에서는 인도물이 품질기준만 준수하면 되겠다고 생각할 수 있으나, 고객은 가격대비 설계 디자인의 품질 및 사용의 적합성을 원하고 있을 수 있다.

프로젝트 관리에서의 품질관리는 인도물 뿐만 아니라 프로젝트 관리 성과(비용/일정)도 포함한다. 프로젝트 관리의 품질을 잘 유지하기 위해서는 인도물의 품질과 더불어 프로젝트의 수행 품질을 제대로 관리해야 좋은 결과물이 나올 수 있다.

품질관리는 프로젝트의 요구사항 달성을 위해 품질정책, 품질목표, 품질기준, 및 책임을 수립하고 수행 조직이 이를 완료하기 위한 모든 활동을 포함하는 과정이다. 또한 지속적인 프로세스 개선 활동을 통해 품질 계획, 품질 보증, 품질 통제의 정책, 절차, 프로세스의 품질을 개선하는 지식영역이다.

품질 추구 시 프로젝트 팀원은 품질(Quality)과 등급(Grade)을 구분해야 한다. 낮은 품질은 항상 문제이지만 낮은 등급은 아닐 수 있다. 품질과 등급의 필요 수준을 결정하는 것은 프로젝트 관리자와 프로젝트 팀원의 책임이다. 아래와 같이 품질과 등급을 다시 정의해보자.

• 품질(Quality)은 인도물의 기본 특성이 요구사항을 충족하는 정도
• 등급(Grade)은 기능상 용도는 같지만 기술적 특성은 다른 제품 또는 서비스에 지정된 범주(category)

품질관리에서 중요한 또 다른 용어로 정밀과 정확도가 있으며, 아래와 같이 구분하여 이해하여야 한다.

• 정밀도(Precision)는 반복 측정치가 분산되지 않고, 집중된 것을 의미한다.
• 정확도(Accuracy)는 측정치가 참값에 매우 근접함을 의미한다.

**표 8-1 ❮ ❯ 프로젝트 품질관리의 프로세스 정의**

| 프로세스 | 프로세스그룹 | 설명 |
|---|---|---|
| 8.1 품질관리계획 수립 (Plan Quality Management) | P | 프로젝트 및 인도물에 대한 품질 요구사항과 표준을 식별하고, 프로젝트에서 품질 요구사항을 어떻게 만족시키고 준수할 것인지 문서화하는 프로세스 |
| 8.2 품질 보증 수행 (Perform Quality Assurance) | E | 품질 요구사항과 품질통제 측정의 결과가 품질 표준과 운영에 사용된 품질 정의들을 만족하였는지 감사(audit)하고 개선하는 프로세스 |
| 8.3 품질 통제 (Control Quality) | M&C | 품질 성과(performance)를 측정하고, 필요한 변경을 요청하는 품질 활동 수행을 감시하고 기록하는 프로세스 |

## 8.1 품질관리 계획수립(Plan Quality Management)

품질관리 계획수립은 프로젝트 및 인도물에 대한 품질 요구사항 및 품질 표준을 식별하고, 이에 대한 준수 방법을 문서화하는 프로세스이다. 프로젝트에서 말하는 품질은 인도물에 대한 품질과 프로세스에 대한 품질로 구분할 수 있다. 따라서 품질관리 계획서에는 인도물에 대한 품질과 프로세스 품질을 어떻게 측정하고, 관리하며 어떤 도구를 사용할 것인지를 미리 정의해야 한다. [8.1 품질관리 계획수립] 프로세스의 투입물, 도구 및 기법과 산출물은 다음과 같다.

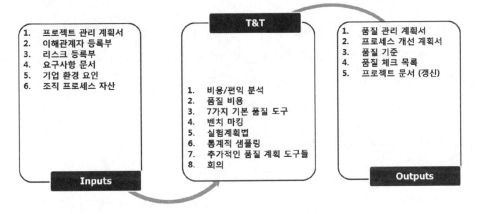

그림 8-1 ◆ 품질관리 계획수립 프로세스의 ITTO

### 8.1.1 품질관리 계획수립 프로세스 투입물

**1. 프로젝트 관리 계획서(Project Management Plan)**

품질관리 계획서를 작성하기 위해서는 다음의 문서들을 참고한다.

- **프로젝트 범위 기술서(Project Scope statement)** : 인도물과 프로젝트에 대한 설명, 주요 인도물, 인도물에 대한 승인 기준들을 포함.
- **작업 분류 체계(WBS)** : 프로젝트 성과 측정의 대상인 Work package와 인도물들을 식별
- **WBS 사전(WBS Dictionary)** : 각 WBS들에 대한 상세한 정보를 제공하며, WBS사전의 내용 중에 해당 작업 패키지에 대한 품질검수 기준 등이 포함되어 있다.
- **일정 기준선(Schedule baseline)** : 품질 측정을 어느 시점에 해야 하는지를 확인
- **원가 기준선(Cost baseline)** : 품질 비용을 얼마나 사용해야 할지 확인

◉ 기타 계획 문서들(Other management plans) : 다양한 프로젝트 계획 문서들은 전반적인 프로젝트의 품질 관리에 영향을 주며, 프로젝트의 품질에 관련하여 직접적인 실행이 가능한 영역도 알려줄 수 있음. 특히, 품질관련해서는 변경이나 형상에 대한 부분이 중요하기 때문에 변경관리계획서 및 형상관리계획서는 반드시 참고해야 한다.

## 2. 이해관계자 등록부(Stakeholder Register)

인도물이나 프로젝트의 품질에 요구사항을 가지고 있는 이해관계자들을 확인할 수 있다.

## 3. 리스크 등록부(Risk Register)

인도물이나 프로젝트의 품질에 영향을 줄 수 있는 리스크에 대한 정보를 확인할 수 있다. 예를 들어, 정보시스템에 대한 테스트가 너무 많은 경우 이를 리스크로 등록하고 적절한 조치를 취하도록 할 수 있다. 혹은, 중요한 부품에 품질 문제가 심각할 경우를 대비한 대응계획을 수립하면서 필요한 자금이나 일정을 확보할 수 있다.

## 4. 요구사항 문서(Requirements Documentation)

인도물이나 프로젝트에 대한 요구사항을 확인할 수 있다. 특히, 기능 요구사항의 경우에는 범위 기준선에 포함될 수 있으나, 비기능 요구사항의 경우에는 품질 기준을 어떻게 만족시킬 것인지 참고해야 한다.

## 5. 기업 환경 요인(Enterprise Environmental Factors)

다음과 같은 기업환경요인이 품질관리계획 수립에 영향을 줄 수 있다.

◉ 정부 기관의 규제
◉ 특정 산업 분야의 규칙, 규범 및 가이드라인들
◉ 프로젝트의 진행 상황 혹은 프로젝트의 품질에 영향을 미칠 수 있는 인도물들
◉ 품질에 대한 기대치에 영향을 줄 수 있는 조직 문화

## 6. 조직 프로세스 자산(Organizational Process Assets)

다음과 같은 조직 프로세스 자산이 품질관리계획 수립에 영향을 줄 수 있다.

◉ 조직의 품질 정책, 절차, 가이드라인들

- ◉ 과거 유사 프로젝트의 자료들
- ◉ 이전 단계 혹은 프로젝트들로부터의 교훈사항

## 8.1.2 품질관리 계획 프로세스 도구 및 기법

### 1. 비용-편익 분석(Cost-Benefit Analysis)

이해관계자의 품질에 대한 요구사항을 만족시키기 위해 막대한 비용을 사용하면 좋겠지만, 프로젝트는 한정된 시간과 자원 하에서 목표를 달성해야 한다. 제한된 원가와 기간내에서 품질 요구사항을 만족시키기 위해서는 반드시 품질 향상에 사용될 비용과 원하는 품질 목표 달성시의 편익을 반드시 분석해야 한다.

### 2. 품질 비용(Cost of Quality)

**표 8-2 ◖ ⟩ 품질비용의 구분**

| 구 분 | 항 목 |
|---|---|
| 예방비용<br>(Prevention costs) | ■ 교육<br>■ 프로세스 성숙도 연구<br>■ 판매자에 대한 조사 |
| 평가비용<br>(Appraisal costs) | ■ 검사와 테스팅<br>■ 검사와 테스팅 장비 유지보수<br>■ 검사 자료를 처리하고 보고하기 위한 원가<br>■ 설계 검토<br>■ 내부 설계 검토와 검토 회의<br>■ 외부 검토 |
| 내부실패비용<br>(Internal failure costs) | ■ 파손(Scrap) 및 재 작업(rework)<br>■ 원가 지체 지불에 대한 부담<br>■ 결점으로 인한 재고 원가<br>■ 엔지니어링 변경 원가<br>■ 초기 실패 원가 |
| 외부실패비용<br>(External failure costs) | ■ 품질 보증 원가<br>■ 현장 서비스 요원 교육<br>■ 제품 책임<br>■ 불평 불만 처리<br>■ 미래의 사업 기회 손실 |

원하는 품질을 달성하기 위해서는 비용이 투입된다. 투입되는 비용은 불량품을 사전에 만들지 않도록 팀원에 대한 교육 등에 들어가는 예방비용(Preventive Costs), 생산된 인도물이 품질기준에 맞게 만들어졌는지를 확인하는 평가비용(Appraisal Costs), 그리고 품질기준을 만족하지 못

한 경우에 불량품을 양품으로 만들기 위한 재작업 비용 등의 실패비용(Failure Costs)으로 구분할 수 있다.

실패비용은 다시 2가지로 나뉜다. 고객에게 전달되기 전에 프로젝트 팀 내부에서 발견함으로써 투입되는 내부 실패 비용(Internal Failure Costs)과 고객에게 전달된 후 인도물의 불량으로 인해 투입되는 외부 실패 비용(External Failure Costs)이 있다.

## 3. 7가지 기본 품질 도구(Seven Basic Quality Tools)

품질관리 계획서 작성에서 7가지 기본 품질도구가 언급되는 이유는 프로젝트 인도물의 특성에 맞게 품질 측정을 위한 도구를 기획단계에서 미리 선정을 위해서이다. 이 7가지 품질도구는 시험에도 자주 출제되는 것으로 상세히 알아두는 것이 좋다.

◉ 원인-결과 다이어그램(Cause-and-effect diagrams) :
이시가와 다이어그램(Ishikawa diagram)이나 어골도(fishbone diagram)라고도 불린다.

그림 8-2  ◆ 원인-결과 다이어그램인 어골도 예시

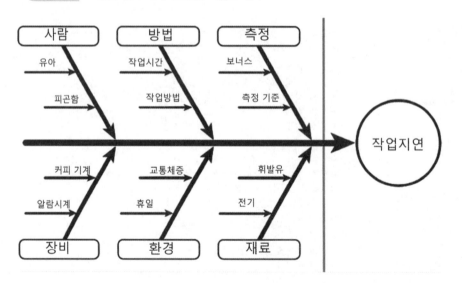

생선의 머리 부분에는 품질불량의 문제를 기록하고, 생선뼈 부분에는 품질불량의 문제에 대한 근본 원인을 찾을 때까지 프로젝트 관리자와 팀원들이 "왜(why?)"라는 질문을 계속 던져 품질 문제의 원인을 밝혀낼 수 있다.

● **흐름도**(Flowcharts)

흐름도는 프로세스 단계 간에 관계를 보여주는 그래픽적 표현의 한 종류이다. 어떻게 문제가 발생하는지를 분석하는 데 도움을 준다. 특히, 흐름도는 하나 이상의 투입물을 하나 이상의 산출물로 하나 이상의 프로젝트 팀이 변환하는 과정을 도형과 화살표를 통해 흐름으로 보여주기 때문에 프로세스 맵(Process Map)이라고도 한다.

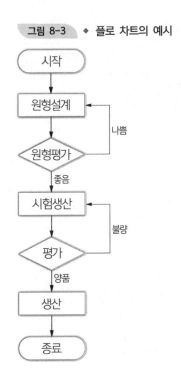

그림 8-3 ◆ 플로 차트의 예시

● **체크시트**(Checksheets)

데이터 수집에 사용되며, 체크 리스트 혹은 검수 조사서(tally sheet)라 불리기도 한다. 잠재적인 품질의 문제점 파악을 위한 효과적인 데이터 수집을 위해 사용하며, 체크시트를 통해 수집된 데이터를 파레토 차트를 이용해 보여주기도 한다.

**표 8-3** ◖ ◗ 체크시트의 예시

## PRODUCT ASSESSMENT CHECK SHEET

Model :　　　　　　　　　　date :　　　　　　　　　　Evaluated by :

| Item | | Evaluation Method | Score | Remarks |
|---|---|---|---|---|
| Materials with high environmental impact | Observes relevant national regulations:　　5pts ☐<br>Observes higher industry standards:　　7pts ☐<br>Observes higher Sony standards:　　8pts ☐<br>High impact materials eliminated:　　10pts ☐ | | | Refer to Sony Specified Environmental Substances |
| Disassembly time | Reduction in time to dismantle product new model (___min) baseline model (___min) | (1−new model/baseline model)×100% = ___% | | 60% reduction is 10pts |
| Labeling of materials types | No labeling:　　0pts ☐<br>Observes product assessment standards:　　5pts ☐<br>All materials labeled:　　10pts ☐ | | | |
| Recyclability | **Recyclability improvement ratio**<br>where recyclability is the percentage of materials, by weight, for which recycling is feasible new model recyclability (___%) baseline (___%) | (new model−baseline model)/(100%−baseline model)×100% = ___% | | 60% improvement is 10pts |
| Recycled resource usage ratio | Recycled glass usage as % total glass weight | Recycled/total = ___& | | 50% is 10pts 0% os 0pts |
| | Recycled plastics usage as % of total plastics weight | Recycled/total = ___& | | |
| | Recycled paper usage as % of total paper weight | Recycled/total = ___& | | 100% is 10pts |
| Material resource conservation | **Product weight reduction ratio**<br>new model (___g) baseline model (___g) | (1−new model/baseline model)×100% = ___% | | 50% is 10pts 0% is 0pts |
| | **Product volume reduction ratio**<br>new model (___cm)³ baseline model (___cm)³ | (1−new model/baseline model)×100% = ___% | | |
| | **Product count reduction ratio**<br>new model parts count (___) baseline model (___) | (1−new model/baseline model)×100% = ___% | | 20% reduction is 10pts |
| Product life | Initial failure rate | ___% | | $\langle x\%$ is 10pts $x+\%$ is 0pts |
| | Annual failure rate | ___% | | $\langle x\%$ is 10pts $x+\%$ is 0pts |
| Energy conservation | Energy consumption in standby mode | ___Watts | | 0W is 10pts 2+W is 0pts |
| | Energy consumption during use new model (___W) baseline model (___W) | (1−new model/baseline model)×100% = ___% | | 60% reduction is 10jpts |
| Packaging | Polystyrene foam usage reduction new model (___g) baseline model (___g) | (1−new model/baseline model)×100% = ___% | | |
| | Polystyrene weight reduction ratio new model (___g) baseline model (___g) | Recycled/total = ___% | | 100% is 10pts |
| | Recycled resource usage as % of weight | | | |

**출처** Adapted from Yanagida(1995)

◎ **파레토 다이어그램**(Pareto Diagram)

1800년경에 빌프레도 파레토(Vilfredo Pareto)가 이탈리아의 80%의 부富를 20%의 인구가
차지하고 있는 것을 발견함으로써 유명해졌다. 품질 문제의 80%는 특정한 원인 20%에
의해 발생한다고 생각할 수 있다.

체크시트나 기타 도구를 통해 수집한 자료를 빈도와 퍼센트(%)로 구분하여 하나의 도표
에 함께 표현한다. 아래의 그램에서 보는 바와 같이 왼쪽에는 불량에 대한 빈도수를 표
현했고, 우측에는 불량의 원인이 차지하는 퍼센트를 표시하였다.

**그림 8-4** ◆ **파레토 차트의 예시**

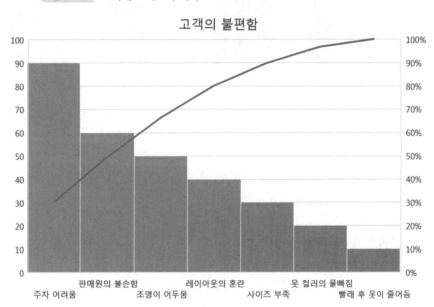

◎ **히스토그램**(Histogram)

변화의 분포도를 나타내는 수직 바 차트로 분포도의 모양과 폭에 의한 문제의 원인을 식
별하는 데 도움을 준다.

그림 8-5    ◆ 히스토그램의 예시

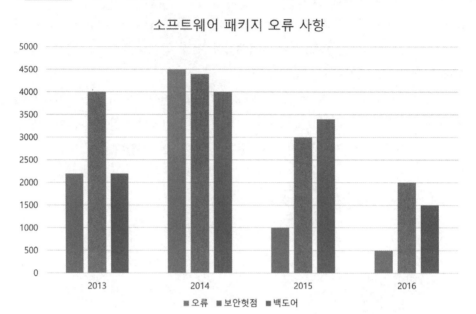

소프트웨어 패키지 오류 사항

◉ **통제도**(Control Charts) :

통제도는 프로세스가 안전한지 그렇지 않은지, 프로세스가 성과를 예측할 수 있는지 없는지를 결정하기 위해 사용한다.

그림 8-6    ◆ 통제도의 예시

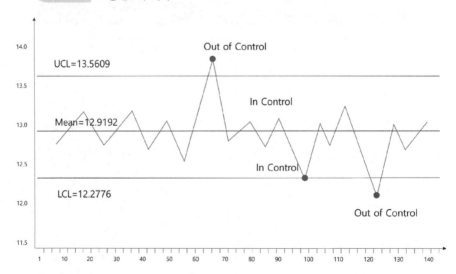

◎ **산점도(Scatter Diagram)**

프로젝트 추진 중 발생되는 문제의 요인이 되는 변수 또는 파라미터에 대한 관계를 도식화하는 기법으로 X축에 있는 독립변수가 Y축의 종속변수에 영향을 주고 있는지는 볼 수 있는 도표이다.

그림 8-7 ◆ 산점도의 예시

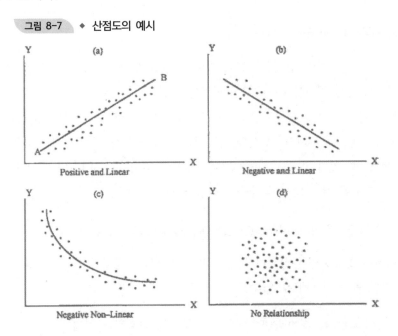

# 4. 벤치마킹(Benchmarking)

최상의 모범적인 실무관행을 식별하고, 개선에 대한 아이디어를 만들고, 성과 측정을 위한 기준을 제공하기 위해 수행조직 내부나 외부에 존재하거나 타 회사의 프로젝트의 실적이나 계획된 프로젝트 실무를 비교하기 위해 사용된다.

## 5. 실험계획법(Design of Experiments, DOE)

개발 또는 생산중인 제품이나 프로세스의 특정 변수에 영향을 줄 수 있는 요인들을 식별하는 데 사용되는 방법이다. 실험계획법은 불량의 원인을 조사하기 위하여 테스트의 횟수, 테스트 유형 등을 미리 구분하여 품질통제 측정치를 얻어내기 위한 실험 환경을 미리 만들어두는 것을 말한다. 실험계획법의 사례로는 청량음료를 개발 시 최적의 맛을 낼 때까지 많은 다양한 성분을 여러 형태로 섞어 최적의 맛을 찾는 것이 있다.

> **Tips**
>
> 7가지 품질도구와 실험계획법의 차이점은 실험계획법을 통해 불량 발생 원인들을 변수로 하고, 발생원인들의 조합을 변경함으로써 실험의 횟수를 정한다.
>
> 그 실험의 결과를 7가지 도구를 통해 표현한다.

## 6. 통계적 샘플링(statistical Sampling)

통계적 샘플링 또한 품질비용과 관련이 있다. 볼펜을 1,000만개 생산한다고 가정해보면 모든 볼펜에 대해서 품질 검사를 하면, 모든 볼펜에 대한 품질은 확인 가능하겠지만, 볼펜 품질 테스트 비용이 많이 소요될 것이다. 따라서 볼펜 1,000만개 중 무작위로 100개를 뽑아내어 품질 검사를 수행한 후, 해당 100개 샘플의 품질결과를 통해 모집단인 1,000만개 볼펜에 대한 품질 결과로 해석할 수 있다. 따라서 샘플이 많고 적음에 따라 품질 비용의 차이가 나기 때문에 편익분석을 수행하여 어떤 방법이 좋을지 결정할 필요성이 있다.

## 7. 추가적인 품질 계획 도구(Additional Quality Planning Tools)

품질 요구 사항을 보다 더 정확하게 정의하고, 효과적인 품질관리 활동들을 계획하는데 아래와 같은 기법 들이 사용될 수 있다.

- ◉ **브레인스토밍**(Brainstorming) : 아이디어 도출에 사용되는 기법
- ◉ **역장 분석**(Force Field Analysis)
  어떤 목적을 달성하는 데 있어 긍정적인 힘(도와주는 힘)과 부정적인 힘(방해하는 힘)이 어떤 것들이 있으며 그것들의 상대적인 크기는 어떤지를 알 수 있게 해주는 도구이다.

270

그림 8-8 ◆ 역장분석의 예시

# 역장 분석

도와주는 힘      프로젝트의 성공을……      방해하는 힘

**도와주는 힘**
- 사용자의 명확한 요구사항
- 프로젝트 관리자의 리더십
- 사용자의 적극적인 참여
- 철저한 리스크 관리
- 프로젝트 관리 교육
- 이해관계자와의 관계

**방해하는 힘**
- 불명확한 요구사항
- 이해관계자의 참여부족
- 프로젝트 관리 주체 모호
- 프로젝트 관리 교육의 부족
- 역량이 부족한 팀원의 참여

◉ **명목 집단법(Nominal Group techniques)**

명목집단 기법은 구조가 상당히 잘 잡혀있고 참여에 대한 촉진이 잘 되어있는 팀 회의에서 아이디어를 창출하고 우선순위를 부여하고 아이디어에 대한 팀의 합의를 도출하도록 하는데 주로 사용됨.

◉ **품질 관리 및 통제 도구(Quality management and control tools)**

## 8. 회의(Meetings)

품질관리 계획을 수립할 때 프로젝트 관리자와 프로젝트 팀 및 이해관계자와 관련 전문가들이 함께 모여 회의를 진행한다.

## 8.1.3 품질관리 계획 프로세스 산출물

### 1. 품질관리 계획서(Quality Management Plan)

프로젝트 관리 팀이 수행조직의 품질 정책을 어떻게 이행할지를 기술하고 전반적인 프로젝트 관리 계획에 투입물을 제공하고, 프로젝트의 품질통제(QC), 품질보증(QA), 프로젝트를 위한 지

속적인 프로세스 개선을 포함한다.

## 2. 프로세스 개선 계획서(Process Improvement Plan)

프로젝트 관리 계획의 부속 계획으로 프로세스 범위, 프로세스 구성, 프로세스 매트릭스, 성과 개선 목표 등을 포함한다.

## 3. 품질 기준(Quality Metrics)

품질기준은 [8.2 품질보증 수행], [8.3 품질통제]에서 인도물이나 프로젝트의 품질을 측정하기 위한 기준이다. 따라서 품질기준에는 인도물 또는 프로젝트의 품질속성을 기술하고, 품질을 측정하는 방법과 허용한도 등의 정보가 기술되어 있다.

품질 기준의 예로는 결함도(defect density), 고장률(Failure rate), 유용성(Availability), 신뢰성(Reliability), 시험범위(Test coverage) 등이 있다.

## 4. 품질 체크목록(Quality Checklists)

필요한 작업 단계를 절차대로 빠짐없이 수행했는지 확인하는데 사용하는 도구이다. 프로젝트의 상황에 따라 품질체크 목록이 단순해지거나 복잡해진다. 일반적으로 이해관계자에게 인계할 인도물에 대해서 품질체크 목록을 작성해두는 것이 좋다.

## 5. 프로젝트 문서 갱신(Project Documents Updates)

다음은 [8.1 품질관리계획 수립] 프로세스에 의해 갱신될 수 있는 프로젝트 문서들이다.

- ◉ **이해관계자 등록부** : 품질 요구사항을 갖고 있는 이해관계자가 변경될 수 있다.
- ◉ **작업분류체계 및 WBS사전** : 품질요구사항의 변경으로 인해 WBS사전내의 품질요구사항이 변경될 수 있다.

품질관리계획서를 작성하기 위해서는 품질관리의 대상을 파악해야 한다. 품질관리의 대상은 크게 인도물과 프로젝트의 프로세스라고 언급했다. 따라서 프로젝트 관리 계획서, 요구사항문서가 그 대상이 될 것이다. 또한, 품질에 대한 요구사항은 이해관계자가 가지고 있기 때문에 회의를 통해 품질 관리 계획서를 작성한다.

품질관리 계획서를 작성하면서 프로세스에 대한 개선 계획서와 품질 기준 및 품질체크 목록을 함께 작성한다는 것을 꼭 알아두자.

| 프로세스<br>지식영역 | 8.1 품질관리계획 수립 | |
|---|---|---|
| 4. 통합관리 | 4.2 프로젝트 관리<br>계획서 개발 | 프로젝트관리계획서 |
| 5. 범위 관리 | 5.2 요구사항 수집 | 요구사항문서 |
| 6. 일정 관리 | | |
| 7. 원가 관리 | | |
| 8. 품질 관리 | | 8.1 품질관리계획 수립 |
| 9. 인적자원관리 | 기업/조직 | 조직 프로세스 자산<br>기업 환경요인 |
| 10. 의사소통 관리 | | |
| 11. 리스크 관리 | 11.2 리스크 식별 | 리스크등록부 |
| 12. 조달 관리 | | |
| 13. 이해관계자<br>관리 | 13.1 이해관계자 식별 | 이해관계자등록부 |

품질관리 계획 수립 프로세스의 산출물인 품질관리 계획서는 품질보증 수행 프로세스의 투입물이 된다. 또한, 품질통제수행 프로세스에서는 품질관리 계획서와 변경이나 형상관리 계획서 및 기타 관리 계획서를 포함한 프로젝트 관리 계획서가 투입물이 된다.

또한, 품질기준과 프로세스 개선 계획서는 품질보증 수행 프로세스의 투입물로, 품질 기준과 품질체크 목록은 품질통제 수행의 투입물이 된다는 것을 기억해두자.

특히, 품질과 관련된 리스크 식별을 위해 품질관리 계획서가 리스크 식별 프로세스의 투입물이 된다는 것도 알아야 한다.

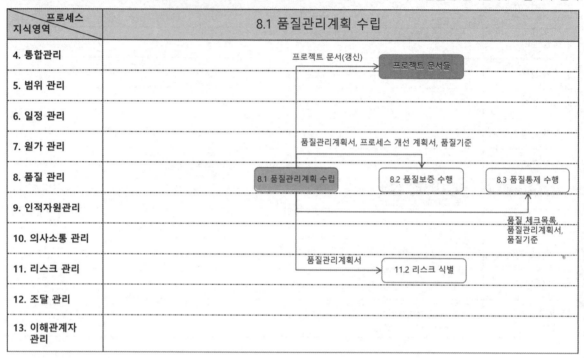

| 프로세스 / 지식영역 | 8.1 품질관리계획 수립 | | |
|---|---|---|---|
| 4. 통합관리 | | 프로젝트 문서(갱신) → 프로젝트 문서들 | |
| 5. 범위 관리 | | | |
| 6. 일정 관리 | | | |
| 7. 원가 관리 | | 품질관리계획서, 프로세스 개선 계획서, 품질기준 | |
| 8. 품질 관리 | 8.1 품질관리계획 수립 | 8.2 품질보증 수행 | 8.3 품질통제 수행 |
| 9. 인적자원관리 | | | |
| 10. 의사소통 관리 | | | 품질 체크목록, 품질관리계획서, 품질기준 |
| 11. 리스크 관리 | 품질관리계획서 → 11.2 리스크 식별 | | |
| 12. 조달 관리 | | | |
| 13. 이해관계자 관리 | | | |

## 8.2 품질보증수행(Perform Quality Assurance)

[8.2 품질보증 수행] 프로세스는 품질 요구사항과 품질 통제의 측정 결과를 감시하면서, 해당하는 품질 표준과 사업 운영상의 품질 정의를 적절히 사용하고 있는지 확인하는 프로세스이다. [8.2 품질보증 수행] 프로세스는 결함을 예방하거나 구현 작업 단계에서 결함을 탐지함으로써 일정한 품질 수준을 유지하도록 한다.

따라서 [8.2 품질보증 수행] 프로세스는 품질관리 계획서에 기술되고 정의된 절차와 방법대로 적절한 도구를 사용하여 [8.3 품질통제]의 품질통제 측정치가 프로젝트 수행 프로세스나 인도물의 품질기준에 부합하는지 확인한다.

품질 보증 수행(Perform Quality Assurance) 프로세스의 투입물, 도구 및 기법과 산출물은 다음과 같다.

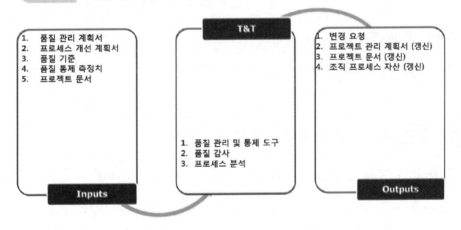

그림 8-9 ◆ 품질보증 수행 프로세스의 ITTO

### 8.2.1 품질 보증 수행 프로세스 투입물

**1. 품질 관리 계획서**(Quality Management Plan)

[8.2 품질보증 수행]에서는 프로젝트에 대한 품질 보증에 대한 절차와 규정 및 도구 등을 정의하였기 때문에 참고한다.

**2. 프로세스 개선 계획서**(Process Improvement Plan)

[8.2 품질보증 수행]에서는 프로젝트의 품질 및 인도물의 품질 프로세스에 문제가 있는지를 [8.3 품질통제 수행]에서 품질체크목록으로 확인한 산출물인 품질통제 측정치와 품질기준을 비교하여 차이가 있는 경우 인도물의 생산 프로세스에 문제가 있는지 확인하여 프로세스를 개선해야 한다. 따라서 프로세스 개선 계획서를 참고한다.

### 3. 품질 기준(Quality Metrics)

품질 측정기준들은 측정되어야 할 항목과 허용 한계 등에 대한 속성을 제공하기 때문에 참고한다.

### 4. 품질 통제 측정치(Quality Control Measurements)

[8.3 품질통제 수행] 프로세스의 산출물로써 인도물이나 프로젝트의 품질을 측정한 결과물이다. 따라서 이 품질통제 측정치가 품질기준에 적합한지 부적합한지를 검토하고 판단한다. 만약, 품질통제 측정치가 품질기준에 적합하지 않으면, 변경요청을 통해 프로세스를 개선한다.

### 5. 프로젝트 문서(Project Documents)

이슈로그, 변경로그, 프로젝트 일정 등의 문서를 참고한다.

## 8.2.2 품질 보증 수행 프로세스 도구 및 기법

### 1. 품질 관리 및 통제 도구(Quality Management and Control Tools)

품질보증 수행 프로세스는 품질관리 계획서에 정의된 품질관리 및 품질통제 도구 및 기법을 사용하는데, 정의된 도구 및 기법 외에 다음과 같은 도구를 추가적으로 사용할 수 있다.

◉ 친화도(Affinity Diagrams)

특정 문제에 대해 다양한 아이디어나 자료를 종합하여, 유사성과 연관성에 따라 재분류한 후, 해결안을 제시하는 방법으로 마인드 맵 기법과 유사하다. 특히, 인도물을 분할하면서 친화도를 사용하면 더욱 효과적이고 이해하기 쉬운 WBS를 작성할 수 있다.

그림 8-10 ◆ 친화도의 예시

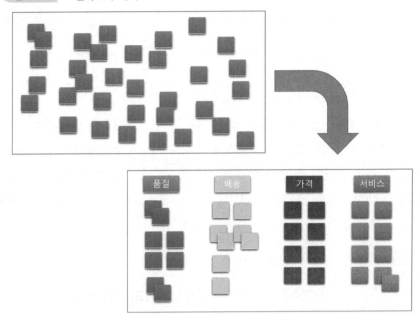

◉ 프로세스 결정 프로그램 차트(Process Decision Program Chart)

어떤 목적을 달성하기 위하여 기본적인 프로세스를 생각한 후 각 단계가 순조롭게 실시되는 데 장애가 되는 일을 전부 밝혀내어 그 대책을 생각하는 것이다. 또는 소프트웨어를 개발할 때 이상 데이터의 입력이나 중간 결과의 결함, 온라인 시스템과 같은 경우의 데이터 발생 횟수의 이상, 조작 이상 등의 경우를 검사하여 그 대책을 미리 세우는 것이다.

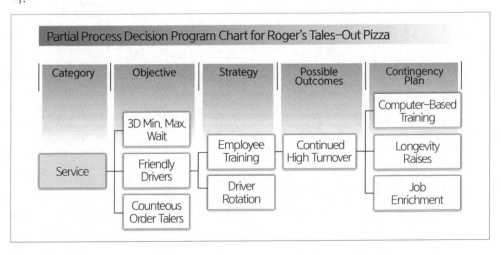

◉ 상호 연관 방향도(Interrelationship Diagraphs)

관계도의 일종이며, 원인-결과도의 한 종류로 볼 수 있다. 최대 50여개의 항목들 간에
논리적인 상호 연관성을 찾아내는 방법이다. 하나의 항목에 영향을 주는 다른 항목들이
몇 개가 있으며, 하나의 항목은 몇 개의 항목에 영향을 주는지 파악할 수 있다.
친화도(affinity diagram), 트리 다이어그램(수형도, tree diagram), 어골도(fishbone diagram)
와 같은 도구의 결과로부터 만들어지기도 한다.

그림 8-11 ◆ 상호 연관 방향도 예시

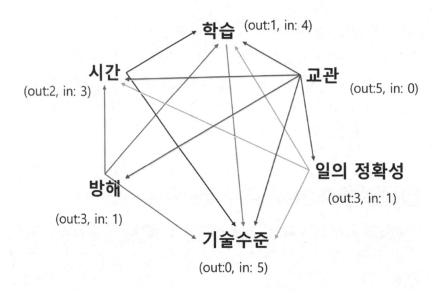

◉ 트리 다이어그램(Tree Diagram)

수형도樹型圖라고도 하며, WBS(Work Breakdown Structure), RBS(Resource Breakdown

Structure), OBS(Organizational Breakdown Structure)와 같은 형태로 계층적으로 표현한다. 트리 다이어그램은 분기가 가능하고, 맨 마지막에는 하나의 결정 포인트로 종결되므로 의사결정나무(Decision Tree)에서 기대값을 계산하는 데 사용되기도 한다.

**그림 8-12** ◆ 트리 다이어그램의 예시

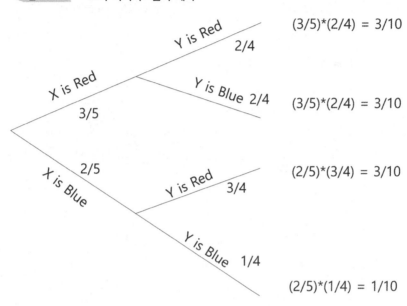

◉ 우선 순위 매트릭스(Prioritization Matrices)

주요 이슈와 적합한 대안들을 찾아내어 수행을 위한 일련의 결정 사항들을 우선순위화한다. 다양한 선택 사항들에 순위를 매기기 위해 선택 기준과 가중치를 계산하기도 한다.

**표 8-4** ↳ 우선 순위 매트릭스의 예시

| 구분 | 요인 | | | | | | |
|---|---|---|---|---|---|---|---|
| | 가중치 | | | | | | |
| | 1 | 1 | 1 | 1 | 2 | 1 | |
| 프로젝트 | 안전 | 교육훈련 | 보상 | 인력 | 원가 | 일정 | 합계 |
| A | 1 | 4 | 4 | 3 | 6 | 2 | 20 |
| B | 2 | 2 | 3 | 1 | 2 | 1 | 11 |
| C | 3 | 3 | 1 | 4 | 8 | 4 | 23 |
| D | 4 | 1 | 2 | 2 | 4 | 3 | 16 |

◉ 활동 네트워크 다이어그램(Activity Network Diagram)

[8.2 품질보증 활동] 프로세스는 인도물의 품질이 프로세스의 영향을 받는지 확인하고, 이를 개선해야 하기 때문에 네트워크 다이어그램을 그려봄으로써 확인할 수 있다. 따라서 화살표기활동(AOA)와 노드 표기 활동(AON), 프로그램 평가 및 검토 기법(PERT), 주공정법(CPM), 및 선후행 도형법(PDM) 등과 같은 방법들이 사용된다.

그림 8-13 ◆ 활동 네트워크 다이어그램 예시

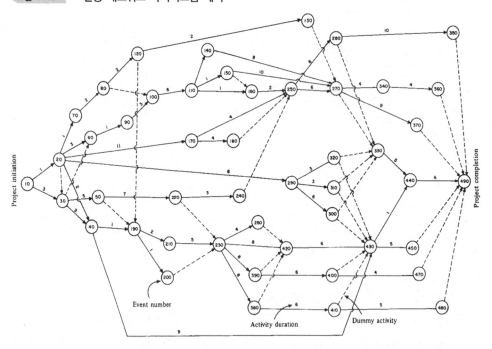

◉ 매트릭스 다이어그램(Matrix Diagram)

두 개 또는 그 이상의 특성, 기능, 아이디어 등의 집합에 대한 관련 정도를 행렬(matrix) 형태로 표현하는 기법으로 행과 열을 사용하여 요인, 원인, 목표들 간에 관계를 표현할 때 사용한다.

그림 8-14    ◆ 매트릭스 다이어그램 예시

|  | 영업부서 | 디자인팀 | 개발팀 |
|---|---|---|---|
| 고객만족 | ◎ | ○ | ○ |
| 모듈 개발 |  |  | ○ |
| 모듈 디자인 |  | ○ |  |
| 테스트 |  |  | ○ |
| 고객 인수 | ◎ |  | ○ |

## 2. 품질 감사(Quality Audits)

품질감사 조직(PMO, 품질보증팀 혹은 외부 감사팀 등)이 프로젝트 팀 혹은 프로젝트 관리팀이 품질관리 계획서, 프로세스 개선 계획서, 품질 기준 및 품질 체크 목록에서 정의한 절차와 방법대로 품질 관리를 제대로 수행하고 있는지 감사하는 독립적인 프로세스이다. 품질 감사의 목적은 다음과 같다.

◉ 모든 모범적 실무 관행 식별
◉ 모든 부적합 및 차이 발생의 원인 식별
◉ 유사 프로젝트에서의 모범적 관행을 조직 혹은 산업계에 소개, 공유 및 전파
◉ 팀의 생산성 향상을 위한 능동적인 프로세스 개선 활동
◉ 감사활동에 대한 교훈들을 정리

품질 감사는 정기적 혹은 부정기적으로 수행하며, 내부 혹은 외부 감사자가 수행할 수 있다. 시정조치, 결함수정, 및 예방조치를 포함하는 승인된 변경 요청의 이행을 확정하고 이행의 결과를 다시 확인한다.

## 3. 프로세스 분석(Process Analysis)

프로세스 개선 계획서에 기술된 단계들을 수행하여 향상이 필요한 것들을 식별한다. 경험한 문제점, 제약사항들과 비부가가치(non-value-added) 활동들을 분석하여 제거하기도 한다.

### 8.2.3 품질 보증 수행 프로세스 산출물

**1. 변경 요청**(Change Requests)

만약 프로젝트 관리 프로세스 혹은 인도물 생성 프로세스에 문제가 있다면 변경요청을 한다. [8.2 품질보증 수행] 프로세스의 산출물인 변경 요청은 [4.5 통합변경통제 수행] 프로세스의 투입물로 사용된다. 승인된 변경요청은 시정 조치, 예방 활동 및 결함수정을 수행한다.

**2. 프로젝트 관리 계획서 갱신**(Project Management Plan Updates)

품질보증의 결과로 변경요청이 발생할 수 있으며, 도출된 변경요청은 품질관리 계획서, 범위관리 계획서, 일정관리 계획서, 원가관리 계획서 등의 갱신이 필요할 수 있다.

**3. 프로젝트 문서 갱신**(Project Documents Updates)

품질보증의 결과로 변경요청이 발생할 수 있으며, 도출된 변경요청은 품질감사 보고서, 교육 계획서, 프로세스 문서, 변경로그, 품질기준, 품질체크목록 등의 갱신이 필요할 수 있다.

**4. 조직 프로세스 자산 갱신**(Organizational Process Assets Updates)

품질보증의 결과로 조직의 품질 기준이나 품질관리 시스템, 형상관리 시스템, 변경관리 시스템 등의 갱신이 필요할 수 있다.

[8.2 품질보증 수행] 프로세스는 품질통제 측정치와 품질기준을 비교함으로써 프로젝트 관리 프로세스와 인도물 생성 프로세스를 개선하는 프로세스이다. 따라서 프로젝트 관리 계획서, 프로세스 개선 계획서 및 품질기준을 기초로 [8.3 품질통제] 프로세스의 품질통제 측정치를 비교하여 프로세스의 개선이 필요한 경우 변경요청을 통해 프로세스를 개선한다.

| 프로세스 / 지식영역 | 8.2 품질보증 수행 |
|---|---|
| 4. 통합관리 | |
| 5. 범위 관리 | 프로젝트 문서들    프로젝트 문서들 |
| 6. 일정 관리 | |
| 7. 원가 관리 | |
| 8. 품질 관리 | 8.1 품질관리계획 수립    8.3 품질통제 수행    8.2 품질보증 수행 |
| 9. 인적자원관리 | 프로세스 개선 계획서, 품질관리계획서, 품질기준    품질통제 측정치 |
| 10. 의사소통 관리 | |
| 11. 리스크 관리 | |
| 12. 조달 관리 | |
| 13. 이해관계자 관리 | |

품질보증 수행에서는 품질통제 측정치와 품질 기준의 차이에 의해 변경이 필요한 경우 변경요청을 하고, 이를 통합변경통제 수행 프로세스에서 변경통제위원회(CCB)가 변경의 필요성, 변경에 필요한 시간, 변경에 필요한 자금 등을 종합적으로 고려하여 변경에 대한 승인 혹은 거부를 하게 된다.

| 프로세스 / 지식영역 | 8.2 품질보증 수행 |
|---|---|
| 4. 통합관리 | 4.2 프로젝트 관리 계획 개발 / 4.5 통합변경통제수행 |
| 5. 범위 관리 | 프로젝트관리계획서(갱신) / 변경요청 |
| 6. 일정 관리 | |
| 7. 원가 관리 | |
| 8. 품질 관리 | 8.2 품질보증 수행 |
| 9. 인적자원관리 | |
| 10. 의사소통 관리 | 조직프로세스자산(갱신) → 기업/조직 |
| 11. 리스크 관리 | 프로젝트 문서(갱신) → 프로젝트 문서들 |
| 12. 조달 관리 | |
| 13. 이해관계자 관리 | |

284

## 8.3 품질통제 수행(Control Quality)

[8.3 품질통제] 프로세스는 품질 활동의 실행 결과를 감시하고, 기록하면서 성과를 평가하고 필요한 변경 권고안을 제시하는 프로세스이다.

품질 통제(Control Quality) 프로세스의 투입물, 도구 및 기법과 산출물은 다음과 같다.

그림 8-15  ◆  품질통제 프로세스의 ITTO

**Inputs**
1. 프로젝트 관리 계획서
2. 품질 기준
3. 품질 체크 목록
4. 작업 성과 자료
5. 승인된 변경 요청
6. 인도물
7. 프로젝트 문서
8. 조직 프로세스 자산

**T&T**
1. 7가지 기본 품질도구
2. 통계적 샘플링
3. 검사
4. 승인된 변경요청 검토

**Outputs**
1. 품질 통제 측정치
2. 확인된 변경사항
3. 확인된 인도물
4. 작업 성과 정보
5. 변경 요청
6. 프로젝트 관리 계획서 (갱신)
7. 프로젝트 문서 (갱신)
8. 조직 프로세스 자산 (갱신)

### 8.3.1 품질 통제 프로세스 투입물

### 1. 프로젝트 관리 계획서(Project Management Plan)

품질 통제에 관련된 내용이 있는 품질 관리 계획서를 포함하며, 변경관리 계획서 및 형상관리 계획서와 기타 관리 계획서들을 참고한다.

### 2. 품질 기준(Quality Metrics)

프로젝트 혹은 인도물의 속성을 기술하고, 어떻게 측정할 것인지 그 기준은 무엇인지 기술되어 있기 때문에 품질 기준을 참고한다. 품질기준의 예로는 기능 점수(Function point), MTBF(mean time between failure, 고장 간 평균시간), MTTR(Mean Time to repair, 평균 수리시간) 등이 있다.

### 3. 품질 체크 목록(Quality Checklists)

프로젝트의 작업과 프로젝트의 인도물들이 요구사항을 만족하는지를 검증하는 구조화된 확인 목록이다. 품질기준은 [8.2 품질보증 수행] 및 [8.3 품질통제]에 모두 사용되지만 품질 체크 목록은 [8.3 품질통제] 프로세스에서만 사용한다는 것을 알아두자.

### 4. 작성 성과 자료(Work Performance Data)

품질통제에서 필요로 하는 작업성과자료는 어떤 것일까? 아마도 계획대비 인도물의 완료성과, 계획대비 인도물의 일정성과 및 기술적 성과나 원가성과 등을 참고할 것이다. 즉, 해당 인도물의 품질 측정이 가능할 정도로 완료상태인지 혹은 진행상태인지를 확인해야 할 것이다.

### 5. 승인된 변경요청(Approved Change Requests)

인도물이 한번에 승인이 되면 좋겠지만, 대부분은 그렇지 못할 것이다. 승인된 변경요청은 인도물과 함께 이전 품질통제에서 발생한 변경요청에 따라 시정조치, 예방조치, 및 결함수정이 제대로 되었는지 확인해야 한다.

### 6. 인도물(Deliverables)

품질통제의 대상이 되는 인도물이 [8.3 품질통제] 프로세스의 투입물이 되는 것은 당연하다.

### 7. 프로젝트 문서(Project Documents)

협약, 품질 감사 보고서 및 변경 로그, 훈련 계획 및 효과성 측정, 7가지 기본 품질도구 혹은 품질 관리 및 통제도구를 통해 획득한 프로세스 관련 문서 등을 참고할 수 있다.

### 8. 조직 프로세스 자산(Organizational Process Assets)

[8.3 품질통제] 프로세스에 영향을 줄 수 있는 조직 프로세스 자산은 다음과 같다.

- ◉ 조직의 품질 표준 및 정책
- ◉ 표준 작업 매뉴얼 혹은 가이드라인
- ◉ 이슈나 결함 보고 절차 및 의사소통 정책

### 8.3.2 품질 통제 프로세스 도구 및 기법

### 1. 7가지 기본 품질 도구(Seven Basic Quality Tools)

[8.1 품질관리 계획수립] 프로세스에서는 7가지 도구를 이용하여 이번 프로젝트에서 어떤 품질도구를 사용하여 품질측정을 할 것인지 계획했다. [8.3 품질통제] 프로세스는 품질관리 계획서에서 정의한 품질측정 도구대로 인도물을 품질기준 및 품질체크 목록에 따라 품질을 측정하여

품질통제 측정치를 생성한다.

## 2. 통계적 샘플링(Statistical Sampling)

전수 검사를 할 수 없는 경우라면 샘플링을 통해 품질 검사를 한다.

## 3. 검사(Inspection)

품질기준에 부합하는지 결정하기 위해 인도물을 조사하는 활동이다. 일반적으로, 검사의 결과는 측정을 포함한다. 검사는 검토(reviews), 동료검토(peer review), 감사(audit), 검토회의(walkthroughs) 등의 용어도 사용한다.

## 4. 승인된 변경요청 검토(Approved Change Requests Review)

모든 인도물의 변경이 변경통제위원회에서 승인된 변경요청대로 인도물 및 문서에 대해 시정조치, 예방조치 및 결함수정이 이루어졌는지 검토한다.

### 8.3.3 품질 통제 프로세스 산출물

## 1. 품질 통제 측정치(Quality Control Measurements)

품질 측정 도구를 통해 측정한 결과를 문서화한 것이다. 프로젝트 품질관리 계획서에 정의된 형식으로 측정 결과가 보고되어야 한다.

## 2. 확인된 변경(Validated Changes)

[8.3 품질통제]의 도구 및 기법의 승인된 변경요청 검토를 통해 변경요청을 확인한다. 만약, 승인된 변경요청대로 인도물이나 문서가 작업이 이루어지지 않았다면 재작업을 지시한다.

## 3. 검증된 인도물(Verified Deliverables)

[8.3 품질 통제] 프로세스의 목적은 인도물이 품질기준 즉, 사양에 맞게 정확성을 만들어졌는지를 결정한다. 검증된 인도물들은 [5.5 범위 검증(Validate Scope)]의 투입물이 된다.

## 4. 작업 성과 정보(Work Performance Information)

[8.3 품질통제] 프로세스에서는 품질기준과 실제 인도물 간의 차이를 분석하여 문서화한다. 또한, 승인된 변경요청의 결과나 변경요청 내용 및 검증된 인도물에 대한 결과를 기록하여 [4.4

프로젝트 작업 감시 및 통제] 프로세스의 투입물로 사용된다.

## 5. 변경 요청(Change Requests)

만약 인도물에 대한 품질통제 측정 결과가 품질기준에 적합하지 않거나 결함이 있는 경우에는 변경요청을 한다.

## 6. 프로젝트 관리 계획서 갱신(Project Management Plan Updates)

[8.3 품질통제] 프로세스의 결과로 품질관리 계획서, 프로세스 개선 계획서 등을 갱신할 수 있다.

## 7. 프로젝트 문서 갱신(Project Documents Updates)

품질 표준(Quality standards), 협약(Agreements), 품질 감사 보고서 및 변경 로그, 교육 훈련 계획 및 효과성 측정, 프로세스 문서들을 갱신할 수 있다.

## 8. 조직 프로세스 자산 갱신(Organizational Process Assets Updates)

[8.3 품질통제] 프로세스 수행 결과로 품질체크목록이 갱신될 수 있고, 품질통제 수행과정의 경험들을 교훈으로 정리하여 조직 프로세스 자산화할 수 있다.

[8.3 품질통제] 프로세스는 인도물 및 문서에 대한 품질측정 결과를 문서화하는 프로세스이다. 따라서 투입물로는 품질통제의 대상인 인도물, 품질기준과 품질체크 목록이 필요하다. 인도물이 품질 기준대로 잘 만들어졌다면 인도물을 검증하여 [5.5 범위 검증] 프로세스로 넘긴다. 만약 품질기준에 부적합하여 변경 요청한 인도물을 재확인한다면, 확인된 변경사항과 인도물을 품질기준 및 품질확인목록과 비교해야 한다.

| 프로세스<br>지식영역 | 8.3 품질통제 | | |
|---|---|---|---|
| **4. 통합관리** | 4.2 프로젝트 관리<br>계획 개발 | 4.3 프로젝트 작업<br>지시 및 관리 | 4.5 통합변경통제수행 |
| **5. 범위 관리** | 프로젝트관리계획서 | 인도물,<br>작업성과자료 | 승인된 변경요청 |
| **6. 일정 관리** | | | |
| **7. 원가 관리** | | | |
| **8. 품질 관리** | 8.1 품질관리계획 수립 | 품질기준, 품질체크목록 | 8.3 품질통제 수행 |
| **9. 인적자원관리** | | | |
| **10. 의사소통 관리** | 프로젝트 문서들 | 프로젝트 문서 | |
| **11. 리스크 관리** | | | |
| **12. 조달 관리** | 기업/조직 | 조직프로세스자산 | |
| **13. 이해관계자<br>관리** | | | |

품질통제 수행 프로세스는 투입되는 인도물을 품질기준과 품질체크 목록을 통해 확인하여 기준대로 인도물이 만들어진 경우, 검증된 인도물과 품질통제 측정치, 작업성과정보를 산출물로 만들어낸다.

그러나 품질 기준에 부적합한 인도물의 경우에는 변경요청을 통해 재작업을 지시한다. 재작업된 인도물은 승인된 변경요청, 인도물(재작업 완료)을 토대로 재확인하여 품질에 적합하게 만들어진 경우 작업성과정보와 품질통제 측정치 및 승인된 변경 요청은 검증된 변경으로, 인도물은 검증된 인도물로 합격 판정을 한다.

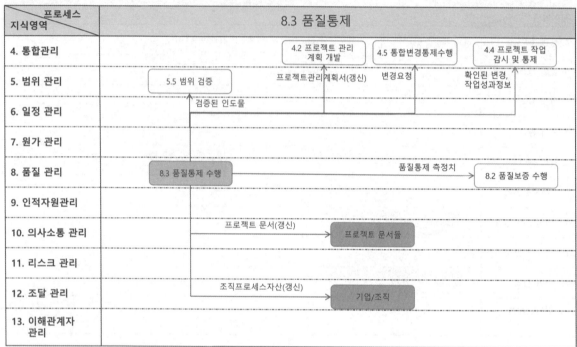

| 프로세스 / 지식영역 | 8.3 품질통제 |
|---|---|
| 4. 통합관리 | 4.2 프로젝트 관리 계획 개발 — 4.5 통합변경통제수행 — 4.4 프로젝트 작업 감시 및 통제 |
| 5. 범위 관리 | 5.5 범위 검증 / 프로젝트관리계획서(갱신) / 변경요청 / 확인된 변경, 작업성과정보 |
| 6. 일정 관리 | 검증된 인도물 |
| 7. 원가 관리 | |
| 8. 품질 관리 | 8.3 품질통제 수행 — 품질통제 측정치 — 8.2 품질보증 수행 |
| 9. 인적자원관리 | |
| 10. 의사소통 관리 | 프로젝트 문서(갱신) → 프로젝트 문서들 |
| 11. 리스크 관리 | |
| 12. 조달 관리 | 조직프로세스자산(갱신) → 기업/조직 |
| 13. 이해관계자 관리 | |

## Chapter 08 연습문제

**01** 용환성 부장은 최근 프로젝트 관리자로 임명되면서 프로젝트를 수행하게 되었다. 그 프로젝트는 이미 반 정도 실행이 된 상태이다. 용환성 부장은 WBS가 프로젝트 관리 계획서와 맞지 않으며 WBS도 100% 규칙에 맞게 작성되지 않았다는 것을 발견했다. 이 상황은 무엇을 의미하는가?

① 프로젝트 관리 계획서에서 언급한 프로젝트 및 제품 완성에 필요한 모든 일들을 WBS가 담지 않았다.

② 프로젝트가 반 정도 실행된 것이 아니다.

③ 프로젝트 관리 계획서는 100% 완벽할 수 없다.

④ 프로젝트가 계획된 종료시점을 맞출 수 없다.

**02** 통제도는 무엇인가?

① RAM 차트의 일종이다.

② 문제의 원인을 보여주는 차트이다.

③ 어골도의 일종이다.

④ 프로세스의 안정성을 보여주는 차트이다.

**03** 프로젝트에서 수행할 인수 테스트 비용은 어떤 항목에 포함되어야 하는가?

① 예방 비용                     ② 평가 비용

③ 내부 실패 비용                ④ 외부 실패 비용

**04** 산점도에서 사용하는 변수는 최대 몇 개 인가?

① 1개                          ② 2개

③ 3개                          ④ 4개

**05** 품질 활동을 수행해야 하는데 비용도 절감해야 하고 테스트 횟수 및 유형을 조정해야 한다. 이때 어떤 기법을 사용하는 것이 바람직한가?

① 통제도                        ② 산점도

③ 어골도                        ④ 실험계획법

**06** 인도물이 지연되었고, 팀원이 히스토그램으로 분석하여 원인되는 오류를 찾아냈다. PM은 이에 대응하기 위해 오류를 수정하라는 지시를 내렸다. 현재 프로젝트 관리자는 어떤 것을 하고 있는 중인가?

① 통합변경통제 수행      ② 품질 관리 계획 수립
③ 리스크 식별      ④ 리스크 관리 계획 수립

**07** 프로젝트 관리자가 통제도를 검토 중에 있다. 5개는 평균 아래에 있고, 6개는 평균 위에 있다. 그런데, 1개가 UCL을 벗어났다. 현재 어떤 상태인가?

① 통제 상태
② 통제 불능상태
③ 1개만 UCL을 벗어났기 때에 통제 상태
④ 1개만 UCL을 벗어났기 때문에 큰 문제는 아니다.

**08** 테스트에서 발생한 결함을 식별하고 기록하기 위해 무엇을 이용해야 하는가?

① 품질보증      ② 델파이 기법
③ 품질체크목록      ④ 산점도

**09** 품질보증 수행의 도구로서 각 단계가 순조롭게 실시되는데 장애가 되는 일을 밝혀내어, 그 대책을 수립하는데 도움이 되는 도구는 무엇인가?

① 프로세스 판별 프로그램 차트      ② 수형도
③ 통제도      ④ 상호연관 방향도

**10** 프로젝트 관리자가 프로젝트를 관리하던 중 품질에서 많은 오류를 보게 되었다. 그런데, 프로젝트 관리자는 비슷한 패턴을 전에 유사한 프로젝트에서 본 적이 있다. 어떻게 해야 하는가?

① 프로젝트 관리 계획서를 검토한다.
② 품질 관리 계획서를 검토한다.
③ 이전 프로젝트의 교훈 사항을 검토한다.
④ 리스크 등록부를 검토한다.

**11** 당신은 프로젝트 관리자이다. 현재 프로젝트에는 많은 품질문제 발생으로 변경비용의 증가 및 고객의 인도가 지연되고 있다. 이런 경우 많은 문제들 중에서 중요한 문제들을 먼저 해결하고자 한다. 이런 경우 어떤 기법을 사용하여 진행하여야 하는가? 즉 결함의 빈도수를 순위를 정리하고 큰 부분을 먼저 해결하고자 하는 것이다. 이때 사용되는 기법 중 효과적인 것은 무엇인가?

① 파레토 다이어그램      ② 산점도
③ 히스토그램      ④ 통제도

**12** 당신은 XYZ 프로젝트를 수행하고 있는 팀원이다. 인도물에 대한 품질을 관리함에 있어 고객의 품질요구사항 분석을 마무리하고 내부적인 회의를 하고 있다. 이때 회사내부의 품질정책을 준수하여야 한다고 조언하였다. 이에 당신은 누구로부터 품질정책(Quality Policy)에 대한 부분을 공식적으로 받아야 되는가?

① 담당 부서장
② 프로젝트 팀원
③ 내부 컨설턴트
④ 프로젝트의 품질 관리자

**13** 공장의 제조공정에서는 서로 공정상에 차이가 발생할 수 있다. 과거 흐름으로부터 추이를 분석함으로서 미연에 불량을 방지하고 통제하기 위한 적절한 도구는 무엇인가?

① 상관 관계도와 실험계획법
② 파레토 다이어그램과 히스토그램
③ 원인 결과도와 플로차트
④ 런차트와 통제도

**14** 품질통제에서 통합변경통제의 산출물인 승인된 변경요청이 입력물로 투입되는 이유가 가장 합당한 것은 다음 중 무엇인가?

① 승인된 변경요청으로 인한 시정조치 내용이 잘 반영되었는지를 확인하기 위해 변경요청내용을 보고 잘 검사하기 위함이다.
② 변경요청은 언제든지 일어날 수 있다. 따라서 품질과 관련 변경사항을 잘 이해하고 관리함으로써 품질문제 예방에 초점을 맞출 수가 있다.
③ 승인된 변경요청 내용을 기준으로 인도물 검사 후 작업성과 정보를 만드는 데 주요 목적이 있다.
④ 변경이력을 잘 관리함으로서 향후 품질의 리스크 관리에 도움이 되기 때문이다.

**15** 다음에서 품질과 관련된 내용의 설명 중 잘못된 내용은 무엇인가?

① 정밀도(Precision)는 반복 측정치가 분산되지 않고, 집중됨을 나타낸다.
② 정확도(Accuracy)는 측정치가 참값에 매우 근접함을 나타낸다.
③ 프로젝트 관리자와 프로젝트 팀은 품질과 등급 간에 무조건 품질을 우선으로 관리해야 하며 둘 간의 균형을 유지해야 할 책임은 전혀 없다.
④ 등급(Grade)이 낮은 것과 품질이 낮은 것은 다른 내용이다.

→ 프로젝트 품질 관리

**연습문제 정답과 해설**

Chapter 08

해설

**01** WBS는 프로젝트의 모든 업무를 100% 담고 있어야 한다. WBS를 설명하기 위한 WBS사전도 프로젝트의 모든 업무를 포함하게 된다. WBS사전의 내용에는 품질에 대한 기준과 인수 기준 등이 포함되기 때문에 품질 관리에서 중요한 산출물이다.

**02** 통제도는 프로세스의 평균을 찾아내고, UCL과 LCL을 설정한다. 프로세스들이 평균치에서 얼마나 벗어나는지 혹은 UCL과 LCL 사이에서 안정적인 운영을 하고 있는지를 나타내는 차트이다.

**03** 평가비용에는 내부 설계검토 혹은 외부 설계검토 등과 같은 검사와 단위 테스트, 통합 테스트 등의 테스트를 위한 비용이 포함된다.

**04** 산점도는 x와 y 변수의 상관관계를 확인하는 도구이다.

**05** 테스트의 횟수, 유형 등을 미리 계획하여 실험하는 것은 실험계획법이다.

**06** 지연 사유를 확인하였으니 이를 위해 팀원들과 회의를 진행하고 변경하기 위한 변경요청을 진행해야 한다.

**07** UCL, LCL을 벗어난 점이 1개라도 있으면 out of control, 즉 통제 불능 상태이다.

**08** 발생한 결함을 식별하고 기록하기 위해서 체트 리스트가 있다.

**09** 프로세스 판별 프로그램 차트는 각 단계가 순조롭게 실시되는데 장애가 되는 것을 미리 시뮬레이션해 볼 수 있다. 이 도구는 리스크 대응 계획 수립에도 사용된다.

**10** 반복되는 품질 오류는 이전 프로젝트의 교훈 사항을 확인하여 도움 받을 것이 있는지 검토한다.

**11** 많은 문제들 중에서 대다수를 차지하는 중요한 문제를 먼저 찾아 문제해결을 하고자 할 때는 파레토 다이어그램을 사용한다.

**12** 품질정책(방침)은 일반적으로 품질관리팀에서 수립되지만, 각각의 프로젝트의 품질담당자(혹은 품질관리팀)가 프로젝트 품질정책을 고객 혹은 팀원에게 정확히 이해시켜야 한다.

**13** 제조 공정상의 변이를 통제하기 위한 것은 과거차이분석으로 추이를 분석하는 런 차트(Run chart)와 품질의 변이를 상한선과 하한선내에서 관리하는 통제도이다.

**14** 품질통제에서 승인된 변경요청으로 실행에서 만들어진 인도물이 품질통제로 들어오게 되는데 이때 시정조치 된 내용이 잘 반영되었는지를 확인하기 위해 변경요청내용을 보고 잘 검사하기 위함이다

**15** 프로젝트 관리자와 프로젝트 팀은 품질과 등급의 상충관계를 관리하고 둘 간의 균형을 유지해야 할 책임이 있다. 제품은 가격과 품질의 균형을 이루어야 된다.

| 정답 | 01.① | 02.④ | 03.② | 04.② | 05.④ | 06.① | 07.② | 08.③ | 09.① | 10.③ |
|------|------|------|------|------|------|------|------|------|------|------|
|      | 11.① | 12.④ | 13.④ | 14.① | 15.③ |      |      |      |      |      |

→ Chapter

9

# 프로젝트 인적자원 관리

학습목표

- 프로젝트 인적자원 관리 프로세스를 이해한다.
- 인적자원관리 계획서의 구성 항목을 이해한다.
- RAM 및 RACI 차트를 이해한다.
- 갈등 해결 방법을 이해한다.
- 조직 행동과 관련된 다양한 이론들을 이해한다.
- 터크만의 팀 개발 5단계를 이해한다.

프로젝트 인적자원 관리는 프로젝트 목표 달성을 위해 필요한 인적 자원을 식별하여 프로젝트 팀을 구성하고, 수행해야 할 업무를 팀원들에게 할당함으로써 책임과 역할을 부여하며 팀원들의 성과를 지속적으로 유지 및 관리하기 위한 일련의 활동들로 구성된 지식 영역이다.

프로젝트 팀원들은 프로젝트 초기부터 투입되거나 프로젝트 수행 중에 투입될 수 있다. 또한, 그들이 보유한 기술이나 지식수준 및 경험들이 다양하기 때문에 책임과 권한 혹은 업무 영역을 그에 맞게 할당해야 한다. 프로젝트 팀원들을 프로젝트의 의사결정 과정이나 프로젝트 계획 수립 단계 등에 초기부터 참여하도록 함으로써 프로젝트에 대한 참여도를 높여 직무 혹은 역할에 대한 만족도나 성취도를 높일 수 있다.

프로젝트 팀원들의 적극적인 참여는 그들의 지식과 경험을 통해 프로젝트에서 수행할 업무를 확정하고 이를 통한 프로젝트 일정과 원가의 산정 및 프로젝트 성공을 위한 다양한 리스크들의 조기 파악과 대응 계획 수립 등에 도움을 줄 수 있다.

프로젝트 관리자는 프로젝트 팀이 같은 공간에 있을 수도 있지만, 그렇지 않을 수도 있으며, 프로젝트 팀을 둘러싼 내·외부 정치적인 환경에 영향을 받을 수 있고, 팀원들이 소속된 조직의 조직 문화도 서로 다를 수 있다는 것을 이해해야 한다. 또한, 프로젝트 팀원 모두가 자신의 지식과 경험을 기반으로 전문가로서 일하며 자신의 역량을 발휘할 수 있도록 팀 분위기를 조성하고 도덕적으로 사회 통념상 어긋나지 않는 행동을 하도록 팀원들을 관리하고 이끌어야 한다.

프로젝트 인적자원 관리는 이 모든 활동을 위한 4개의 프로세스가 존재하는데, 각 프로세스에 대한 상세한 설명은 다음과 같다.

**표 9-1 ◖ ⊃ 인적자원 관리 프로세스**

| 프로세스 | 프로세스 그룹 | 설명 |
|---|---|---|
| 9.1 인적자원관리 계획수립<br>(Plan Human Resource Management) | P | 프로젝트 팀원들의 역할과 책임, 요구되는 기량, 보고 체계, 팀원 관리 계획을 식별하고 문서화하는 프로세스 |
| 9.2 프로젝트 팀 확보<br>(Acquire Project Team) | E | 인적자원의 가용성을 확인하고 프로젝트에 팀원을 배정하기 위해 팀원을 확보하는 프로세스 |
| 9.3 프로젝트 팀 개발<br>(Develop Project Team) | E | 프로젝트 성과 향상을 위해 개인 역량 향상, 팀워크 향상, 전반적 팀 분위기 향상을 위한 프로세스 |
| 9.4 프로젝트 팀 관리<br>(Manage Project Team) | E | 프로젝트 성과를 향상하기 위해 팀원의 성과를 추적하고, 피드백을 제공하고, 이슈를 해결하고, 변경을 관리하는 프로세스 |

## 9.1 인적자원 관리 계획수립(Plan Human Resource Management)

[9.1 인적자원 관리 계획수립] 프로세스는 프로젝트에 속한 팀원들의 역할과 책임사항, 필요한 기술, 보고 체계 등을 식별하여 문서화하는 프로세스이다. 인적자원관리 계획서에는 프로젝트 성공에 필요한 기술을 보유한 팀원들을 식별하고 결정하는 것을 포함하여 팀원의 투입과 철수 일자, 교육의 필요성 여부, 팀 구축 전략, 성과 보상 프로그램, 팀 관리 규정, 팀원들의 안전 확보 문제 등에 대한 내용을 포함한다.

특히, 프로젝트에 꼭 필요한 기술을 보유한 인적자원이 희소한 경우를 미리 대비해야 한다. 해당 인적자원의 역량이 여러 프로젝트에 동시에 필요한 경우 프로젝트 팀간에 갈등이 생기거나 다른 곳에서 해당 인적자원을 미리 확보하게 되면 프로젝트 일정, 품질, 원가 등의 다양한 부분에 영향을 줄 수 있다. 따라서 희소 자원의 경우 프로젝트 헌장에 미리 기술하거나 인적자원 계획수립 단계부터 식별하여 프로젝트 초기부터 투입될 수 있도록 조치를 취해야 한다.

인적자원관리 계획수립(Plan Human Resource Management) 프로세스의 투입물, 도구 및 기법과 산출물은 다음과 같다.

그림 9-1 ◆ 인적자원 관리 계획수립 프로세스의 ITTO

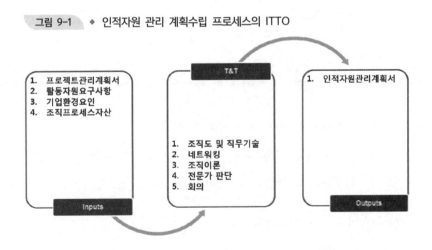

### 9.1.1 인적자원 관리 계획수립 프로세스 투입물

**1. 프로젝트 관리 계획서(Project Management Plan)**

인적자원 관리 계획서 작성시 프로젝트 관리 계획서의 다음 내용들을 참고한다.

◉ 각 단계에 적용되는 프로젝트 생애주기와 프로세스들

◉ 프로젝트 목표 달성을 위한 작업 수행 방법

◉ 변경에 대한 감시 및 통제 절차를 문서화한 변경관리 계획서

◉ 형상관리가 어떻게 수행되는지를 문서화한 형상관리 계획서

◉ 팀원들의 성과보상을 위한 원가관리 계획서 등

## 2. 활동 자원 요구사항(Activity resource requirements)

인적자원에 대한 계획을 세우기 때문에 당연히 확보해야 할 인적자원들에 대해 알고 있어야한다. 따라서 [6.4 활동자원 산정] 프로세스의 결과물인 활동자원 요구사항을 참고해야 한다. 이 활동자원 요구사항은 초기에는 개략적으로 기술되나 프로젝트가 점차 진행되면서 필요한 자원들에 대한 요구사항도 구체화된다.

> **Tips**
>
> **활동자원 요구사항**
>
> 각 work package별 활동을 완료하는 데 필요한
> - 자원의 종류와 수량
> - 자원의 가용성
> - 필요한 기술과 지식 등

## 3. 기업 환경 요인(Enterprise environmental factors)

조직의 문화와 구조, 기존 인적 자원, 팀원들이 같은 공간에 있는지 혹은 지역별로 흩어져 있는지 여부, 인력 아웃소싱(outsourcing) 시장 상황 등을 고려한다.

## 4. 조직 프로세스 자산(Organizational process assets)

조직의 표준 프로세스나 정책 및 표준화된 역할 기술서, 조직도 및 직무 기술 템플릿, 과거 프로젝트에서 사용된 조직 체계에 대한 선례 정보, 팀 내 혹은 조직 내에서 이슈를 다루는 절차 인사 관리 정책 등의 조직 프로세스 자산을 고려한다.

### 9.1.2 인적자원 관리 계획수립 프로세스 도구 및 기법

# 1. 조직도 및 직무기술(Organization charts and position descriptions)

프로젝트에 투입되는 다양한 팀원들에게 적절한 임무와 역할 및 책임이 부여되어야 한다. 그리고 그 임무와 역할은 5장 프로젝트 범위 관리에서 학습한 작업분류체계(WBS)의 work package와 연결되어야 한다. 이렇게 함으로써 프로젝트의 모든 Work package별로 담당 책임자가 지정되며 직무 기술서 작성을 통해 수행할 업무에 대한 명확한 정의를 할 수 있다.

## 조직도 및 직무 기술의 형태

### 1. 계층 구조도(Hierarchical Type Charts)

전통적인 조직도는 아래 그림과 같이 각 인력들의 위계질서와 담당 업무 및 관계 등을 도식적으로 표현한 것이다. 이를 다른 표현으로는 조직분류체계(OBS, Organizational Breakdown Structure)라고 한다. OBS는 WBS와 함께 사용하여 각 Work package별로 담당자들을 배정하는데, OBS에는 각 인력별로 상세한 업무 내역이 없기 때문에 매트릭스 형태나 텍스트 형태로 각 인력별로 상세한 직무에 대해서 기술해 놓는 것이 좋다.

그림 9-2 ◆ 계층구조도 예시

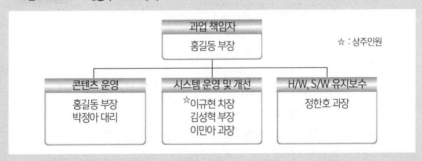

### 2. 매트릭스 기반 도표(Matrix-based Charts)

책임 할당 매트릭스(RAM, Responsibility Assignment Matrix)는 각 work package별로 배정된 자원들을 보여주는 하나의 도구이다. RAM은 대형 프로젝트 혹은 소규모 프로젝트별로 상황에 적합하게 작성한다. RAM 차트를 사용함으로써 모든 프로젝트 팀원들이 프로젝트 업무를 모두 배정받았는지 그리고 적절한 업무를 하고 있는지를 확인할 수 있다. 책임 할당 매트릭스의 대표적인 예가 RACI 차트(Responsible, Accountable, Consulted and Informed)이다.

• 담당(Responsible) : 누가 이 작업을 할 것인지 혹은 이 작업에 누가 배정되어 있는지를 표현
• 책임(Accountable) : 작업에 대한 의사결정 및 책임을 누가 갖는지 표현
• 조언(Consulted) : 작업에 대해서 누가 추가적인 조언을 해 줄 수 있으며, 누구에게 도움을 받을 수 있는지 표현

• **통보(Informed)** : 작업에 대한 진척 사항을 누구에게 전달해야 하는지, 이 작업에 누가 연결되어 있는지를 표현

책임(Accountability)은 담당(Responsibility)과 권한(Authority)이 포함된 용어이다. 따라서 특정 작업에 대해서 책임(Accountability)을 담당하는 사람이 1인 이상이 되면 안 된다. 책임자가 2명 이상이라고 한다면, 의사 결정에 혼란을 줄 것이다.

$$Accountability = Responsibility + Authority$$

**표 9-2** ◆ 매트릭스도 예시

| Task Description | 용환성 | 윤진성 | 오민정 | 이두표 | 고덕성 | 이준 | 이종범 |
|---|---|---|---|---|---|---|---|
| 주문 수정 | A | R | I | C | I | I | I |
| 증빙 접수 | C | A | R | I | I | I | I |
| 개별 접수 | I | C | A | R | I | I | I |
| 주문 수정(김석태) | I | I | C | A | R | I | I |
| 주문 수정 대금 결제(온라인) | I | I | I | C | A | R | I |
| 주문 수정 대금 결제(신용카드) | I | I | I | I | C | A | R |
| 미리보기(주문 수정)(김석태) | I | I | I | I | I | C | A |
| 클레임 취소(복구) | I | I | I | I | C | A | R |
| 물류 반품 등록(엑셀 업로드) | I | I | I | C | A | R | I |
| SMS 전송 | I | I | C | A | R | I | I |
| 이메일 전송 | I | C | A | R | I | I | I |

### 3. 텍스트 기반 양식(Text-Oriented Formats)

프로젝트 팀원들에 대한 상세한 역할과 책임 그리고 직무는 텍스트 형식으로 작성될 수 있다. 해당 양식에는 책임, 권한, 보유 기술이나 자격사항, 현재 업무 등을 기술한다.

표 9-3 ◆ 텍스트 기반 직무 명세서 예시

| 직 무 명 세 서 | | 결<br>재 | 작성 | 검토 | 검토 | 승인 |
|---|---|---|---|---|---|---|
| 부서명 | | 직위 | | 성명 | | |
| 직무명 | | | | | | |
| 직<br>무<br>내<br>용 | | | | | | |
| | | | | | | |
| | | | | | | |
| | | | | | | |
| | | | | | | |
| | | | | | | |
| | | | | | | |
| | | | | | | |
| | | | | | | |
| | | | | | | |
| | | | | | | |
| | | | | | | |
| | | | | | | |
| 자격 | 필요법정자격 | | 필요사내자격 | | | |
| | 소지법정자격 | | 소지사내자격 | | | |
| 경력 | 필요경력 | | | | | |
| | 소지경력 | | | | | |
| 업무<br>대행자 | 소속 : | 직위: | | 성명: | | |
| 본 직무명세서는 부서별로 1인 1매씩 작성하십시오. | | | | | | |

## 2. 네트워킹(Networking)

조직 내 혹은 산업 또는 전문적인 환경에서 다른 사람들과 주고받는 공식/비공식적 교류를 네트워킹이라 한다. 서신 교환, 오찬 모임, 미팅 및 이벤트를 포함한 비공식적 대화나 회의, 심포지엄 등이 포함된다. 이러한 인적 네트워킹 작업을 통해서 필요한 인적 자원을 사전에 확보하거나 믿을 만한 아웃소싱 업체를 만날 수 있다.

## 3. 조직 이론(Organizational theory)

조직 이론은 개인이나 팀 혹은, 조직 단위의 행동 방식에 대한 이론적 근거를 제공한다. 조직

이론에는 매슬로우의 욕구 5단계, 맥그리거의 X-Y이론이 있고, 윌리엄 오우치의 Z이론, 브롬의 기대이론, 맥클랜드의 성취 동기 이론, 허즈버그의 2요인 이론 등이 있다. 인적자원관리 계획에서 조직 이론이 필요한 이유는 인적자원 관리 계획서를 작성하면서 팀원들에 대한 성과 향상 혹은 팀 자체의 성과 향상과 몰입도를 높이기 위한 동기부여 방법을 고민하기 위해서이다.

### 4. 전문가 판단(Expert Judgment)

인사/노무 및 조직 이론에 해박한 전문가나 사내에 다양한 전문가들이 인적자원 계획 수립시 도움을 줄 수 있다.

### 5. 회의(Meetings)

프로젝트 관리자는 인적자원 관리 계획서를 작성하면서 회의를 통해 팀원들이 인적자원관리 계획서에 내에 있는 성과 평가 기준이나 그에 따른 보상 및 다양한 기준들에 동의하도록 유도해야 한다.

### 9.1.3 인적자원관리 계획수립 프로세스 산출물

### 1. 인적자원관리 계획서(Human Resource Management Plan)

인적자원관리 계획서는 프로젝트에 필요한 인적 자원을 정의하고, 배정하며, 그들을 관리 및 통제하고, 프로젝트 팀에서 철수시키는 방법에 대한 지침을 제공한다. 다음의 항목은 인적자원 관리 계획서를 구성하는 항목들이다.

- **역할 및 책임사항**(Roles and responsibilities)
  - **역할** : 프로젝트에서 개인에게 부여된 기능
  - **권한** : 프로젝트 자원, 의사결정, 승인, 인도물의 수락 등에 대한 권한
  - **책임** : 프로젝트 활동을 완료하기 위해 팀원에게 부여된 의무
  - **능력** : 프로젝트에서 배정된 활동을 완료하기 위해 필요한 기술이나 역량
- **조직도**(Project Organization Charts) : 프로젝트 팀원들 간의 위계 질서 및 보고 체계, 담당 영역들을 도식화한 차트
- **팀원 관리 계획서**(Staffing Management Plan) : 인적자원관리 계획서에 포함되는 계획서로

써 프로젝트 팀원들을 언제 어떻게 확보할 것이며, 팀원들의 투입 및 철수 시점 등을 기술한다. 다음은 팀원 관리 계획서에 들어가는 항목의 예시이다.

- **팀원 확보 계획** : 팀원들을 내부에서 조달할 것인지 외부에서 조달 할 것인지에 대한 계획이나, 팀원들이 함께 모여서 작업을 할 것인지 혹은 다른 지역에 떨어져서 작업을 할 것인지에 대한 계획 혹은, 조직의 인력관련 부서에 필요한 기능을 맡길 것인지 등에 대한 내용을 기술함.
- **자원 달력** : 각 자원별로 투입 가능한 시간이나 날짜들을 표시한 달력임. 자원 달력의 한 예로 자원 히스토그램(resource histogram)이 있음.
- **팀 개발 방법** : 프로젝트 상황에 맞게 프로젝트 팀원들의 팀워크를 향상할 방법을 기술
- **팀원 철수 계획** : 프로젝트 팀원들의 철수 방법이나 시기를 기술함. 팀원들이 계획에 따라 철수함으로써 다음 프로젝트로 자연스럽게 연결되도록 함.
- **교육 필요 여부** : 프로젝트에서 필요로 하는 기술이 부족한 경우, 각 팀원들에 대한 교육을 실시할 수 있음. 이는 품질비용 중 예방비용(Prevention Cost)과 연결됨.
- **인정과 보상** : 프로젝트 팀원들이 정해진 목표를 달성할 경우, 구체적이고 명확한 기준에 의해 보상하면 팀원들의 사기가 높아질 수 있음.
- **관리 규정** : 정부의 인력 관련 규정이나 노조와의 계약 혹은 기타 인적 자원과 관련된 규정의 준수 전략을 기술.
- **관련 사항** : 프로젝트 팀원들을 자연재해나 기타 위험 요소로부터 안전하게 지켜줄 수 있는 정책이나 절차를 기술

**자원달력(Resource Calendar)**

아래의 그림은 MS-Project의 자원 그래프 기능으로 특정 인력의 투입률을 나타낸 예시이다. Y축은 특정 자원의 투입률을 나타내며, X축은 투입된 기간을 나타낸다. 그림에서는 Y축을 투입률로 나타내었지만, 기간에 따른 누적된 작업 시간으로 표현하기도 한다.

그림 9-3 ◆ 자원 달력 예시

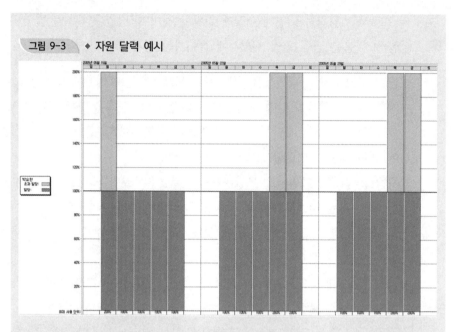

또한, 아래의 그림과 같이 2017년도 개별 일정을 기록한 달력일 수 있다. 각 팀원별로 투입되어 있는 프로젝트와 일정을 확인함으로써, 특정 팀원을 내 프로젝트에 투입시킬 수 있는지 없는지 파악할 수 있고, 투입된다면 어느정도의 기간동안 투입할 수 있는지 미리 파악할 수 있다.

|     | 1월 | 2월 | 3월 | 4월 | 5월 | 6월 | 7월 | 8월 | 9월 | 10월 | 11월 | 12월 |
|-----|-----|-----|-----|-----|-----|-----|-----|-----|-----|------|------|------|
| 용환성 | ███ | ███ | ███ | ███ | ███ | ███ |     |     |     |      |      |      |
| 김낙일 |     | ███ | ███ | ███ | ███ | ███ | ███ |     | ███ | ███ | ███ | ███ |
| 홍길동 | ███ | ███ | ███ | ███ | ███ | ███ | ███ | ███ | ███ | ███ | ███ | ███ |
| 김영희 | ███ | ███ | ███ |     |     |     |     |     |     |      |      |      |

[9.1 인적자원 관리 계획수립] 프로세스는 최종적으로 인적자원관리 계획서를 작성하는 프로세스이다. 따라서 필요한 인력들을 정의한 활동자원 요구사항을 참고하고, 인적자원에 소요될 전체 원가나 투입 일정 등을 고려하기 위해 프로젝트 관리 계획서를 참고한다.

그림 9-4 ◆ 인적자원 계획수립 프로세스의 투입물 흐름도

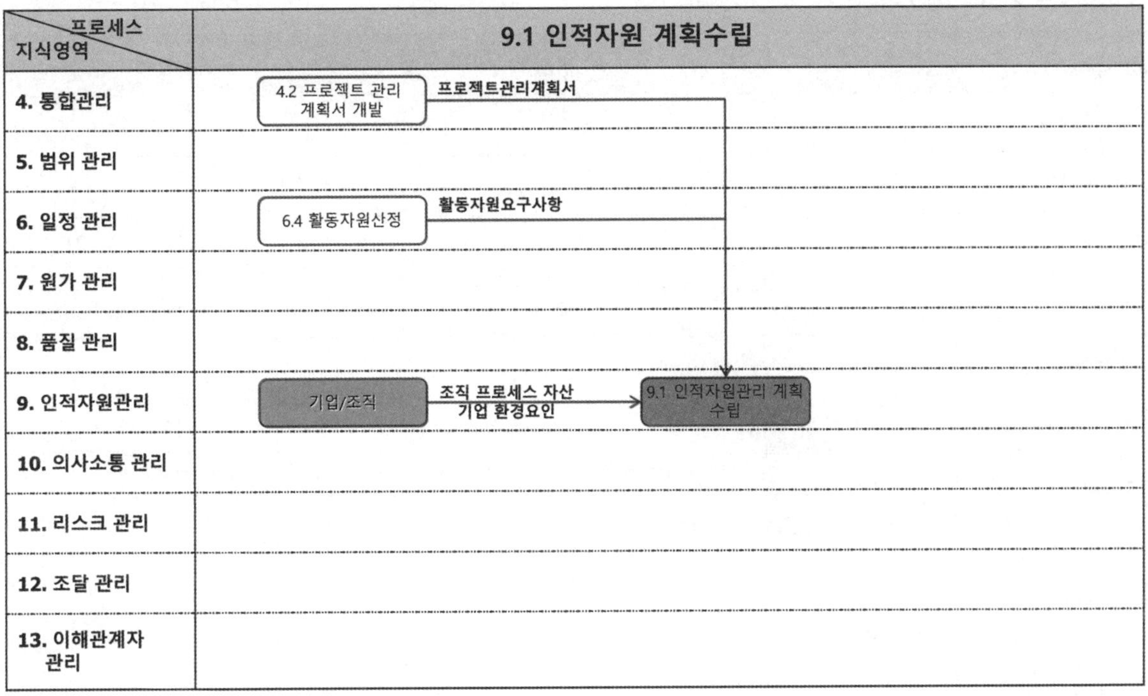

| 프로세스 지식영역 | 9.1 인적자원 계획수립 | | |
|---|---|---|---|
| 4. 통합관리 | 4.2 프로젝트 관리 계획서 개발 → 프로젝트관리계획서 | | |
| 5. 범위 관리 | | | |
| 6. 일정 관리 | 6.4 활동자원산정 → 활동자원요구사항 | | |
| 7. 원가 관리 | | | |
| 8. 품질 관리 | | | |
| 9. 인적자원관리 | 기업/조직 → 조직 프로세스 자산 기업 환경요인 → 9.1 인적자원관리 계획 수립 | | |
| 10. 의사소통 관리 | | | |
| 11. 리스크 관리 | | | |
| 12. 조달 관리 | | | |
| 13. 이해관계자 관리 | | | |

데이터 흐름도를 통한 ITTO 이해

[9.1 인적자원 관리 계획수립] 프로세스는 인적자원 관리 계획서만을 작성한다. 작성된 인적자원 관리 계획서는 7장 원가산정 프로세스에는 자원의 교육비, 인건비, 후생복리비용 등의 산정을 위해서 사용된다. 11장 리스크 식별 프로세스에서는 인적자원과 관련된 리스크 요인을 식별하기 위해 활용된다. 그 외에 9장 프로젝트 팀 확보 프로세스, 프로젝트 팀 개발, 프로젝트 팀 관리 프로세스의 투입물로 활용된다.

그림 9-5 ◆ 인적자원 계획수립 프로세스의 산출물 흐름도

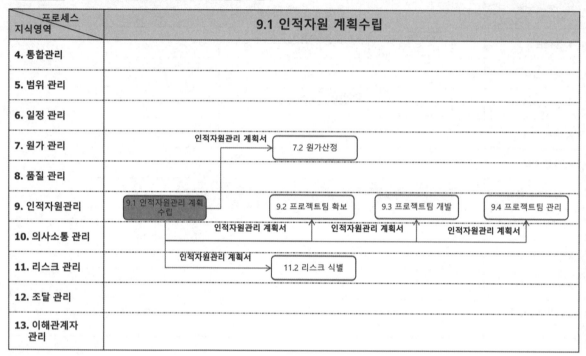

## 9.2 프로젝트 팀 확보(Acquire Project Team)

[9.2 프로젝트 팀 확보] 프로세스는 프로젝트의 활동들을 완료하기 위해 인적자원 관리 계획서 대로 가용한 인적 자원을 확보하는 프로세스이다. 프로젝트 관리 팀은 팀원 선택에 있어서 직 접적인 권한이 있을 수도 있고 없을 수도 있지만, 프로젝트 팀 확보 시 아래와 같은 사항을 프 로젝트 기획 단계부터 고려한다.

◎ 프로젝트 관리자 또는 프로젝트 관리 팀은 프로젝트에 필요한 인적 자원을 공급할 위치 에 있는 사람과 효과적으로 협상하고 영향력을 행사해야 함

◎ 프로젝트에 필요한 인적 자원 확보에 실패하면 프로젝트 일정, 예산, 고객 만족도, 품질, 리스크 발생 등 영향이 파급되어 프로젝트의 성공 확률이 낮아지거나 심지어는 프로젝 트가 취소될 수 있음

◎ 제약사항이나 경제적 요인 또는 다른 프로젝트에 사전 배정 등으로 인해 적임자를 투입 할 수 없는 경우, 프로젝트 관리자 또는 프로젝트 팀은 법률, 규제, 의무 또는 기타 특정 기준을 위반하지 않는 한도에서 역량이 비슷한 대체 인적 자원을 배정하는 것도 필요함

프로젝트 팀 확보(Acquire Project Team) 프로세스의 투입물, 도구 및 기법과 산출물은 다음 과 같다.

**그림 9-6** ◆ 프로젝트 팀 확보 프로세스의 ITTO

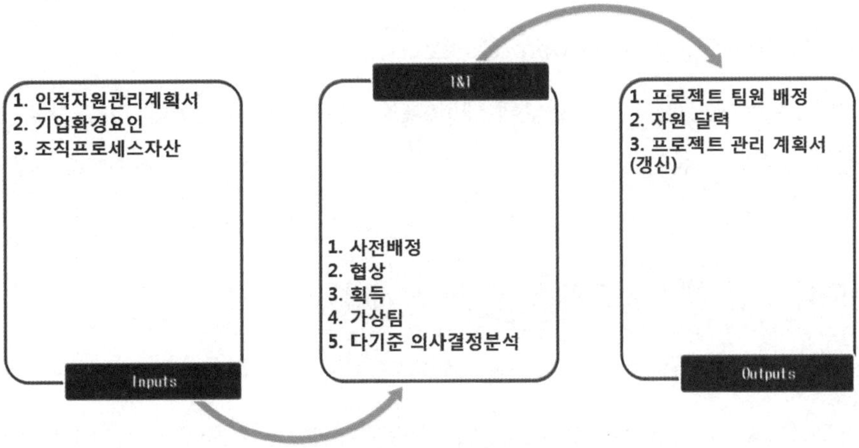

| Inputs | I&T | Outputs |
|---|---|---|
| 1. 인적자원관리계획서<br>2. 기업환경요인<br>3. 조직프로세스자산 | 1. 사전배정<br>2. 협상<br>3. 획득<br>4. 가상팀<br>5. 다기준 의사결정분석 | 1. 프로젝트 팀원 배정<br>2. 자원 달력<br>3. 프로젝트 관리 계획서<br>(갱신) |

### 9.2.1 프로젝트 팀 확보 프로세스 투입물

#### 1. 인적자원 관리 계획서(Human resource management plan)

프로젝트 팀 확보 시 인적자원관리 계획서에 정의한대로 아래의 항목들을 참고하여 인적자원을 식별 및 확보하기 위해 참고한다.

- 프로젝트에 필요한 직위, 기량, 역량을 포함한 역할 및 책임
- 프로젝트에 필요한 인적 자원을 보여주는 프로젝트 조직도
- 각 프로젝트 팀원이 필요한 기간과 프로젝트 팀 확보에 중요한 기타 정보를 설명하는 팀원 관리 계획서(Staffing Management Plan)

#### 2. 기업 환경 요인(Enterprise environmental factors)

프로젝트 팀 확보 프로세스에는 다음과 같은 기업 환경 요인들이 영향을 준다.

- 프로젝트에 투입 가능한 인력, 보유 역량, 과거 경험, 관심 분야, 인건비를 포함한 현재 인적 자원 관련 정보
- 아웃소싱에 영향을 미치는 인사 관리 정책
- 조직 체계
- 프로젝트를 위한 동일 장소 혹은 분산된 장소(가상팀을 구성할 수 있음)

#### 3. 조직 프로세스 자산(Organizational process assets)

프로젝트 팀 확보 프로세스에는 인력 확보에 대한 조직 내의 표준 정책이나 절차 같은 조직 프로세스 자산들이 영향을 준다.

### 9.2.2 프로젝트 팀 확보 프로세스 도구 및 기법

#### 1. 사전 배정(Pre-assignment)

프로젝트의 성공과 실패가 특정 개인의 전문성과 경험에 달려있는 경우에는 필요한 팀원들을 아웃소싱 제안요청서나 프로젝트 헌장에 미리 지정하거나 배정함으로써 확보할 수 있다.

## 2. 협상(Negotiation)

모든 프로젝트에서 내가 원하는 인력들 위주로 팀을 구성할 가능성은 높지 않다. 또한 팀원 모두를 자사 직원만으로 구성하기 어려울 수 있다. 이런 경우, 팀 외부에서 팀원들을 확보해야하는데, 이때 프로젝트 환경이나 조직의 환경 등에 따라 다양한 사람들과 협상을 통해 필요한 인력을 찾고, 확보해야 한다.

- 기능 조직 구조에서 필요한 인력이 특정 기능 조직에 있다면 기능 관리자와 필요한 인력의 투입 여부를 협상해야 한다.
- 필요한 인력이 다른 팀에 소속되어 있다면 해당 팀의 프로젝트 관리자나 프로젝트 관리 팀과 협상이 필요함.
- 필요한 인력을 외부에서 아웃소싱해야 한다면 외부 조직이나 공급 업체 혹은 협력 업체 등과도 협상을 해야 함.

## 3. 획득(Acquisition)

프로젝트 작업에 필요한 인력을 내부에서 조달할 수 없을 경우, 외부 소싱 업체를 통해 자원을 획득한다. 12장 조달관리는 필요한 물품이나 인적자원을 프로젝트 팀 외부에서 조달하는 프로세스를 설명한다.

## 4. 가상 팀(Virtual Teams)

가상 팀은 직접 대면하는 일이 극히 적거나 직접적인 대면없이 공동의 목표 아래 주어진 역할을 완수하는 사람들로 구성된 작업 팀으로 정의된다. 서로 같은 장소에서 일하지 않고 서로 떨어져 있어도 한 팀으로써 프로젝트를 수행할 수 있다는 판단이 되었을 때 가상 팀을 구성한다. 가상 팀은 서로 떨어져 있기 때문에 의사소통이 매우 중요하다. 다음은 가상 팀의 구성 환경이다.

- 지리적으로 넓게 분포된 지역에 거주하는 같은 회사 직원들로 팀 구성
- 특수 분야 전문가를 그의 거주 지역에 제한 받지 않고 프로젝트 팀에 투입시
- 재택 근무자가 있을 경우
- 다른 교대 근무 조 또는 시간대에 일하는 사람들로 팀이 구성된 경우
- 이동에 제약이 있거나 장애를 가진 사람들이 팀으로 구성된 경우
- 출장 경비 때문에 외면했던 프로젝트 추진시

가상 팀이 좋은 점도 있지만, 중요 사안에 대한 상호 이해의 차이가 생길 수 있고, 외로움을 느끼거나 팀원들 간의 지식이나 경험을 공유하지 못할 수 있고, 가상 팀 간의 의사소통 수단 제공 비용이 증가하는 등의 단점도 있다.

### 5. 다기준 의사결정분석(Multi-Criteria Decision Analysis)

다기준 의사결정분석은 프로젝트 팀원 선발에 대한 의사결정시 사용된다. 이 방법을 사용하여 선발 기준별로 가중치를 주어 선별할 팀원의 역량을 점수화한다.

- 필요한 기간에 투입이 가능한지에 대한 가용성(Availability)
- 투입할 인력이 프로젝트의 예산 내에서 가능한지에 대한 기준(Cost)
- 프로젝트 성공에 필요한 과거 유사 프로젝트 경험이 있는지 여부(Experience)
- 프로젝트에서 필요로 하는 역량을 갖고 있는지 여부(Ability)
- 투입할 인력이 고객, 유사 프로젝트 혹은 프로젝트 환경의 미묘한 차이에 대한 지식이 있는지 여부(Knowledge)
- 투입할 인력이 프로젝트에서 사용할 도구, 구현 혹은 교육에 필요한 기술을 가지고 있는지 여부(Skill)
- 투입할 인력이 팀원들과 팀워크로 일을 잘 해 낼 수 있는지 여부(Attitude)
- 투입할 인력이 외국에 있다면 그의 근무 지역, 시간대 및 의사소통 능력 등을 확인(International factors)

### 9.2.3 프로젝트 팀 확보 프로세스 산출물

### 1. 프로젝트 팀원 배정(Project staff assignments)

프로젝트에 팀원이 배정되면 그들이 수행할 적절한 업무(work)를 배정한다. 업무를 배정하면 역할 뿐만 아니라 책임도 배정한다.

### 2. 자원 달력(Resource calendars)

휴가 기간, 작업 시간대, 공휴일, 다른 프로젝트에 참여여부를 포함한 개개인의 일정을 충분히 고려하여 프로젝트 작업에 배정된 팀원들의 투입 기간 및 시간을 자원 달력에 등록한다.

### 3. 프로젝트 관리 계획서 갱신(Project management plan updates)

프로젝트 관리자가 필요로 하는 인력을 계획했던 시점에 확보하지 못할 수 있고, 확보한 인력의 능력이 요건을 충족하지 못할 수 있다. 이때, 인적자원 관리 계획서(팀원관리 계획서)를 포함한 프로젝트 관리 계획서를 갱신할 수 있다.

프로젝트를 수행하면서 인적자원 계획서 특히, 팀원 관리 계획서에서 계획한 대로 팀원들을 프로젝트에 투입한다. 따라서 인적자원 계획서를 참고하여 프로젝트의 업무를 팀원들에게 배정한다. 이 배정한 것이 바로 프로젝트 팀원 배정이다.

그림 9-7 ◆ 프로젝트 팀 확보 프로세스의 투입물 흐름도

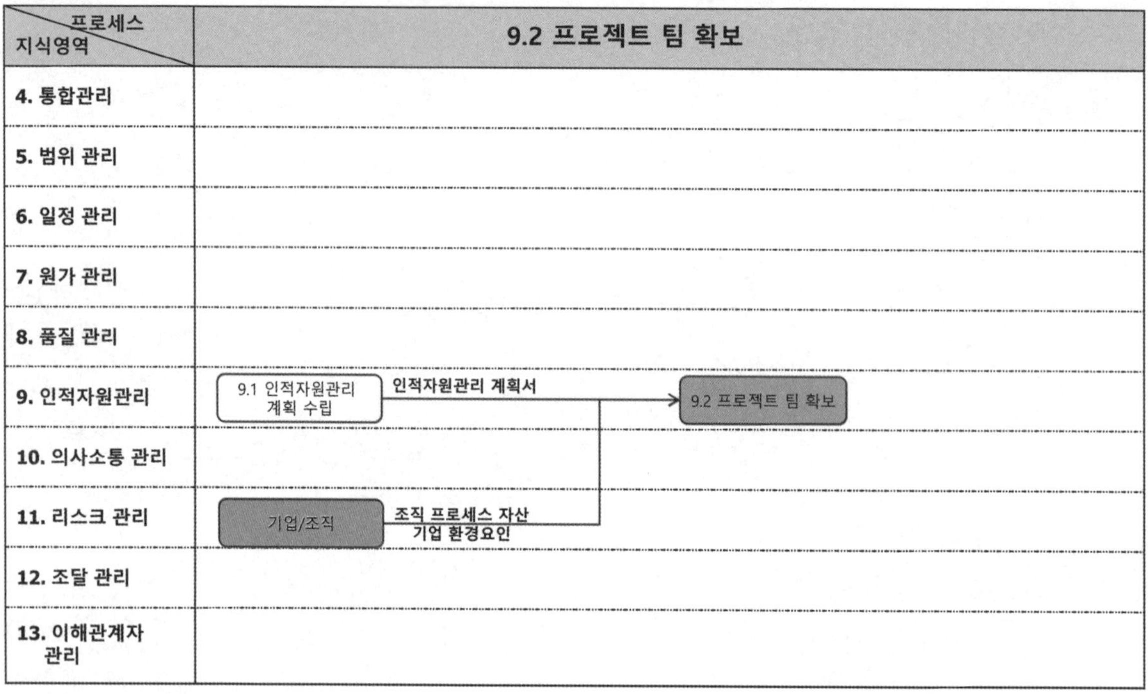

| 프로세스<br>지식영역 | 9.2 프로젝트 팀 확보 |
|---|---|
| 4. 통합관리 | |
| 5. 범위 관리 | |
| 6. 일정 관리 | |
| 7. 원가 관리 | |
| 8. 품질 관리 | |
| 9. 인적자원관리 |  |
| 10. 의사소통 관리 | |
| 11. 리스크 관리 | |
| 12. 조달 관리 | |
| 13. 이해관계자<br>관리 | |

Memo

팀원에 대한 배정이 완료되면 다른 프로젝트나 팀에서 해당 팀원의 일정을 참고할 수 있도록 투입된 인력의 자원 달력을 갱신한다. 자원달력이 투입물로 활용되는 프로세스는 다음과 같다.

• 6장 : 활동자원산정 프로세스, 활동기간 산정 프로세스, 일정 개발 프로세스
• 7장 : 예산 책정 프로세스
• 9장 : 프로젝트 팀 개발 프로세스, 프로젝트 팀 관리 프로세스

그림 9-8 ◆ 프로젝트 팀 확보 프로세스의 산출물 흐름도

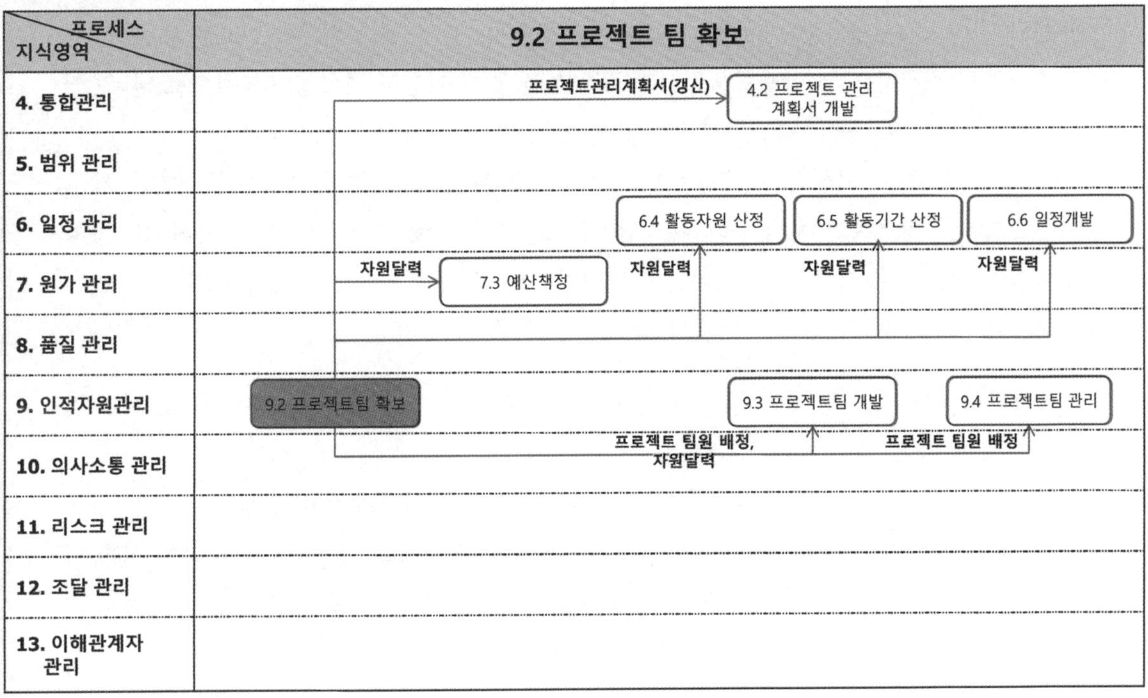

| 프로세스<br>지식영역 | 9.2 프로젝트 팀 확보 | | | |
|---|---|---|---|---|
| 4. 통합관리 | | 프로젝트관리계획서(갱신) → 4.2 프로젝트 관리<br>계획서 개발 | | |
| 5. 범위 관리 | | | | |
| 6. 일정 관리 | | 6.4 활동자원 산정 | 6.5 활동기간 산정 | 6.6 일정개발 |
| 7. 원가 관리 | 자원달력 → 7.3 예산책정 | 자원달력 | 자원달력 | 자원달력 |
| 8. 품질 관리 | | | | |
| 9. 인적자원관리 | 9.2 프로젝트팀 확보 | | 9.3 프로젝트팀 개발 | 9.4 프로젝트팀 관리 |
| 10. 의사소통 관리 | | 프로젝트 팀원 배정,<br>자원달력 | 프로젝트 팀원 배정 | |
| 11. 리스크 관리 | | | | |
| 12. 조달 관리 | | | | |
| 13. 이해관계자<br>관리 | | | | |

## 9.3 프로젝트 팀 개발(Develop Project Team)

프로젝트 팀 개발 프로세스는 팀원들이 프로젝트에 투입된 후 프로젝트 계획에 맞추어 성과를 내도록 팀원 역량과 팀원 간 협력, 전반적인 팀 분위기 개선 등을 위한 프로세스이다. 따라서 팀원들의 역량과 기술을 높이며, 팀원들에 대한 동기부여 등을 통해 이직률을 낮추고, 팀워크를 높여 전반적인 프로젝트 성과를 향상시키거나 지속적인 유지를 위한 다양한 수단을 강구해야 한다.

프로젝트 관리자는 팀이 프로젝트의 목표 달성을 위해 최상의 성과를 지속적으로 낼 수 있도록 프로젝트 팀을 구성하고, 동기부여 및 통솔할 수 있는 능력을 길러야 한다.

다국적 인력들로 구성된 프로젝트 팀의 경우 팀원들 간의 문화적 배경이나 경험과 지식, 언어가 다름을 상호 인정해야 한다. 이러한 경우 팀 언어(Team Language)를 정하여 의사소통이 원활하도록 하며, 상호 신뢰를 바탕으로 팀워크가 이루어지도록 노력해야 한다.

프로젝트 팀 개발의 목적은 다음과 같다.

◉ 팀원의 지식과 기량 향상을 통해 원가 절감, 일정 단축, 품질 개선을 하면서 프로젝트 인 도물을 완료하여 고객에게 전달
◉ 사기 진작, 갈등 경감, 팀워크 향상을 위한 팀원 간 신뢰감과 일치감 향상
◉ 개인 및 팀의 생산성, 팀 정신과 협력을 향상시키고 지식과 전문성을 공유하기 위해 팀 원 간 상호 교육 및 지도가 가능한 역동적이며 응집력 강한 팀 문화 조성

그림 9-9 ◆ 프로젝트 팀 개발 프로세스의 ITTO

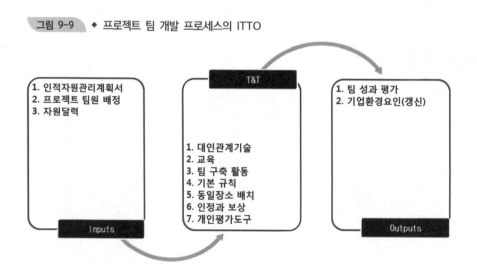

프로젝트 팀 개발(Develop Project Team) 프로세스의 투입물, 도구 및 기법과 산출물은 위와 같다.

**1. 인적자원관리 계획서(Human Resource Management Plan)**

인적자원관리 계획서에는 프로젝트 팀에 대한 정의, 투입과 철수 및 통제방법 등에 대한 기본적인 지침이 있다. 또한, 프로젝트 팀 개발을 위한 교육 전략이나 계획이 있을 수 있다. 더불어, 팀 성과 측정이나 팀 관리의 결과로 인한 보상이나 피드백, 추가적인 교육의 필요 등이 기술되어 있으므로 참조한다.

**2. 프로젝트 팀원 배정(Project staff assignments)**

프로젝트 팀에 대한 팀워크나 역량의 향상을 위해서는 그 대상인 팀원들이 있어야 하는데, 팀원들과 그들이 수행할 업무를 배정한 프로젝트 팀원 배정을 참고한다.

**3. 자원 달력(Resource calendars)**

팀 개발을 아무 때나 할 수 없기 때문에 팀원들의 투입 기간이나 팀 개발 활동에 참여할 수 있는 시기가 정의된 자원 달력을 참고한다.

**1. 대인관계기술(Interpersonal skills)**

흔히 소프트 스킬(Soft skill)로 불리며, 효과적 의사소통 기술, 갈등 해결, 협상, 영향력 행사, 팀 구축 활동 등을 말한다. 프로젝트 관리 팀에서 프로젝트 팀원의 정서를 이해하고, 팀원의 행동을 예견하며, 관심사를 살피고, 갈등을 해결함으로써 프로젝트 팀 내에서 발생이 예상되는 문제를 사전에 차단하여 팀원들 간 협력을 증대 시킬 수 있는 중요한 기술이라 하겠다.

**2. 교육(Training)**

프로젝트 참여 팀원들이 모두 적절한 능력을 갖고 있지 않을 수 있으므로 필요한 훈련이 수반되어야 하는데, 이렇게 팀원들의 역량 향상을 위한 공식/비공식적인 모든 활동을 교육이라 한

다. 계획되어 있는 교육은 인적자원관리 계획서에 따라 실시를 하고, 계획되지 않은 교육은 팀원들에 대한 관찰이나 대화 및 프로젝트 성과 평가의 결과를 참고하여 프로젝트 예산 내에서 실시한다.

### 3. 팀 구축 활동(Team-building activities)

팀의 결속을 다지기 위한 다양한 활동들을 진행한다. 공식적인 팀 구축 활동 이외에 비공식적인 의사소통이나 활동들은 팀의 신뢰 구축이나 관계 개선에 도움을 줄 수 있다. 프로젝트 관리자는 팀의 기능과 성과를 지속적으로 감시하여 팀 내에서 발생 가능성이 있는 문제들을 예방하거나 시정해야 한다.

**팀 개발 5단계**

미국 심리학자인 브루스 웨인 터그만Bruce Wayne Tuckman은 1965년에 「Development sequence in small groups」라는 짧은 논문을 발표했다. 이때는 4단계 모델에 대해서 발표했는데, 1977년에 5번째 단계인 해산(Adjourning)을 추가하면서 현재의 5단계로 구성된 팀 구축 모델이 되었다.

터크만의 모델은 팀이 처음 구성되는 형성기를 거쳐 혼돈기와 규범기를 거치고, 팀이 최상의 성과를 보여주는 성과기를 거쳐 최종적으로 팀이 해산된다고 하였다.

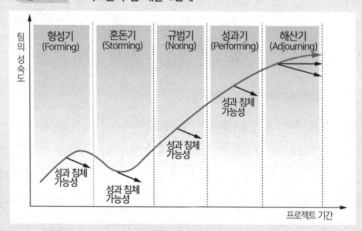

그림 9-10 ◆ 터크만의 팀 개발 5단계

일반적으로 팀은 이와 같은 5단계를 차례로 거쳐갈 수 있지만, 팀이 특정 단계에서 정체되어 있거나 혹은 팀 형성 초기 단계를 뛰어넘을 수도 있다.

각 단계의 기간은 팀의 역동성이나 팀의 규모 그리고 팀 리더십에 따라 다를 수 있다. 따라서 프로젝트 관리자는 팀의 역동성이나 기타 사항들을 잘 이해하여 팀이 형성기와 혼돈기를 신

속히 지나갈 수 있도록 한다. 다음은 팀 형성 5단계에 대한 각각의 설명이다.

- **형성기(Forming)** : 팀이 구성되어 프로젝트 자체, 각자의 공식적인 역할, 책임사항에 대해 파악하는 단계로써 팀원들이 독자적으로 행동하고, 개방적이지 않은 경향을 보임.
- **혼돈기(Storming)** : 팀원들 간의 상호작용이 활발히 일어나면서 상호간의 생각, 가치관, 문화 등의 차이로 인해 갈등과 혼란이 발생하는 단계임. 팀원들이 다른 사고와 관점에 협조적, 개방적이지 않으면 팀 구축 활동들이 역효과를 가져올 수 있음.
- **규범기(Norming)** : 팀원들이 협력하고, 팀을 지원하는 행동을 하며 각자의 작업 습관을 조율하기 시작하면서 팀원들이 상호 신뢰를 하기 시작함. 초반에 팀의 기본규칙(Ground rules)을 빨리 정해주는 것이 좋다.
- **성과기(Performing)** : 팀이 잘 구성된 한 몸처럼 움직이며, 팀원들이 상호 의존하면서 원활하고 효과적으로 팀 내부 혹은 프로젝트의 문제를 해결함.
- **해산(Adjourning)** : 팀이 작업을 완료하고 팀원들이 프로젝트에서 철수하는 단계임.

## 4. 기본 규칙(Ground rules)

기본 규칙에는 행동 강령이나 의사소통의 방식, 협업 방식 혹은 회의 예절들이 있다. 이러한 기본 규칙들이 프로젝트 초기에 빨리 정해질수록 팀원들 간의 오해나 착오가 줄어들며 생산성이 높아질 수 있다.

## 5. 동일장소 배치(Co-location)

활동 중인 프로젝트 팀원들을 대부분 또는 전체를 작전실(Project room 혹은 War room)이라 불리는 한 공간에 배치함으로써 한 팀으로서 수행 능력을 높이는 방식이다. 가상 팀의 경우는 동일 장소에 배치 할 수 없지만 숙련된 자원의 활용, 원가 절감 및 인력의 재배치 비용 감소나 여행비용 감소 혹은 고객이나 이해관계자와 근접성 확보 등의 장점이 있다.

## 6. 인정과 보상(Recognition and rewards)

인적자원관리 계획서 작성시 모범적 행동을 인정하고 보상하는 체제를 마련하여 공식적 또는 비공식적으로 뛰어난 성과에 대한 보상을 해야 한다. 성과에 대한 인정과 보상은 프로젝트를 진행하는 도중에 하며, 문화적인 차이에 대한 고려를 반드시 해야 한다. 또한, 금전적인 성과 보상도 중요하지만, 성과에 대한 인정만으로도 팀원들에게 큰 동기 부여가 될 수 있다는 것을 프로젝트 관리자는 유념해야 한다.

## 7. 개인 평가 도구(Personal Assessment tools)

개인 평가 도구는 팀원들 각자의 강점과 약점에 대한 통찰력을 제공하며, 프로젝트 관리자가 팀의 선호도, 열망, 팀원들이 정보를 구성하고 처리하는 방법 그리고 선호하는 대인관계 기술 등에 대해서 평가할 수 있도록 도움을 준다.

### 9.3.3 프로젝트 팀 개발 프로세스 산출물

**1. 팀 성과 평가(Team performance assessments)**

프로젝트 관리 팀은 주기적으로 팀의 성과를 공식 혹은 비공식적으로 측정한다. 이때 측정에 대한 기준은 인적자원 관리 계획서에 포함이 되어 있어야 한다. 프로젝트 팀의 성과는 기술적인 달성이나 일정 및 원가 달성률 등으로 측정할 수 있다. 일반적으로 높은 성과를 내는 팀들은 과업 지향 및 결과 지향인 경우가 많다.

   ◎ **팀 효율성 평가 항목**
   - 개인에게 배정된 업무를 더욱 효율적으로 수행할 수 있는 기량의 향상 여부
   - 팀의 성과 향상에 도움이 되는 역량의 향상 여부
   - 직원들의 이직률 감소 여부
   - 팀원들이 정보와 경험을 공유하는데 개방적이며 전체 프로젝트 성과가 향상되도록 서로 협력하는지 등의 팀 응집력의 향상 여부
   ◎ 팀 성과 평가를 통해서 프로젝트 관리 팀은 프로젝트 성과 향상을 위해서 프로젝트 팀에 교육이 필요한지 혹은 코칭이나 멘토링이 필요한지 아니면 지원이나 절차의 변경 등이 필요한지를 파악할 수 있다.

**2. 기업 환경 요인 갱신(Enterprise environmental factors updates)**

인사 기록이나 직원 교육 기록 혹은 기술 평가표 등의 기업 환경 요인들이 수정될 수 있다.

프로젝트 팀 확보가 되면서 프로젝트 팀원들이 늘어나기 때문에 이제는 팀원들의 팀워크를 높여 성과가 나도록 해야 하는 것이 [9.3 프로젝트 팀 개발] 프로세스의 목적이다. 따라서 인적자원관리 계획서나 프로젝트 팀원 배정 문서들을 가지고 팀원들을 동일 장소에 배치하여 대인관계 기술을 통해 팀 구축 활동을 해야 한다.

만약 특정 업무에 맞는 기술이나 경험을 가지고 있지 못한 팀원이 있다고 하면 교육을 시키는 일정을 마련해야 한다. 특히 중요한 것은 성과가 나타나고 있는 팀원들에 대한 인정과 보상이다. 특히, 팀이면서 글로벌한 팀으로 구성된 경우에는 인정과 보상에 대한 구체적이고 객관적인 개인평가도구를 통해서 이루어져야 한다. 그렇지 않으면, 다국적 팀원들이 성과 평가에 대한 불평과 불만을 이야기할 것이고, 팀워크가 깨지게 될 것이다.

**그림 9-11** ◆ 프로젝트 팀 개발 프로세스의 투입물 흐름도

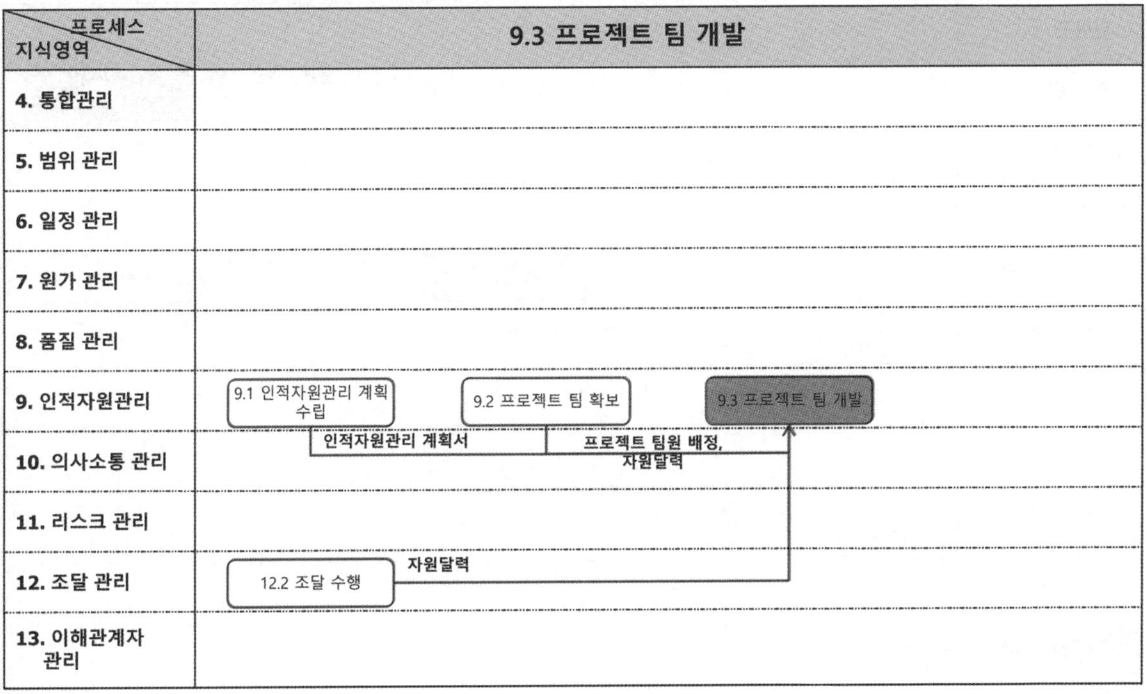

| 프로세스<br>지식영역 | 9.3 프로젝트 팀 개발 |
|---|---|
| **4. 통합관리** | |
| **5. 범위 관리** | |
| **6. 일정 관리** | |
| **7. 원가 관리** | |
| **8. 품질 관리** | |
| **9. 인적자원관리** | 9.1 인적자원관리 계획 수립 　 인적자원관리 계획서 　 9.2 프로젝트 팀 확보 　 프로젝트 팀원 배정, 자원달력 　 9.3 프로젝트 팀 개발 |
| **10. 의사소통 관리** | |
| **11. 리스크 관리** | |
| **12. 조달 관리** | 12.2 조달 수행 　 자원달력 |
| **13. 이해관계자 관리** | |

팀 개발의 목적은 팀원 개개인들이 상호 협력하여 팀의 성과를 향상시킴으로써 프로젝트의 인도물을 정해진 시간과 원가 및 품질 내에서 완성하도록 하는 것이다. 따라서 주기적으로 팀의 성과를 평가하여 팀이 원하는 목표치를 지속적으로 유지하고 있는지 혹은 성과가 떨어지고 있는지 확인하고 그 원인을 분석하여 해결해주어야 한다. 따라서 팀 성과 평가는 프로젝트 팀 관리 프로세스의 투입물로 활용된다.

그림 9-12 ◆ 프로젝트 팀 개발 프로세스의 산출물 흐름도

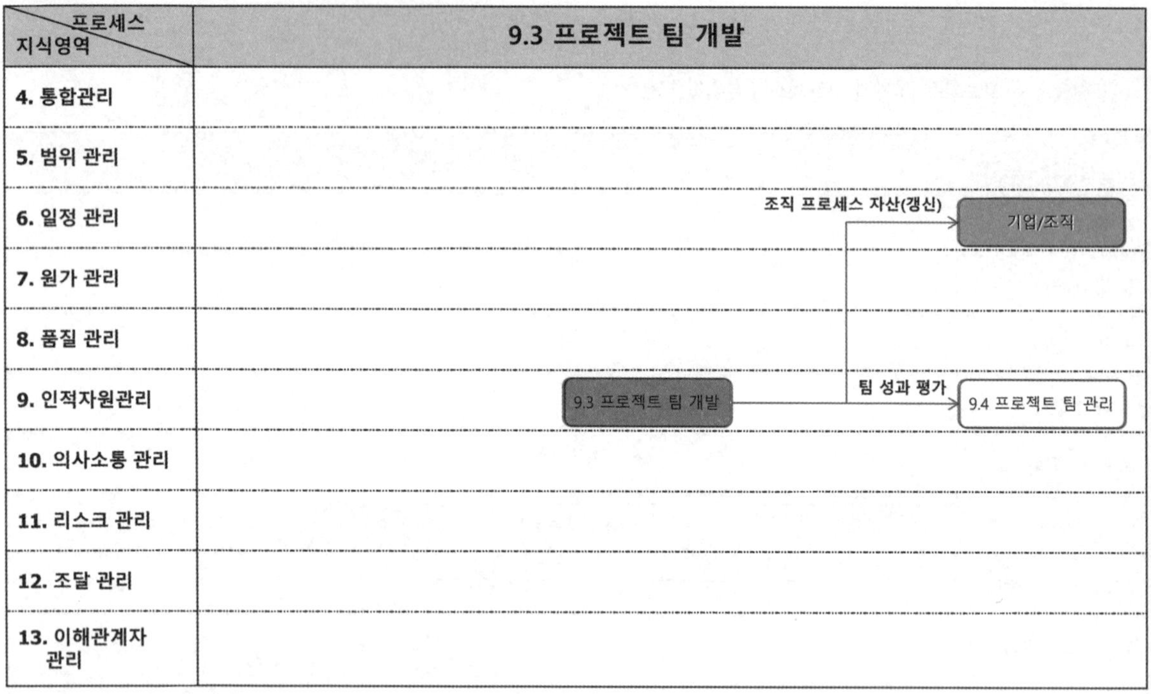

| 프로세스 / 지식영역 | 9.3 프로젝트 팀 개발 |
|---|---|
| **4. 통합관리** | |
| **5. 범위 관리** | |
| **6. 일정 관리** | 조직 프로세스 자산(갱신) → 기업/조직 |
| **7. 원가 관리** | |
| **8. 품질 관리** | |
| **9. 인적자원관리** | 9.3 프로젝트 팀 개발 → 팀 성과 평가 → 9.4 프로젝트 팀 관리 |
| **10. 의사소통 관리** | |
| **11. 리스크 관리** | |
| **12. 조달 관리** | |
| **13. 이해관계자 관리** | |

## 9.4 프로젝트 팀 관리(Manage Project Team)

프로젝트 팀 관리 프로세스는 팀원의 성과를 추적하고, 피드백을 제공하며, 이슈와 갈등 등을 해결함으로써 프로젝트 팀이 최고의 성과를 낼 수 있도록 프로젝트 팀의 변화를 관리하는 프로세스이다. 프로젝트 팀을 관리하기 위해서는 팀워크의 향상이나 팀원들의 노력을 통합하는 등의 다양한 관리 기법들을 필요로 하는데, 의사소통 기법이나 갈등 관리 기법, 협상 및 리더십 등이 중요하다.

프로젝트 팀 관리(Manage Project Team) 프로세스의 투입물, 도구 및 기법과 산출물은 다음과 같다.

그림 9-13 ◆ 프로젝트 팀 관리 프로세스의 ITTO

| Inputs | T&T | Outputs |
|---|---|---|
| 1. 인적자원관리계획서<br>2. 프로젝트 팀원 배정<br>3. 팀 성과 평가<br>4. 이슈로그<br>5. 작업성과보고서<br>6. 조직프로세스자산 | 1. 관찰 및 대화<br>2. 프로젝트 성과 평가<br>3. 갈등관리<br>4. 대인관계기술 | 1. 변경요청<br>2. 프로젝트관리계획서(갱신)<br>3. 프로젝트문서(갱신)<br>4. 기업환경요인(갱신)<br>5. 조직프로세스자산(갱신) |

### 9.4.1 프로젝트 팀 관리 프로세스 투입물

**1. 인적자원 관리 계획서(Human Resource Management Plan)**

인적자원 관리 계획서는 프로젝트에 필요한 인적자원들을 정의하고 팀원들이 투입 및 철수시점과 관리에 대한 지침을 제공하며 특히, 역할 및 책임, 조직도, 팀원 관리 계획서가 포함되어 있어 이를 참고한다.

**2. 프로젝트 팀원 배정(Project staff assignments)**

프로젝트 팀 관리의 대상은 팀원들이며 프로젝트 팀원 배정에는 프로젝트 팀원의 목록과 그들

이 해야 할 일이 기술되어 있기 때문에 [9.3 프로젝트팀 개발] 프로세스의 산출물인 '팀 성과 평가'와 함께 팀원의 성과를 판단해야 한다.

### 3. 팀 성과 평가(Team performance assessments)

팀 관리를 위해서는 공식적 혹은 비공식적으로 팀원이나 팀의 성과를 지속적으로 평가하여 성과가 낮다면 성과를 높일 수 있는 조치를 취해야 한다. 즉, 팀의 성과가 계획한 대로 나오고 있는지 파악하기 위해 참고한다. 만약, 그렇지 못하다면 그 원인을 파악하여 시정조치, 예방조치 활동을 위해 변경요청을 해야 한다.

### 4. 이슈 로그(Issue log)

이슈로그는 [13.3 이해관계자 참여관리] 프로세스의 산출물이다. 이해관계자가 제기한 이슈를 언제까지 누가 어떻게 책임지고 해결할 것인지를 결정하기 위해 참고한다. 이슈로그는 [9.4 프로젝트 팀 관리] 이외에 [10.3 의사소통 통제] 및 [13.4 이해관계자 참여통제]의 투입물로도 사용된다.

### 5. 작업 성과 보고서(Work Performance reports)

작업 성과 보고서는 프로젝트의 성과가 좋은지 나쁜지를 분석한 보고서로 작업 성과 보고서에 포함된 예측 자료는 향후 인적 자원 요구사항이나, 직원에 대한 인정과 보상 및 직원 관리 계획서를 수정하는데 도움을 준다.

### 6. 조직 프로세스 자산(Organizational process assets)

프로젝트 팀 관리 프로세스에 영향을 미치는 조직 프로세스 자산은 감사장, 뉴스레터, 보너스 체계, 복장규정 등이 있다.

### 9.4.2 프로젝트 팀 관리 프로세스 도구 및 기법

### 1. 관찰 및 대화(Observation and conversation)

프로젝트 관리자는 수시로 팀원들의 행동을 관찰하고, 팀원들과 대화를 통해 팀원을 관리해야 한다. 팀원들의 성과가 제대로 나타나지 않는 이유가 무엇인지, 팀원들의 행동이나 팀원 간의 관계가 원활한지를 살펴 향후 팀의 성과에 문제가 될 수 있는 것들을 사전에 파악하고 제거해

야 한다.

## 2. 프로젝트 성과 평가(Project performance appraisals)

팀 성과 평가와 작업 성과 보고서 등을 참고하여 프로젝트 팀의 성과를 평가한다. 계획한 대로 프로젝트가 진행되고 있는지 혹은 차이가 있다면 성과에 대한 차이 발생 원인이 무엇인지 파악하고 해결하여 향후, 계획한 성과를 맞추기 위해 노력해야 한다.

## 3. 갈등 관리(Conflict management)

다양한 배경을 가진 팀원들이 함께 일하다 보면 갈등이 생길 수 있으며, 갈등을 잘 관리하는 것이 프로젝트 성공에 도움이 된다. 만약 팀원들 간의 갈등이 고조된다면 프로젝트 관리자가 양측이 만족할 만한 해결책을 제시해야 한다. 팀내에 기본 규칙이나 규정을 수립하고 프로젝트 관리 실무 사례를 활용하면 팀 내의 발생되는 갈등을 줄 일 수 있다.

　갈등해결에 대한 것은 문제에도 상당히 많이 나오는 것으로 수험생들이 특히 잘 이해하고 있어야 한다.

### 갈등 해결 방법

프로젝트를 진행하면서 팀원들 간에 갈등은 늘 발생한다. 팀원들 간의 갈등은 서로가 대화나 함께 작업을 하면서 자연스럽게 해결이 되기도 하지만, 갈등이 점차 고조되어 팀 내에서 문제가 되기도 한다. 팀 내의 갈등은 팀워크에 방해가 되어 결국 프로젝트 전체 성과에 영향을 주는 악재가 되기도 한다.

프로젝트 관리자는 이러한 갈등을 효과적으로 해결하여, 프로젝트 팀원들이 단합시키고, 그 결과로써 프로젝트 성과가 높은 수준을 유지하도록 해야 한다. 프로젝트 관리자가 갈등을 해결하고자 할 때 영향을 주는 요인으로는 다음과 같은 것이 있다.

• 갈등의 상대적 중요성과 강도
• 갈등 해결에 대한 시간적 압박
• 갈등에 연루된 이해관계자의 직위
• 장기적 혹은 단기적으로 갈등 해결에 대한 동기부여

갈등을 해결하기 위한 방법은 다음과 같다.

• **철회/회피(Withdrawal/Avoid)**
  실제 혹은 잠재적인 갈등 상황으로부터 후퇴하는 것을 말한다. 이 방법은 갈등 해결을 위한 보다 나은 상황이 만들어질 때까지 갈등 해결을 연기하는 것이며 일시적으로 상황을 진정시키는 효과가 있다.

• **완화/수용(Smooth/Accommodate)**
  상대의 틀린 부분을 덜 강조하고 문제의 이슈 전반에 대해 합의를 강조하는 것을 말한다. 팀원 간 조화와 관계 유지를 위해 다른 사람의 입장을 인정하는 것으로 완화/수용 기법은 갈등의 근본 원인 해결은 피하게 된다.

- **타협/화해(Compromise/Reconcile)**

타협은 갈등 당사자들이 어느 정도 만족을 가져올 수 있는 방법이다. 전체가 아닌 갈등의 부분에 대해서 서로 조금씩 양보해서 원하는 결과를 얻기 때문에 만족의 정도는 적다.

- **강요/지시(Force/Direct)**

갈등의 당사자 중 권한이 큰 한 사람의 관점에서 다른 당사자에게 압력을 가하는 방법이다. 그러므로 항상 win-lose 상황이 발생하게 되고 갈등 해결 방법으로서는 가장 안 좋은 방법이기 때문에 위급한 상황이나 기간이 촉박한 경우에 사용한다.

- **문제해결(Confronting/Problem Solving)**

직접적으로 문제해결을 위해 문제를 당사자들과 함께 정의하고 정보를 모으며 대안을 분석하고 개발하며, 가장 적절한 대안을 선택하여 직접적으로 갈등의 문제 해결에 목적을 두는 것이다. 시간이 오래 걸리는 단점이 있지만 갈등해결 방법 중 가장 좋은 방법이다.

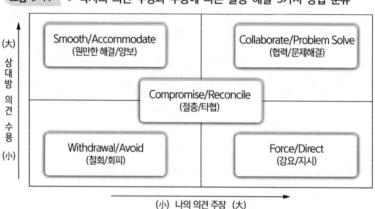

그림 9-14 ◆ 각자의 의견 주장과 수용에 따른 갈등 해결 5가지 방법 분류

출처 https://www.linkedin.com/pulse/conflict-management-styles-michelle-ba%C3%B1uelos 참고

그러나 갈등의 해결은 최우선적으로 갈등의 당사자인 팀원들이 해결해야 한다. 팀원들끼리 해결이 안 될 경우, 프로젝트 관리자에게 요청한 경우 위의 5가지 방법을 활용하여 프로젝트 관리자는 갈등을 해결한다.


## 4. 대인관계 기술(Interpersonal skills)

프로젝트 관리자는 기술적, 개인적, 및 관리적 기술을 조합하여 상황을 분석하고 팀원과 적절히 교류해야 한다.

- ◉ **리더십** : 프로젝트 성공을 위해서는 강력한 리더십이 필요하다. 리더십은 비전을 전달하고 프로젝트 팀을 격려할 때 중요하다. 리더십과 관련해서는 다양한 이론들이 있으며 처해진 상황이나 필요에 따라 적절한 것을 사용하면 된다.

- ◉ **영향력 행사** : 매트릭스 조직에서는 프로젝트 관리자의 권한이 거의 없거나 있더라도 약

하기 때문에 주기적으로 이해관계자나 팀원에게 영향력을 행사하는 것은 프로젝트 성공에 아주 중요하다. 이러한 영향력 행사 기술에는 다음가 같은 것이 있다.

- 핵심과 입장을 설득력 있게 명확히 설득하는 능력
- 적극적이고 효과적인 경청 능력
- 어떤 상황에서도 다양한 관점에 대한 인식과 고려
- 상호간 신뢰를 유지하면서 중요한 이슈를 처리하고 합의에 도달하기 위해 중요한 관련 정보의 수집

이 외에도 프로젝트 관리자에게 주어지는 영향력 혹은 권한인 합법적 권한, 보상 권한, 처벌 권한, 전문가적 권한, 준거적 권한을 사용할 수 있다.

◉ **효과적인 의사 결정** : 조직 및 프로젝트 관리 팀이나 이해관계자와 협상하고 의사결정시 영향력을 행사하는 능력을 말한다. 다음은 의사 결정시에 유용한 몇몇 가이드라인들이다.

- 달성해야 할 목표에 집중할 것
- 의사결정 절차를 따를 것
- 환경 요인들을 연구할 것
- 가용한 모든 정보를 분석할 것
- 팀원들의 개인 자질을 개발할 것
- 팀의 창의력을 자극할 것
- 리스크를 관리할 것

**리더십(Leadership)**

프로젝트가 진행됨에 따라 항상 똑같은 리더십으로 일관하기 보다는 시기적으로 상황에 맞는 리더십을 발휘하는 것이 바람직하다. 프로젝트 착수시점에는 우왕좌왕하는 시기이므로 직접 지시하는 지시형 리더십(Directing Leadership)이나 카리스마 리더십(Charisma Leadership)이 좋으며, 기획단계에는 코치형 리더십(Coaching Leadership)이나 민주주의형 리더십(Democratic leadership), 그 다음 실행시점에는 지원형 리더십(Supporting Leadership)이나 민주주의형 리더십(Democratic leadership), 자유방임형 리더십(Laissez-faire Leadership) 마지막으로 종료시에는 지시형 리더십(Directing Leadership)이나 카리스마 리더십(Charisma Leadership) 형태가 바람직할 수 있다.

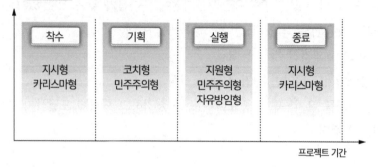

그림 9-15 ◆ 프로젝트 기간에 따른 리더십 활용 유형

| 착수 | 기획 | 실행 | 종료 |
|------|------|------|------|
| 지시형<br>카리스마형 | 코치형<br>민주주의형 | 지원형<br>민주주의형<br>자유방임형 | 지시형<br>카리스마형 |

프로젝트 기간

### 권한/영향력 행사(Power)

권한은 프로젝트 관리자가 팀원들을 다루는 영향력을 말한다. 이 영향력은 프로젝트 관리자라는 직급이 주는 본연의 영향력과 프로젝트 관리자 자신의 개인적인 역량에 의한 영향력이 있다.

- **직급에서 오는 권한(Position Power)**
  - 합법적 권한(Legitimate/Formal Power)
    프로젝트 관리자라는 직함이나 직급이 부여하는 공식적인 권한으로부터 영향력
  - 보상 권한(Reward Power)
    팀원에 대한 승진, 연봉 인상, 성과에 대한 보상 등의 권한으로부터 영향력
  - 처벌 권한(Penalty Power)
    팀원들의 낮은 성과에 대한 불이익, 감봉 등의 권한으로부터 나오는 영향력

- **개인에게서 오는 권한(Personal Power)**
  - 전문가적 권한(Expert Power)
    해당 산업, 특정 기술에 대한 전문지식이나 전문성 등을 보유하고 있음으로써 나오는 영향력
  - 준거적 권한(Referent Power)
    팀원들의 개인적인 사정을 이해하고 배려하는 프로젝트 관리자의 인간적인 측면에 의해 팀원들의 역할 모델(Role Model)로 존경의 대상이 됨으로써 오는 영향력

그 외에 팀원들이 접근하지 못하는 정보에 대한 접근이 가능함으로써 생기는 정보력 권한(Information Power), 팀원들을 다른 사람들과 연결시켜줄 수 있는 능력인 연결 권한(Connection Power) 등이 있다.

---

**Tips**

프로젝트 팀 관리의 결과인 변경 요청에 대한 문제가 상황문제로 가끔 출제되고 있다. 문제가 있는 팀원들은 다음과 같은 방법을 사용한다.

- 면담 실시
- 업무 순환 혹은 변경
- 교육 훈련
- 교체

### 9.4.3 프로젝트 팀 관리 프로세스 산출물

**1. 변경 요청(Change requests)**

만약 프로젝트 팀의 성과가 낮은 이유가 해당 업무에 대한 지식이나 기술의 숙련도에 의한 것이라면 팀원을 교체하거나 교육/훈련을 실시해야 한다. 혹은 해당 팀원의 업무를 외주 처리할 수 있다.

**2. 프로젝트 관리 계획서 갱신(Project management plan updates)**

프로젝트 팀 및 팀원에 대한 다양한 변경 사항들이 발생할 수 있으며 이는 곧 인적자원관리 계획서를 포함한 프로젝트 관리 계획서의 수정을 유발할 수 있다.

**3. 프로젝트 문서 갱신(Project documents updates)**

프로젝트 팀 및 팀원에 대한 다양한 변경 사항들이 발생할 수 있으며, 이는 이슈 로그나 역할 정의서 및 프로젝트 팀원 배정 등의 프로젝트 문서들에 대한 수정을 유발할 수 있다.

**4. 기업 환경 요인 갱신(Enterprise environmental factors updates)**

프로젝트 팀 관리 프로세스의 결과로 인해 조직 성과 평가에 사용될 투입물 혹은 직원들의 기술 목록 수정 등과 같은 다양한 기업 환경 요인들이 수정될 수 있다.

**5. 조직 프로세스 자산 갱신(Organizational process assets updates)**

프로젝트 팀 관리 프로세스의 결과로 인해 선례 정보 및 교훈 기록 문서, 템플릿, 조직의 표준 프로세스 등과 같은 프로세스 자산들이 수정될 수 있다.

> **Tips**
>
> 인적자원관리 분야에서는 프로젝트를 수행하는 조직이 기능조직인지, 매트릭스 조직인지, 프로젝트화 조직인지를 먼저 파악한 후 문제를 접근해야 한다. 즉, 각 프로젝트 수행 조직 내에서 프로젝트 관리자의 위치, 권한을 기반으로 스폰서, 기능 관리자, 다른 프로젝트 관리자와의 관계에 대해서 질문한다.
>
> 팀 내에서 발생하는 갈등해결 방법도 자주 출제되는 영역이다. 따라서 수험생들은 5가지 갈등관리 방법의 장점과 단점을 이해해야 하고 어떤 상황에서 어떤 갈등 해결 방법을 사용해야 하는지 알고 있어야 한다.

프로젝트 팀 관리는 팀원들의 성과를 추적하고, 피드백을 제공하면서 프로젝트 팀 전체 혹은 개별 팀원들의 성과가 높아지도록 하는 프로세스이다. 따라서 인적자원 관리 계획서나 프로젝트 팀원 배정, 그리고 팀 성과 평가 결과를 가지고 프로젝트 팀의 성과를 평가해야 한다.

그림 9-16 ◆ 프로젝트 팀 관리 프로세스의 투입물 흐름도

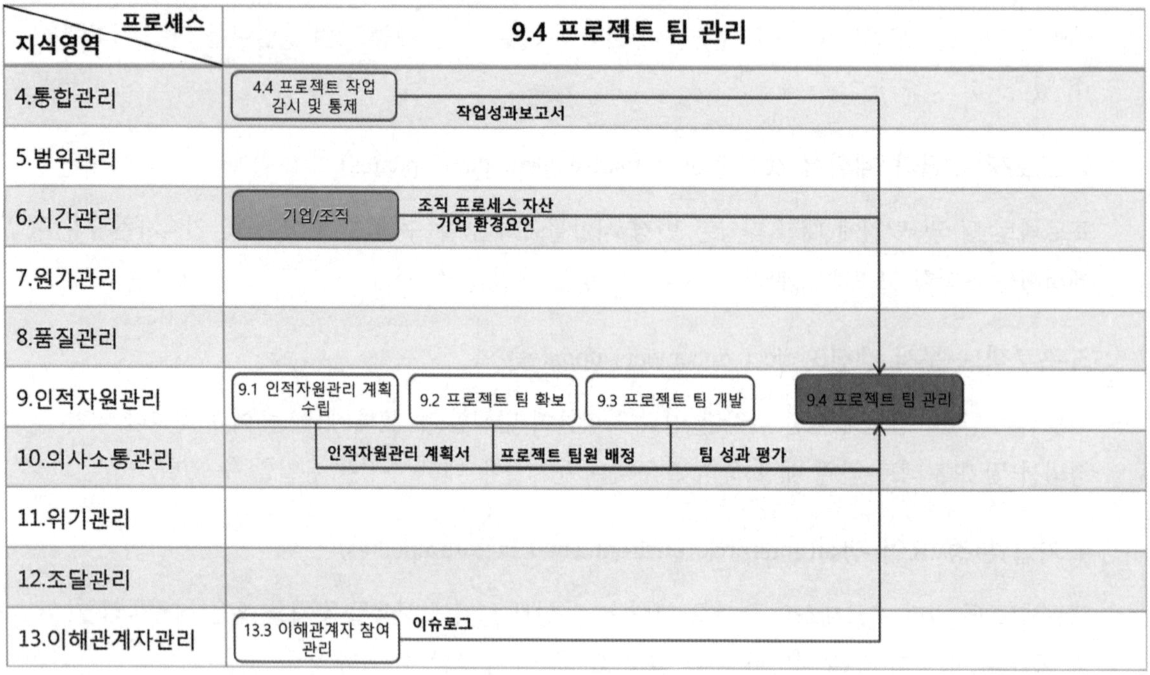

| 지식영역＼프로세스 | 9.4 프로젝트 팀 관리 |
|---|---|
| 4.통합관리 | 4.4 프로젝트 작업 감시 및 통제　　작업성과보고서 |
| 5.범위관리 | |
| 6.시간관리 | 기업/조직　　조직 프로세스 자산 기업 환경요인 |
| 7.원가관리 | |
| 8.품질관리 | |
| 9.인적자원관리 | 9.1 인적자원관리 계획 수립　　9.2 프로젝트 팀 확보　　9.3 프로젝트 팀 개발　　9.4 프로젝트 팀 관리 |
| 10.의사소통관리 | 인적자원관리 계획서　　프로젝트 팀원 배정　　팀 성과 평가 |
| 11.위기관리 | |
| 12.조달관리 | |
| 13.이해관계자관리 | 13.3 이해관계자 참여 관리　　이슈로그 |

328

프로젝트는 사람들이 하는 것이기 때문에 프로젝트 관리자는 팀의 분위기나 팀원들을 자주 관찰하고 그들과 대화를 지속적으로 함으로써 팀의 성과가 낮은 이유를 파악해야 한다. 팀원 간의 갈등으로 인해 상호 협조가 되지 않아서 문제가 생겼다면 갈등을 해결해 줄 수 있다.

**그림 9-17** ◆ 프로젝트 팀 관리 프로세스의 산출물 흐름도

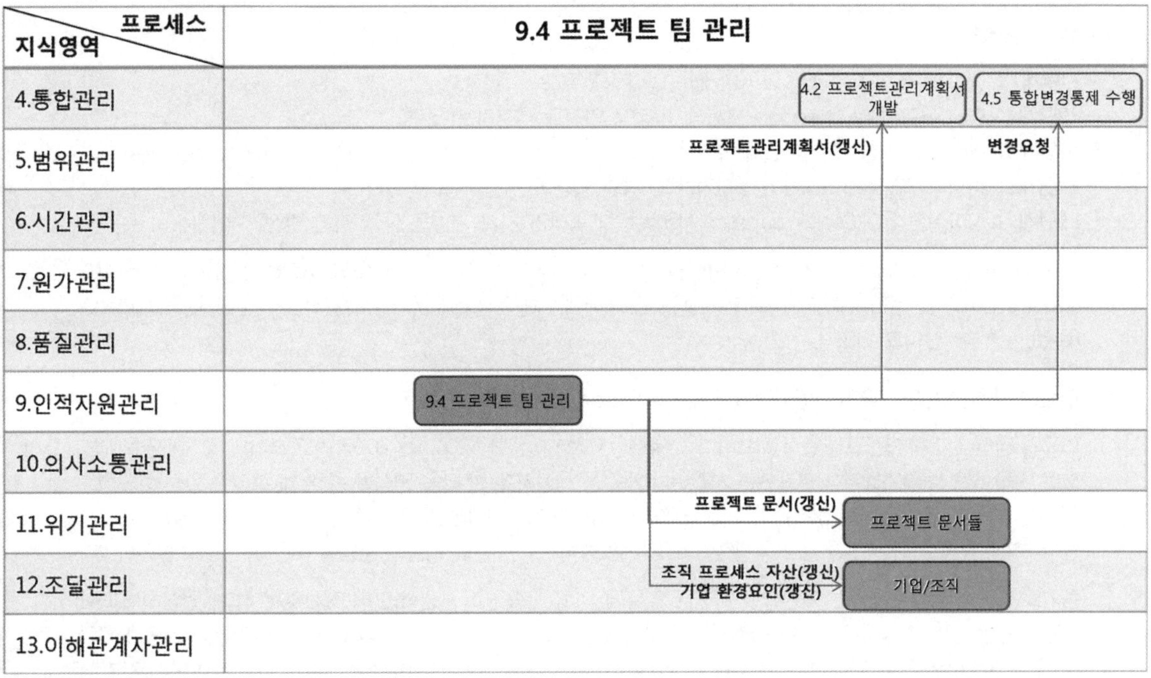

| 지식영역 \ 프로세스 | 9.4 프로젝트 팀 관리 | | |
|---|---|---|---|
| 4.통합관리 | | 4.2 프로젝트관리계획서 개발 | 4.5 통합변경통제 수행 |
| 5.범위관리 | | 프로젝트관리계획서(갱신) | 변경요청 |
| 6.시간관리 | | | |
| 7.원가관리 | | | |
| 8.품질관리 | | | |
| 9.인적자원관리 | 9.4 프로젝트 팀 관리 | | |
| 10.의사소통관리 | | | |
| 11.위기관리 | | 프로젝트 문서(갱신) 프로젝트 문서들 | |
| 12.조달관리 | | 조직 프로세스 자산(갱신) 기업 환경요인(갱신) 기업/조직 | |
| 13.이해관계자관리 | | | |

### 매슬로우Maslow의 욕구 5단계

미국의 산업 심리학자인 아브라함 H. 매슬로우Abraham Harold Maslow(1908 ~ 1970)는 사람들의 다양한 욕구는 하나의 욕구가 만족되면 다음 단계의 욕구가 나타나서 충족을 요구한다는 욕구 위계론을 제시하면서 5가지 차원으로 정리하였다.

- 1단계 : 생리적 욕구(Physiological Needs) – 의식주의 욕구
- 2단계 : 안전 욕구(Safety Needs) – 신체적, 감정적 안전을 추구하는 욕구
- 3단계 : 소속감과 애정 욕구(Belongingness and Love Needs) – 집단 속에 소속되어 인정받고 싶은 욕구
- 4단계 : 존경 욕구(Esteem Needs) – 자기만족, 타인 인정과 존경의 욕구
- 5단계 : 자아실현 욕구(Self–Actualization Needs) – 지속적인 자기 계발을 통한 자기 발전, 자아완성의 욕구

욕구 5단계 중에서 사람들은 최상위 자아실현 욕구를 만족시키기 위해서 끊임없이 노력하게 하는 "성장 욕구(Growth need)"를 나타내고, 그 하위 단계 욕구에 대해서는 충족되도록 동기 유발시키는 "결핍 욕구(Deficiency need)"가 나타난다고 하였다.

### 허쯔버그Herzberg의 2요인 이론(Two Factor Theory)

미국의 경영 심리학자인 프레드릭 허쯔버그Frederick Herzberg(1923 ~ 2000)는 200명의 기술자와 회계사들을 대상으로 일을 하면서 즐거웠거나 불쾌했던 시간이나 사건을 회상하게 한 다음 면접을 통해 왜 그러한 감정을 느꼈고, 이것이 성과에 어떤 영향을 미쳤는가를 조사하였다. 허쯔버그는 "개인의 동기에 영향을 주는 요인들은 서로 다른 두 가지 부류로 나눠지고, 상호 독립적이며 상이한 방식으로 인간의 행동에 영향을 미친다는 것을 발견하였다.

동기요인(Motivating factor)은 개인으로 하여금 직무에 대해 만족하고 긍정적인 태도를 갖게 하며, 열심히 일하게 하는 요인을 말한다. 동기요인에는 성취감, 안정감, 책임감, 도전감, 성장, 발전 및 보람 있는 직무내용 등이 있다. 이 요인들은 모두가 실제 직무나 직무내용과 연관된 것들인데, 이러한 요인이 충족되지 않아도 불만은 없지만 일단 충족하게 되면 직무만족에 적극적인 영향을 줄 수 있고 일에 대한 긍정적인 태도를 유발할 수 있다.

반면, 위생요인(Hygiene factor)은 직무 불만족을 초래하는 요인과 관계가 있다. 회사정책과 행정, 보수, 작업조건, 승진, 상사 및 동료와의 관계, 안전 등이 이에 속한다. 따라서 위생요인은 종업원이 직무를 수행하는 상황 또는 환경 그리고 종업원들 간의 관계에 대한 요인을 말한다. 위생요인은 그것의 충족이 단지 직무에 대한 불만족의 감소만을 가져올 뿐이지 적극적으로 직무만족에 작용하지는 못한다고 설명했다.

실무에서 많은 프로젝트 관리자나 임원들은 팀원이나 직원들의 동기 부여를 위해 승진이나 연봉 상승 혹은 인센티브 등을 많이 이야기 한다. 그러나 위에서 보듯이 이러한 요인들은 모두 위생 요인들로써 단기적으로는 긍정적인 효과를 거두겠지만, 장기적으로는 직원들의 동기부여에 큰 역할을 하지 못한다.

동기요인과 위생요인을 구분하는 문제가 주로 출제된다. 구분 방법은 내가 일을 하는 요인으로 성취감, 만족감, 도전감 등이고, 위생요인은 일을 하기 위한 주변 환경 요인, 즉 승진, 연봉, 동료와의 관계 등으로 구분하면 좋다.

### 맥그리거McGregor의 X이론과 Y이론

미국의 경영학자 맥그리거Douglas McGregor는 1960년대에 경영관리나 조직 내의 인간관 혹은 인간에 관한 가설을 주장하였다. 기본적으로 인간 본성에 대한 부정적인 관점을 X이론(X Theory)이라 하고 긍정적인 관점을 Y이론(Y Theory)이라 하였다.

## [X 이론-성악설]

종업원은 선천적으로 일을 싫어하고 가능하면 피하려고 하기 때문에 바람직한 목표를 달성하기 위해서는 반드시 강제되고 통제하며 처벌로 위협해야 한다. 그리고 종업원은 책임을 회피하고 가능하면 공식적인 지시에만 따르려 한다. 또한 대부분의 작업자는 작업과 연관된 요인들 중 무엇보다 안전성을 추구하려 하고 어떤 야심을 보이지 않는다.

## [Y 이론-성선설]

종업원은 일하는 것을 휴식이나 놀이처럼 자연스러운 것으로 보면서 자신에게 주어진 목표 달성을 위해서 스스로 지시하고 통제하며 관리해 나간다. 그리고 보통의 인간은 책임을 받아들이고 스스로 책임을 찾아 나서기까지 한다. 따라서 의사결정에 조직 구성원을 광범위하게 참여시키는 참여적 관리, 목표관리가 행해지며, 엄격한 관리 대신 부하 직원이 문제 해결의 주체가 되고 상사는 그 문제 해결을 도와주는 식의 관리가 행해지게 된다.

### 오우치Ouchi의 Z이론

미국 윌리엄 오우치William Ouchi 교수가 제창한 경영 이론으로써 X이론, Y이론의 절충형 이론이다. 2차 세계대전 이후 눈부신 경제성장을 이룬 일본식 경영방식의 장점을 미국식 경영방식의 장점에 조화시키고자 하는 이론이다. 당시 미국기업들은 기술과 과학적인 접근방식을 중시하고 개인적 차원의 인적자원 활동에만 치중하여 생산성 향상이 정체되고 있는 가운데 효율적인 협동 작업을 통한 생산성 향상의 필요가 생겼다.

이에 일본기업의 경영 특징인 장기고용, 순환근무제, 상호신뢰를 바탕으로 집단적 의사결정을 통한 생산성 향상 등의 장점을 미국 기업의 특징인 과학적인 관리 시스템과 데이터와 전문화에 의한 경영, 개인책임 등의 장점에 결합시켰다.

### 브룸의 기대이론(Vroom's Expectancy Theory)

캐나다 태생의 사회 심리학자 브룸Victor H. Vroom은 1964년 "Work and Motivation"을 통해서 기대 이론을 발표했다. 브룸에 의하면 동기는 유의성(valence), 수단성(instrumentality), 기대성(expectancy)의 3요소에 의해 영향을 받는다고 했다.

유의성(valence)은 특정 보상에 대해 갖는 선호의 강도이고, 수단성(instrumentality)은 어떤 특정한 수준의 성과를 달성하면 바람직한 보상이 주어지리라고 믿는 정도이며, 기대성(expectancy)은 어떤 활동이 특정 결과를 가져올 것이라 믿는 가능성을 말하는 것으로서,

동기의 강도 = 유의성×수단성×기대성

으로 나타낼 수 있다.

즉, 브룸의 이론은 어떤 일을 하게 되는 사람의 동기는 적극적이든 소극적이든 자신의 노력의 결과에 대해 스스로 부여하는 가치에 의해 결정될 것이며, 또한 자신의 노력이 목표를 성취하는데 실질적으로 도움을 줄 것이란 확신을 갖게 될 때 더욱 크게 동기부여를 받는다는 뜻이다

예를 들면, 조직에서 특정 프로젝트를 수행해야 하는데 이 프로젝트를 하면 조직에서 인센티브 2,000만원을 주기로 하였다고 가정해보자. 홍길동 차장은 본인의 역량으로 이 업무를 할 수 있고 그 결과 성과급 2,000만원을 받을 수 있다고 생각하는 것이 기대성이다. 조직에서 2,000만원의 인센티브를 주겠다고 했고, 그것을 받을 수 있는 나의 능력 등이 수단성이다. 프로젝트가 완료되고 얼마의 인센티브가 홍길동 차장에게 지급되었는지 그리고 그것에 만족되었는지가 유의성이다.

## 맥클랜드의 성취동기 이론(McClelland's Achievement Motivation Theory)

미국의 심리학자인 맥클랜드David Clarence McClelland(1917~1998)의 성취동기(3욕구) 이론은 매슬로우의 이론과
마찬가지로 인간의 욕구에 기초한 동기부여 이론이다. 하버드 대학의 맥클랜드 교수는 조직 내에서 직원들의 동기
부여 동력을 성취욕구(need for achievement), 권력욕구(need for power), 친화욕구(need for affiliation)의 세 가지
형태로 파악함으로써 동기부여를 이해하는데 공헌하였다.

### 성취욕구(need for achievement)

성취욕구란 어려운 일을 성취하려는 것, 물질·인간·사상을 지배하고 조종하고 관리하려는 것, 그러한 일을 신속
히 그리고 독자적으로 해내려는 것, 스스로의 능력을 성공적으로 발휘함으로써 자긍심을 높이려는 것 등에 관한
욕구라고 심리학자들은 규정하고 있다. 이러한 성취욕구가 강한 사람은 성공에 대한 강한 욕구를 가지고 있으며,
이런 사람은 책임을 적극적으로 수용하며, 행동에 대한 즉각적인 피드백을 선호한다. 따라서 이런 사람은 도전할
가치가 없거나 우연에 의해서 목표를 달성할 수 있는 직무보다는 개인에게 많은 책임과 권한이 주어지는 도전적
인 직무에 배치함으로써 동기부여를 할 수 있다.

### 권력욕구(need for power)

높은 권력욕구가 있는 사람은 리더가 되어 남을 통제하는 위치에 서는 것을 선호하며 타인들로 하여금 자기가 바
라는 대로 행동하도록 강요하는 경향이 크다. 따라서 타인의 권력이 미치는 직무에 배치하는 것보다는 자기가 타
인에 행동을 통제하는 직무에 배치함으로써 동기부여를 할 수 있다.

### 친화욕구(need for affiliation)

친화욕구가 높은 사람은 다른 사람들과 좋은 관계를 유지하려고 노력하며 타인들에게 친절하고 동정심이 많고 타
인을 도우며 즐겁게 살려고 하는 경향이 크다. 따라서 독립적으로 직무를 수행하는 곳에 배치하는 것보다는 다른
사람과 밀접한 관계를 유지할 수 있는 직무에 배치함으로써 동기부여를 할 수 있다.

### 특전(Perquisites)과 부수적 혜택(Fringe Benefits)

Perquisites은 특전이라는 의미로 지위에 따르는 특권을 말한다. 그 예로는 한 회사의 이사가
되면 기사가 딸린 업무용 차량 제공이나 별도 사무공간, 비서 등을 제공하는 것 등이 있다.

반면에 Fringe Benefit는 전체 모두에게 혜택이 있는 것을 말한다. 그 예로는 종합검진이나 식
사 제공 등이 있다.

 **후광 효과(Halo Effect)**

미국의 심리학자 손다이크Edward Lee Thorndike가 연구한 후광 효과는 사람이나 사물을 평가할 때 나타나는 오류를 뜻하는 심리학 용어이다. 인물이나 사물 등 일정한 대상을 평가하면서 그 대상의 특질이 다른 면의 특질에까지 영향을 미치는 일을 말하며 광배 효과光背效果라고도 한다.

예를 들면 포장이 세련된 상품을 고급품으로 인식하거나, 직원의 고과 산정시 성격이 차분한 직원에게 업무수행 능력의 정확성 면에서 높은 평점을 주는 경우, 엔지니어가 기술에 대해 뛰어난 능력을 보이면 관리자 역할 수행도 잘할 거라는 생각에 관리자로 승격시키는 경우 등이 있다.

## Chapter

# 09 연습문제

**01** 팀원들 간에 프로젝트 수행방식 및 기술 이슈를 토의하는 과정에서 자주 의견충돌이 발생하고 있다. 이 단계는 팀 개발의 어떤 단계인가?

① 형성기(Forming)　　　　　　　　② 규범기(Norming)
③ 혼돈기(Storming)　　　　　　　　④ 성과기(Performing)

**02** 가상 팀(Virtual Team) 여러 명이 컨퍼런스 콜(Conference call)로 회의하는데 팀원 한 명이 자꾸 다른 사람의 말을 자르고 있다. 프로젝트 관리자로서 어떻게 해야 하는가?

① 그 자리에서 팀원에게 그러지 말라고 이야기 한다.
② 회의가 끝나고 바로 그 팀원에게 전화를 하여 앞으로 그러지 말라고 주의를 준다.
③ 워낙 말이 많은 팀원이라 그러려니 한다.
④ 앞으로 그 팀원은 컨퍼런스 콜(Conference call)에 참여시키지 않는다.

**03** 회의 진행 중 두 팀원 간에 갈등이 생겨서 프로젝트 관리자는 이 상황에서 전체 팀원들이 회의를 계속 진행하는 것은 의미가 없다고 생각하여 회의를 종료하였다. 이에 대한 갈등 해결 기법은 무엇인가?

① 문제해결(Problem solving)　　　　② 타협(Compromise)
③ 완화(Smooth)　　　　　　　　　　④ 회피(Avoid)

**04** 두 사람이 의견 충돌이 생겨서 프로젝트 관리자가 이를 해결하려고 워크숍을 마련한다. 워크숍에서 두 사람의 갈등을 해결하려고 한다. 어떤 갈등 해결 전략인가?

① 문제해결(Problem solving)　　　　② 타협(Compromise)
③ 완화(Smooth)　　　　　　　　　　④ 회피(Avoid)

**05** 팀원 두 명이 갈등을 보이고 있다. 프로젝트 관리자가 나서서 2명에게 조금씩 양보하여 절충안을 찾을 것을 권유하고 있다. 이러한 갈등 해결 방식은 무엇인가?

① 문제해결(Problem solving)　　　　② 타협(Compromise)
③ 완화(Smooth)　　　　　　　　　　④ 회피(Avoid)

**06** 회사에 출근부 체크를 하는 것은 어떤 것인가?

① X이론
② Y이론
③ 동기요인
④ 위생요인

**07** 직원이 자기 계발을 할 수 없고, 인센티브도 기대에 미치지도 않았다. 이에 동기 부여가 되지 않아 퇴직했다. 이는 어떤 이론에 근거한 것인가?

① 허즈버그의 2요인 이론
② 오우치의 Z이론
③ 맥클랜드의 권력 욕구
④ 브룸의 기대이론

**08** 프로젝트 관리자가 정기적으로 프로젝트 룸을 돌아다니면서 팀원들과 가벼운 대화와 커피를 마신고 있다. 이는 팀 관리 방법 중 어떤 방법인가?

① 대화 및 관찰
② 비공식적 의사소통
③ walkaround
④ 시찰

**09** 다음 권력의 형태 중 프로젝트 관리자의 직함이나 직급에서 부여 받는 권한은 무엇인가?

① Legitimate Power
② Reward Power
③ Penalty Power
④ Referent Power

**10** 프로젝트 구성원의 개인적인 사정을 이해하고 배려함으로써 프로젝트 관리자에게 생기는 권력으로 가장 적절한 것은?

① Legitimate Power
② Reward Power
③ Penalty Power
④ Referent Power

**11** 팀원이 원래 똑똑한 사람인데 무슨 이유인지 업무가 엉망이다. 지속적으로 주의를 주었는데도 여전히 바뀌지 않고 있다. 프로젝트 관리자는 어떻게 해야 하나?

① 휴가를 보낸다.
② 그냥 나둔다.
③ 주의를 준다.
④ 다른 적임자로 대체한다.

**12** 인원 구성시 프로젝트 관리자가 참고해야 할 것은?

① RAM(Responsibility Assignment Matrix)
② RBS(Resource Breakdown Structure)
③ QC(Quality Control)
④ WBS(Work Breakdown Structure)

**13** 수주한 프로젝트 계약에서 발주자는 중요한 사람의 참여를 요청하였다. 그는 이번 계약 관련 업무의 탁월한 능력이 있기 때문이다. 하지만, 기능 관리자는 해당 중요한 사람(자원)을 회사 내 우선순위가 높은 프로젝트에 이미 반영하였다. 당신이 프로젝트 관리자라면 어떻게 할 것인가?

① 기능 관리자에게 지속적으로 배정해 줄 것을 요청하고 상의한다.

② 발주자에게 해당 중요한 사람(자원)의 참여가 불가능하므로 대체 인력 사용을 승인 받는다.

③ 프로그램 관리자에게 해당 사람(자원)에 대한 참여요구를 요청하고 상의한다.

④ 중요한 사람(자원)의 참여가 불가능하므로 그 사람 없이 프로젝트를 진행한다.

**14** 변경통제위원회에서 변경이 승인되었다. 그 결과에 대해 팀원들이 대립한다. 프로젝트 관리자는 팀원들 간에 그 문제를 토론하는 자리를 만들었다. 어떤 갈등관리인가?

① 문제해결(Problem solving)  ② 타협(Compromise)

③ 완화(Smooth)  ④ 회피(Avoid)

**15** 당신은 컴퓨터 시스템을 설치하는 프로젝트의 프로젝트 관리자이다. 그 프로젝트는 현재 CPI가 1.03, SPI는 1.00이다. 팀원은 현재 14명이 있고, 각 팀원들은 프로젝트 관리 계획서 작성에 모두 참여했다. 고객은 3개의 인도물을 전해 받았고, 이를 모두 승인했다. 프로젝트가 시작된 이후로 RAM은 아직 변경되지 않았다. 프로젝트는 매트릭스 환경에서 진행되고 있다.

> 스폰서는 프로젝트의 진행 상태에 대해서 만족하고 있지만, 팀원 중의 한 명이 자신의 일이 시간이 많이 필요하다고 불평하고 있었다. 프로젝트 관리자는 어떤 조치를 취해야 하는가?

① 프로젝트의 보상 시스템을 검토한다.

② 프로젝트의 일정 성과 향상을 위해 노력한다.

③ 고객 만족을 위해 일정을 연장하기 위해 노력한다.

④ 고객으로부터 서명 승인을 받는다.

# Chapter 09

→프로젝트 인적자원 관리

# 연습문제 정답과 해설

**01** 팀이 프로젝트 작업이나 기술적 의사결정 및 프로젝트 관리 방식을 다루기 시작하는 단계로 팀원들이 다른 사고와 관점에 협조적이거나 개방적이지 않으면 팀 구축 활동들이 역효과를 가져올 수 있다.

**02** 그 자리에서 공개적으로 이야기하는 것은 그 팀원에게 모멸감을 줄 수 있기 때문에 회의가 끝난 후 연락하는 것이 좋다.

**03** 본격적인 해결을 잠시 미루고 우선 현재의 갈등 상황에서 벗어나는 방법이다.

**04** 의견 출동에 대해서 워크숍에서 완전히 해결하려고 하는 방법이다.

**05** 갈등 당사자들이 어느 정도 만족을 하도록 하는 방법으로 서로 조금씩 양보해서 원하는 결과를 얻기 때문에 만족의 정도는 적다.

**06** 맥그리거의 X이론은 종업원들은 선천적으로 일을 하기 싫어하기 때문에 강제하고 통제해야 한다는 이론이다.

**07** 브룸의 기대성, 수단성, 유의성 중 유의성이 문제가 된 것으로 봐야 한다. 즉, 보상이 기대에 미치지 못하였다.

**08** 비공식적 의사소통과 활동은 팀간의 신뢰를 생성하거나 작업을 하는데 있어서 팀 상호간의 좋은 관계를 만들도록 도와준다.

**09** 프로젝트 관리자라는 직함이나 직급이 부여하는 공식적인 권한은 공식적 권한(Legitimate/Formal Power)이라 한다.

**10** 팀원들의 개인적인 사정을 이해하고 배려하는 프로젝트 관리자의 인간적인 측면에 의해 팀원들이 역할 모델로 존경의 대상이 됨으로써 오는 영향력을 준거적 권한(Referent Power)이다.

**11** 일을 잘하던 팀원이 무슨 이유인지 업무가 자꾸 엉망이고, 지속적으로 주의를 주었는데도 개선되지 않는다면, 공식적인 절차를 통해 다른 적임자로 대체한다.

**12** 인원을 구성할 때 프로젝트 관리자는 Resource Breakdown Structure를 참고해야 한다. RAM은 프로젝트 활동에 인원을 배치 완료한 표이다.

**13** 기능관리자가 팀원을 다른 프로젝트에 배치하였기 때문에 인사팀에 요청하여 대체 인력을 사용해야 한다.

**14** 대립하는 팀원들 간에 문제 해결을 위해 토론하는 자리를 만들었고, 그 자리에게 결론을 내리려고 하였기 때문에 문제해결(Problem solving)을 하려고 한다.

**15** 명확한 성과와 보상에 대한 기준과 보상 시스템은 팀들의 바람직한 행동을 유발하고 증대시킬 수 있다.

| 정답 | 01.③ | 02.② | 03.④ | 04.① | 05.② | 06.① | 07.④ | 08.② | 09.① | 10.④ |
|------|------|------|------|------|------|------|------|------|------|------|
|      | 11.④ | 12.② | 13.② | 14.① | 15.① |      |      |      |      |      |

Chapter

**10**

# 프로젝트 의사소통 관리

학
습
목
표

- 의사소통 관리 지식 영역의 프로세스들을 이해한다.
- 의사소통의 형식들을 구분할 수 있다.
- 의사소통 관리 계획서의 중요성을 이해한다.
- 의사소통 채널 수를 구할 수 있다.
- 의사소통 방법을 이해한다.

모든 프로젝트를 성공으로 이끄는 가장 중요한 요소 중 하나가 프로젝트에 참여한 모든 인적 자원들의 원활한 의사소통이다. 프로젝트를 진행하면서 이해관계자들 간 의사소통이 되지 않는다면 어떤 일이 발생할까? 혹은 프로젝트 관리자인 내가 팀원들에게 내일 아침에 김밥을 가져오라고 했는데, A팀원은 참치 삼각 김밥을, B팀원은 야채 김밥을, C팀원은 소고기 김밥을, 고객은 컵라면을 가져왔다면 이 상황은 누가 의사소통을 잘못한 것일까? 물론, 프로젝트 관리자가 잘못했다. 프로젝트 관리자는 A, B, C팀원과 고객에게 상세하고 구체적인 설명을 했어야 했다. 즉, 프로젝트 관리자는 "여러분은 내일 그냥 일반적인 참치 김밥 한 줄을 가져오세요." 라고 했어야 한다.

프로젝트 관리자는 프로젝트에 참여한 이해관계자들이 프로젝트의 진척 상황이나 리스크, 이슈, 의견 등을 상세하고 구체적으로 적절한 의사소통 매체를 통하여 상대방이 완전히 그 뜻을 이해하도록 해야 한다. 특히, 프로젝트 관리자는 일하는 시간의 약 90%를 의사소통을 위해 사용한다고 한다. 따라서 프로젝트의 중심에 있는 프로젝트 관리자의 의사소통 능력은 아무리 강조해도 지나치지 않으며, 이해관계자와 정확한 의사소통을 하는 것은 프로젝트의 기본이며 프로젝트 성공의 시작이라 할 수 있다.

프로젝트 의사소통 관리는 이해관계자들의 정보 필요성 및 요구사항을 파악하여 의사소통에 대한 적합한 전략과 계획을 수립하고, 의사소통 계획에 부합되도록 프로젝트의 정보를 생성, 수집, 배포, 저장, 조회 및 최종적인 처리를 하며, 프로젝트 이해관계자들의 정보 요구가 만족되도록 프로젝트 전체 기간을 통해 의사소통을 감시하고 통제해야 한다.

프로젝트 의사소통 관리는 이 모든 활동을 위한 3개의 프로세스가 존재하는데 각 프로세스에 대한 설명은 다음과 같다.

표 10-1 ❖ ➔ 프로젝트 의사소통 관리 프로세스 정의

| 프로세스 | 프로세스 그룹 | 설명 |
|---|---|---|
| 10.1 의사소통관리 계획수립<br>(Plan Communications Management) | P | 이해관계자들의 정보 필요성 및 의사소통 요구사항을 만족시키기 위하여 사용 가능한 조직의 자산을 기반으로 프로젝트 의사소통에 대한 적합한 전략과 계획을 수립하는 프로세스 |
| 10.2 의사소통 관리<br>(Manage communications) | E | 의사소통 관리 계획서에 부합되게 프로젝트의 정보를 생성, 수집, 배포, 저장, 조회 및 최종적인 처리를 하는 프로세스 |
| 10.3 의사소통 통제<br>(Control communications) | M&C | 프로젝트 이해관계자들의 정보욕구가 만족되도록 프로젝트 전체 기간동안 의사소통을 감시하고 통제하는 프로세스 |

# 10.1 의사소통관리 계획수립(Plan Communication Management)

의사소통 관리 계획수립 프로세스는 이해관계자의 프로젝트에 대한 정보 요구 사항을 식별하고, 어떤 방식과 어떤 방법을 사용하여 의사소통 할 것인지 정의하는 프로세스이다.

의사소통 관리 계획은 이해관계자들과 가장 효과적이고 효율적으로 의사소통 할 방법들을 식별하고 문서화한다. 효과적인(effective) 의사소통이란 이해관계자가 필요로 하는 정보만을 전달하는 것이며, 프로젝트와 관련된 정보가 적합한 양식, 적절한 시점, 적절한 이해관계자에게 전달되도록 하는 것이다. 의사소통 관리 계획의 결과물인 의사소통 관리 계획서는 프로젝트 전체 생애주기 동안 지속적으로 검토되고 수정되어야 한다. 의사소통 관리계획 시 고려사항은 다음과 같다.

◉ 어떤 정보를 누가 필요로 하며, 누가 정보에 접근할 권한을 갖고 있는가?
◉ 정보를 언제 필요로 하는가?
◉ 정보가 어디에 저장되어야 하며, 어떤 형태로 저장되어야 하는가?
◉ 정보가 어떻게 조회되어야 하는가?
◉ 시간대(Time zone), 언어 장벽, 다문화 등을 고려해야 하는가?

[10.1 의사소통관리 계획수립] 프로세스의 투입물, 도구 및 기법과 산출물은 다음과 같다.

그림 10-1 ◆ 의사소통관리 계획수립 프로세스의 ITTO

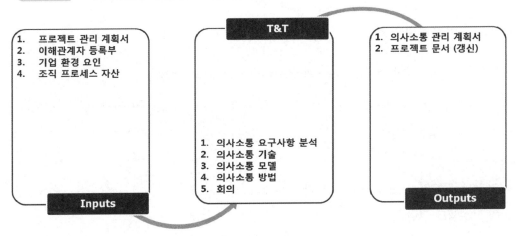

## 10.1.1 의사소통관리 계획수립 프로세스 투입물

### 1. 프로젝트 관리 계획서(Project Management Plan)

의사소통주기 및 횟수 등을 결정하기 위해 일정 관리 계획서, 의사소통 방법에 따른 도구 구매 및 비용 책정을 위해 원가관리 계획서, 이해관계자의 의사소통 요구에 따른 대응 전략 참고를 위해 이해관계자 관리 계획서, 의사소통에 대한 변경이나 형상 관리를 위해 변경관리 계획서 및 형상관리 계획서를 참고한다.

### 2. 이해관계자 등록부(Stakeholder Register)

이해관계자 등록부는 식별된 이해관계자 및 그들과 관련된 모든 상세 정보를 포함하고 있다. 따라서 누구와 의사소통을 할 것인지 어떻게, 언제 의사소통할 것인지 계획을 세우기 위해 참고한다.

### 3. 기업 환경 요인(Enterprise environmental factors)

조직/기업의 의사소통 구조, 의사소통에 필요한 다양한 방법과 도구 등이 프로젝트를 둘러싼 대내외 의사소통에 영향을 주기 때문에 이를 참고한다.

### 4. 조직 프로세스 자산(Organizational process assets)

과거 유사 프로젝트에서 결정한 의사결정과 그 결과 및 그에 따른 교훈 등을 참고한다.

## 10.1.2 의사소통관리 계획수립 프로세스 도구 및 기법

### 1. 의사소통 요구사항 분석(Communication requirements analysis)

프로젝트와 관련된 이해관계자의 정보 요구사항을 분석하고 이해관계자에게 제공할 정보의 종류와 형식 및 빈도 등을 파악한다.

- ◎ 조직도
- ◎ 프로젝트 조직 및 이해관계자 책임 관계
- ◎ 프로젝트 관련 전문 분야, 부서 및 특수 분야
- ◎ 프로젝트 관련 인원 수 및 장소에 대한 세부 계획
- ◎ 내부 정보 요구사항(예 조직간 상호 의사소통)

◎ 외부 정보 요구사항(예 매체, 대중 또는 계약자와의 의사소통)

◎ 이해관계자 등록부의 이해관계자 정보 및 이해관계자 관리 전략

◎ 가능한 의사소통 채널의 수(n: 전체 이해관계자 수)

#### 의사소통 구분

의사소통은 그 종류에 따라 다양하게 나눌 수 있는데, 그 종류는 아래와 같다.

| 의사소통의 구분 | |
| --- | --- |
| 내부(Internal, 프로젝트 내부) | 외부(External, 고객, 공급사, 다른 프로젝트, 정부) |
| 형식적(Formal, 보고서, 회의록, 브리핑) | 비형식적(Informal, 이메일, 메모, ad-hoc 회의) |
| 수직(Vertical, 조직의 상하) | 수평(Horizontal, 동료들) |
| 공식(Official, 뉴스레터, 연간 보고서) | 비공식(Unofficial, 비밀회의) |
| 서면(Written) | 구어(oral) |
| 언어(Verbal) | 비언어(Non-verbal, 보디랭귀지) |

## 2. 의사소통 기술(Communication technology)

의사소통에 영향을 줄 수 있는 요소들, 즉, 정보의 긴급성, 주기, 빈도, 기술의 가용성, 활용 가능성, 정보의 접근 용이성, 프로젝트 기간, 종료 전 변경 가능성 여부 및 프로젝트 환경, 대면/비대면 등의 상황을 고려한 의사소통 시의 기술을 말한다. 즉, 의사소통 시 이메일을 사용할지, 종이로 출력할지 혹은 프로젝트 관리 시스템을 사용하거나, 가상 팀인 경우에는 화상 회의나 컨퍼런스 콜(conference call) 등을 사용할 것인지 결정해야 한다.

## 3. 의사소통 모델(Communication models)

상호간에 의사소통 시 기본적인 의사소통의 흐름을 모델화한 것이다.

◎ **암호화**(Encode) : 다른 사람들이 이해할 수 있는 언어로 변환

◎ **메시지**(Message) : 의사소통 도구를 통해 송신자가 메시지를 전송

◎ **전달 매체** : 메시지 전달에 사용되는 방법 및 도구

◎ **잡음**(Noise) : 메시지 전송 및 이해를 방해하는 모든 것(예 거리, 생소한 기술, 불충분한 배경 정보)

◉ **복호화**(Decode) : 메시지를 의미 있는 견해나 아이디어로 변환하는 것

◉ **통보**(Acknowledge) : 수신자가 메시지를 받았다고 알리는 것

◉ **응답**(Feedback/Response) : 송신자에게 생각이나 아이디어를 다시 보내는 것

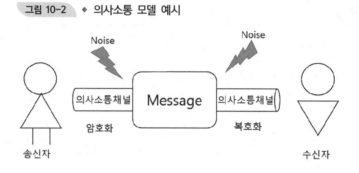

그림 10-2 ◆ 의사소통 모델 예시

## 4. 의사소통 방법(Communication methods)

프로젝트 관리자는 의사소통 기술과 모델을 기반으로 프로젝트 상황에 맞게 의사소통 방법을 결정해야 한다. 의사소통의 방법으로는 대화식, 전달식, 유인식의 3가지가 있다.

표 10-2 ← → 의사소통 방법

| 방법 | 내용 |
| --- | --- |
| 대화식 의사소통<br>(Interactive communication) | 둘 이상의 대화 당사자가 여러 방향으로 정보 교환을 수행하는 방식으로 특정 주제에 대해 모든 참여자의 일반적인 이해를 이끌어내는 가장 효율적인 방법이다. 서로 얼굴을 보면서 진행하는 것이 일반적이라 대화식 의사소통이라고 한다.<br>예 미팅, 전화 통화, 화상 회의 등 |
| 전달식 의사소통<br>(Push communication) | 정보가 배포되지만 의도한 수신자에게 실제 도달했는지 또는 수신자들이 이해했는지는 분명하지 않은 방법이다. 정보를 보내는 사람이 정보를 받는 사람에게 의사소통 기술을 이용해 내보낸다.<br>예 편지, 메모, 보고서, 이메일, 팩스, 음성 메일, 보도 자료 등 |
| 유인식 의사소통<br>(Pull communication) | 대용량 정보 또는 대규모 수신자 그룹과 의사소통시 사용하는 방식으로 수신자들이 너무 많은 경우 관련 문서를 직접 찾아서 받도록 하는 방법이다. 정보를 원하는 사람들이 정보가 있는 곳에 찾아가서 정보를 획득하는 방식이다.<br>예 인트라넷, 온라인 학습(e-learning) 및 지식관리 시스템(KMS, Knowledge Management System) 등 |

## 5. 회의(Meetings)

프로젝트 관리자 및 프로젝트에 참여하는 이해관계자들이 회의를 통해 의사소통의 목적, 기술,

방법, 빈도, 주기, 참여 대상자, 및 의사소통 할 정보의 수준 등을 결정한다.

### 10.1.3 의사소통관리 계획수립 프로세스 산출물

**1. 의사소통 관리 계획서**(Communications management plan)

의사소통 관리 계획서는 프로젝트의 의사소통에 대한 모든 것을 계획한 문서로써 다음의 내용들을 포함하여 작성한다.

- 이해관계자 의사소통 요구사항
- 정보(언어, 형식, 내용 등)
- 정보의 배포 사유
- 정보의 배포 시간 및 주기
- 정보 전달 책임자
- 정보 공개 책임자
- 정보 수신 개인 및 그룹
- 정보 전달 수단 및 도구
- 정보 전달 프로세스 및 체계
- 의사소통 관리 계획서의 수정 및 개정 방법
- 용어 정리집 및 다양한 지침
- 목록, 회의 계획 등이 포함된 업무 흐름
- 의사소통 제약사항
- 회의 계획서, 회의록, 주간보고서 및 월간보고서 등의 템플릿

> **Tips**
>
> 의사소통 관리에서 간과하기 쉬운 것이 조직의 구조이다. 현재 프로젝트가 기능조직 구조하에서 수행되고 있는지, 매트릭스 조직인지 혹은 프로젝트 조직인지 고려해야 한다.
>
> 조직 유형에 따라 의사소통 방식과 보고 대상이 변경될 수 있다.

**2. 프로젝트 문서 갱신**(Project document updates)

의사소통에 대한 다양한 사항들이 결정되어 문서화 되면서 프로젝트의 일정이나 이해관계자

등록부 등이 수정될 수 있다.

**의사소통 채널 수 계산**

프로젝트에서 의사소통 채널 수를 계산하는 문제가 출제되기도 한다. 간단한 공식을 통해 의사소통 채널 수를 계산할 수 있다. 의사소통 채널 수를 계산하는 이유는 이해관계자들과 어떤 의사소통 방법을 사용할 것인지 결정하기 위해서이다.

의사소통 채널수가 얼마 되지 않는다면, 대화식 의사소통을 사용할 수 있다. 만약 이해관계자가 1,000명이라면 유인식 의사소통을 사용할 수 있다. 또한, 주요 이해관계자에게는 대화식 의사소통과 전달식 의사소통을 사용하고, 그 외의 이해관계자에게는 유인식 의사소통을 사용하는 복합적인 방법을 사용할 수 있다.

특히, 시험 문제에서는 프로젝트 관리자를 제외하고 문제를 출제하기도 한다. 따라서 문제를 끝까지 읽어보고 프로젝트 관리자를 포함한 전체 이해관계자가 몇 명인지 확인하는 것이 중요하다.

의사소통 채널 수를 계산하는 공식은 다음과 같다.

$$의사소통\ 채널수 = \frac{n(n-1)}{2},\ n = 이해관계자\ 수$$

현재 프로젝트 팀원이 4명이 있었다. 한 명이 해외로 파견을 가는 바람에 팀원이 3명으로 줄었다. 프로젝트 관리자는 스폰서에 요청해서 2명의 신입직원을 프로젝트에 합류시켰다. 그렇다면 프로젝트 관리자를 포함한 총 프로젝트 내 의사소통 채널 수는 몇 개인가?

프로젝트 관리자를 포함하면 총 프로젝트 팀 수는 5명이다. 1명이 나가고 2명이 들어 왔으니 1명이 기존보다 늘어난 셈이다. 따라서 프로젝트 팀 수는 총 6명이 된다. 따라서 의사소통 채널 수는 공식에 의거하여 6(6-1)/2 = 15개이다.

프로젝트에서 의사소통의 중요성은 아무리 강조해도 지나치지 않다. 따라서 의사소통에 대한 계획을 잘 세우고, 관련된 이해관계자들을 모두 포함시키는 것은 매우 중요하다. 프로젝트 관리 계획서와 이해관계자 등록부를 참고하고, 프로젝트를 둘러싼 다양한 환경을 참고하여야 한다.

그림 10-3　◆　의사소통 관리계획 수립 프로세스의 투입물 흐름도

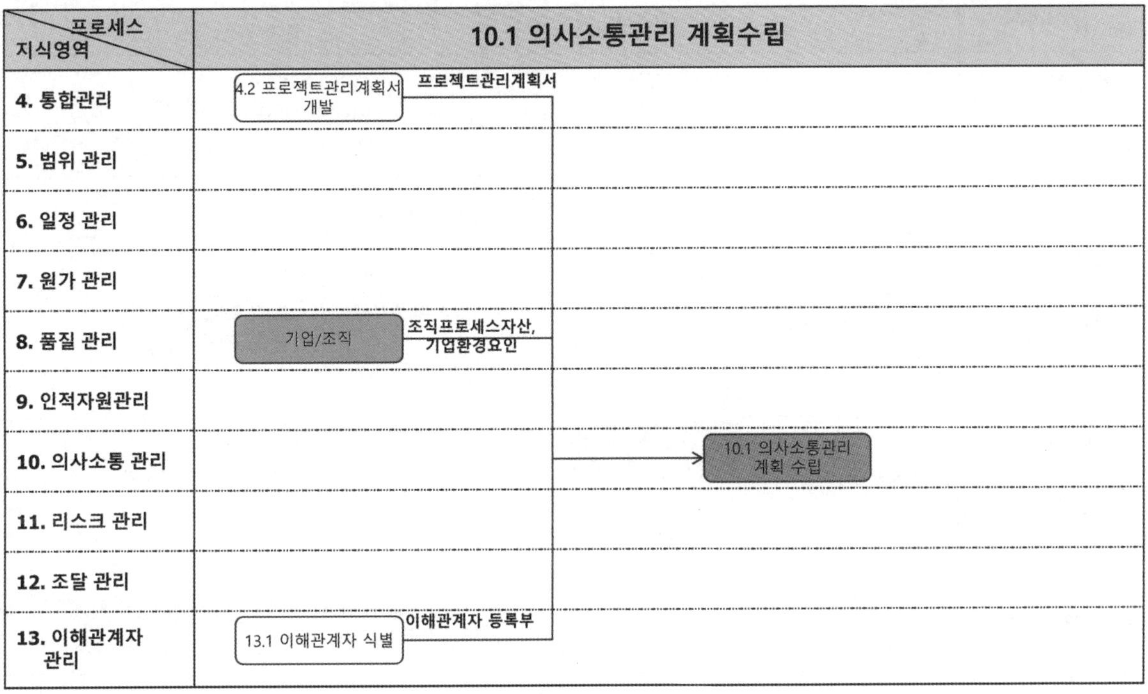

| 프로세스<br>지식영역 | 10.1 의사소통관리 계획수립 | | |
|---|---|---|---|
| **4. 통합관리** | 4.2 프로젝트관리계획서 개발 　프로젝트관리계획서 | | |
| **5. 범위 관리** | | | |
| **6. 일정 관리** | | | |
| **7. 원가 관리** | | | |
| **8. 품질 관리** | 기업/조직　조직프로세스자산,<br>기업환경요인 | | |
| **9. 인적자원관리** | | | |
| **10. 의사소통 관리** | | 10.1 의사소통관리<br>계획 수립 | |
| **11. 리스크 관리** | | | |
| **12. 조달 관리** | | | |
| **13. 이해관계자<br>관리** | 13.1 이해관계자 식별　이해관계자 등록부 | | |

의사소통관리 계획수립에서는 최종적으로 다양한 이해관계자에 맞는 의사소통 관리 계획서가 작성된다. 작성된 의사소통 관리 계획서는 10장의 의사소통관리 프로세스 및 13장의 이해관계자 참여관리 프로세스의 투입물로 사용된다는 것을 알아두자.

**그림 10-4** ◆ 의사소통관리 계획수립 프로세스의 산출물 흐름도

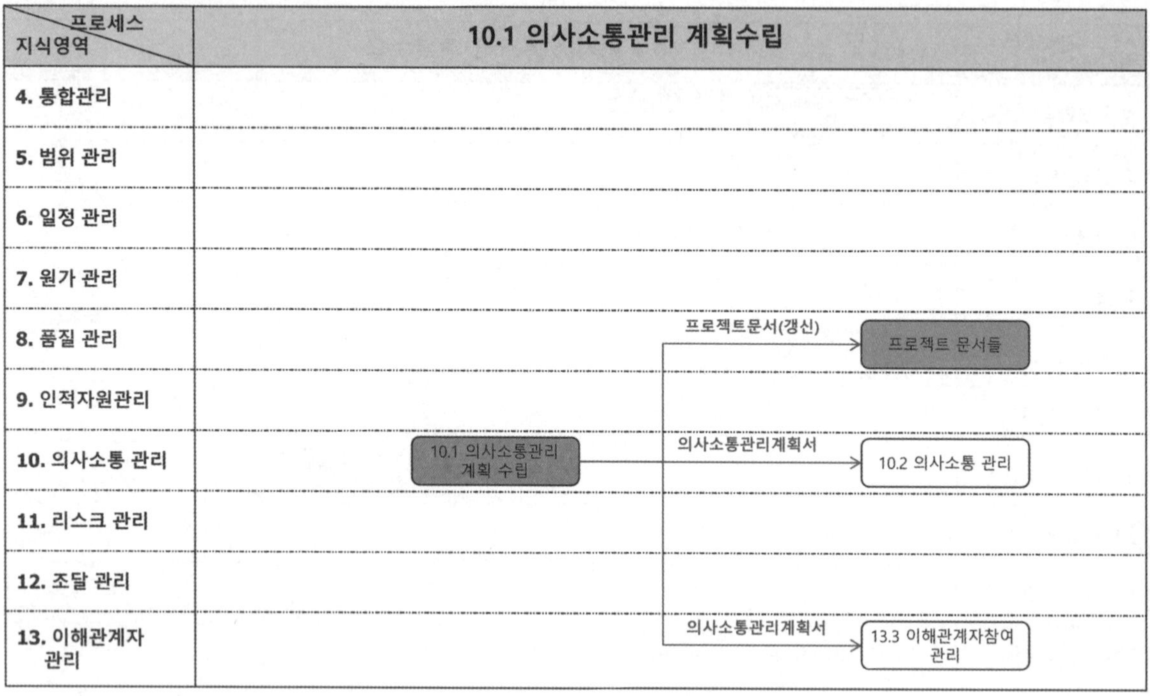

| 프로세스 / 지식영역 | 10.1 의사소통관리 계획수립 | | |
|---|---|---|---|
| **4. 통합관리** | | | |
| **5. 범위 관리** | | | |
| **6. 일정 관리** | | | |
| **7. 원가 관리** | | | |
| **8. 품질 관리** | | 프로젝트문서(갱신) → | 프로젝트 문서들 |
| **9. 인적자원관리** | | | |
| **10. 의사소통 관리** | 10.1 의사소통관리 계획 수립 | 의사소통관리계획서 → | 10.2 의사소통 관리 |
| **11. 리스크 관리** | | | |
| **12. 조달 관리** | | | |
| **13. 이해관계자 관리** | | 의사소통관리계획서 → | 13.3 이해관계자참여 관리 |

## 10.2 의사소통 관리(Manage Communications)

의사소통 관리 프로세스는 의사소통관리 계획서에서 기술한대로 프로젝트의 정보를 생성, 수집, 배포, 저장, 조회 및 최종적인 처리를 하는 프로세스이다. 따라서 의사소통의 대상인 작업성과 보고서가 핵심 투입물이다.

의사소통 관리(Manage Communications) 프로세스의 투입물, 도구 및 기법과 산출물은 다음과 같다.

그림 10-5 ◆ 의사소통 관리 프로세스의 ITTO

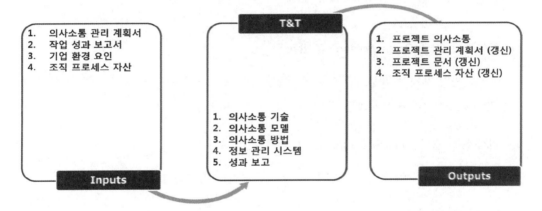

### 10.2.1 의사소통 관리 프로세스 투입물

### 1. 의사소통 관리 계획서(Communications Management Plan)

프로젝트의 의사소통은 의사소통관리 계획서에서 정의하고 계획한 대로 진행되어야 하기 때문에 참고한다.

### 2. 작업 성과 보고서(Work Performance Reports)

프로젝트에서 의사소통을 해야 할 대상은 명확히 작업성과 보고서가 된다. 작업 성과 보고서는 주간보고서, 월간 보고서, 임시 회의 등으로 볼 수 있다. 작업 성과 보고서에는 프로젝트에 대한 정보뿐만 아니라 프로젝트에 대한 미래 예측, 리스크 사항들이 포함되어 있기 때문에 의사소통의 대상물이 된다.

### 3. 기업환경 요인(Enterprise Environmental Factors)

프로젝트를 둘러싼 내·외부 조직 문화 및 구조, 정보 혹은 산업 표준과 규제, 프로젝트 관리 시스템 등을 고려한다.

### 4. 조직 프로세스 자산(Organizational Process Assets)

조직 내부의 의사소통 관련 정책과 절차, 프로세스 및 가이드라인들, 템플릿이나 과거 정보 및 교훈 사항들을 참고하여 의사소통을 관리한다.

## 10.2.2 의사소통 관리 프로세스 도구 및 기법

### 1. 의사소통 기술(Communication Technology)

의사소통 관리 계획서 작성시 기술한 이메일, 팩스, 프로젝트 관리 정보 시스템, 화상 회의 등의 기술들을 사용하여 의사소통 한다.

### 2. 의사소통 모델(Communication Models)

의사소통 관리 계획서 작성시 기술한 의사소통 모델을 참고하여 의사소통 한다.

### 3. 의사소통 방법(Communication methods)

의사소통 관리 계획서 작성시 계획한대로 대화식 의사소통, 전달식 의사소통, 유인식 의사소통 방법을 사용하여 의사소통 한다. 그러나 프로젝트에서 의사소통은 어느 하나만으로 진행되지 않기 때문에 상황에 맞는 의사소통 방법을 혼합하여 사용한다.

### 4. 정보 관리 시스템(Information Management system)

일반적으로 시스템이라 하면 프로그래밍을 한 컴퓨터 시스템으로 인식하지만, 문서를 수집하고 분류하여 캐비닛이나 파일철로 만드는 것도 하나의 시스템이다. 아래의 사항은 의사소통에 관련된 시스템을 분류하였다.

- **문서 관리 시스템**(hard copy) : 편지, 메모, 보고서 등
- **전자적 의사소통 관리** : 이메일, 팩스, 음성 메일, 전화 등
- **전자적 프로젝트 관리 도구** : 웹을 통한 프로젝트 관리 소프트웨어, 가상 회의 도구 등

## 5. 성과 보고(Performance Reporting)

성과보고는 프로젝트에 대한 상태보고, 진척 상태 측정, 미래 예측 등을 포함한 성과 정보를 수집하고 배포하는 활동이며, 성과 보고의 대상은 작업성과 보고서가 된다. 성과 보고의 내용으로는 다음과 같은 것들이 있다.

◉ 계획 대비 실적 비교(Plan vs Actual)
◉ 성과 보고를 받는 사람의 수준에 맞게 정보 제공
◉ 일일 보고, 주간 보고, 월간 보고, 분기 보고 등
◉ 보고 내용
◉ 과거 성과에 대한 분석
◉ 프로젝트 미래 예측(일정, 원가 등)에 대한 분석
◉ 리스크와 이슈들에 대한 현재 상황
◉ 보고 주기에 완료한 작업
◉ 다음 보고 주기에 완료해야 할 작업
◉ 보고 주기 동안 승인된 변경 요청들 및 처리 결과
◉ 기타 검토 및 논의되어야 할 관련 정보들

---

**Tips**

의사소통 관리시 중요한 사항 중 하나는 배포하는 정보의 보안성 여부이다.

프로젝트 관리자는 프로젝트와 관련된 정보를 이해관계자에게 배포할 때 의사소통 관리 계획서 및 이해관계자 관리 계획서를 참조하여 이해관계자의 보안 수준에 맞는 정보를 배포해야 한다.

---

**10.2.3** 의사소통 관리 프로세스 산출물

## 1. 프로젝트 의사소통(Project Communications)

프로젝트 의사소통은 주간회의, 월간회의, 임시 회의 등 의사소통을 위한 모든 행위를 프로젝트 의사소통으로 총칭한다. 프로젝트 의사소통은 프로젝트 성과, 인도물의 완료율, 일정 진행 상태, 프로젝트 원가 상태 등을 포함하여 의사소통의 긴급도 및 전달 내용의 영향도 등 전달 방법과 내용의 보안 정도에 따라 매우 다양하다.

## 2. 프로젝트 관리 계획서 갱신(Project Management Plan Updates)

프로젝트의 기준선들, 의사소통관리 계획서 및 이해관계자 관리 계획서에 대한 내용들이 수정된다.

## 3. 프로젝트 문서 갱신(Project Documents Updates)

의사소통을 진행하면서 발생한 이해관계자의 이슈 로그, 프로젝트 일정, 이해관계자 등록부 및 리스크 등록부 등이 수정될 수 있다.

## 4. 조직 프로세스 자산 갱신(Organizational Process Assets Updates)

이해관계자와 의사소통하면서 의사소통 관련 템플릿, 절차나 방법, 혹은 교훈 사항들이 수정될 수 있다.

의사소통 관리 프로세스는 의사소통관리 계획서대로 이해관계자들이 의사결정에 필요한 다양한 프로젝트 관련 정보를 수집하고, 배포하는 프로세스이다. 따라서 의사소통 관리 계획서에 기술한 절차, 방법, 주기 및 정보 요청자(이해관계자)에게 프로젝트의 의사소통 대상인 작업성과 보고서를 적절한 수단을 통해 배포해야 한다.

그림 10-6 ◆ 의사소통관리 프로세스의 투입물 흐름도

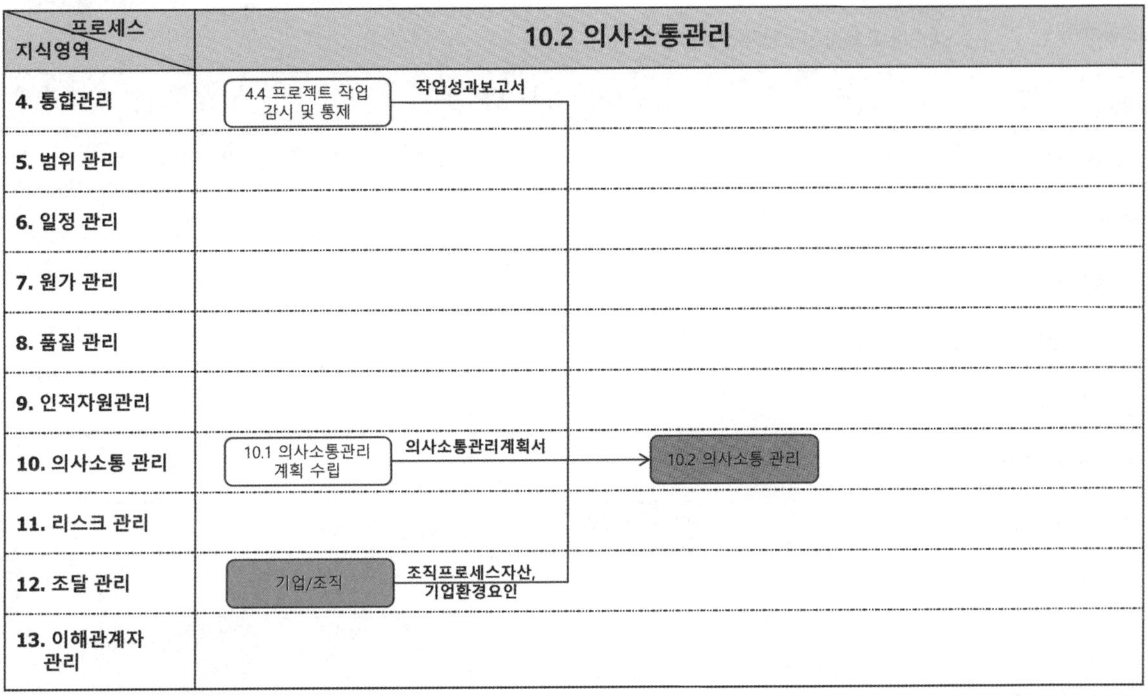

| 프로세스\n지식영역 | 10.2 의사소통관리 | | |
|---|---|---|---|
| 4. 통합관리 | 4.4 프로젝트 작업 감시 및 통제 → 작업성과보고서 | | |
| 5. 범위 관리 | | | |
| 6. 일정 관리 | | | |
| 7. 원가 관리 | | | |
| 8. 품질 관리 | | | |
| 9. 인적자원관리 | | | |
| 10. 의사소통 관리 | 10.1 의사소통관리 계획 수립 → 의사소통관리계획서 | → | 10.2 의사소통 관리 |
| 11. 리스크 관리 | | | |
| 12. 조달 관리 | 기업/조직 → 조직프로세스자산, 기업환경요인 | | |
| 13. 이해관계자 관리 | | | |

의사소통 관리의 최종 결과물은 다양한 의사소통 수행 결과이다. 즉, 공식/비공식적인 프로젝트 의사소통이 산출물로 생성된다. 프로젝트 의사소통은 실행된 의사소통이 적합한지 혹은 부적합지를 확인하여 의사소통 계획서를 변경해야 할지 확인하기 위해 의사소통 통제 프로세스의 투입물로 활용된다.

프로젝트 의사소통을 진행하면서 이해관계자가 의사소통의 주기, 방법, 프로젝트 정보의 수준에 대한 변경을 요청하거나, 이해관계자가 바뀌는 경우에는 프로젝트 관리 계획서나 프로젝트 문서들을 적절히 갱신한다.

**그림 10-7** ◆ 의사소통관리 프로세스의 산출물 흐름도

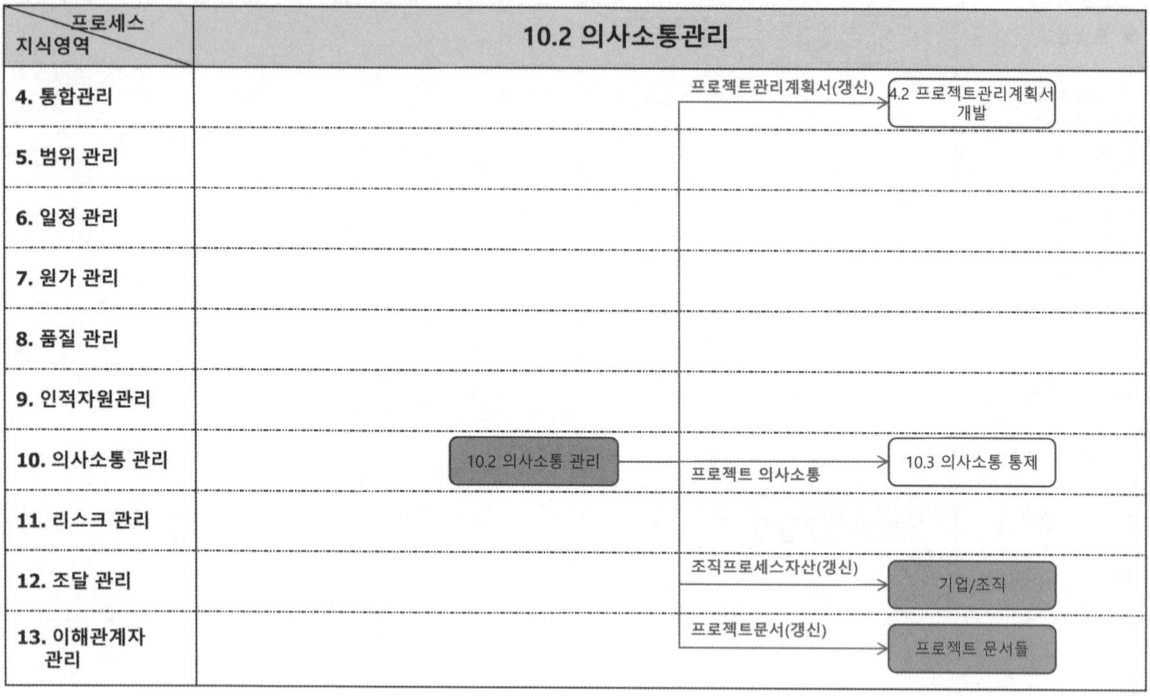

| 프로세스 / 지식영역 | 10.2 의사소통관리 | | |
|---|---|---|---|
| **4. 통합관리** | | 프로젝트관리계획서(갱신) → | 4.2 프로젝트관리계획서 개발 |
| **5. 범위 관리** | | | |
| **6. 일정 관리** | | | |
| **7. 원가 관리** | | | |
| **8. 품질 관리** | | | |
| **9. 인적자원관리** | | | |
| **10. 의사소통 관리** | 10.2 의사소통 관리 | 프로젝트 의사소통 → | 10.3 의사소통 통제 |
| **11. 리스크 관리** | | | |
| **12. 조달 관리** | | 조직프로세스자산(갱신) → | 기업/조직 |
| **13. 이해관계자 관리** | | 프로젝트문서(갱신) → | 프로젝트 문서들 |

354

# 10.3 의사소통 통제(Control Communications)

프로젝트 이해관계자들의 정보 요구가 만족되도록 프로젝트 전 기간을 통해서 의사소통을 감시하고 통제하는 프로세스이다. 정보 요구를 만족시킨다는 의미는 특정 이해관계자가 원하는 소통 방식과 절차 및 주기에 따라 프로젝트 관련 정보를 수집하고 배포한다는 의미이다.

따라서 의사소통 통제 프로세스는 의사소통 관리를 진행하면서 의사소통의 계획과 실제와의 차이점을 찾아내어 변경하는 프로세스이다.

의사소통 통제(Control Communications) 프로세스의 투입물, 도구 및 기법과 산출물은 다음과 같다.

그림 10-8 ◆ 의사소통 통제 프로세스의 ITTO

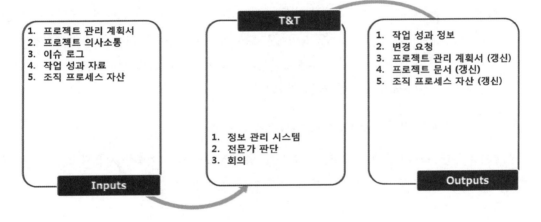

## 10.3.1 의사소통 통제 프로세스 투입물

### 1. 프로젝트 관리 계획서(Project Management Plan)

의사소통 통제를 위해서는 의사소통관리 계획서, 이해관계자 관리 계획서, 형상관리 계획서, 및 변경관리 계획서를 포함한 다양한 관리 계획서들을 참고한다.

### 2. 프로젝트 의사소통(Project Communications)

의사소통 통제를 위해서는 통제의 대상이 필요하다. 의사소통의 통제를 위해서는 의사소통 관리의 결과물인 프로젝트 의사소통(주간회의, 월간회의, 비정기 회의, 및 워크숍 등)이 그 대상이

된다.

### 3. 이슈 로그(Issue Log)

이슈 로그는 이슈와 이슈에 대한 해결책을 문서화하고 감시하는데 사용된다. 프로젝트 의사소통은 이해관계자들과 하기 때문에 이슈 로그는 [13.3 이해관계자 참여관리] 프로세스에서 나오게 된다.

### 4. 작업 성과 자료(Work Performance Data)

작업 성과 자료는 프로젝트의 실제 진척 상황에 대한 자료와 프로젝트 의사소통에 대한 작업 성과 자료로 구분할 수 있다. 특히, 프로젝트 의사소통에 대한 작업 성과 자료는 의사소통 관리 계획서대로 특정 이해관계자에게 프로젝트 의사소통을 한 결과를 말한다. 예를 들어, A라는 이해관계자에게 20페이지짜리 주간보고서를 제출하고, 주간회의에서 프리젠테이션을 완료한 것을 말한다. 이때, 이해관계자가 주간보고서가 너무 많다고 다음 회의부터는 20페이지에서 10페이지로 줄여달라고 요청하였다면, 의사소통관리 계획서, 이해관계자 관리 계획서, 및 이해관계자 등록부 등을 수정하기 위해 변경 요청한다.

### 5. 조직 프로세스 자산(Organizational Process Assets)

보고서 템플릿, 의사소통에 대한 정책, 표준 및 절차들, 의사소통 기술에 사용될 특정 기술, 의사소통에 허용된 도구, 의사소통 기록에 대한 저장 정책, 보안 요구사항 등을 참고한다.

## 10.3.2 의사소통 통제 프로세스 도구 및 기법

### 1. 정보 관리 시스템(Information Management Systems)

정보 관리 시스템은 문서 관리 시스템, 전자적 의사소통 및 프로젝트 관리 도구를 모두 포함한다. 따라서 의사소통에 대한 모든 기록은 이러한 정보 관리 시스템에 수집, 저장되기 때문에 정보 관리 시스템을 이용한다.

### 2. 전문가 판단(Expert Judgment)

프로젝트 의사소통, 프로젝트 관리 계획서, 이슈 로그 등을 참고하여 전문가들이 프로젝트 의사소통의 적정성과 의사소통 관련 이슈 사항들을 판단한다.

### 3. 회의(Meetings)

프로젝트 관리자, 프로젝트 팀, 이해관계자 및 전문가들이 회의를 통해 의사소통에 대한 내용과 절차 및 방법에 대한 검토를 진행하고 수정한다.

## 10.3.3 의사소통 통제 프로세스 산출물

### 1. 작업 성과 정보(Work Performance Information)

프로젝트에 대한 상태와 진행에 대한 정보뿐만 아니라, 프로젝트 의사소통에 대한 계획과 실제 정보 및 차이 분석을 한 것으로 작업 성과 보고서의 근간이 된다.

### 2. 변경 요청(Change Requests)

이해관계자의 이슈로그를 검토한 결과로써 변경이 필요하다면 변경 요청을 한다. 또한, 의사소통계획과 실제간의 차이가 발행했다면 관련 계획서와 문서들을 변경하기 위해 변경요청을 한다.

### 3. 프로젝트 관리 계획서 갱신(Project Management Plan Updates)

작업 성과 자료와 이슈로그 등의 검토 후, 의사소통관리 계획서를 포함하여 이해관계자 관리 계획서, 일정 관리 계획서 등에 대한 수정이 필요한 경우, 변경 요청을 통해 갱신한다.

### 4. 프로젝트 문서 갱신(Project Documents Updates)

미래 예측, 성과 보고서, 이슈로그, 이해관계자 등록부, 리스크 등록부 등의 변경이 필요한 경우 변경 요청을 통해 갱신한다.

### 5. 조직 프로세스 자산 갱신(Organizational Process Assets Updates)

의사소통과 관련된 교훈 사항이나 보고 양식 등을 수정한다.

 심화학습

## 의사소통의 기법

의사소통을 잘 하기 위한 방법으로는 다음과 같은 것이 있다.

- 능동적이고 효율적인 청취
- 이해를 위한 아이디어와 상황에 대한 질문과 검증
- 팀의 지식을 증대시켜 일을 효과적으로 할 수 있도록 교육
- 정보를 식별하고 확정하도록 사실관계 조사
- 이해관계자의 기대치를 분석하고 관리
- 개인, 팀, 조직이 특정 활동을 하도록 설득
- 격려 혹은 안심시켜 동기부여
- 성과를 향상시키고 원하는 결과를 달성할 수 있도록 코칭
- 당사자들간에 상호 수용할 수 있는 합의점을 달성하도록 협상
- 지장을 줄 수 있는 영향을 사전에 방지하도록 갈등을 해결
- 현재 단계를 요약하고, 회고하여 다음 단계 식별

의사소통 통제 프로세스는 의사소통 관리 계획서대로 의사소통이 진행이 되고 있는지에 대한 계획대비 실적을 확인하고 차이를 검토하여 적절한 조치를 취하는 프로세스이다. 따라서 통제를 위한 대상인 프로젝트 의사소통과 및 이해관계자의 의사소통에 대한 이슈로그, 의사소통 관리의 실적인 작업 성과 자료를 참고로 한다.

그림 10-9 ◆ 의사소통 통제 프로세스의 투입물 흐름도

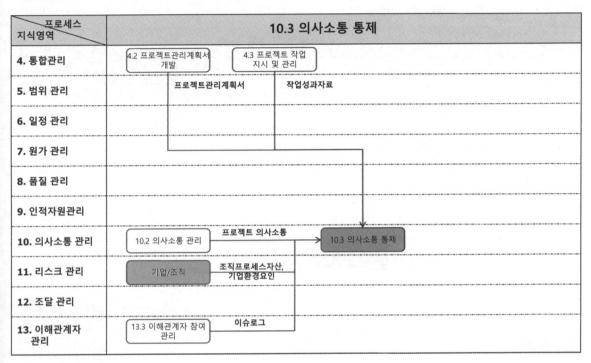

프로젝트 관리 계획서, 프로젝트 의사소통, 이슈로그 및 작업 성과 자료들은 정보 관리 시스템에 저장되어 있으므로 전문가들과 회의를 통해 의사소통의 유효성을 검토한다. 이러한 검토의 결과로 의사소통에 대한 계획과 실제의 차이 분석 내용 등을 작업 성과 정보로 작성하며, 만약 의사소통에 대한 계획과 실적 간 차이가 존재한다면 변경 요청을 통해 프로젝트 관리 계획서나 프로젝트 문서를 수정한다.

그림 10-10 ◆ 의사소통 통제 프로세스의 산출물 흐름도

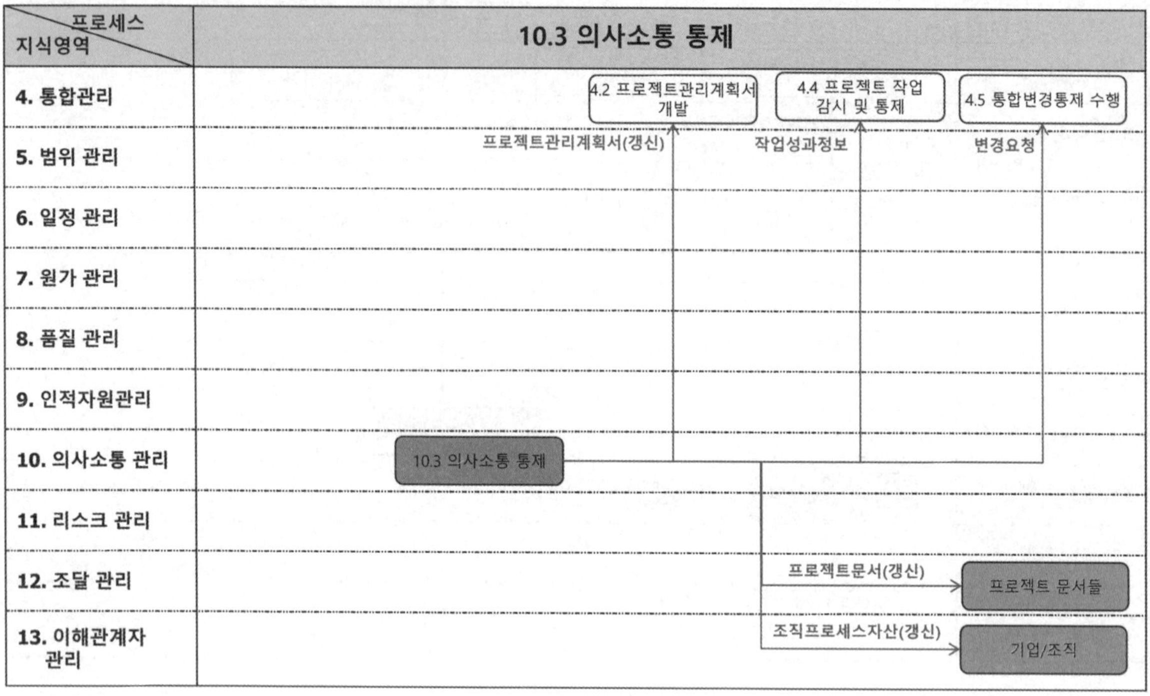

| 프로세스<br>지식영역 | 10.3 의사소통 통제 | | |
|---|---|---|---|
| 4. 통합관리 | 4.2 프로젝트관리계획서<br>개발 | 4.4 프로젝트 작업<br>감시 및 통제 | 4.5 통합변경통제 수행 |
| 5. 범위 관리 | 프로젝트관리계획서(갱신) | 작업성과정보 | 변경요청 |
| 6. 일정 관리 | | | |
| 7. 원가 관리 | | | |
| 8. 품질 관리 | | | |
| 9. 인적자원관리 | | | |
| 10. 의사소통 관리 | 10.3 의사소통 통제 | | |
| 11. 리스크 관리 | | | |
| 12. 조달 관리 | | 프로젝트문서(갱신) | 프로젝트 문서들 |
| 13. 이해관계자<br>관리 | | 조직프로세스자산(갱신) | 기업/조직 |

360

# Chapter 10 연습문제

**01** 프로젝트에서는 의사소통 문제로 인해 여러 문제가 발생할 수 있다. 다음 중 불명확한 의사소통으로 인해 나타날 수 있는 가장 일반적 현상은 무엇인가?

① 팀원 간 갈등 또는 고객과의 갈등 발생　　② 작업성과 보고서 배포의 지연문제

③ 프로젝트 일정의 지연　　　　　　　　　④ 프로젝트의 예산의 초과현상

**02** 고객과의 계약 체결시 사용할 수 있는 적절한 의사소통기법은 무엇인가?

① 공식적, 문서화된 의사소통(formal, written)

② 공식적, 구두의 의사소통(formal, verbal)

③ 비공식적, 문서화된 의사소통(informal, written)

④ 비공식적, 구두의 의사소통(informal, verbal)

**03** 당신은 프로젝트 관리자이다. 팀원들과의 의사소통이 중요하다는 것을 누구보다도 잘 알고 있다. 당신은 팀원들 간 의사소통을 보다 향상시키는 방법이 무엇이라고 생각하는가?

① 면담을 통한 개인별 칭찬한다.

② 동일 장소에 팀원들을 배치한다.

③ 프로젝트 성과달성에 대한 동기부여

④ 프로젝트 정보시스템을 잘 운영시키는 것

**04** 당신은 프로젝트 관리자이다. 회의 도중에 팀원 중 한 사람이 부적절한 행동을 하였다. 이로 인하여 팀원들간의 의사소통과 불만이 발생했다. 다음 중 왜 이런 문제가 발생되었는지의 이유로 가장 타당한 것은 무엇인가?

① 의사소통계획의 문제　　　　　　　　　② 의사소통 관리의 문제

③ 프로젝트 관리자의 리더십문제　　　　　④ 이해관계자 관리계획의 문제

**05** 당신은 프로젝트 관리자이다. 의사소통계획에 따르면 공식적인 중요 내용은 문서화하도록 되어 있다. 그러나 팀원들은 문서작성에 어려움이 있어 쉽게 이메일(e-mail)이나 간단한 메모로 대처하려고 한다. 이에 당신은 팀원들과 어떤 방법으로 이 문제를 해결하면 좋겠는가?

① 회피(Avoiding)　　　　　　　　　　　② 대결(Confrontation)

③ 완화(Smoothing)　　　　　　　　　　④ 문제해결(Problem Solving)

**06** 당신은 프로젝트 관리자이다. 작업성과자료를 바탕으로 작업성과정보를 만들어서 작업성과보고서를 만든 후 월별로 이를 경영층에게 보고하고 있다. 그러나 경영층은 일정에 관한 부분을 중요하게 여기고 있다. 이에 당신이 프로젝트 일정과 관련하여 월간진척 현황을 보고 할 때 유용하게 사용할 수 있는 도구는 무엇인가?

① 히스토그램(Histodiagram)　　　　　　② 네트워크다이어그램(Network diagram)
③ 마일스톤 차트(Milestone Chart)　　　　④ 막대그래프(Bar-Chart)

**07** 프로젝트 관리 지식영역에서 의사소통 계획은 의사소통의 무엇을 지칭하는 것인가?

① 의사소통에 대한 주기 및 방법을 정의
② 의사소통과 관련된 이해관계자들의 영향과 관심도를 정의
③ 의사소통 시 발생되는 리스크를 분석하고 이에 대한 기준을 정의
④ 프로젝트에 관련 모든 이해관계자 식별하고 영향을 분석

**08** 의사소통관리 프로세스에서는 감시 및 통제 프로세스에서 생성되는 중요한 문서를 프로젝트 이해관계자들에게 주기적으로 배포한다. 의사소통관리 프로세스의 투입물이기도 한 이 문서는 무엇인가?

① 작업성과자료　　　　　　　　　　　　② 작업성과정보
③ 작업성과보고서　　　　　　　　　　　④ 마일스톤 차트

**09** 다음 중 의사소통계획과 관련하여 잘못된 표현은 무엇인가?

① 의사소통계획은 이해관계자들과 가장 효과적으로 그리고 효율적으로 의사소통 할 방법들을 식별하고 문서화한다.
② 의사소통계획에 있어 효과적인(effective) 의사소통은 정보가 적합한 양식, 적절한 시점, 적절한 이해관계자에게 전달되는 것이다.
③ 의사소통계획에 있어 효율적인(efficient) 의사소통은 모든 프로젝트에 발생된 문서 등 모든 정보를 빠짐없이 모든 이해관계자에게 공평하게 제공하는 것이다.
④ 의사소통계획은 이해관계자들의 정보 필요성 및 요구사항과 사용 가능한 조직의 자산을 기반으로 프로젝트의 의사소통에 대한 적합한 전략과 계획을 수립하는 프로세스이다

**10** 현재 프로젝트는 프로젝트 관리자를 포함하여 5명의 인원이 있다. 고객의 변경 요청으로 인해 범위가 증가되고 일이 많아져 더 많은 사람이 필요하다. 그래서 프로젝트 팀에는 4명이 증원된 총 9명이 필요할 것 같다. 이런 경우 현재보다 얼마나 많은 의사소통 채널 수가 증가되나?

① 10　　　　　　　　　　　　　　　　② 16
③ 26　　　　　　　　　　　　　　　　④ 36

**11** 당신은 프로젝트 관리자이다. 현재 프로젝트 일정을 확인하는데 있어 프로젝트 관리 정보시스템에 마지막으로 입력된 자료로 마무리하였다. 이것을 기반으로 이해관계자들에게 보고를 하려고 한다. 발송전 팀원들과 확인한 바 일부 일정을 아직 갱신하지 않은 것이 발견되어 문제가 발생되었다. 왜 이런 문제가 발생하였는가?

① 프로젝트 관리자의 리더십 부재
② 부정확한 의사소통관리계획
③ 이해관계자 관리계획의 문제
④ 팀원의 동기부족

**12** 프로젝트 관리의 지식영역인 의사소통관리에서 의사소통 계획이란 누구를 대상으로 존재하는 계획인가?

① 프로젝트 내부 팀원
② 경영층
③ 프로젝트에 관련된 이해관계자
④ 고객

**13** 의사소통 기법에서 가장 효율적인 의사소통 방법은 무엇인가?

① Pull Communication
② Push Communication
③ Interactive Communication
④ 설문조사

**14** 의사소통방식에서 Intranet, 온라인 학습 및 Knowledge Management System 등은 다음 중 어떤 의사소통 방식인가?

① Pull communication
② Push communication
③ Interactive communication
④ 해당사항 없음

**15** 의사소통통제 프로세스는 감시 및 통제 프로세스 그룹에 속해있으면서 의사소통에 대한 기준대비 실적을 비교한다. 이 프로세스의 중요 산출물은 무엇인가?

① 작업 성과 자료와 변경요청
② 작업 성과 보고서와 변경요청
③ 작업 성과 정보와 변경요청
④ 이슈로그와 작업 성과 정보

→ 프로젝트 의사소통 관리
## 연습문제 정답과 해설

**해설**

**01** 의사소통의 문제로 제일 먼저 문제가 발생할 수 있는 것은 팀원 간에 또는 이해관계자간의 갈등 발생이다.

**02** 고객과의 계약은 중요한 법률적 근거 문서이고 추후 문제 발생시 근거가되므로, 공식적, 문서화된 의사소통(formal, written)으로 이루어져야 한다.

**03** 프로젝트 팀원들의 의사소통을 효과적으로 향상시키는 방법은 같은 공간에서 업무를 하게하는 Co-location 이다. 동일장소 배치는 팀이 함께 모이고 회의하는데 도움이 된다.

**04** 프로젝트 팀원간의 의사소통문제가 발생한 것이니 의사소통 계획에 무슨 문제가 있는지 조사해야 한다. 불투명한 계획 때문에 문제가 발생할 수 있다.

**05** 갈등 해결기법에는 크게 5가지가 있다. 회피, 타협, 강요, 완화, 문제해결이다. 이중에서 가장 안 좋은 방법은 강요이며, 타협은 Lose-lose전략이라고 하며, 문제해결방법은 갈등해결의 방법 중에서 시간이 많이 소요되지만 가장 좋은 방법으로 Win-Win전략이라 한다.

**06** 마일스톤 차트(Milestone Chart)는 Bar Chart와 유사하나 주요 일정을 보여주므로 경영진과 고객에게 보고하기에 좋은 도구이다. 네트워크 다이어그램은 프로젝트를 관리할 때는 유용하나 상위 층에 보고 시에는 너무 상세하여 보고용으로는 적합하지 않다.

**07** 의사소통 계획수립에는 의사소통과 관련된 정보의 종류, 제공 대상, 시기, 제공 방법 등과 같이 의사소통과 관련한 필요사항을 결정하는 것이 포함된다. 이해관계자 식별은 이해관계자 식별 프로세스에서 발생한다.

**08** 작업 성과 보고서는 의사소통계획에 의거하여 실행 프로세스인 의사소통관리 프로세스에서 이해관계자들에게 주기적으로 배포되는 중요한 문서이다.

**09** 모든 이해관계자에게 모든 프로젝트 문서들을 공평하게 배포할 수가 없다. 필요한 관련자료를 해당 이해관계자에게 배포하는 것이 효율적이다.

**10** 현재의사소통 채널 수는 $5*(5-1)/2=10$. 만일 인원이 9명이라면 $9*(9-1)/2=36$. 그러면 차이는 $36-10=26$이 된다. 즉, 팀원 간 의사소통 채널 수는 현재보다 26 채널이 증가된다.

**11** 일정 갱신주기에 대한 부분이 확실히 명시되고 어떻게 관리되어야 하는지가 관리되어야 한다. 이런 부분은 의사소통 관리 계획의 부정확성에서 기인된다. 또한 일정관리계획도 같이 점검해 보아야 한다.

**12** 프로젝트 관리에서 의사소통 계획이란 이해관계자에 대한 정보와 의사소통의 방법, 주기 등 의사소통을 위한 부분을 정의하고 가이드하는 프로세스이다. 가장 중요한 것은 작업 성과 보고서를 이해관계자들에게 적절히 배포하는 부분이 핵심이다.

**13** 의사소통방법에서 가장 효율 적인 방법은 역시 피드백을 수반하는 Interactive communication방법으로 예를 들면 회의, Tele-communication, 화상회의, 직접대화 등이 있다.

**14** Intranet, 온라인 학습 및 Knowledge Management System은 대용량 정보 또는 대규모 수신자 그룹에 사용하는 방식으로 Pull communication의 종류이다.

**15** 기본적으로 통제 프로세스들은 투입물로 계획과 실적(Plan vs. Actual)을 비교한 작업 성과 정보와 변경요청을 생성한다.

→ Chapter

# 11

# 프로젝트 리스크 관리

학습목표

- 리스크 및 리스크 관리의 정의를 이해한다.
- 리스크 관리에서 사용되는 기본 용어를 이해한다.
- 전반적인 리스크 관리 프로세스와 정의를 이해한다.
- 리스크 관리에서 사용하는 도구 및 기법을 이해한다.
- 정성적 리스크 평가 기법 중 P-I Matrix 기법을 이해한다.
- 부정적 리스크 대응 및 긍정적 리스크 대응 방법을 이해한다.
- 리스크 통제 프로세스에서 수행하는 활동들을 이해한다.

## 들어가며…

프로젝트 리스크 관리는 프로젝트의 모든 단계에서 프로젝트의 성공과 실패에 영향을 줄 수 있는 다양한 요인들을 프로젝트 팀원들과 함께 프로젝트 기획단계부터 식별, 평가 및 분석하고 리스크가 실제로 발생했을 때를 대비한 대응 계획을 수립하여, 리스크 발생시 대응계획대로 조치하는 일련의 활동이다. 프로젝트 리스크 관리의 목표는 프로젝트의 성공을 위한 긍정적 사건 발생의 확률과 영향은 증가시키고 부정적 사건 발생의 확률과 영향은 감소시키는 것이다.

리스크는 프로젝트의 성공을 방해하여 프로젝트가 실패하도록 만들거나, 또는 프로젝트의 성공을 도와줄 수 있는 양날의 검과 같다. 따라서 프로젝트를 성공시키기 위해서는 부정적인 리스크와 긍정적인 리스크를 모두 식별하고 리스크가 발생할 조짐이 보이면 사전에 정의한 대응 계획대로 처리해야 한다. 또한, 주기적으로 리스크에 대한 재평가 및 리스크 감사를 실시하여 새로운 리스크는 없는지, 식별된 리스크가 사라진 것은 없는지, 리스크 대응 계획은 적절했는지 등에 대한 평가를 지속적으로 실시한다

리스크 관리는 리스크가 발생하기 전에 리스크를 미리 식별하여 대응 계획을 수립하는 사전 관리의 의미가 크다. 즉, 식별된 리스크가 프로젝트에서 발생하지 않도록 관리하는 것이 주요 목표이다. 만약, 리스크가 프로젝트에서 발생한다면 이슈로 상태가 변경된다.

리스크 발생에 대비하여 우발사태 예비비(Contingency Reserve)를 배정한다. 그러나 언제 어떻게 발생할지 모르는 식별되지 않은 리스크에 대비해서는 관리 예비비(Management Reserve)를 배정한다. 이에 대해서는 7장에서 학습한 바 있다.

프로젝트 리스크 관리에는 총 6개의 프로세스가 존재하며, 그 중 5개 프로세스가 기획단계 프로세스 그룹에 속한다. 각 프로세스의 자세한 설명은 다음과 같다.

**표 11-1 프로젝트 리스크 관리 프로세스의 정의**

| 프로세스 | 프로세스 그룹 | 설명 |
|---|---|---|
| 11.1 리스크 관리 계획 수립 (Plan risk management) | P | 프로젝트에 대한 리스크 관리 활동을 수행하는 방법, 절차 및 전략을 정의하고 계획 및 문서화하는 프로세스 |
| 11.2 리스크 식별 (Identify risks) | P | 프로젝트에 영향을 미칠 수 있는 리스크를 식별하고, 리스크별 특성을 문서화하는 프로세스 |
| 11.3 정성적 리스크 분석 수행 (Perform Qualitative Risk Analysis) | P | 리스크의 발생 확률과 영향을 리스크 점수(Risk Score)로 평가하고 추가적인 분석 또는 조치를 위해 리스크의 우선순위를 선정하는 프로세스 |
| 11.4 정량적 리스크 분석 수행 (Perform Quantitative Risk Analysis) | P | 식별된 리스크가 전체 프로젝트 목표 특히 일정과 원가에 미치는 영향을 정량적으로 분석하는 프로세스 |
| 11.5 리스크 대응 계획수립 (Plan Risk Response) | P | 프로젝트 목표에 대한 기회는 증대시키고 위협은 줄일 수 있는 대응계획을 수립하는 프로세스 |
| 11.6 리스크 통제 (Control Risks) | M&C | 프로젝트 전반에서 리스크 대응계획을 계획한 대로 수행했는지, 식별된 리스크의 추적, 잔존 리스크 감시, 새로운 리스크 식별, 및 리스크 프로세스의 효과를 평가하는 프로세스 |

## 11.1 리스크 관리 계획수립(Plan Risk Management)

리스크 관리 계획수립 프로세스는 프로젝트에서 리스크 관리 활동을 수행하기 위한 방법, 절차, 전략을 정의하고 문서화하는 프로세스이다. 따라서 리스크 관리 계획을 신중하고 명확하게 수립해야 나머지 5개의 리스크 관리 프로세스를 제대로 수행할 수 있다.

리스크가 발생했을 때 리스크를 해결하기 위해서는 많은 시간과 자원이 필요하게 되는데, 리스크 관리 계획 프로세스는 이러한 리스크 관리 활동에 충분한 자원과 시간을 투입하고 리스크 평가와 관련하여 프로젝트 관리자, 프로젝트 팀 및 이해관계자간에 합의된 평가 기준을 설정하기 위해서도 매우 중요한 프로세스이다.

리스크는 언제 어떻게 나타날지 알 수 없기 때문에 프로젝트 리스크 관리는 프로젝트의 시작부터 프로젝트 종료까지 지속적이고 주기적으로 실시해야 한다. 많은 프로젝트 관리자들이 프로젝트의 리스크 관리는 프로젝트 실행 단계에서 리스크를 식별하고 대응하는 것으로 알고 있지만, 프로젝트 리스크 관리는 프로젝트 기획 단계에서 미리 리스크를 식별하고 분석하여, 대응 계획을 수립한 후, 프로젝트의 수행 단계 및 통제 단계에서 리스크 관리 계획서와 리스크 등록부를 지속적으로 수정하는 반복적인 작업이다.

리스크 관리 계획수립 프로세스의 투입물, 도구 및 기법과 산출물은 다음과 같다.

그림 11-1 ◆ 리스크 관리 계획수립 프로세스의 ITTO

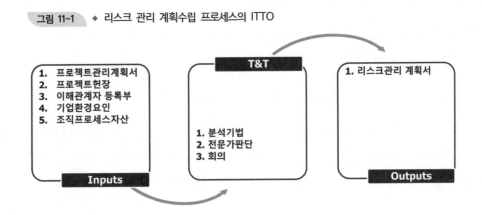

### 11.1.1 리스크 관리 계획 프로세스 투입물

**1. 프로젝트 관리 계획서**(Project Management Plan)

리스크 관리 활동에 대한 계획을 작성하기 위해서 리스크 관리를 위한 프로젝트의 범위, 일정,

원가, 의사소통 방법, 의사결정방법 등에 대한 다양한 내용을 참고해야 한다. 따라서 범위 관리 계획서, 일정관리 계획서, 원가관리 계획서, 의사소통관리 계획서, 이해관계자 관리 계획서, 및 다양한 기준선들을 참고해야 한다.

## 2. 프로젝트 헌장(Project Charter)

프로젝트 헌장에는 고객이 해당 프로젝트에서 요구하는 개략적인 리스크 관리 중점 사항이나 초기 리스크 요인 혹은 프로젝트의 범위, 일정, 원가에 대한 리스크 사항들이 기술되어 있을 수 있기 때문에 참고한다.

## 3. 이해관계자 등록부(Stakeholder Register)

이해관계자 등록부에는 프로젝트에 직·간접적으로 영향을 주고받는 사람들이 기재되어 있다. 따라서 리스크에 대한 다양한 의견을 청취하거나 이해관계자에 대한 분석 및 대응을 잘못하여 발생할 수 있는 프로젝트 리스크 상황을 미연에 방지하기 위해 이해관계자 등록부를 참고한다.

또한, 이해관계자들의 리스크에 대한 태도(Risk Attitude)를 참고하여 정성적 혹은 정량적 분석에서 사용할 허용오차(Tolerance)와 한계점(Threshold)을 결정하여 리스크 관리 계획서에 기술해야 한다.

## 4. 기업환경 요인(Enterprise Environmental Factors)

기업의 환경요인은 리스크 관리 계획서 작성시 이해관계자들 혹은 조직의 리스크에 대한 태도, 리스크 한계, 리스크 허용한도 등을 의미한다.

## 5. 조직 프로세스 자산(Organizational Process Assets)

리스크 관리 계획서 수립시 필요한 조직 프로세스 자산으로는 조직에서 보유하고 있는 리스크 목록, 리스크에 대한 개념 및 용어에 대한 정의, 리스크 서술에 대한 양식, 표준 템플릿, 리스크에 대한 역할과 책임, 의사결정에 대한 권한 및 교훈 등을 참고한다.

심화학습

리스크 태도(Risk Appetite or Risk Attitude)

영어 단어 Appetite는 우리말로는 식욕, 욕구를 의미한다. 이 식욕, 욕구라는 의미가 리스크와 만나면 리스크에 대한 식욕, 욕구 즉, 리스크를 받아들이는 성향을 말하며, 리스크 선호도 혹은 리스크를 대하는 태도로 볼 수 있다. 리스크 선호도에 따라 의사 결정자의 성향을 리스크 선호자(Risk Taker), 리스크 중립자(Risk Neutral), 리스크 기피

자(Risk Avoider)의 3가지 유형으로 구분한다.

그렇다면 왜 이해관계자의 리스크에 대한 태도가 중요한 것일까? 그것은 이해관계자들의 리스크에 따른 태도에 따라 리스크 수용범위, 리스크 허용한도, 리스크 한계선 등이 바뀌고, 이에 따른 리스크 식별의 정도와 분석 및 리스크 대응계획수립과 리스크 통제에 투입되는 인적자원과 시간 및 자금의 수준이 달라질 수 있기 때문이다.

만약, 리스크를 기피하는 이해관계자가 있다면 아주 사소한 리스크라도 리스크 등록부에 기재 및 분석하고, 대응계획을 수립하며, 매 시점별로 리스크에 따른 재평가를 실시할 것이며, 원가 기준선에 포함되는 우발사태 예비비 또한 많이 책정하게 할 것이다.

반대로 리스크 선호자의 경우에는 아주 사소한 리스크는 감시목록(Watch List)에만 기재해 놓고, 우발사태 예비비는 책정하지 않을 수 있다. 이렇듯, 이해관계자의 리스크에 대한 태도 차이에 따라 프로젝트에서 리스크와 관련되어 해야 할 일과 시간 및 자금이 많이 투여될 수 있기 때문에 이해관계자의 리스크에 대한 태도 분석은 매우 중요하다.

### 리스크 한계점(Risk Threshold)

리스크 한계점은 조직이나 개인이 특별한 관심을 가지고 있는 리스크의 발생 확률 혹은 영향의 수준이라고 할 수 있다. 예를 들어, 여러분이 속한 조직에서 "우리는 5천만원 이상, 그리고 발생 확률 50% 이상되는 리스크는 처리할 수 없다."라고 정의한다면, 5천만원과 50%가 리스크 한계점이 되는 것이다.

### 리스크 허용한도(Risk Tolerance)

리스크 허용한도는 개인(이해관계자) 혹은 조직이 견딜 수 있는 리스크의 정도, 개수 혹은 크기를 말한다. 즉, 여러분이 속한 조직에서 "우리는 4천만에서 6천만원까지는 견딜 수 있다."고 한다면 리스크 허용한도는 4천만원에서 6천만원까지가 되는 것이다.

## 11.1.2 리스크 관리 계획 프로세스 도구 및 기법

### 1. 분석 기법(Analytical Techniques)

리스크 관리 계획서 작성시 분석적 기법들은 프로젝트에 대한 전반적이고 개략적인 리스크 관리 환경을 정의하고 이해하기 위해 사용한다. 즉, 이번 프로젝트에서 리스크 분석을 위해서 프로젝트 팀이 사용할 분석 기법과 각종 기준들을 설정하고 이해관계자와 합의해야 한다.

예를 들어, 이해관계자 리스크 개요 분석(Stakeholder risk profile analysis)을 통해 이해관계자들의 리스크에 대한 선호도(태도), 리스크 한계, 리스크 허용한도를 파악하거나 리스크 관리

계획서에 리스크에 대한 태도 분석을 바탕으로 확률 및 영향력 매트릭스(P*I Matrix)의 각종 수치들을 변경하는 등의 분석 작업이 필요하다.

## 2. 전문가 판단(Expert Judgment)

리스크 관리 계획서가 완벽하게 작성되기 위해서는 해당 분야에 전문적인 지식을 보유한 그룹이나 전문가들이 필요하다. 이러한 전문가들은 상위 경영진, 이해관계자, 해당 프로젝트와 유사한 프로젝트 관리 경험이 있는 프로젝트 관리자들, 특정 주제 영역의 전문가, 컨설턴트, 혹은 관련 협회 등이 있다.

## 3. 회의(Meeting)

리스크 관리 계획서는 프로젝트 관리자 혼자서 작성을 하는 것이 아니다. 따라서 프로젝트 관리자, 프로젝트 스폰서, 팀원, 이해관계자, 프로젝트의 리스크 계획 및 실행 활동을 할 책임 있는 조직원이 참여하고 상호 논의를 통해 리스크 관리 계획서가 작성되어야 한다.

## 11.1.3 리스크 관리 계획 프로세스 산출물

### 1. 리스크 관리 계획서(Risk Management Plan)

리스크 관리 계획서는 프로젝트 관리 계획서의 일부분으로 프로젝트 리스크 관리를 어떻게 수행할 것인지에 대한 내용들을 기술한 계획서이다. 아래의 항목들은 리스크 관리 계획서를 구성하는 기본적인 항목들로써 실무에서는 항목들을 프로젝트 상황에 맞게 추가하거나 삭제할 수 있다.

◉ **리스크 관리 방법론(Methodology)**
리스크 관리를 수행하는데 사용할 리스크 관리 방법, 도구 및 리스크와 관련된 데이터 등을 기술한다. 리스크 관리 방법은 일반적으로 리스크 식별, 정성적 리스크 분석, 정량적 리스크 분석, 리스크 대응 계획수립 및 리스크 통제 프로세스로 구성할 수 있다. 또한, 리스크 분석 도구는 리스크 관리 계획 프로세스의 기법 중 "분석 기법"에서 정의한 도구를 기술하는데 일반적으로 정성적 리스크 분석 기법이나 정량적 리스크 분석 기법을 기술한다.
일반적으로 정성적 리스크 분석 도구로는 발생확률 및 영향력 분석기법(P · I Matrix,

Probability and Impact Matrix)을 사용하고, 정량적 리스크 분석 도구로는 민감도 분석 (Sensitivity Analysis), 금전적 기대가치 분석(EMV, Expected Monetary Value) 혹은 몬테카를로 시뮬레이션(Monte Carlo Simulation) 등이 있다.

마지막으로 리스크 분석을 위한 정보를 어디서 획득하느냐의 문제는 아주 중요하다. 과거 유사 프로젝트의 리스크 관련 문서나 교훈 사항 혹은 프로젝트에서 나오는 주간 보고서, 월간보고서 및 각종 회의록이나 전문가들의 의견을 리스크 식별을 위한 관련 데이터로 정의할 수 있다.

## ◉ 역할과 책임(Roles and Responsibilities)

개별 리스크들이 발생을 하면 그 리스크들을 처리할 사람들을 배정하여 리스크 해결에 대한 책임자(Risk Owner)와 담당자(Risk Actionee)를 명확히 해야 한다.

## ◉ 예산 책정(Budgeting)

리스크의 해결을 위해서는 반드시 자금과 시간이 필요하다. 따라서 리스크 발생시 자원 배정, 보험 체결 비용 등을 포함한 원가를 추정하여 원가 기준선에 포함시키고, 우발사태 예비비(Contingency Reserve)와 관리 예비비(Management Reserve)의 적용에 대한 기준을 수립해야 한다. 예산 책정은 [7.2 원가산정], [7.3 예산책정] 프로세스와 함께 진행되어야 한다. 원가관리의 두 프로세스에 투입물로 '리스크 등록부'가 들어오는 것을 기억해두자.

## ◉ 시기(Timing)

프로젝트 생애주기 동안 리스크 관리 프로세스(리스크 식별, 정성적 리스크 분석, 정량적 리스크 분석, 리스크 대응 계획 수립 및 리스크 통제)를 언제 얼마나 자주 수행할 것인지를 계획하여 프로젝트 일정에 추가한다.

## ◉ 리스크 범주(Risk categories)

리스크의 잠재적인 원인들을 그룹화한 문서이다. 리스크의 종류를 작업분류체계(WBS)와 같이 구조적인 트리 모양으로 정의한 것이 바로 리스크 분류 체계(RBS, Risk Breakdown Structure)이다. 또 다른 리스크 범주로는 단순히 리스크를 나열한 리스크 목록이 있다. 이와 같은 리스크 범주를 조직이 갖추고 있다면, 리스크 식별에 참여한 사람들이 리스크 분류 체계를 이용하여 쉽게 리스크들을 식별할 수 있다.

## ◉ 확률 및 영향도 매트릭스(Probability and Impact Matrix)

리스크의 발생 확률과 영향력을 곱하여 리스크 점수를 계산하며 점수별로 "높음", "중

간", "낮음" 등으로 등급화하거나 우선순위를 정하는데 사용하는 도구이다. 리스크 발생 확률과 영향도에 대한 척도는 프로젝트의 상황에 맞게 조정한다. 특히 이해관계자의 리스크에 대한 태도는 확률과 영향력에 대한 척도 수립시 중요한 영향을 미친다.

◉ **리스크 발생 확률 및 영향도에 대한 정의**(Definitions of risk probability and impact)

리스크 분석에 대한 품질과 신뢰성을 높이기 위해서는 부정적 리스크 및 긍정적 리스크에 대한 각각의 발생 확률과 영향력에 대한 정의를 프로젝트의 목표(원가, 일정, 범위, 품질)에 따라 정의한다.

◉ **변경된 이해관계자의 허용 한도**(Revised stakeholder's tolerances)

리스크에 대한 이해관계자의 허용한도는 프로젝트가 진행되면서 변경될 수 있다. 즉, 프로젝트에 대한 리스크 태도가 변할 수 있다. 또한, 프로젝트 관리에 따라 처음에 설정한 허용한도나 한계점을 프로젝트 상황에 따라 재조정할 수 있다.

◉ **보고 형식**(Reporting format)

리스크 관리 프로세스들의 결과물들을 어떻게 문서화하고 분석하며, 이해관계자들과 의사 소통할 것인지에 대한 방법을 정의한다. 예를 들어, 리스크 등록부(Risk Register)의 구성항목, 내용, 형식 혹은 기타 필요한 리스크 관련 문서의 내용 혹은 항목을 기술하고 정의하며, 리스크 발생시 의사소통 체계를 어떻게 밟아야 하는지를 정의한다.

◉ **리스크 추적**(Tracking)

발생한 리스크를 해결하기 위한 관련 활동들을 기록하고, 리스크 처리 활동이 대응 계획에 맞게 수행되었는지에 대한 감사 절차, 수행 시기 등을 문서화한다.

### 심화학습

**리스크 책임자**(Risk Owner)

리스크 책임자는 리스크 식별, 리스크 분석 및 대응 계획을 세우면서 리스크 발생 여부, 발생시 처리 및 제거 여부에 대한 확인 등에 대해서 최종 책임이 있는 개인 혹은 조직이다. 실무적으로는 리스크 책임자와 **리스크 담당자**가 동일인일 경우가 많다.

**리스크 담당자**(Risk Actionee)

리스크 담당자는 리스크 책임자의 인솔하에 발생한 리스크를 대응 계획에 따라 해결하는 담당자를 지칭한다. 리스크 담당자는 리스크의 발생 여부, 리스크 처리 여부, 리스크 추적에 대한 모든 사항들을 실질적으로 담당한다.

## 리스크 분류 체계(RBS, Risk Breakdown Structure)

리스크 분류 체계는 프로젝트에 대한 리스크를 체계적으로 분류한 것으로 그 모양은 트리 모양이거나 텍스트 형태로 기술될 수 있다. 프로젝트 관리자나 프로젝트 팀은 조직 내에서 이미 보유하고 있는 리스크 분류 체계가 있다면 이를 참고하여 프로젝트의 리스크를 보다 쉽게 식별할 수 있으며, 만약 리스크 분류 체계가 없다면 다양한 이해관계자들과 회의를 통해 새롭게 만들 수 있다.

아래의 그림은 프로젝트 리스크를 프로젝트 범위, 프로젝트 일정, 인적자원 측면에서 리스크 분류 체계의 일부를 작성한 예시이다.

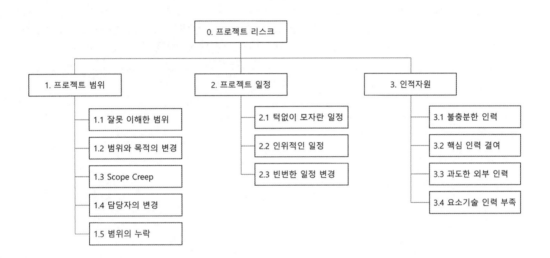

이외에도 Prompt list라는 것이 있다. 프로젝트의 리스크를 식별하는 회의를 진행할 때, 리스크 분류체계도 없는 상태에서 회의를 진행하면 어떤 것을 리스크로 식별해야 할지 우왕좌왕할 수 있다. 이때 사용하는 것이 Prompt list 이다.

Prompt List의 종류에는 PESTLE, TECOP, SPECTRUM이 있다. 다음의 표를 참고하면 좋다.

| PESTLE | TECOP | SPECTRUM |
|---|---|---|
| Political(정치적) | Technical(기술적) | Socio-Cultural(사회문화적) |
| Economic(경제적) | Environmental(환경적) | Political(정치적) |
| Social(사회적) | Commercial(상업적) | Economic(경제적) |
| Technological(기술적) | Operational(운영적) | Competitive(경쟁적) |
| Legal(법률적) | Political(정치적) | Technology(기술적) |
| Environmental(환경적) | | Regulatory/Legal(규제적/법률적) |
| | | Uncertainty/Risk(불확실성/리스크) |
| | | Market(시장측면) |

## 리스크 발생 확률(Probability)에 관한 척도(Scale)

- 확률의 척도는 용어나 수치로 정할 수 있음
   예 '매우 적음', '거의 확실' 등(0.1, 0.3, 0.5, 0.7, 0.9)

**리스크 발생시 영향도(Impact)에 관한 척도(Scale)**

-예) 매우 낮음, 낮음, 보통, 높음, 매우 높음(0.1, 0.3, 0.5, 0.7, 0.9)

**리스크 점수(Risk Score)**

-Red Zone : 0.81 ~ 0.7
-Yellow Zone : 0.69 ~ 0.4
-Green Zone : 0.39 ~ 0.01 등으로 정의할 수 있다.

그러나 유의할 점은 리스크의 발생확률과 영향력에 대한 정의를 내리기 위해서는 조직 혹은 기업이 리스크 관리에 대한 성숙도가 높고, 경험이 많아야 보다 정확한 정의를 할 수 있다는 것이다. 만약 실무에서 리스크 관리를 처음 적용한다면 우선은 과거의 경험을 기반으로 작성하고, 프로젝트를 진행하면서 수치들을 지속적으로 수정하면서 교훈(Lessons Learned)으로 기록해 두면 추후 유사 프로젝트 수행 시 재사용하면 좋을 것이다.

리스크 관리 계획 프로세스는 말 그대로 리스크 관리 계획서를 작성하는 프로세스이다. 따라서 리스크 관리 계획서에 어떤 내용이 들어가야 하는지를 기억하면 어떤 투입물과 도구 및 기법이 필요한지 알 수 있다.

즉, 리스크 관리 계획서에서 리스크 관리 프로세스를 정의하고, 리스크 식별이나 리스크에 대한 결정 및 리스크와 관련된 일정 분석 그리고 관련된 의사소통을 위해서는 의사소통 관리 계획서, 일정 관리 계획서, 인적자원 관리 계획서 등이 포함된 프로젝트 관리 계획서를 참고해야 한다.

이해관계자들의 리스크에 대한 태도와 이를 바탕으로 한 허용한도와 한계점을 설정하기 위해서는 이해관계자 등록부를 참고해야 한다.

프로젝트 자체에 대한 개략적인 범위, 일정, 예산에 대한 리스크 사항들이 프로젝트 헌장에 있기 때문에 참고한다.

이해관계자의 리스크에 대한 태도는 기업환경요인으로 참고하며, 리스크 관리 계획서, 리스크 분류체계, 리스크 분석 도구, 교훈 사항들은 조직 프로세스 자산으로 참고한다.

| 프로세스 / 지식영역 | 1.1 리스크관리 계획수립 | | |
|---|---|---|---|
| 4. 통합관리 | 4.1 프로젝트헌장 수립 | 4.2 프로젝트 관리 계획서 개발 | |
| 5. 범위 관리 | | 프로젝트 헌장 | 프로젝트관리계획서 |
| 6. 일정 관리 | | | |
| 7. 원가 관리 | | | |
| 8. 품질 관리 | | | |
| 9. 인적자원관리 | | | |
| 10. 의사소통 관리 | | | |
| 11. 리스크 관리 | | | 11.1 리스크관리 계획수립 |
| 12. 조달 관리 | 기업/조직 | 조직 프로세스 자산 / 기업 환경요인 | |
| 13. 이해관계자 관리 | | 13.1 이해관계자 식별 이해관계자등록부 | |

작성된 리스크 관리 계획서는 프로젝트 관리 계획서의 일부가 되어 다양한 관리 계획서 수립시 참고할 수 있다. 특히, 리스크 관리에 필요한 다양한 프로세스의 투입물로 사용된다.

| 프로세스<br>지식영역 | 1.1 리스크관리 계획수립 |
|---|---|
| **4. 통합관리** | |
| **5. 범위 관리** | |
| **6. 일정 관리** | |
| **7. 원가 관리** | |
| **8. 품질 관리** | |
| **9. 인적자원관리** | |
| **10. 의사소통 관리** | |
| **11. 리스크 관리** | 11.1 리스크관리 계획 수립　　11.2 리스크식별　　11.3 정성적리스크분석 수행　　11.4 정량적리스크분석 수행　　11.5 리스크대응계획 수립<br>　　　　　리스크관리계획서　　리스크관리계획서　　리스크관리계획서　　리스크관리계획서 |
| **12. 조달 관리** | |
| **13. 이해관계자 관리** | |

## 11.2 리스크 식별(Identify Risks)

리스크 식별 프로세스는 프로젝트에 영향을 미칠 수 있는 리스크를 식별하고, 식별된 리스크들의 특성을 문서화하는 프로세스이다. 한 번에 프로젝트에 대한 모든 리스크를 식별하는 것은 어렵기 때문에 프로세스 생애주기 동안 반복적이고 주기적으로 리스크들을 계속 식별하고 문서화해야 한다.

리스크 식별 프로세스에는 프로젝트 관리자, 프로젝트 팀, 리스크 관리 팀, 고객을 포함한 모든 내·외부 이해관계자가 참여할 수 있는데, 특히 각각의 리스크에 대한 책임자와 담당자를 지정함으로써, 프로젝트 기획 단계부터 이들의 적극적인 리스크 관리 활동을 기대할 수 있다.

그렇다면 리스크 식별은 어떤 방법으로 해야 할까? 그것은 바로 프로젝트 관리와 관련된 모든 문서를 검토하면서 시작해야 한다. 즉, 범위, 일정, 원가, 품질 등을 포함한 다양한 프로젝트 관리 계획서와 프로젝트 문서를 통해 프로젝트에 내포된 리스크들을 식별할 수 있다.

리스크 식별(Identify Risks) 프로세스의 투입물, 도구 및 기법과 산출물은 다음과 같다.

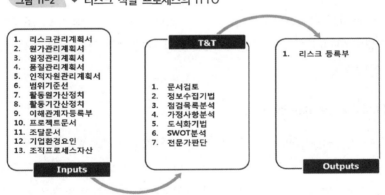

그림 11-2 ◆ 리스크 식별 프로세스의 ITTO

### 11.2.1 리스크 식별 프로세스 투입물

#### 1. 리스크 관리 계획서(Risk Management Plan)

리스크 식별을 위해서는 리스크 관리 계획서에 정의된 도구 및 기법을 사용한다. 특히 리스크 해결에 대한 책임과 역할, 예산과 일정, 리스크 범주들을 참고하면서 리스크 식별을 진행해야

한다.

## 2. 원가관리 계획서(Cost Management Plan)

원가 관리 방식에 따라 리스크가 높을 수도 있고 낮을 수도 있으므로 원가관리 계획서를 고려한다. 또한, 리스크 식별시 원가관리 계획서에 있는 예산 측정 단위, 정확도, 통제한계 등을 검토한다.

## 3. 일정관리 계획서(Schedule Management Plan)

리스크에 의해 영향을 받을 수 있는 프로젝트의 일정 목표를 고려할 수 있도록 일정관리 계획서를 검토한다.

## 4. 품질관리 계획서(Quality Management Plan)

리스크 식별시에 사용할 수 있는 품질 측정치 및 품질 기준에 대한 설명이 있는 품질관리 계획서를 검토한다.

## 5. 인적자원관리 계획서(Human Resource Management Plan)

인적자원관리 계획서에는 프로젝트에 투입되는 인적자원들을 정의하고, 조직하고, 관리하고, 철수하는 것뿐만 아니라 책임과 역할, 조직도, 직원 관리 계획 등의 중요한 내용들이 기술되어 있어 이를 검토한다.

## 6. 범위 기준선(Scope Baseline)

프로젝트 범위 기술서에 포함된 가정 사항들의 불확실성은 프로젝트 리스크의 원인으로 고려되어야 하며, 범위 기준선에 포함된 WBS Dictionary는 각 Work package별로 인도물을 만들 때 관련된 리스크 사항이 무엇이 있는지 식별하는데 도움을 주기 때문에 검토한다.

## 7. 활동 원가 산정치(Activity Cost Estimates)

활동 원가 산정치는 해당 활동을 완료하는데 어느 정도의 자금이 필요한지에 대한 예측이므로 실제로 각 활동에 대한 산정치가 제대로 추정된 것인지 검토할 필요가 있다.

## 8. 활동 기간 산정치(Activity Duration Estimates)

활동 기간 산정치 역시 활동 원가 산정치와 마찬가지로 리스크를 고려해 불확실성을 반영하여

기간 산정 범위를 결정한다. 각 활동에 대한 추정된 기간이 무리가 없는 것인지, 프로젝트에 부정적 영향을 줄 요소는 없는지를 고려하기 위해 활동 기간 산정치를 검토한다.

## 9. 이해관계자 등록부(Stakeholder Register)

리스크에 대한 정보를 여러 이해관계자들로부터 인터뷰나 회의를 통해 얻을 수 있고, 또한 적극적으로 프로젝트 리스크 식별 활동에 이해관계자들을 참여시키기 위하여 이해관계자 등록부를 검토한다.

## 10. 프로젝트 문서(Project Documents)

프로젝트에서 작성되는 다양한 문서들을 검토하면서 리스크를 식별할 수 있다. 이러한 프로젝트 문서에는 프로젝트 헌장, 프로젝트 일정, 일정 네트워크 다이어그램, 이슈 로그, 품질 체크 목록 등이 있으며, 그 외에 리스크 식별에 도움을 줄 수 있는 모든 문서들을 검토한다.

## 11. 조달 문서(Procurement Documents)

외부에서 조달해야 할 재료나 인적자원 등에 대한 조달 문서(RFP, RFI, RFQ 등) 및 조달 작업기술서 등을 검토하면서 프로젝트에 대한 리스크 요인을 식별할 수 있으므로 조달 문서를 검토한다.

## 12. 기업환경 요인(Enterprise environmental factors)

상용 데이터베이스를 포함하여 출간된 정보(학술 연구, 출간된 점검목록, 벤치마킹, 산업체 연구 자료, 리스크 대응 태도), 외부의 산업체 연구 자료 및 조직의 리스크에 대한 선호도 등이 리스크 식별에 도움을 줄 수 있다.

## 13. 조직 프로세스 자산(Organizational process assets)

과거에 수행했던 유사 프로젝트의 리스크 정보와 교훈, 리스크 식별에 관련된 양식이나 템플릿, 조직의 리스크 관리 프로세스 등이 리스크 식별 프로세스에 도움을 줄 수 있다.

리스크 식별 프로세스의 투입물의 개수가 매우 많다. 수험생들은 이것들을 외울까 말까 고민이 많을 것이다. 굳이 외울 필요는 없다. 가만히 자세히 들여다보면 프로젝트에서 나오는 모든 프로젝트 관리 계획서 및 프로젝트 문서의 목록이다. 이해만 해두자.

## 11.2.2 리스크 식별 프로세스 도구 및 기법

### 1. 문서 검토(Documentation Reviews)

리스크 식별을 위해서는 앞서 설명한 최소한 11개의 문서들을 검토해야 하는데, 바로 그 문서들을 검토하는 기법이 문서 검토이다. 리스크 통제에서는 리스크 재평가 및 식별을 위해 작업 성과보고서가 사용된다.

### 2. 정보 수집 기법(Information gathering techniques)

여러 이해관계자들로부터 리스크에 대한 정보를 얻기 위해서 다양한 기법을 사용하게 되며, 요구사항 수집에 사용된 기법이 주요 사용된다. 이러한 정보 수집 기법의 예로는 브레인스토밍, 브레인 롸이팅(Brain-Writing), 델파이 기법, 인터뷰, 근본 원인(Root-Cause) 분석 등이 있다.

델파이 기법은 요구사항 수집 외에도 리스크 식별에 사용할 수 있는 기법이라는 것을 꼭 알아두자.

### 3. 점검목록 분석(Checklist analysis)

점검목록들은 과거 유사한 프로젝트에서 얻은 경험이나 지식 등을 기반으로 만들어지지만, 간단한 양식이므로 이 점검목록들만 체크함으로써 리스크 식별 프로세스가 완료되었다고 볼 수 없다. 따라서 프로젝트 팀은 주기적으로 점검목록을 추가 혹은 삭제하는 등의 활동을 하여 이 점검목록이 조직의 지식 자산으로 축적되어 추후 유사 프로젝트에서 재사용될 수 있도록 해야 한다.

### 4. 가정 사항 분석(Assumptions Analysis)

프로젝트는 미래에 대한 가정을 바탕으로 계획을 작성하는데, 가정이 부정확하거나 불일치, 혹은 불완전 할 경우 프로젝트에 리스크가 발생될 수 있으므로 프로젝트의 가정 사항을 지속적이고 주기적으로 검토하여 가정 사항이 변경되거나 불완전한 것이 있는지 확인해야 한다.

### 5. 도식화 기법(Diagramming techniques)

도식화 기법은 식별된 리스크를 모든 이해관계자들이 한눈에 파악할 수 있도록 그림으로 표현하는 것이다. 이러한 도식화 기법에는 이시가와 다이어그램 혹은 어골도漁骨圖라 알려진 인과관계도(Cause-and-effect diagram), 시스템의 다양한 요소들이 서로 어떻게 영향을 주는지 보여주는 시스템 또는 프로세스 흐름도(System or process flow charts), 혹은 영향도(Influence diagram)이 있다.

### 6. SWOT 분석(SWOT analysis)

SWOT 분석은 기업이나 조직 혹은 프로젝트의 강점(Strength), 약점(Weakness), 기회(Opportunity), 위협(Threat)에 대한 분석을 통해 강점과 기회는 살리고 약점과 위협은 보완하고 극복할 수 있는 방안을 식별하고 문서화한다.

### 7. 전문가 판단(Expert judgment)

프로젝트 관리자는 과거 유사한 프로젝트를 수행한 경험자들로부터 조언을 얻을 수 있으나, 전문가별로 경험과 지식의 차이가 있으므로 당연히 시각차이가 있을 수 있다는 것은 고려한다.

### 11.2.3 리스크 식별 프로세스 산출물

### 1. 리스크 등록부(Risk register)

리스크 식별 프로세스의 결과물로는 리스크 등록부가 작성된다. 특히, 리스크 식별 프로세스에서는 리스크 목록 혹은 잠재적인 리스크 대응 방법 정도가 작성된다. 리스크 식별 프로세스에서 작성된 리스크 등록부에는 이후 다른 리스크 관리 프로세스들에서 분석된 내용들이 지속적으로 추가 및 수정된다.

◎ **식별된 리스크 목록** : 리스크 발생의 근본 원인과 불확실한 가정사항을 포함한 리스크들이 식별되고 문서화 된다(예 리스크 ID, 리스크 이름, 리스크에 대한 설명, 리스크 유발요인 및 리스크 책임자, 리스크 담당자 등).

◉ **잠재적 리스크 대응 계획** : 리스크를 식별하는 과정에서 알 수 있는 초기 잠재적 대응방법으로 향후, 리스크 대응 프로세스의 투입물로 사용될 수 있다. 잠재적인 리스크 대응 계획은 향후 리스크 대응 계획 수립시 수정될 수 있다.

### 리스크 유발요인(Risk Trigger)

프로젝트에서 리스크는 바로 나타나는 경우도 있지만, 리스크 발생 전에 다양한 전조현상으로 나타나는 경우도 있다. 프로젝트 관리자나 프로젝트 팀이 이러한 전조현상 혹은 징조들을 파악할 수 있다면 프로젝트에 리스크가 발생하기 전에 대응을 할 수 있거나 징조 단계에서 사전에 리스크를 제거할 수 있다. Risk Trigger의 동의어로는 risk symptoms, warning sign 등이 있다.

예를 들어, 화산이 폭발하기 전에 땅이 흔들리는 횟수가 많아지거나, 땅이 부풀어 오른다거나, 땅이 뜨거워지거나 압력이 높아지고, 온천 활동이 활발해지거나, 평소보다 화산 가스가 많이 나와 지독한 냄새가 나거나 가스로 인해 노을의 색이 바뀌거나 동물들의 사체가 많이 발견되는 등의 전조 현상들이 있다고 한다.

리스크를 식별할 때 가장 어려운 점이 리스크를 식별하는 것보다 이 전조현상을 구별하는 일이다. 리스크 관리는 리스크가 발생하기 전에 사전 조치를 하는 것이 목적인만큼 업무 도메인 전문가나 유사 프로젝트에 경험이 많은 전문가 혹은 팀원들의 도움을 받아 리스크 유발요인을 도출하는 것이 효과적이라 할 수 있다.

프로젝트에서 리스크는 발생된 후에 어떻게 관리할 것이냐가 아니라 부정적 리스크가 발생하지 않도록 관리하는 것이다. 따라서 리스크 유발요인은 리스크의 발생 조짐을 알 수 있는 아주 중요한 정보이다.

**프로젝트 관리 문서 템플릿(리스크 등록부)**

| Risk ID | 리스크 명 | 리스크 | 리스크 설명 | 유발 요인 | 책임자 | 담당자 | 정성적 리스크 분석 | | | 정량적 리스크 분석 | | 대응 전략 | 대응 조치 |
|---|---|---|---|---|---|---|---|---|---|---|---|---|---|
| | | | | | | | 리스크 발생확률 | 리스크 영향도 | 리스크 점수 | 확률 (%) | 영향 | | |
| | | | | | | | | | | | | | |
| | | | | | | | | | | | | | |
| | | | | | | | | | | | | | |
| | | | | | | | | | | | | | |
| | | | | | | | | | | | | | |
| | | | | | | | | | | | | | |
| | | | | | | | | | | | | | |
| | | | | | | | | | | | | | |
| | | | | | | | | | | | | | |
| | | | | | | | | | | | | | |
| | | | | | | | | | | | | | |

리스크 식별 프로세스의 결과물인 리스크 등록부를 작성하기 위해서는 많은 산출물들을 검토해야 한다. 위에서 언급한 최소 11개의 문서들을 기반으로 다양한 전문가 혹은 팀원들과 함께 문서를 검토하면서 브레인 스토밍, 델파이 기법등을 사용하여 리스크에 대한 정보 및 리스크 유발요인에 대한 정보를 수집하여 도식화 기법으로 가시화하도록 한다. 또한, 각종 문서에 대한 체크 리스트를 작성하여 문서가 제대로 작성되었는지 검토한다.

| 프로세스 / 지식영역 | 11.2 리스크식별 | | |
|---|---|---|---|
| 4. 통합관리 | | | |
| 5. 범위 관리 | 5.4 WBS 작성 → 범위기준선 | | |
| 6. 일정 관리 | 6.1 일정관리 계획 수립 → 일정관리계획서 | 활동기간산정치 | 6.5 활동기간산정 |
| 7. 원가 관리 | 7.1 원가관리계획 수립 → 원가관리계획서 | 활동원가산정치 | 7.2 원가산정 |
| 8. 품질 관리 | 8.1 품질관리계획 수립 → 품질관리계획서 | | |
| 9. 인적자원관리 | 9.1 인적자원계획 수립 → 인적자원관리계획서 | | |
| 10. 의사소통 관리 | | | |
| 11. 리스크 관리 | 11.1 리스크관리 계획수립 → 리스크관리계획서 → 11.2 리스크 식별 | | |
| 12. 조달 관리 | 12.1 조달관리계획 수집 → 조달문서 | 프로젝트 문서들 | 프로젝트 문서들 |
| 13. 이해관계자 관리 | 13.1 이해관계자 식별 → 이해관계자등록부 | 조직 프로세스 자산 / 기업 환경요인 | 기업/조직 |

작성된 리스크 등록부는 11장의 리스크 관리 프로세스를 포함하여 6장의 활동기간산정, 활동자원산정, 일정개발 프로세스, 7장의 원가산정과 예산책정 프로세스, 8장 품질관리계획 수립 프로세스 및 12장 조달관리 계획 수립 프로세스의 투입물로 활용된다는 것을 이해하자.

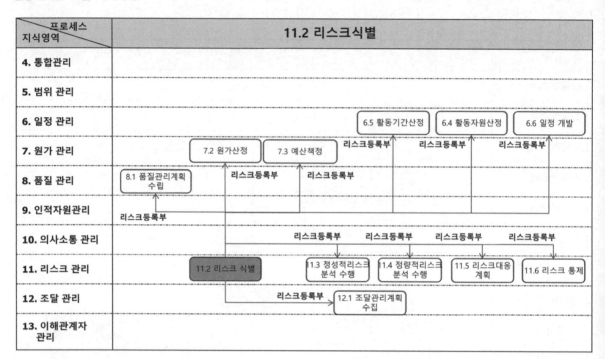

| 프로세스 / 지식영역 | 11.2 리스크식별 |
|---|---|
| 4. 통합관리 | |
| 5. 범위 관리 | |
| 6. 일정 관리 | 6.5 활동기간산정 · 6.4 활동자원산정 · 6.6 일정 개발 |
| 7. 원가 관리 | 7.2 원가산정 · 7.3 예산책정 · 리스크등록부 · 리스크등록부 · 리스크등록부 |
| 8. 품질 관리 | 8.1 품질관리계획 수립 · 리스크등록부 · 리스크등록부 |
| 9. 인적자원관리 | 리스크등록부 |
| 10. 의사소통 관리 | 리스크등록부 · 리스크등록부 · 리스크등록부 · 리스크등록부 |
| 11. 리스크 관리 | 11.2 리스크 식별 · 11.3 정성적리스크 분석 수행 · 11.4 정량적리스크 분석 수행 · 11.5 리스크대응 계획 · 11.6 리스크 통제 |
| 12. 조달 관리 | 리스크등록부 · 12.1 조달관리계획 수집 |
| 13. 이해관계자 관리 | |

# 11.3 정성적 리스크 분석 수행(Perform Qualitative Risk Analysis)

정성적 리스크 분석 수행 프로세스는 리스크의 발생 확률과 리스크 발생시의 영향도를 정성적인 방법을 사용하여 측정하고, 이를 결합하여 리스크 점수(Risk Score)를 산정 한 후, 점수가 높은 리스크에 대해서 추가적인 분석을 하거나 어떤 조치를 취하기 위해 점수가 높은 순서대로 정렬하는 리스크의 우선순위(Priority)를 정의하는 프로세스이다.

정성적 리스크 분석 프로세스는 프로젝트 관리자에게 모호했던 리스크들을 리스크 점수로 가시화할 수 있도록 하며, 우선순위가 높은 리스크들에 집중할 수 있도록 한다.

정성적 리스크 분석 수행 프로세스의 투입물, 도구 및 기법과 산출물은 다음과 같다.

그림 11-3 ◆ 정성적 리스크 분석 수행 프로세스의 ITTO

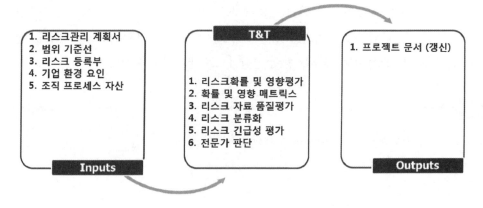

정성적으로 리스크를 분석하는 것은 분석하는 사람에 따라 오차가 있을 수 있기 때문에 세심한 주의가 필요하다. 따라서 리스크 관리 계획서(리스크 관리 계획서의 '리스크 발생 확률 및 영향도에 대한 정의' 항목 참고)에서 작성한 긍정적 리스크에 대한 정의 혹은 부정적 리스크에 대한 정의는 이러한 오차를 최대한 줄일 수 있는 하나의 방법이 될 수 있다. 또한, 긍정적 혹은 부정적 리스크에 대한 정의는 정보가 정확하면 정확할수록 정성적 리스크 평가에 대한 신뢰도가 높아지기 때문에 리스크의 분석에 사용할 데이터 품질 체크를 수행해야 한다.

정성적 리스크 분석 프로세스는 빠르고, 적은 비용으로 리스크 대응 계획 수립을 하기 위한 좋은 방법이며, 필요에 따라 이후에 정량적 리스크 분석 프로세스를 수행할 수도 있고, 정성적 리스크 분석 수행 후 바로 리스크 대응 계획 수립 프로세스로 넘어갈 수 있다.

### 11.3.1 정성적 리스크 분석 수행 프로세스 투입물

#### 1. 리스크 관리 계획서(Risk management plan)

정성적 리스크 분석 수행은 리스크 관리 계획서에 기술한 계획대로 진행되어야 한다. 리스크 관리 수행을 위한 책임과 권한, 리스크 관리 예산, 리스크 관리를 위한 활동과 각 활동의 일정, 리스크 분류, 리스크 발생 확률과 영향에 대한 정의, 확률-영향 매트릭스, 이해관계자의 리스크 태도 등의 자료를 참고한다. 만약, 이러한 정보가 리스크 관리 계획서에 없다면 정성적 리스크 분석 수행 프로세스를 진행하면서 리스크 관리 계획서를 수정해야 한다.

#### 2. 범위 기준선(Scope Baseline)

정성적인 분석에서는 프로젝트의 범위만을 가지고 식별된 리스크들을 대상으로 리스크의 발생확률과 영향도를 계산한다. 우선, 범위 기술서의 내용이나 WBS Dictionary의 내용을 참고하여 범위에 대한 리스크를 전문가들과 함께 정성적으로 평가하도록 한다.

> **Tips**
>
> 정성적 리스크 분석은 '범위 기준선'만을 활용한다는 것을 기억하자.

#### 3. 리스크 등록부(Risk Register)

리스크에 대한 정성적 분석을 하기 위해서는 분석 대상이 있어야 한다. 따라서 이전 단계의 산출물인 리스크 등록부를 투입물로 이용한다.

#### 4. 기업환경 요인(Enterprise environmental factors)

범위 기준선을 참고하여 정성적 분석을 할 때 리스크 관리 전문가의 연구결과, 산업체에서 사용되는 리스크 관련 데이터베이스 등을 이용할 수 있다.

#### 5. 조직 프로세스 자산(Organizational process assets)

과거 유사 프로젝트의 정성적 리스크 분석 자료 등을 조직 프로세스 자산으로 이용할 수 있다.

## 11.3.2 정성적 리스크 분석 수행 프로세스 도구 및 기법

### 1. 리스크 확률 및 영향 평가(Risk probability and impact assessment)

리스크 등록부에 식별된 각각의 리스크에 대해 확률 및 영향을 평가한다. 예를 들어, 컴퓨터 서버를 해외에서 화물선을 이용해 운반해 오는데, 도중에 해적에게 납치될 확률은 0.1이고, 이 리스크가 발생하면 프로젝트의 일정, 원가, 품질 및 성과에 미칠 영향력은 0.9 이다라는 식으로 평가한다. 이때, 부정적인 리스크에 대한 것뿐만 아니라 긍정적 리스크에 대한 확률과 영향도 함께 평가하며, 리스크 관리 계획서에서 기술한 긍정적 혹은 부정적 리스크의 확률과 영향에 대한 정의를 참고하여 평가하고, 이를 리스크 등록부에 기입한다.

이러한 리스크 평가는 프로젝트 관리자나 프로젝트 팀원, 리스크 관리 전문가 혹은 다양한 내외부의 이해관계자들과의 인터뷰나 미팅 혹은 리스크 분류 등을 통해 파악하고 평가할 수 있다. 확률-영향 등급이 낮은 리스크는 향후 리스크 감시를 위해 감시목록(watch list)에 포함할 수 있다.

**심화학습**

**감시 목록(Watch List)**

감시 목록은 일반적으로 리스크 발생확률과 영향도를 곱했을 때의 리스크 점수(Risk Score)가 낮은 리스크 목록이다. 리스크 식별을 하게 되면 경우에 따라서 엄청나게 많은 리스크 목록들을 식별하게 되는데, 모든 리스크에 대해서 리스크 분석 및 리스크 대응 계획을 세우지는 못하기 때문에 리스크 점수가 낮은 리스크들은 목록만 가지고 있으면서 주기적으로 체크한다. 따라서 리스크 점수가 몇 점 이하면 감시목록(watch list)로 관리한다는 정의가 리스크 관리 계획서에 있어야 한다.

다만, 리스크 감시 목록에 있던 리스크가 발생하면 이에 대한 분석과 대응 방법들을 추적할 수 있도록 리스크 발생시 혹은 리스크 처리 후에 반드시 리스크 등록부에 기록하여야 한다. 이렇게 함으로써 프로젝트 관리자는 리스크에 대한 대응 계획을 세우거나 관리 측면에서 효율성을 발휘할 수 있다.

### 2. 확률 및 영향 매트릭스(Probability and impact matrix)

P-I Matrix를 사용하여 높음, 보통, 낮음 등으로 각 리스크 별 등급을 정하고, 확률과 영향을 곱한 값이 리스크 점수(Risk Score)다. 리스크 점수가 높은 순으로 리스크의 우선순위를 정한다.

예를 들어, 리스크 발생확률을 0.1~0.9로 정하고, 리스크의 영향도 0.1~0.9로 똑같이 정의했다면, 리스크 점수는 0.01부터 0.81까지 다양하게 나타날 것이다. 리스크 점수를 신호등 체계를 이용하여 0.01부터 0.39까지는 녹색존(Green zone)으로 감시 목록(Watch List)으로 정의하고, 0.4부터 0.69까지는 노란색존(Yellow zone)으로 정의하고, 0.7부터 0.81은 빨간색존(Red zone)으로 설정한다. 프로젝트, 기업문화 혹은 이해관계자의 리스크 태도에 따라 다르게 정의할 수 있다. 프로젝트에 따라 빨간색 영역만 리스크 대응 계획을 수립하고, 노란색 영역이나 녹색 영역은 감시 목록(Watch List)으로 등록하여 프로젝트 착수부터 종료까지 리스크 발생 여부에 대한 지속적인 모니터링을 수행할 수도 있다.

그림 11-4 ◆ P-I Matrix 예시

| | | 영향도 (Impact) | | | | |
|---|---|---|---|---|---|---|
| | | 미미함 (Marginal) | 심각하지 않음 (Minor) | 중간 (Moderate) | 심각 (Major) | 매우심각 (Severe) |
| 발생 가능성 (Probability) | 거의 확실함 (Almost Certain) | 중간 (Medium) | 높음 (High) | 높음 (High) | 위기 (Critical) | 위기 (Critical) |
| | 가능성이 높음 (Likely) | 중간 (Medium) | 중간 (Medium) | 높음 (High) | 높음 (High) | 위기 (Critical) |
| | 가능함 (Possible) | 낮음 (Low) | 중간 (Medium) | 중간 (Medium) | 높음 (High) | 위기 (Critical) |
| | 가능성 낮음 (Unlikely) | 낮음 (Low) | 중간 (Medium) | 중간 (Medium) | 중간 (Medium) | 높음 (High) |
| | 가능성이 매우 낮음 (Rare) | 낮음 (Low) | 낮음 (Low) | 중간 (Medium) | 중간 (Medium) | 높음 (High) |

### 3. 리스크 자료 품질 평가(Risk data quality assessment)

리스크와 관련된 자료들의 품질이 좋을수록 신뢰성 있는 정성적 리스크 분석 결과를 얻을 수 있으므로 이러한 자료들의 품질을 평가하여 리스크 분석 결과의 신뢰성을 높이기 위한 기법이다. 만약, 이러한 자료의 신뢰성이나 품질이 낮으면 정성적 리스크 평가에 대한 신뢰도가 낮아져 정성적 리스크 분석 결과의 신뢰성이 낮아질 수 있다.

### 4. 리스크 분류화(Risk categorization)

작성된 리스크 분류 체계(RBS, Risk Breakdown Structure)를 이용하여 리스크 분류에서 불확실한 항목들을 식별하고, 식별된 리스크들에 대해서 정성적 리스크 분석을 할 수 있다. 만약, 조

직내에 리스크 분류 체계가 없다면 PROMPT LIST를 활용하여 작성한다.

## 5. 리스크 긴급성 평가(Risk urgency assessment)

프로젝트의 리스크는 그 성격에 따라 빠른 대응이 필요한 것들과 그렇지 않은 것으로 구분할 수 있다. 리스크의 긴급성은 리스크를 감지하고, 리스크에 대한 대응이 영향을 미치는 시간, 징후, 경고 신호, 리스크 등급 등을 포함하여 판단한다. 또한, 일부 정성적 분석에서 리스크 긴급성 평가를 P*I Matrix로부터의 리스크 등급과 결합하여 최종 리스크 심각성을 결정하기도 한다.

## 6. 전문가 판단(Expert judgment)

유사 프로젝트에 대한 경험이 많거나 특정 산업에 대한 지식과 경험이 많은 전문가들과 함께 워크숍, 회의 등을 통해 이들의 의견을 청취하고 수집할 수 있다. 그러나 전문가들도 오류가 있을 수 있다는 것은 명심해야 한다.

### 11.3.3 정성적 리스크 분석 수행 프로세스 산출물

## 1. 프로젝트 문서 갱신(Project Documents updates)

정성적 리스크 분석을 통해 리스크 등록부나 가정 사항 등이 수정될 수 있다.

- ◉ **리스크 등록부 갱신(Risk Register Updates)**
  정성적 리스크 분석 수행을 하여 리스크의 발생확률, 리스크의 영향력 및 리스크 점수를 추가하고, 그 외에 정성적 리스크 분석을 하면서 리스크의 원인, 유발요인, 리스크 책임자, 리스크 담당자 등이 수정될 수 있다.

- ◉ **가정사항 로그 갱신(Assumption Log Updates)**
  정성적 리스크 분석을 통해서 새로운 정보가 파악되면, 프로젝트에 대한 가정 사항들이 바뀔 수 있다. 이러한 가정 사항들은 프로젝트 범위 기술서 내의 가정 사항 부분이나 별도의 가정 사항 로그에 추가 및 수정한다.

정성적 리스크 분석은 우선 리스크 관리 계획서에서 정의한 방법과 기법 및 절차에 따라 수행한다. 또한, 정성적 분석의 대상이 되어야 할 리스크는 리스크 등록부에서 참고하며, 리스크 등록부의 내용만 가지고는 정성적인 리스크 분석이 미진할 수 있기 때문에 범위 기준선의 범위 기술서나 WBS, WBS Dictionary를 함께 참고하면서 정성적 리스크 분석을 수행한다. 이때, 리스크 관리 계획서에서 사용하기로 한 P-I Matrix을 사용하며, 분석할 자료의 품질이 좋은지를 확인할 자료 품질 평가 기준이 있어야 하고, 리스크가 긴급하게 해결해야 할 것인지 혹은 시간을 두고 해결해도 되는 리스크인지를 프로젝트 관리자와 팀원 및 전문가들이 함께 결정해야 한다. 이렇게 결정된 사안들을 리스크 등록부에 갱신한다.

| 프로세스<br>지식영역 | 11.3 정성적 리스크분석 수행 |
|---|---|
| **4. 통합관리** | |
| **5. 범위 관리** | 5.4 WBS 작성　　범위기준선 |
| **6. 일정 관리** | |
| **7. 원가 관리** | |
| **8. 품질 관리** | 기업/조직　　조직 프로세스 자산<br>기업 환경요인 |
| **9. 인적자원관리** | |
| **10. 의사소통 관리** | |
| **11. 리스크 관리** | 11.1 리스크관리 계획 수립　　11.2 리스크식별　　11.3 정성적리스크분석 수행 |
| **12. 조달 관리** | 리스크관리계획서　　리스크등록부 |
| **13. 이해관계자 관리** | |

갱신된 리스크 등록부는 프로젝트 문서에 포함되기 때문에 '프로젝트 문서'가 갱신된다.

| 프로세스 / 지식영역 | 11.3 정성적 리스크분석 수행 |
|---|---|
| **4. 통합관리** | |
| **5. 범위 관리** | |
| **6. 일정 관리** | |
| **7. 원가 관리** | |
| **8. 품질 관리** | |
| **9. 인적자원관리** | |
| **10. 의사소통 관리** | |
| **11. 리스크 관리** | 11.3 정성적리스크분석 수행 → 프로젝트 문서들(갱신) → 프로젝트 문서들 |
| **12. 조달 관리** | |
| **13. 이해관계자 관리** | |

## 11.4 정량적 리스크 분석 수행(Perform Quantitative Risk Analysis)

정량적 리스크 분석 수행 프로세스는 식별된 리스크들이 프로젝트의 전체 목표(특히, 일정과 원가)에 어떤 영향을 주는지를 수치적으로 분석하는 프로세스이다. 리스크에 대한 정량적 분석 결과를 통해서 프로젝트 관리자와 경영자는 프로젝트의 불확실성을 축소시킬 수 있는 의사 결정을 할 수 있다.

정량적 리스크 분석은 정성적 리스크 분석을 통해 작성된 우선순위 목록에서 상위에 속한 리스크 목록들을 대상으로 하거나, 기타 프로젝트의 상황 등을 고려했을 때 분석대상이 될 만한 리스크들을 선정하여 수행한다. 그러나 분석하기 위한 자료가 불충분하거나 정량적 리스크 분석을 할 여건이 되지 않는다면 수행하지 않아도 무방하다. 그러나 만약 정량적 리스크를 분석할 여건이 된다면 정성적 리스크 분석과 마찬가지로 프로젝트 생애주기 동안 지속적이고 반복적으로 수행한다.

또한, 정량적 분석에 사용할 도구나 수행 시간 및 반복 횟수, 수행 예산 등에 대한 것을 프로젝트 상황에 맞게 설정해야 하는데, 프로젝트 관리자는 정량적 분석을 위해서 전문가의 도움을 요청할 수 있으며 이러한 내용들은 미리 리스크 관리 계획서에 기술을 하는 것이 좋다.

정량적 리스크 분석 수행 프로세스의 투입물, 도구 및 기법과 산출물은 다음과 같다.

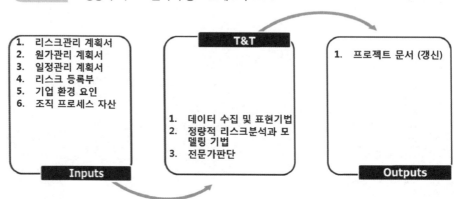

그림 11-5 ◆ 정량적 리스크 분석 수행 프로세스의 ITTO

**11.4.1** 정량적 리스크 분석 수행 프로세스 투입물

1. 리스크 관리 계획서(Risk Management Plan)

리스크 관리 계획서에는 정량적 리스크 분석에 필요한 방법과 도구, 지침(민감도 분석, 몬테카를로 시뮬레이션, 금전적 기대가치 분석 등)을 정의하였으므로 참고한다.

## 2. 원가 관리 계획서(Cost Management Plan)

원가 관리 계획서에는 리스크 분석에 필요한 비용을 계획하고 관리하는 방법에 대한 가이드라인을 제공하기 때문에 참고한다.

## 3. 일정 관리 계획서(Schedule Management Plan)

일정 관리 계획서에는 리스크 분석에 필요한 시간을 계획하고 관리하는 방법에 대한 가이드라인을 제공하기 때문에 참고한다.

## 4. 리스크 등록부(Risk Register)

리스크 등록부에는 식별된 리스크 목록, 리스크 발생 원인, 리스크 범주, 정성적 리스크 분석의 결과 등이 기록되어 있기 때문에 정량적 리스크 분석 수행시 참고한다.

## 5. 기업 환경 요인(Enterprise Environmental Factors)

정량적 리스크 분석을 위해 리스크 전문가가 수행한 유사 프로젝트에 대한 연구 자료나 산업 또는 독점적 출처로부터 구할 수 있는 리스크 데이터베이스 등을 이용할 수 있다.

## 6. 조직 프로세스 자산(Organizational process assets)

정량적 리스크 분석을 위해 과거에 완료된 유사한 프로젝트 정보나 이전 프로젝트에서 수행한 정량적 리스크 분석 도구 및 방법 등을 참고할 수 있다.

> 정량적 리스크 분석은 프로젝트의 목표인 원가와 일정에 대한 영향을 분석하기 때문에 '원가 관리 계획서' 및 '일정 관리 계획서' 만을 활용한다는 것을 기억하자.

## 11.1.3 정량적 리스크 분석 수행 프로세스 도구 및 기법

### 1. 데이터 수집 및 표현 기법(Data gathering and representation techniques)

정량적 리스크 분석을 하기 위해서는 다양한 자료를 수집해야 한다. 수집 방법으로는 인터뷰를 통해서 수집한 후, 통계적 기법을 통해 표현할 수 있다. 인터뷰는 경험과 과거 데이터를 활용하여 특정 리스크의 발생을 확률과 영향을 수치로 환산한다. 이때 수치로 환산하는 정보의 신뢰도를 높이기 위해 가정 사항이나 이론적인 배경 등을 반드시 문서화해야 한다.

## 2. 정량적 리스크 분석 및 모델링 기법(Quantitative risk analysis and modeling techniques)

정량적 리스크 분석을 위한 도구 및 모델링 기법으로는 민감도 분석, 금전적 기대가치 분석, 몬테카를로 분석 등이 있다. 이 3가지 기법은 추후에 자세히 학습하기로 한다.

## 3. 전문가 판단(Expert Judgment)

전문가들은 확률을 구하기 위한 투입 값에 대해 확률분포를 판단하거나, 리스크가 일정 및 원가에 미치는 확률 값에 대한 평가를 할 수 있고, 조직의 문화나 능력 수준에 맞는 정량적 분석 도구를 추천할 수도 있다.

## 11.4.3 정량적 리스크 분석 수행 프로세스 산출물

### 1. 프로젝트 문서 갱신(Project Documents Updates)

정량적 리스크 분석을 수행한 후의 결과로 인해 프로젝트 문서들이 수정되는데, 특히 리스크 등록부의 다음 내용들이 추가 혹은 수정된다.

- ◉ 프로젝트의 확률적 분석 결과 수정
- ◉ 원가 및 일정 목표에 대한 확률 수정
- ◉ 정량적 리스크에 대한 우선순위 수정
- ◉ 정량적 리스크 분석 결과 추세에 대한 수정

**심화학습**

민감도 분석(Sensitivity analysis)

민감도 분석은 정성적 분석까지 된 리스크들 중 프로젝트의 일정 및 원가에 가장 큰 영향을 주는 리스크가 무엇인지 파악하는데 유용한 분석기법이다. 특히, 영향력이 큰 순위부터 차례대로 나열하면 모양이 회오리바람과 비슷하여 토네이도 다이어그램이라고 부른다.

그림 11-6 ◆ 토네이도 다이어그램의 예

## \<xxx 프로젝트에 대한 정량적 리스크 분석\>

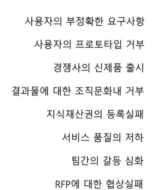
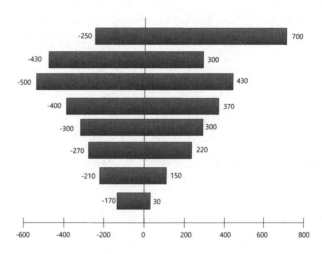

| | |
|---|---|
| 사용자의 부정확한 요구사항 | -250 ～ 700 |
| 사용자의 프로토타입 거부 | -430 ～ 300 |
| 경쟁사의 신제품 출시 | -500 ～ 430 |
| 결과물에 대한 조직문화내 거부 | -400 ～ 370 |
| 지식재산권의 등록실패 | -300 ～ 300 |
| 서비스 품질의 저하 | -270 ～ 220 |
| 팀간의 갈등 심화 | -210 ～ 150 |
| RFP에 대한 협상실패 | -170 ～ 30 |

### 금전적 기대가치 분석(Expected monetary value analysis)

금전적 기대가치(EMV) 분석은 발생할 수도 있고 발생하지 않을 수도 있는 시나리오가 미래에 포함될 때 평균 결과를 계산하는 통계적 개념이며 긍정적 리스크의 EMV는 양수 값으로 표현되는 반면, 부정적 리스크의 EMV는 음수 값으로 표현된다. EMV는 각 예상 결과의 값에 발생 확률을 곱한 다음 모든 값을 더하여 계산하여 미래의 사건에 대한 EMV를 산출한다. 일반적으로 의사결정 트리 분석(Decision tree analysis)에서 사용한다.

EMV 계산은 발생확률 * 금전적 기댓값으로 이해하면 어렵지 않게 계산할 수 있다.

그림 11-7 ◆ EMV를 통한 프로젝트 선택

| 프로젝트 | 확률 | 산출 | | EMV |
|---|---|---|---|---|
| | 30% | 400,000 | = | 120,000 |
| 1안 | 70% | -60,000 | = | -42,000 |
| | 30% | -40,000 | = | -12,000 |
| 2안 | 10% | -10,000 | = | -1,000 |
| | 70% | 70,000 | = | 49,000 |

의사결정

## 몬테카를로 분석

몬테카를로 분석(Monte carlo analysis)는 우연한 현상의 결과를 이용하여, 난수를 사용하여 수치적·모형적으로 실현시켜 그것을 관찰함으로써 문제에 대한 근사 해를 얻는 방법이다.

몬테카를로 분석은 가능한 원가 또는 기간의 확률 분포에서 임의로 선정한(random)값을 사용하여 프로젝트 원가나 프로젝트 일정을 여러 차례 계산하거나 반복하는 방법으로 프로젝트 팀이 수행 가능한 총 프로젝트 원가 또는 완료날짜의 분포를 산출하는 기법으로 사용된다.

**기본 순서 :**

- 변수에 대한 범위 설정
- 적절한 확률분포 선택-범위에 있는 변수를 무작위로 선정
- 변이의 누적 도수 분포 생성에 의해 발생할 확률분포 고려
- 무작위 수로부터 값을 선택
- 각 선택된 값에 대해 결정론적 분석 수행-앞의 순서를 100~1000회 정도 반복

**그림 11-8** ◆ Monte Carlo 시뮬레이션 예시

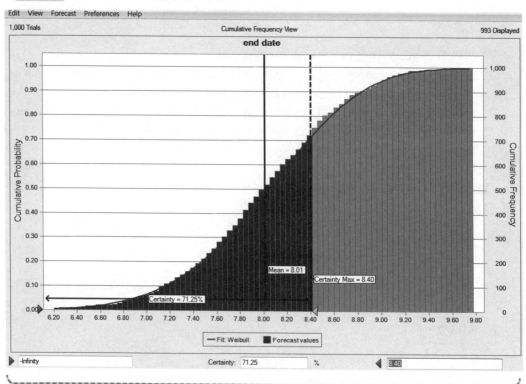

정량적 리스크 분석은 정성적 리스크 분석 후 일정과 원가에 특히 영향을 줄 수 있다고 판단되는 리스크들을 수학적으로 시뮬레이션을 하는 기법이다. 따라서 정량적 리스크 분석은 리스크 관리 계획서에 기술한 계획과 방법대로 진행을 해야 하며, 원가 및 일정에 대한 가이드라인 등을 확인하기 위하여 원가 관리 계획서 및 일정 관리 계획서를 참고하여 리스크 분석의 대상이 되는 리스크 등록부의 리스크들을 분석한다.

이때, 정량적 리스크 분석은 수학적인 방법을 사용하기 때문에 전문가들과 함께 민감도 분석이나 금전적 기대가치 분석 혹은 몬테카를로 분석 등을 수행하여 그 결과값을 해석하여 리스크 등록부에 추가 및 수정한다.

| 프로세스 \ 지식영역 | 11.4 정량적리스크분석 |
|---|---|
| **4. 통합관리** | |
| **5. 범위 관리** | |
| **6. 일정 관리** | 6.1 일정관리계획 수립 — 일정관리계획서 |
| **7. 원가 관리** | 7.1 원가관리계획 수립 — 원가관리계획서 |
| **8. 품질 관리** | |
| **9. 인적자원관리** | 기업/조직 — 조직 프로세스 자산 / 기업 환경요인 |
| **10. 의사소통 관리** | |
| **11. 리스크 관리** | 11.1 리스크관리 계획 수립 / 11.2 리스크식별 / 11.4 정량적리스크분석 수행 |
| **12. 조달 관리** | 리스크관리계획서 / 리스크등록부 |
| **13. 이해관계자 관리** | |

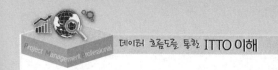

갱신된 리스크 등록부는 프로젝트 문서에 포함되기 때문에 '프로젝트 문서'가 갱신된다.

| 프로세스　　　지식영역 | 11.4 정량적리스크분석 |
|---|---|
| 4. 통합관리 | |
| 5. 범위 관리 | |
| 6. 일정 관리 | |
| 7. 원가 관리 | |
| 8. 품질 관리 | |
| 9. 인적자원관리 | |
| 10. 의사소통 관리 | |
| 11. 리스크 관리 | 11.4 정량적리스크분석 수행 → 프로젝트 문서들(갱신) → 프로젝트 문서들 |
| 12. 조달 관리 | |
| 13. 이해관계자 관리 | |

# 11.5 리스크 대응 계획수립(Plan Risk Responses)

리스크 대응 계획수립 프로세스는 프로젝트 목표 달성의 기회는 증대 시키고 위협은 줄일 수 있는 선택 사항과 행동을 계획하는 프로세스이다. 긍정적 리스크 혹은 부정적 리스크에 대한 대응을 하기 위해서는 특정 활동, 시간, 비용 및 자원을 필요로 한다.

특정 활동, 시간, 비용, 및 자원은 프로젝트의 일정, 원가, 범위 등 다양한 곳에 영향을 미칠 수 있으며 최종적으로 프로젝트 관리 계획서의 수정을 필요로 할 수 있다. 각각의 긍정적 혹은 부정적 리스크에 대한 대응 방안은 여러 가지가 있을 수 있다. 그 중에서 프로젝트 팀은 프로젝트의 상황이나 능력 등을 고려하여 적절한 것을 선택해야 하며, 각 리스크별로 리스크 책임자와 리스크 담당자를 반드시 배정함으로써 책임과 역할을 명확히 해야 한다.

리스크 대응 계획수립 프로세스의 투입물, 도구 및 기법과 산출물은 다음과 같다.

> **그림 11-9** ◆ 리스크 대응계획 수립 프로세스의 ITTO

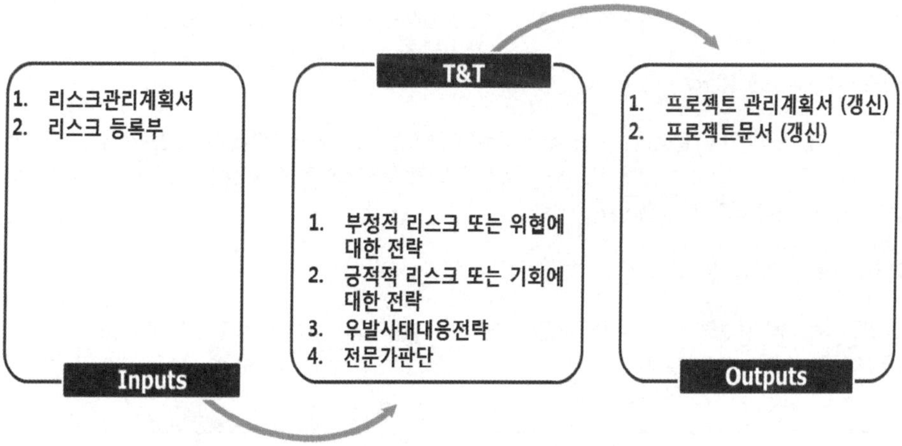

| Inputs | T&T | Outputs |
|--------|-----|---------|
| 1. 리스크관리계획서<br>2. 리스크 등록부 | 1. 부정적 리스크 또는 위협에 대한 전략<br>2. 긍적적 리스크 또는 기회에 대한 전략<br>3. 우발사태대응전략<br>4. 전문가판단 | 1. 프로젝트 관리계획서 (갱신)<br>2. 프로젝트문서 (갱신) |

[리스크 대응 계획 수립의 주요 활동]
- 각 리스크별 대응 전략 수립
- 각 리스크를 책임질 한 명 또는 그 이상의 책임자 식별 및 배정
- 리스크 발생 시 실행할 우발사태 대응 계획(Contingency plan) 및 대체 계획(Fallback plan)을 예비 일정 및 예비 비용을 고려하여 수립
- 정성적 리스크 분석 수행 프로세스와 정량적 리스크 분석 수행 프로세스(사용한 경우) 이후에 진행

- 리스크 대응 계획수립은 우선순위에 따라 처리하며, 필요하면 예산, 일정 및 프로젝트 관리 계획서에 자원 및 활동을 추가
- 계획된 리스크 대응은 리스크의 중요도에 적합하고, 비용 효율 면에서 시도할 가치가 있고, 프로젝트 상황에 실질적으로 도움이 되어야 하며, 관련된 모든 당사자들의 동의와 책임자 배정이 필요하고, 대응시기 또한 적절해야 함

 심화학습

**우발사태 대응 계획(Contingency Plan)**

식별된 리스크가 발생할 경우를 대비하여 리스크 상황에 대처하기 위해 수립해 놓는 비상 대책 계획이다.

**2차 리스크 대응 계획(Fallback Plan)**

Fallback plan은 첫 번째 Contingency plan이 실패할 경우 사용하려고 추가로 준비한 계획이다. 보통 첫 번째 우발사태 대응계획(Plan A)이 실패할 경우를 대비한 계획이기 때문에 'Plan B'라고 부르기도 한다.

**잔존 리스크(Residual Risk)**

원래의 리스크가 대응방안을 실행한 후에도 남아있는 것을 말한다. 리스크 대응방안이 잔존 리스크를 너무 많이 남긴다면 추가적인 리스크 대응방안을 사용해야 할 필요 있거나, 리스크의 발생 원인을 철저하게 파악하여 리스크 발생 원인 자체를 제거해야 한다.

**2차 리스크(Secondary Risk)**

원래의 리스크는 제거되었으나 그 부작용으로써 발생하는 리스크이다. 2차 리스크는 원래의 리스크와 같이 리스크 등록부에 기록하고 관리해야 한다

## 11.5.1 리스크 대응 계획수립 프로세스 투입물

### 1. 리스크 관리 계획서(Risk management plan)

리스크 대응에 대한 역할 및 책임, 리스크 한계점, 리스크 관리 수행에 필요한 시간 및 예산, 리스크 분석에 대한 정의, 분석된 리스크에 대한 재평가 시기 등에 대한 정의가 리스크 관리 계획서에 기술되어 있기 때문에 참고한다.

## 2. 리스크 등록부(Risk Register)

리스크 대응 계획을 수립하기 위해서는 당연히 리스크 등록부에 있는 식별된 리스크, 리스크의 근본 원인, 잠재적 대응 활동 목록, 리스크 책임자, 리스크 징후 및 경고 신호, 프로젝트 리스크의 상대적 등급 또는 우선순위 목록, 단기간 내 대응이 필요한 리스크 목록, 추가 분석 및 대응책이 필요한 리스크 목록, 정성적 분석 결과의 추세, 우선순위가 낮은 리스크의 감시목록 등을 참고한다.

리스크 등록부는 이해관계자의 리스크 태도를 바탕으로 작성되기 때문에 리스크 대응계획도 이해관계자의 리스크에 대한 태도를 고려하여 작성되어야 한다.

### 11.5.2 리스크 대응 계획수립 프로세스 도구 및 기법

리스크 대응 계획시 1차적인 리스크 대응 계획이 실패할 경우를 대비한 2차 리스크 대응 계획 (Fallback Plan), 1차 대응에서 리스크가 해소되었지만 또 다른 2차적 리스크의 발생도 염두에 두어야 하며, 1차 대응에서 완전히 리스크가 해소되지 않아서 여전히 리스크가 있을 수 있는 경우 등을 모두 고려하여 리스크 대응 계획을 수립하여야 한다.

### 1. 부정적 리스크 또는 위협에 대한 대응 전략(Strategies for negative risks or threats)

| 전략 | 내용 |
|---|---|
| 회피<br>(Avoid) | −위협을 완전히 제거하기 위해 프로젝트 관리 계획서를 변경하는 조치를 포함한 일정 연장, 전략 변경 또는 범위 축소 등<br>−가장 극단적인 회피 전략은 프로젝트를 완전히 중단하는 것<br>−프로젝트 초기에 발생하는 일부 리스크는 요구사항의 명확한 규명, 정보의 입수, 의사소통 개선 또는 전문가 확보를 통해 회피 |
| 전가<br>(Transfer) | −제3자에게 리스크를 떠맡기고, 그에 상응하는 보수를 지불<br>−보험 활용, 이행 보증, 각종 보증 및 보장, 원가정산방식(판매자가 구매자에게 리스크를 전가), 고정계약 (구매자가 판매자에게 리스크를 전가) 등<br>−프로세스의 산출물로 '리스크 관련 계약 결정'이 나옴 |
| 완화<br>(Mitigate) | −불리한 리스크 사건의 확률 또는 영향을 수용 가능한 한계로 낮추는 것<br>−리스크 발생 확률 또는 영향을 줄이기 위해 조기에 조치를 취하는 것이 대개 리스크가 발생한 후에 피해를 복구하는 것보다 효과적<br>−덜 복잡한 프로세스 선택, 추가적인 테스트 진행, 더 안정적인 공급자의 선정, 프로토타입(Prototype)의 개발 |
| 수용<br>(Accept) | −프로젝트 팀에서 리스크 대응 방법으로 프로젝트 관리 계획서를 변경하는 방법을 채택하지 않기로 결정했거나 다른 적절한 대응 전략을 강구할 수 없는 상황<br>−수동(무조치), 능동(시간자원확보) 등<br>−보통은 리스크에 대한 시간, 비용, 자원에 대한 예비(Contingency reserve)를 설정, 주기적인 리뷰만 진행 |

## 2. 긍정적 리스크 또는 기회에 대한 대응 전략(Strategies for positive risks or opportunities)

| 전략 | 내용 |
|---|---|
| 활용<br>(Exploit) | − 리스크와 관련된 불확실성을 제거하여 기회가 확실히 일어날 수 있도록 하는 것.<br>− 프로젝트에 유능한 자원을 더 많이 배정하여 프로젝트를 일찍 끝내거나 더 좋은 품질을 제공 또는 비용과 시간을 줄이기 위해 새로운 기술을 사용하는 것<br>− 기회가 확실히 실현되도록 함으로써 특정 상위 리스크와 연관된 불확실성을 제거하는 방법 |
| 공유<br>(Share) | 기회를 더 잘 살릴 수 있는 다른 회사와 리스크를 공유하여 프로젝트 이익을 추구<br>모든 당사자가 수혜를 볼 수 있도록 기회 활용이라는 분명한 목적 아래 리스크 공유 협력사, 팀, 특수목적의 회사 또는 합작 회사와 협력 관계를 구축하는 일 등 |
| 증대<br>(Enhance) | 긍정적 영향을 미치는 리스크의 주요 요인을 식별하여 기회의 규모를 더 키우는 것<br>기회의 확률 또는 긍정적 영향을 증가시키기 위해 사용되는 전략.<br>긍정적 영향을 미치는 리스크의 주요 요인을 식별하여 극대화, 발생 확률 증가시킴.<br>조기에 종료하기 위해 활동 자원을 보충하는 것이 기회 증대의 예임. |
| 수용(Accept) | 수반된다면 활용하지만 적극적으로 추구하지는 않는 것 |

> **Tips**
>
> 일반적으로 긍정적인 리스크 대응 계획 중 활용(Exploit)과 증대(Enhance)의 차이는 다음과 같다. 현재 프로젝트에서 긍정적인 리스크의 발생을 통해 일정을 단축하고, 원가의 절감을 이루고자 할 때, 원가정산방식(예] CPIF)의 계약을 통해 공급업체에게 인센티브를 줄 터이니 일정을 당기라고 제시할 수 있다. 반면에, 증대의 경우에는 앞서 이야기한 CPIF 계약방식을 통해 공급업체가 일정을 단축했고, 원가 측면에서도 인센티브까지 준 후에도 약 5,000만원이 남았다고 하자. 프로젝트 관리자는 남은 5,000만원을 통해 일정을 더 단축시키고자 인력을 추가로 더 투입할 수 있다.
>
> 즉, 아무것도 없는 상태에서 긍정적인 리스크를 발생시키고자 하는 경우 활용(Exploit)을 사용하고, 프로젝트 내에서 조그만 긍정적 리스크의 싹이 생겼을 경우 이를 극대화하기 위한 방안으로 증대(Enhance) 방법을 사용할 수 있다.

## 3. 우발사태 대응 전략(Contingent response strategies)

특정 사건이 발생하는 경우에 사용할 전략으로 대응 계획을 수행할 특정 조건이 되었을 경우를 대비해 작성한다. 우발사태 대응 전략을 통해 수립된 계획들을 우발사태 대응 계획(contingency plan)이라고도 한다.

## 4. 전문가 판단(Expert judgment)

리스크 대응 계획 수립 시 지식, 기술, 경험 등이 있는 전문가들의 도움을 받을 수 있다.

### 11.5.3 리스크 대응 계획 프로세스 산출물

### 1. 프로젝트 관리 계획서 갱신(Project Management Plan Updates)

리스크 대응 계획에 따라 일정 관리 계획서, 원가 관리 계획서, 품질 관리 계획서, 조달 관리

계획서, 인적자원 관리 계획서, 범위 기준선, 일정 기준선 및 원가 기준선 등의 프로젝트 관리 계획서가 수정될 수 있다.

여기서 알아 두어야 할 것은 프로젝트의 기획부분은 반복적이라는 것이다. 만약 활동들을 모두 도출했다고 생각하고 프로젝트 예산까지 모두 책정하였는데, 리스크 대응 계획을 수립하면서 전가의 방법으로 보험계약이 도출되었다고 가정해보자. 보험계약이라는 항목을 WBS에 추가하고 WBS Dictionary를 다시 작성하게 될 것이다. 그 후에는 활동(Activity)을 다시 도출하게 되며 이로 인해 프로젝트 일정이 다시 만들어지고 그로 인해 주경로(Critical Path)가 바뀔 수도 있다. 또한, 원가 부분에서도 수정이 되어야 할 수 있다. 이렇듯, 리스크 대응 계획수립으로 인해 다양한 프로젝트 관리 계획서에 영향을 줄 수 있다.

## 2. 프로젝트 문서 갱신(Project Documents Updates)

리스크 대응 계획 프로세스의 결과물로써 리스크 등록부가 수정되며, 그 항목들은 다음과 같다.

- ◉ 리스크 책임자 및 배정된 책임사항
- ◉ 합의된 리스크 대응전략
- ◉ 리스크 발생 조건, 증상 및 위험 발생의 징후
- ◉ 선택된 대응 방안을 수행하는데 필요한 예산과 일정활동
- ◉ 우발사태 계획 및 실행을 촉발시키는 요인
- ◉ 충분히 리스크를 제거하지 못한 경우, 남아있을 것으로 예상하는 잔존 리스크
- ◉ 리스크 대응책 수행에 따른 직접적인 결과물로 발생하는 2차 리스크
- ◉ 프로젝트의 정량적 리스크 분석 및 조직의 리스크 한계선을 근거로 산출되는 우발사태 예비비 혹은 예비 일정

그 외에 프로젝트에 대한 가정 사항의 수정(Assumptions log update), 기술문서 수정(Technical documentation updates), 변경요청(Change Requests) 등의 기타 문서들도 수정될 수 있다.

리스크 대응 계획을 수립하기 위해서는 리스크 관리 계획서에서 정의한 방법과 절차 및 도구를 사용하여 계획대로 진행해야 하기 때문에 리스크 관리 계획서와 함께 이미 식별된 리스크가 기술되어 있고, 그 리스크들에 대한 정성적 및 정량적 분석 결과가 있는 리스크 등록부를 참고한다.

리스크 관리 계획서와 리스크 등록부를 참고하여 전문가들과 함께 긍정적인 리스크에 대한 대응 전략인 활용, 공유, 증대, 수용의 계획을 수립하고, 부정적인 리스크에 대해서는 회피, 전가, 완화, 수용의 전략을 수립하면서 필요한 자원, 일정, 원가의 변경 사항을 프로젝트 관리 계획서나 프로젝트 문서에 추가 및 수정한다.

| 프로세스　　　지식영역 | 11.5 리스크대응 계획수립 |
|---|---|
| 4. 통합관리 | |
| 5. 범위 관리 | |
| 6. 일정 관리 | |
| 7. 원가 관리 | |
| 8. 품질 관리 | |
| 9. 인적자원관리 | |
| 10. 의사소통 관리 | |
| 11. 리스크 관리 |  11.1 리스크관리 계획 수립　　11.2 리스크식별　　11.5 리스크대응 계획수립<br>리스크관리계획서　　리스크등록부 |
| 12. 조달 관리 | |
| 13. 이해관계자 관리 | |

도출된 부정적 리스크 대응 계획 혹은 긍정적 리스크 대응 계획에 의해 프로젝트 관리 계획서나 프로젝트 문서가 갱신될 수 있다.

| 프로세스 / 지식영역 | 11.5 리스크대응 계획수립 |
|---|---|
| **4. 통합관리** | 프로젝트관리 계획서(갱신) → 4.2 프로젝트관리계획서 개발 |
| **5. 범위 관리** | |
| **6. 일정 관리** | |
| **7. 원가 관리** | |
| **8. 품질 관리** | |
| **9. 인적자원관리** | |
| **10. 의사소통 관리** | 프로젝트 문서들 |
| **11. 리스크 관리** | 11.5 리스크대응 계획수립 ────── 프로젝트 문서들(갱신) |
| **12. 조달 관리** | |
| **13. 이해관계자 관리** | |

---

Project Management Professional

## 11.6 리스크 통제(Control Risks)

리스크 통제 프로세스는 프로젝트 전반에서 리스크 대응 계획을 실행하고, 식별된 리스크를 추적하며, 잔존 리스크에 대한 감시 및 새로운 리스크 식별과 리스크 관리 프로세스의 효과성을 평가하는 프로세스이다.

리스크 통제 프로세스의 목적은 프로젝트 가정사항의 유효성이 지속되는지 여부를 확인하고, 평가된 리스크의 변경 여부 또는 철회 가능성이 있는지, 리스크 관리 정책 및 절차가 준수되고 있는지, 현재 리스크 평가 결과에 따라 원가 또는 일정에 대한 우발사태 예비비 혹은 예비일정을 수정해야 하는지 여부를 지속적으로 확인하는 것이다. 따라서 리스크 통제에서 수행하는 주요 활동은 다음과 같이 정리할 수 있다.

- 새로운 리스크 식별, 분석, 대응계획수립
- 식별된 리스크 및 리스크 감시 목록의 지속적인 추적
- 기존 리스크의 재분석 및 잔존 리스크 감시
- 우발사태 계획에 대한 원인 감시
- 리스크 대응 실행에 대한 효과성 평가
- 프로젝트 가정이 아직도 유효한가에 대한 판단
- 적절한 리스크 관리 정책 및 절차를 따르고 있는지 확인
- 남은 리스크에 대한 우발사태 예비비 혹은 예비 일정이 적정한지 확인
- 교훈 정리

리스크가 발생할 조짐이 나타났을 때 리스크 대응 계획을 언제 실행하는지에 대한 논의가 많다. 리스크 대응 계획 실행은 [4.3 Direct and Manage Project Work] 프로세스에서 실행한다고 이해하자.

리스크 통제(Control Risks) 프로세스의 투입물, 도구 및 기법과 산출물은 다음과 같다.

408

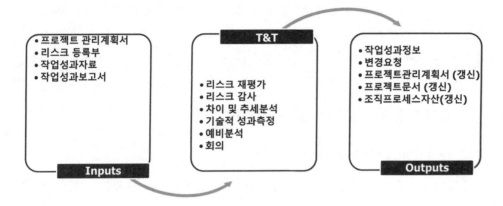

그림 11-10 ◆ 리스크 통제 프로세스의 ITTO

**Inputs**
- 프로젝트 관리계획서
- 리스크 등록부
- 작업성과자료
- 작업성과보고서

**T&T**
- 리스크 재평가
- 리스크 감사
- 차이 및 추세분석
- 기술적 성과측정
- 예비분석
- 회의

**Outputs**
- 작업성과정보
- 변경요청
- 프로젝트관리계획서 (갱신)
- 프로젝트문서 (갱신)
- 조직프로세스자산(갱신)

## 11.6.1 리스크 통제 프로세스 투입물

### 1. 프로젝트 관리 계획서(Project management plan)

프로젝트 관리 계획서를 구성하는 다양한 관리 계획서들이 리스크 통제시 참고될 수 있으며, 특히 리스크 관리 계획서는 리스크 통제와 감시의 지침을 제공한다.

### 2. 리스크 등록부(Risk Register)

식별된 리스크 및 리스크 책임자, 합의된 리스크 대응책, 리스크 대응 행동의 효과성 측정을 위한 통제 활동, 리스크의 징후 및 경고 신호, 잔존 및 2차 리스크, 시간 및 우발사태 예비비 혹은 예비시간 등을 리스크 등록부가 포함하고 있기 때문에 참고한다.

### 3. 작업 성과 자료(Work performance data)

리스크에 영향을 받는 인도물의 상태, 일정 진척 현황 및 발생된 원가 등의 프로젝트 수행에 관련된 작업성과 자료를 참고한다. 이를 참고로 하여 계획대비 실적을 비교한 작업 성과 정보를 작성할 수 있다. 또한, 리스크의 발생조짐이 있어 리스크 대응계획을 수행한 결과 자료를 포함할 수 있다.

### 4. 작업성과 보고서(Work performance reports)

프로젝트 진행에 대한 계획대비 실적의 차이, 획득가치 데이터 및 예측 데이터를 포함한 작업

성과 보고서에는 프로젝트 성과가 얼마나 좋은지 또는 나쁜지 알 수 있으며, 성과가 안 좋을 경우 리스크 발생 가능성이 더 높아지므로 리스크 감시 및 통제를 더 강화해야 한다.

또한, 일반적으로 주간보고서 혹은 월간보고서에는 매주 혹은 매월마다 프로젝트의 리스크 사항이나 이슈사항들을 기록하기 때문에 이를 참고하여 새로운 리스크를 식별할 수 있다.

## 11.6.2 리스크 통제 프로세스 도구 및 기법

### 1. 리스크 재평가(Risk reassessment)

리스크에 대한 분석은 일회성으로 그치는 것이 아니라 프로젝트 전 생애주기 동안 지속적으로 진행되어야 한다. 리스크를 재평가 한다는 것은 새로운 리스크를 식별하고, 과거 분석한 리스크 발생확률과 영향력을 프로젝트 상황에 맞게 수정하거나, 리스크 대응전략을 다시 점검하고, 프로젝트가 진행되면서 향후 발생하지 않을 것 같은 리스크 목록은 삭제하는 등의 리스크 재평가 작업을 해야 한다.

### 2. 리스크 감사(Risk audits)

리스크 감사는 식별된 리스크와 그 근본 원인을 처리하는 리스크 대응 방안의 효율성과 리스크 관리 프로세스의 효과성을 검토하고 문서화 한다. 프로젝트 관리자는 리스크 감사가 리스크 관리 계획서에 정의된 절차와 주기대로 실시되도록 하여야 하며, 리스크 감사는 프로젝트의 정기 회의나 별도의 리스크 감사를 위한 회의를 통해 실시된다.

### 3. 차이 및 추세 분석(Variance and trend analysis)

획득 가치 분석 등을 활용하여 계획대비 실제 성과를 비교 분석하고 그 차이가 향후 원가 및 일정 목표를 달성할 수 있는지를 확인함으로써 프로젝트에 대한 위협 혹은 기회를 파악할 수 있다.

### 4. 기술적 성과 측정(Technical performance measurement)

목표로 한 기술적 성과보다 실제 성과가 떨어진다면 리스크가 증가될 수 있으므로 '기술적 성과 측정(Technical Performance Measurement)'을 수행하는 것도 리스크에 대한 감시 및 통제 활동이다. 다만, 기술적 성과 목표 측정치(예 중량, 트랜잭션 시간, 결함 상태 인도물 수, 저장 용량 등)에 대한 사전 정의가 필요하다.

410

## 5. 예비 분석(Reserve analysis)

프로젝트의 임의 시점에서 향후 리스크 등록부에 남아있는 리스크 대응을 위해 준비된 비용과 시간의 양과 실제 사용하고 남아있는 우발사태 예비비 혹은 시간과의 비교를 통해 현재의 우발사태 예비비용과 예비 시간이 적절한지를 판단한다. 통합변경통제 수행과 마찬가지로 프로젝트의 종료시점이 얼마 남지 않은 상태에서 리스크 대응을 위한 비용과 시간을 얼마나 할당할 수 있는지 검토해야 한다.

## 6. 회의(Meetings)

리스크 관련 정보는 주기적인 프로젝트 현황 회의에서 하나의 안건으로 논의하여야 하며, 이러한 주기적인 회의를 통해서 리스크의 식별, 분석 및 대응 방안들을 논의함으로써 모든 사람들이 리스크 관리에 참여할 수 있다.

## 11.6.3 리스크 통제 프로세스 산출물

### 1. 작업 성과 정보(Work performance information)

작업 성과 정보는 리스크 통제의 산출물로서 리스크 재평가나 리스크 감사, 차이 및 추세분석, 예비비 혹은 예비 일정 분석, 기술적 성과 측정 등의 결과들을 정리하여 제공함으로써 프로젝트 관리에 대한 의사결정을 지원한다.

### 2. 변경 요청(Change requests)

우발사태 계획(Contingency Plan)이나 워크어라운드(workaround)를 수행하게 되면 때때로 변경 요청이 발생하게 되며, 이러한 변경 요청은 [4.5 통합변경통제 수행] 프로세스의 투입물로 사용된다. 또한 변경요청은 시정조치나 예방조치를 포함할 수 있다. 또한, 리스크를 재평가하거나 리스크 감사를 수행하면 리스크 등록부의 내용을 수정하거나 프로젝트 관리 계획서 등을 수정할 수 있다.

Workaround

계획되지 않은 리스크가 발생할 때, 즉각적인 대응을 해야 하는데, 이것을 Workaround라고 한다. 해결책이 리스크

가 발생되기 전에 미리 계획하는 것이 아닌 점에서 우발사태 계획(Contingency plan)과 다르다. 길거리를 걷다 보면 간혹 상점 앞에 설치한 두더지 잡기 게임을 생각하면 이해하기 쉽다.

### 3. 프로젝트 관리 계획서 갱신(Project management plan updates)

승인된 변경사항이 반영되면 리스크 관리 프로세스에 영향을 주며, 이러한 영향은 프로젝트 관리 계획서의 수정을 유발할 수 있다.

### 4. 프로젝트 문서 갱신(Project document updates)

리스크 통제 작업의 결과로 갱신될 수 있는 가능한 문서들로써 리스크 등록부를 예로 들면 리스크 등록부 항목 중 신규 리스크의 추가, 리스크 재평가를 통한 리스크 발생 확률과 영향도의 수정, 리스크 대응 전략의 수정 및 리스크 담당자의 변경 등이 있다.

### 5. 조직 프로세스 자산 갱신(Organizational process assets updates)

리스크 관리 프로세스를 통해 생산된 정보들은 향후 조직의 다른 프로젝트에서 사용될 수 있도록 리스크 관리 계획서, 리스크 등록부, P*I 매트릭스 등의 템플릿이나 리스크 분류 체계(RBS), 혹은 리스크 관리 활동들로부터 얻은 교훈 사항들로 정리될 수 있다.

리스크 통제 프로세스에서는 리스크 관리 계획서를 포함한 프로젝트 관리 계획서대로 리스크를 통제해야 한다. 새로운 리스크를 식별하기 위해서는 기존의 리스크 등록부나 작업 성과 자료 및 작업 성과 보고서를 참고하여 리스크를 재평가하며, 획득가치기법을 통해 프로젝트의 계획과 실적의 차이 및 추세 분석과 기술적 성과 측정을 통해 신규 리스크를 식별하고, 적절한 대응 계획과 함께 필요한 일정과 예산을 프로젝트 관리 계획서에 추가 및 수정해야 하고, 리스크 등록부를 포함한 프로젝트 문서를 수정한다.

또한, 리스크 관리가 리스크 관리 계획서와 리스크 등록부에 기록한 대로 실행되었는지 리스크 감사를 수행해야 하며 만약 계획한 대로 리스크 관리가 제대로 되고 있지 않다면 프로젝트 관리 계획서나 프로젝트 문서 등을 수정하도록 변경 요청을 한다.

| 프로세스 / 지식영역 | 11.6 리스크통제 | | |
|---|---|---|---|
| 4. 통합관리 | 4.2 프로젝트관리계획서 개발 | 4.3 프로젝트 작업 지시 및 관리 | 4.4 프로젝트 작업 감시 및 통제 |
| 5. 범위 관리 | 프로젝트관리계획서 | 작업성과자료 | 작업성과보고서 |
| 6. 일정 관리 | | | |
| 7. 원가 관리 | | | |
| 8. 품질 관리 | | | |
| 9. 인적자원관리 | | | |
| 10. 의사소통 관리 | | | |
| 11. 리스크 관리 | 11.2 리스크식별 / 리스크등록부 | | 11.6 리스크 통제 |
| 12. 조달 관리 | | | |
| 13. 이해관계자 관리 | | | |

리스크 통제의 산출물인 작업성과정보는 [4.4 프로젝트 작업 감시 및 통제] 의 투입물로 향후 작업성과 보고서에 활용된다. 또한, 변경요청은 [4.5 통합변경통제 수행]의 투입물로 활용되어 변경통제 위원회의 승인/거절에 따라 적절한 인도물들에 대한 변경작업을 수행한다.

그 외에 프로젝트 관리 계획서, 프로젝트 문서 및 조직 프로세스 자산이 갱신될 수 있다.

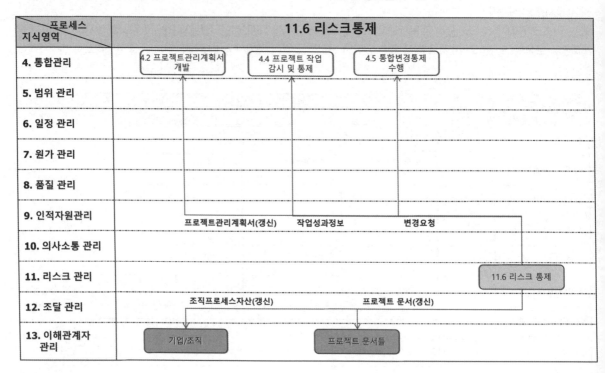

Chapter

# 11 연 습 문 제

**01** 리스크(Risk)에 대한 정의로 올바른 것은?

① 프로젝트의 목표 달성에 부정적인 영향을 미치는 불확실한 사건이나 이벤트

② 프로젝트의 목표 달성에 긍정적 혹은 부정적 영향을 미치는 불확실한 사건이나 이벤트

③ 프로젝트의 목표 달성을 위해 이해관계자가 프로젝트 관리자에게 요청하는 사건이나 이벤트

④ 프로젝트의 목표 달성에 긍정적인 영향을 미치는 사건이나 이벤트

**02** 프로젝트에서 발생할 수 있는 다양한 리스크에 대비한 의사결정을 하려고 하는데, 여러 가지 의사결정에 따른 결과를 보고 평가해보고 싶다. 이때 당신이 사용할 수 있는 기법으로 가장 알맞은 것은?

① SWOT 분석

② 델파이 기법(Delphi Technique)

③ 원인-결과 분석(Cause and Effect Analysis)

④ 의사결정 나무(Decision Tree)

**03** 당신은 해외 건설 프로젝트의 프로젝트 관리자이다. 고객과의 계약은 미국 달러(USD)로 하였는데, 건설에 필요한 다양한 자재는 미국, 일본, 중국, 독일에서 가져와야 한다. 따라서 자재 계약은 미국 달러, 일본 엔화, 중국 위안화, 독일은 유로화로 해야 한다. 이러한 조건에서 사내외의 다양한 금융 및 재무 담당 전문가들에게 해당 프로젝트의 리스크에 대해서 이메일을 통해 검토를 요청하였다. 어떤 기법을 사용한 것인가?

① 델파이 기법(Delphi Technique)

② 브레인스토밍(Brainstorming)

③ 브레인 롸이팅(Brainwriting)

④ 원인-결과 분석(Cause and Effect Analysis)

**04** 당신은 정보 시스템 구축 프로젝트의 프로젝트 관리자이다. 팀원들과 리스크 평가를 진행하고 있는데, 팀은 행동에 대한 예측과 성과에 대한 예측 모델을 가지고 이를 평가하고 있다. 이러한 리스트에 대한 분석시 예측한 대로 결과가 나오는지 반복적으로 실시하여 확인하는 방법은?

① 몬테카를로 분석　　　　　② 의사결정 나무

③ 금전적 기대가치 분석　　　④ 실험계획법

**05** 프로젝트의 리스크는 프로젝트 생애주기 동안 어떤 특성을 보이는가?

① 한번 식별한 리스크는 변하지 않는다.
② 프로젝트 생애주기 내내 리스크는 계속 변화한다.
③ 리스크는 어떤 것이 발생할지 모르기 때문에 특성이 없다.
④ 프로젝트 팀이 리스크의 특성을 변화시킬 수 없다.

**06** 프로젝트 관리자로서 당신은 팀원들과 함께 리스크에 대한 식별을 하고자 한다. 다음의 기법 중 리스크 식별하는데 적절한 기법은?

① SWOT 기법                      ② 확률 및 영향 매트릭스 기법
③ 몬테카를로 분석               ④ 데이터 수집 및 표현 기법

**07** 변경통제위원회(Change Control Board)가 프로젝트에 긍정적인 영향을 줄 수 있는 새로운 공법을 허락하였고, 신공법을 바로 적용하기 위험하여 프로토타입을 제작하였다. 리스크 대응 기법 중 어떤 기법을 사용한 것인가?

① 회피(Avoid)                    ② 전가(Transfer)
③ 완화(Mitigate)              ④ 수용(Accept)

**08** 당신의 회사는 최근 정부 프로젝트를 수주하였다. 계약을 진행하고자 하는데 정부 담당자가 계약 이행에 대한 보증을 요구하였다. 프로젝트 관리자인 당신은 보증보험 회사에 계약 금액에 해당하는 일정 비율의 금액을 납부하고 계약 이행보증 증권을 수령하여 제출하였다. 정부 담당자는 리스크 대응 방법 중 어떤 기법을 사용한 것인가?

① 회피(Avoid)                    ② 전가(Transfer)
③ 완화(Mitigate)              ④ 수용(Accept)

**09** 프로젝트를 진행하고 있는데, 외주에서 구매하기로 한 특정 제품의 국제 단가가 하락되어 원가가 절감되었다. 프로젝트 관리자인 당신은 이러한 상황을 적극적으로 이용하여 프로젝트의 인도물 중 하나인 제품의 가격을 동반 인하하였다. 리스크 대응 방법 중 어떤 기법을 사용한 것인가?

① 증대(Enhance)            ② 활용(Exploit)
③ 공유(Share)                ④ 수용(Accept)

**10** 프로젝트의 외주 인건비가 절감되어, 프로젝트 관리자가 절감된 비용으로 추가 자원을 투입하여 프로젝트의 일정을 단축하고자 한다. 리스크 대응 방법 중 어떤 기법을 사용한 것인가?

① 증대(Enhance)            ② 활용(Exploit)
③ 공유(Share)                ④ 수용(Accept)

**11** 외부 고객의 프로젝트를 수행하고 있는데, 회사의 기술연구소에서 프로젝트의 일정을 단축시켜 원가를 절감할 수 있는 특정 기술을 개발하였다고 알려왔다. 프로젝트 관리자인 당신은 기술연구소에 기술의 안정성에 대해 문의하였고, 기술 연구소는 해당 기술을 여러 테스트 및 특정 사이트에 적용한 결과 안정적이라는 통보를 받았다. 이에 당신은 이 기술을 당신의 프로젝트에 적용하여 프로젝트의 일정을 단축하고자 한다. 리스크 대응 방법 중 어떤 기법을 사용한 것인가?

① 증대(Enhance)  　　　　　② 활용(Exploit)
③ 공유(Share)  　　　　　　④ 수용(Accept)

**12** 당신은 대규모 소프트웨어 개발 프로젝트의 프로젝트 관리자이다. 일정이 점점 지연되고 있는 상황에서 회사의 기술연구소에서 프로젝트의 일정을 단축시켜 원가를 절감할 수 있는 특정 기술을 개발하였다고 알려왔다. 프로젝트 관리자인 당신은 기술연구소에 기술의 안정성에 대해 문의하였고, 기술 연구소는 해당 기술을 여러 테스트 및 특정 사이트에 적용한 결과 안정적이라는 통보를 받았다. 그러나 당신은 신기술의 적용으로 인해 프로젝트 일정의 단축을 기대하지만, 그 반면에 소프트웨어 개발팀이 신 기술에 대해 학습하고 이를 적용하려면 어느 정도의 기간이 필요하며, 새로운 기술로 인해 개발 중인 시스템에 에러의 발생 확률이 커질 것을 우려하고 있다. 프로젝트 관리자는 무엇을 걱정하고 있는가?

① 프로젝트의 일정(Project Schedule)  　　　② 리스크 유발요인(Risk Trigger)
③ 잔존 리스크(Residual Risk)  　　　　　　④ 2차 리스크(Secondary Risk)

**13** 당신은 새로운 노트북 컴퓨터를 개발하는 프로젝트 관리자이다. 어느 날 프로젝트 팀원이 새로운 하드디스크가 발열량이 많아서 고객이 불편해 할 것 같다는 보고를 하였다. 이 문제에 대해서 팀원들과 원인을 분석하였고, 결과적으로 다른 회사의 하드 디스크로 교체하는 것으로 결정하고 변경통제위원회에 변경 요청을 하였고, 승인을 받아 하드 디스크를 완전 교체하였다. 어떤 리스크 대응 전략을 사용하였는가?

① 회피(Avoid)  　　　　　② 전가(Transfer)
③ 완화(Mitigate)  　　　　④ 수용(Accept)

**14** 당신은 새로운 노트북 컴퓨터를 개발하는 프로젝트 관리자이다. 어느 날 프로젝트 팀원이 새로운 하드디스크가 발열량이 많아서 고객이 불편해 할 것 같다는 보고를 하였다. 이 문제에 대해서 팀원들과 원인을 분석하였고, 결과적으로 다른 회사의 하드 디스크로 교체하는 것은 비용적인 측면에서 높은 원가 상승을 발생할 것으로 예측되어, 발열량이 적은 하드 디스크로 교체하는 것으로 결정하였다. 변경통제위원회에 변경 요청을 하면서, '발열량이 적은 하드 디스크를 사용해도 사용자의 사용에는 아무런 불편이 없을 것이다' 라고 기술하였고, 이에 대한 승인을 받아 하드 디스크를 교체하였다. 어떤 리스크 대응 전략을 사용하였는가?

① 회피(Avoid)  　　　　　② 전가(Transfer)
③ 완화(Mitigate)  　　　　④ 수용(Accept)

**15** 당신은 팀원들과 함께 프로젝트의 식별된 리스크를 대상으로 정성적 리스크 분석을 수행하면서 확률 및 영향도 매트릭스를 사용하여 리스크의 점수를 평가하였다. 리스크 관리 계획서를 확인해 보니 리스크 점수가 0.5 이하는 리스크 대응 계획을 수립하지 않고, 중요 시점에만 확인해 보는 것으로 정의되어 있어, 리스크 점수가 0.5 이하인 리스크들은 목록만 작성하기로 하였다. 이 작성된 목록을 무엇이라 하는가?

① 2차 리스크(Secondary Risk)

② 리스크 유발요인(Risk Trigger)

③ 잔존 리스크(Residual Risk)

④ 감시 목록(Watch List)

---

**16~17**

당신은 프로젝트 관리자로서 식별된 리스크를 대상으로 P-I Matrix를 이용하여 리스크의 정성적 평가를 진행 중에 있다. 이번 프로젝트에서는 각 리스크에 대한 영향력을 일정과 비용 측면을 모두 고려하기로 하였다. 아래의 표는 그 결과이다.

| 리스크 목록 | 발생확률 | 일정에 대한 영향력 | 원가에 대한 영향력 |
|---|---|---|---|
| A | 0.2 | 10 | 6 |
| B | 0.3 | 9 | 7 |
| C | 0.5 | 6 | 5 |
| D | 0.4 | 6 | 9 |

**16** 다음에 제시된 표에서 일정 기준으로 하면 어떤 리스크에 중점을 두어야 하는가?

① A

② B

③ C

④ D

**17** 위의 표에서 원가 기준으로 하면 어떤 리스크에 중점을 두어야 하는가?

① A

② B

③ C

④ D

**18** 당신은 소규모 병원을 건축하는 프로젝트의 책임자이다. 실험실을 위해 당신은 하도급 업체와 계약을 해야 한다. 2군데의 업체가 있는데, A업체는 7천만원의 비용을 요구하고 있고, B업체는 6,300만원을 요구하고 있다. 그러나 A업체는 업계에서 무척 유명한 업체이고 유능한 직원들을 많이 보유하고 있다. 이 프로젝트는 일정의 지연에 대해서 1,700만원의 지체보상금이 정해져 있다. 이러한 상황에서 팀원들과 논의를 해보니, A업체는 공사 지연의 확률이 10%이고, B업체는 15%이다. 어느 업체를 선택하는 것이 좋겠는가?

① 업체 A, 71,700,000원

② 업체 B, 65,550,000원

③ 업체 A, 70,017,000원

④ 업체 B, 63,025,500원

418

**19** 프로젝트를 진행하는 도중 프로젝트 관리자와 팀원들이 주기적으로 리스크 등록부를 검토하고, 새로운 리스크의 발생을 식별하며, 기존에 식별한 리스크를 재평가 및 분석을 하는 것을 무엇이라고 하는가?

① 리스크 분석(Risk Analysis)   ② 리스크 식별(Identify Risks)
③ 잔존 리스크 평가(Residual Risk Reassessment)   ④ 리스크 재평가(Risk Reassessment)

**20** 프로그램 개발 서버에 대한 개발 환경 테스트를 위해서 QA팀에서 장비에 대한 사용 예약을 요청하였다. 담당 직원은 이미 예약이 완료되었다고 통보하였다. 이에 일정상 매우 중요한 작업이기 때문에 우리 프로젝트에서 먼저 사용해야 한다고 사정하여 2일 간의 사용을 받아냈다. 당일 아침 고객이 밤기차를 5시간을 타고 와서 다른 환경 테스트 조건을 제시하면서 추가적인 테스트를 요구하고 있다. 당신은 가장 먼저 무엇을 해야 하는가?

① 고객에게 서버의 테스트 일정을 이야기하고, 추가적인 테스트는 어렵다고 통보한다.
② 추가적인 테스트가 프로젝트 일정에 끼칠 영향을 팀원들과 함께 분석한다.
③ 스폰서에 알려서, 스폰서가 해결하도록 한다.
④ 계약서를 검토하여 추가로 요청한 테스트가 프로젝트 범위에 있는지 확인한다.

→ 프로젝트 리스크 관리

Chapter 11

## 연습문제 정답과 해설

해설

**01** 리스크는 프로젝트의 목표 달성에 긍정적 혹은 부정적 영향을 미치는 불확실한 사건이나 이벤트이다.

**02** 각각의 발생 확률에 대한 다양한 결과를 평가해 보고 싶다면 의사결정 나무 기법을 사용할 수 있다.

**03** 리스크를 식별하는 방법은 다양하지만 아래의 예시에서는 델파이 기법이 가장 적당하다.

**04** 프로젝트의 목표에 대한 잠재적인 영향력을 반복적으로 검증하기 위해 모델을 사용하고 모델의 변수값에 난수를 발생시켜 그 결과를 확인하는 방법으로는 모델링 및 시뮬레이션 방법이 있고, 이 시뮬레이션에는 몬테카를로 기법을 사용한다.

**05** 프로젝트에서 리스크를 적극적으로 관리하지 않으면 리스크는 향후 프로젝트에서 문제를 일으키거나 예기치 않은 위협이 될 수 있다.

**06** 리스크를 식별시에는 문서 검토, 정보 수집 기법, 점검목록 분석, 가정 분석, 도식화 기법, 전문가 판단 등의 많은 기법을 사용할 수 있지만 SWOT 분석도 리스크 식별 기법임을 꼭 기억해 두자.

**07** 프로토타입을 이용하는 것은 리스크를 완화시키는 방법 중의 하나이다.

**08** 고객사가 수행사에게 프로젝트의 이행에 대한 위험을 인지하고 보험회사에서 수행사의 이행에 대한 보증을 요청한 것은 리스크의 전가에 해당한다.

**09** 국제 단가의 하락으로 프로젝트의 원가가 절감되는 효과가 발생하였고, 이를 이용하여 프로젝트 관리자는 프로젝트에 긍정적인 영향을 극대화하기 위해 증대의 전략을 사용했다.

**10** 이미 인건비 절감으로 인해 프로젝트에 긍정적인 효과가 발생했다. 프로젝트 관리자는 이를 적극적으로 이용하여 일정을 단축하고자 추가 자원을 투입했다. 이는 증대 기법이다.

**11** 프로젝트에 긍정적인 효과를 발생시키기 위해 신기술을 적용하는 것이므로 활용이라 할 수 있다.

**12** 2차 리스크는 리스크 대응 계획을 수행하면서 발생되는 부차적인 리스크이므로 2차 리스크도 가능하면 리스크 대응 계획 수립시 기술하는 것이 좋다.

**13** 발열량이 아예 없는 하드 디스크로 교체하여 고객으로부터의 클레임 발생을 아예 없애는 대응 전략으로 회피이다.

**14** 고객의 클레임을 완벽히 차단하지는 못하겠지만 노트북 컴퓨터가 다운되는 현상을 줄일 수 있는 전략을 사용했으므로 완화전략이다.

**15** 감시 목록(Watch list)는 발생 확률이 낮은 리스크들을 기술해 놓은 문서이다.

**16** A : 0.2*10=2  B : 0.3*9=2.7  C : 0.5*6=3.0  D : 0.4*6=2.4
따라서 리스크 C가 일정에 대한 리스크 점수가 3.0으로 가장 높다.

**17** A : 0.2*6=1.2  B : 0.3*7=2.1  C : 0.5*5=2.5  D : 0.4*9=3.6
따라서 리스크 D가 일정에 대한 리스크 점수가 3.0으로 가장 높다.

**18** A 업체는 70,000,000원의 비용과 함께 일정이 늘어질 확률 10% 및 이에 대한 지체보상금 17,000,000원, 일정내에 할 확률 90%와 지체보상금 0원으로 볼 수 있다. B 업체는 63,000,000원의 비용과 함께 일정이 늘어질 확률

15% 및 이에 대한 지체보상금 17,000,000원, 일정내에 할 확률 85%와 지체보상금 0원으로 볼 수 있다. 이를 계산하면 다음과 같다.

 -A 업체 : 70,000,000+(0.9*0)+(0.1*17,000,000)=71,700,000원
 -B 업체 : 63,000,000+(0.85*0)+(0.15*17,000,000)=65,550,000원

따라서 A업체와 B업체에 들어갈 비용 중 가장 적게 들어가는 B 업체를 선택하는 것이 프로젝트에 유리하다.

**19** 리스크 재평가는 프로젝트를 진행하는 도중 프로젝트 관리자와 팀원들이 주기적으로 리스크 등록부를 검토하고, 발생할 가능성이 없어진 리스크는 삭제하고, 새로운 리스크의 발생을 식별하며, 기존에 식별한 리스크를 재평가 및 분석을 하는 것이다.

**20** 고객의 요구사항에 대해서는 우선 프로젝트 관리자 및 팀원이 그 영양에 대해서 분석해야 한다.

| 정답 | 01.② | 02.④ | 03.① | 04.① | 05.② | 06.① | 07.③ | 08.② | 09.① | 10.① |
|------|------|------|------|------|------|------|------|------|------|------|
|      | 11.② | 12.④ | 13.① | 14.③ | 15.④ | 16.③ | 17.④ | 18.② | 19.④ | 20.② |

# 프로젝트 조달 관리

학습목표

- 계약과 관련하여 고정계약과 원가정산 계약의 장단점을 이해한다.
- 조달관리에서 사용되는 기본 용어를 이해한다.
- 전반적인 조달관리 프로세스와 정의를 이해한다.
- 조달관리에서 사용하는 도구 및 기법을 이해한다
- 대안적 분쟁해결(ADR)의 의미와 종류를 이해한다.

## 들어가며…

계약은 서로 지켜야 하는 약속이고 법적 구속력을 가지고 있다. 양쪽이 계약내용을 잘 지켜야 되겠지만, 만일 어느 한쪽에서 문제를 일으키면 손해배상청구 등의 문제가 발생이 할 수 있다. 특히, 계약문화, 소송문화가 일반화되어 있는 외국 업체와 계약에 의한 거래 시에는 세심한 주의를 필요로 한다. 계약을 할 때는 해당 법률 전문가의 검토를 거친 다음 내부적으로 이행여부를 충분히 검토해야 한다. 따라서 프로젝트 관리자는 프로젝트의 중요한 부분인 계약에 대한 내용도 반드시 알고 있어야 하며, 프로젝트 수행 내내 계약서를 지속적으로 반복해서 읽고 숙지하고 있어야 한다.

프로젝트 조달관리란 프로젝트 팀이 외부로부터 제품, 서비스, 혹은 결과물을 획득하는 프로세스이다. 리스크를 줄이기 위한 방법 중 하나로 보통 프로젝트의 범위 중 일부를 외부로부터 조달하며 이때, 계약이 동반된다. 조달관리영역 프로세스는 프로젝트의 구매조달에 대한 결정사항을 문서화하고 조달방식을 규정하여 잠재적인 판매자를 식별하고, 판매 대상자를 모집한 후, 판매자를 선정하며 계약을 체결한다. 그 후에는 조달수행을 관리하며 계약의 이행 성과를 감시하며 필요한 변경 및 수정을 수행하며, 마지막으로 조달을 종료한다.

프로젝트 조달관리는 이 모든 활동을 위한 4개의 프로세스가 존재하는데 각 프로세스에 대한 상세한 설명은 다음과 같다.

**표 12-1 ◀ ▸ 조달관리 프로세스의 정의**

| 프로세스 | 프로세스 그룹 | 설명 |
|---|---|---|
| 12.1 조달관리 계획수립<br>(Plan Procurement Management) | P | 프로젝트의 구매조달에 대한 결정사항을 문서화하고 조달방식을 규정하며 잠재적인 판매자를 식별하는 프로세스 |
| 12.2 조달 수행<br>(Conduct Procurements) | E | 판매대상자를 모집하고 판매자를 선정하며 협약을 체결하는 프로세스 |
| 12.3 조달 통제<br>(Control Procurements) | M&C | 조달관계를 관리하고 계약의 이행 성과를 감시하며 필요한 변경 및 수정을 수행하는 프로세스 |
| 12.4 조달 종료<br>(Close Procurements) | C | 프로젝트에서 진행한 각각의 조달을 완료하는 프로세스 |

본격적인 조달관리 영역의 학습 전에 일반적인 조달 절차와 PMBOK의 12장 조달관리 프로세스들 간의 비교 그림을 보면 이해하기가 훨씬 수월할 것이다.

그림 12-1 ◆ 일반적 조달 절차와 PMBOK 조달 관리 프로세스 비교

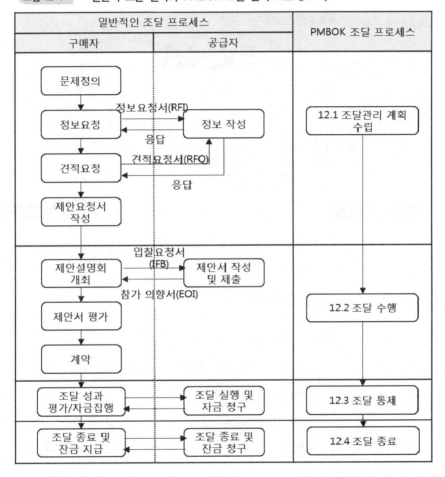

## 12.1 조달관리 계획수립(Plan Procurement Management)

조달관리 계획수립(Plan Procurement Management) 프로세스는 프로젝트에서 무엇을, 언제, 어떻게, 얼마나 외부로부터 구매하고 조달할 것인가를 계획하는 프로세스이다. 즉, 프로젝트의 구매조달에 대한 결정사항을 문서화하고 조달방식을 규정하여 잠재적인 판매자를 식별하는 프로세스이며 조달 계약 유형도 검토한다. 계약유형은 조직프로세스 자산으로 해당 프로젝트의

유형에 맞게 계약 유형을 결정하여야 한다.

조달관리 계획수립(Plan Procurement Management) 프로세스의 투입물, 도구 및 기법과 산출물은 다음과 같다.

그림 12-2 ◆ 조달관리 계획수립 프로세스의 ITTO

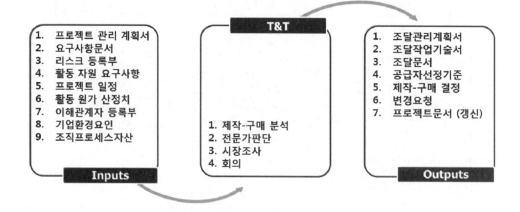

## 12.1.1 조달관리 계획수립 프로세스 투입물

### 1. 프로젝트 관리 계획서(Project Management Plan)

프로젝트에서 조달할 제품, 서비스 혹은 결과물은 범위 기준선에 기술되어 있으며, 원가 기준선은 조달할 제품이나 서비스의 전체적인 금액이 원가 기준선을 초과하는지 여부를 판단한다. 또한, 일정 기준선은 프로젝트 일정을 참고하여 조달할 물품이 언제까지 조달되어야 하는지를 판단하기 위해 참고한다. 그 외에도 품질관리 계획서, 리스크 관리 계획서, 변경관리 계획서, 및 형상관리 계획서를 참고한다.

프로젝트 팀은 프로젝트 기획단계에서 WBS를 통해 외부 조달할 물품이나 인력을 선정할 수 있다.

### 2. 요구사항문서(Requirements Documentation)

요구사항문서는 프로젝트의 다양한 요구사항에 대한 중요 정보와 보안, 성과, 환경, 보험, 지식 재산권 등에 포함될 수 있는 계약적 및 법적인 요구사항을 포함하고 있다. 고객에게 받은 그대로 판매자에게 전달을 해야 향후 범위 검수 시에 문제가 발생하지 않는다.

### 3. 리스크 등록부(Risk register)

리스크 등록부는 조달과 관련된 리스크 관련 내용을 포함하고 있다. 예를 들어, 리스크의 부정적 대응계획 중 전가(Transfer)를 위해 보증 보험을 체결할 수 있다. 혹시 리스크 등록부에 외부에서 조달할 것이 있는지 파악하기 위해 리스크 등록부를 참고한다.

### 4. 활동자원 요구사항(Activity resource requirements)

외부에서 제품이나 부품 등과 같은 것만 조달하는 것은 아니다. 프로젝트에서 필요한 특정한 기술이나 역량을 가진 인적자원도 필요하다. 즉, 아웃소싱 해야 할 인력자원에 대한 정보들이 활동자원 요구사항에 기록되어 있기 때문에 참고한다.

### 5. 프로젝트 일정(Project Schedule)

프로젝트 일정은 [6.6 일정개발] 프로세스의 결과로 나온 것으로 향후 외부 조달된 제품, 결과 및 서비스가 전체 프로젝트 일정에 맞게 적시에 조달이 되어야 한다. 일정에 맞지 않게 조달이 되면 장기 보관이나 일정 지연 및 폐기 등 문제가 발생될 수 있다.

### 6. 활동원가 산정치(activity cost estimates)

활동원가 산정치는 [7.2 원가산정]의 산출물로 내부적으로 산정한 원가이다. 향후 조달수행 시 판매자가 제시한 입찰 제안가격과 비교하여 판매자의 제안금액이 합리적인지 판단하는 자료로 사용된다. 만일 차이가 많이 날 경우 내부적인 원가산정에 문제가 있었는지, 제안금액이 터무니없이 높은 것인지 분석한다.

### 7. 이해관계자 등록부(Stakeholder Register)

이해관계자 등록부는 이해관계자 식별 프로세스의 산출물로 프로젝트에 영향을 주거나 영향을 받는 개인 또는 조직을 포함하고 있어 조달과 관련된 이해관계자를 파악할 수 있다. 특히, 조직 내부적으로 거래가 빈번했던 판매업체들을 미리 파악할 수 있다. 신뢰할 수 있는 업체들을 대상으로 정보요청서 혹은 견적요청서 등을 보낼 수 있다.

### 8. 기업 환경 요인(Enterprise environmental factors)

기업환경 요인은 시장 조건, 시장에서 이용 가능한 제품, 서비스, 결과에 관한 전형적 조건 (Terms and conditions) 등으로 기업에서는 내부적으로 생산할 것인지, 외부에서 조달할 것인지

영향을 받게 된다.

## 9. 조직 프로세스 자산(Organizational Process Assets)

조직 프로세스 자산은 조달관리 계획수립에 영향을 미치는 공식적인 조달정책 및 지침 혹은 조달관리 시스템 등을 의미한다.

---

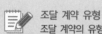 **조달 계약 유형**
조달 계약의 유형은 일반적으로 크게 3가지 유형으로 나눈다. 계약 유형(Contract Type)에는
(1) Fixed price or lump-sum contracts(고정가/총액 계약),
(2) Cost-reimbursable contracts(원가정산 계약)
(3) Time and material(T&M) contract(시간자재 계약) 등이 있다.
프로젝트 상황에 따라 최적의 계약을 하는 것이 중요하며, 한 프로젝트에서 다양한 계약방식이 존재할 수 있다. 이 3가지 계약의 내용을 차례로 알아보면 다음과 같다.

(1) Fixed Price Contract(고정가 계약)
일반적으로 고정가 계약은 구매자(Buyer)에게 유리한 계약이다. 고정가 계약도 내용에 따라 여러 가지 형태의 고정계약이 존재할 수 있다.
• Firm Fixed Price(FFP : 확정 고정가 계약)
일반적으로 많이 사용되는 형태로 조달할 제품에 대한 사양이 확정적이고 반복적인 작업 등에 사용되는 계약형태이다. 구매자가 유리한 계약형태로 고정 가격으로 합의하고, 판매자는 고정가격 계약 후 변동되는 범위, 일정 등에 따른 가격 리스크를 감수해야 한다.
예를 들어, 우리나라에서는 대다수의 계약이 금액을 미리 확정한 확정 고정가 계약을 많이 한다. 즉, XX공공기관의 시스템 통합 구축 사업을 이익을 남기던 손해를 보던 무조건 5억에 계약하는 방식이다.
• FPIF(Fixed Price Incentive Fee : 성과급 가산 고정가격)
확정 고정가 계약방식이 판매자에게 불리하므로 이에 대한 보완방식으로 고정가격이지만 인센티브가 추가된 계약방식이다. FPIF는 상한선 가격(Ceiling Price)이 결정된다.
예를 들어, 만약 상한선 가격이 $1,400,0000이라고 생각하자. 계약금액을 고정가격인 $1,000,0000로 계약하고, 프로젝트가 합의한 것보다 일찍 끝나면 인센티브로 $200,00을 추가로 인센티브로 지급하는 방식이다. 그러나 총 지급액인 고정가격과 인센티브를 포함하여 $1,400,000을 넘을 수는 없다.
• FP-EPA(Fixed Price Economic Price Adjustment : 경제적 가격조정 고정가격)
계약 시 환율 변동, 원자재 가격 변동 등의 불확실성이 존재할 때 가격을 조정하는 방식으로 조정 정도가 미리 결정되는 경우가 많다. 주로 원자재 비중이 높은 제품이나 고가의 수입부품 등에 많이 적용되는 계약방식으로 장기공급계약에 많이 사용된다.

(2) Cost Reimbursable(CR : 원가 정산)
일반적으로 판매자가 유리한 계약방식이다. 원가 정산 계약 시, 구매자는 원가 초과의 리스크를 감수하는 계약방식으로. 원가 정산의 일반적 형태는 CPFF, CPIF가 있다.
• Cost Plus Fixed Fee(CPFF : 고정 수수료 가산 원가 계약)
원가 보상 계약 중에서 가장 일반적인 형태로 구매자는 모든 원가를 판매자에게 지불하며, 수수료 또는 수익은 고정금액으로 하는 계약방식이다. 구매자가 모든 사용원가를 판매자에게 지불하므로 판매자는 비용사용에 제약을 갖지 않기 때문에 판매자에게 유리한 계약이다.
예를 들어, 구매자와 판매자간에 CPFF 방식으로 계약을 체결한 경우, 판매자가 조달 물품을 제작하는데 투입된 $500,000는 구매자가 판매자에게 그대로 지급하고, 고정된 수수료인 $50,000도 포함하여 총 $55,000을 판매자에게 지불하는 것이다.
• Cost Plus Incentive Fee(CPIF : 성과급 가산 원가 계약)
구매자는 모든 사용 원가와 합의된 수수료를 지불하고 별도로 인센티브를 지급하는 방식으로 판매자에게 유리하다. 작업의 일정 성과를 촉진시키기 위해 사용될 수 있다. 예를 들어, 구매자와 판매자가 CPIF 방식으로 계약을 체결하고 수수료는 $100,0000이며, 인센티브는 남은 원가에서 구매자가가 80%, 판매자가 20%를 가져가는 것으로 했다. 구매자는 목표 원가를 $1,000,000으로 잡았고, 실제로 판매자가 $900,000에 완료했다. 이 상황에서 구매자는 판매자에게 얼마를 주어야 되는가?

---

- 목표 원가 : $1,000,000
- 실제 원가 : $900,000
- 원가 보전 : $100,000($1,000,000 – $900,000)
- 인센티브 : $100,000 * 20% = $20,000 이다.

따라서 구매자는 판매자의 원가 $900,000, 수수료 $100,000 및 인센티브 $20,000인 총 $1,020,000을 주어야 한다.

(3) Time and Material(T&T or Unit Price : 시간 및 자재 계약)

　　Time and Material은 Hybrid 계약이라고 하는데, 그 이유는 사용하는 비용을 받는 것은 원가정산 방식이고, 시간 당 계약금액은 고정금액 방식이기 때문이다. 범위가 불확실하지만 먼저 일을 추진하고자 할 때 사용된다. 보통 소규모의 계약에 적용한다. 시간별 또는 항목별로 금액이 결정된다. 예를 들어, 경영 컨설턴트를 시간별로 $500에 계약하고, 그가 사용할 노트북도 시간당 $5에 계약하는 방식이다.

**Tips**

최근 시험 추세는 복잡한 계산 문제가 많이 출고 있다. 그러나 FPIF나 CPIF로 판매자에게 주어야 할 조달 비용을 계산하는 것을 꼭 알아두자.

 PTA(Point of Total Assumption)
　PTA는 판매자가 추가로 발생하는 원가에 대하여 책임을 지게 되는 시점이다.

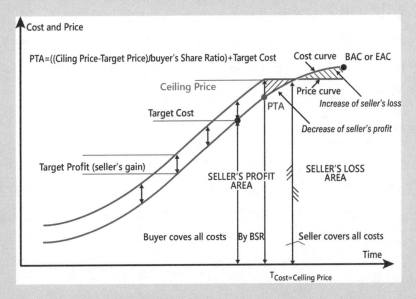

예를 들어, FPIF 계약에서 판매자는 고정된 원가를 받게 되는데 만일 전체 원가가 목표 비용보다 낮게 쓰였다면 남은 금액을 미리 합의만 계약 내용에 의해서 인센티브를 받게 된다. 하지만 원가를 초과했을 때에는 일정 비율에 의거하여 판매자도 얻게 되는 이익에서 추가 부담을 하게 된다. 이럴 경우 목표 가격은 고정되어 있고 이를 초과하는 시점에 놓이게 되는데 이를 PTA라고 한다. 이 경우를 정립하여 보면 다음의 공식을 도출해 낼 수 있다.

PTA = ((Ceiling Price – Target Price)/Buyer's share rate) + Target Cost

### 12.1.2 조달관리 계획수립 프로세스 도구 및 기법

**1. 제작 - 구매 분석(Make or buy analysis)**

조달관리 계획수립에서는 Make(자체 제작) 또는 Buy(구매)에 대한 결정을 하게 된다. 제품을 수행조직 내부에서 효율적으로 생산할 수 있는지 외부에서 조달할 것인지를 결정하기 위해 다음의 항목들을 검토한다.

- ◉ 직접 혹은 간접 원가(cost)
- ◉ 자체 공급능력(Productive use of in house capacity)
- ◉ 관리 업무수준(level of control requirement)
- ◉ 공급자의 가용능력(supplier availability)
- ◉ 만약, 제작-구매 결정에서 제작하는 것으로 확정되었다면 조달관리 계획서 작성부터 이하 프로세스는 수행할 필요가 없어진다.

**2. 전문가 판단(Expert Judgment)**

조달관리 계획을 완벽하게 작성하기 위해서는 정확한 제작-구매 판단이 이루어져야 한다. 판매자의 청약(offer) 또는 제안서(Proposal) 평가 기준을 판단하는데 있어 수행조직 내의 조달 전문가, 외부 컨설턴트, 전문가 협회 또는 기술협회 등의 도움을 받을 수 있다.

**3. 시장 조사(Market Research)**

프로젝트 관리자, 프로젝트 팀, 조달 팀들이 회의나 인터넷 검색 등을 통해 조달 대상 품목을 판매하는 업체의 평판이나 역량 및 기술수준 등의 정보를 수집하고 분석할 수 있다. 국내 조달청에서 운영하는 G2B사이트인 '나라장터'[1]나 인터넷 검색을 통해 다양한 시장조사를 수행할 수 있다.

**4. 회의(Meeting)**

조달관리 계획수립을 위해 전문가들과 회의를 진행할 수 있고, 또한 시장조사만을 통해 판매자들에 대한 정보 수집이 부족할 경우 직접 판매자들과 회의를 통해 필요한 정보를 수집할 수 있다.

---

[1] http://www.g2b.go.kr

## 12.1.3 조달관리 계획수립 프로세스 산출물

### 1. 조달관리 계획서(Procurement Management Plan)

조달관리 계획서에는 조달 문서 작성부터 조달 종료까지 조달 프로세스가 어떻게 관리될 것인지 기술하고 있으며 다음과 같은 많은 내용을 포함한다.

- 프로젝트에 적용될 계약 유형
- 평가기준으로서 독자적인 추정(견적)이 요구되는 경우 누가 언제까지 준비할 것인가?
- 또한 그 추정치에 대한 평가기준은 무엇인가?
- 수행 조직에 조달 담당 부서가 있는 경우, 프로젝트 관리 팀과의 역할 및 책임 분담
- 일정 및 성과보고 등과 같은 프로젝트의 기타 분야와 조달을 어떻게 조정할 것인가?
- 계획된 구매와 획득에 영향을 미치는 제약 사항과 가정들
- 필요한 리드 타임과 프로젝트 일정간의 조정
- 제작-구매 결정을 활동자원산정 및 일정 개발 프로세스와 연결
- 각 계약에 따른 산출물에 대하여 공급자의 납품 일정 통제 방법
- 공급자의 조달 성과에 대한 보상과 처벌 규정
- 공급자가 작업분류체계(WBS)를 작성하고 유지하기 위한 방향 지시
- 조달의 조기종료에 따른 절차와 규정

### 2. 조달 작업 기술서(Procurement Statement of work)

조달 작업 기술서는 잠재적 판매자가 조달 항목들을 공급할 수 있는지를 판단할 수 있을 만큼 최대한 상세하고, 명확하고, 완전하며, 간결하게 작성되어야 한다. 조달작업 기술서는 판매자가 납품하여야 할 제품, 서비스 또는 결과물에 대하여 기술하므로 시방서(Specifications), 수량, 품질 수준, 성능 데이터, 작업 기간, 작업 부하 및 기타 사항들이 포함된다.

### 3. 조달 문서(Procurement documents)

조달문서는 잠재적 판매자들에게 제안 요청을 하는데 사용되는 문서이다. 조달 문서의 종류에는 입찰 요청서(Invitation for Bid), 제안요청서(Request for proposal), 정보요청서(Request For Information), 견적요청서(Request for quotation) 등이 있다. 일반적으로 조달문서에는 다음 사항들이 포함된다.

◉ 제안에 필요한 정보 및 배경내용

◉ 잠재적인 판매자들을 공정하게 비교하기 위한 표준화된 제안서 작성 양식 등에 대한 설명

◉ 제안 평가 기준, 제안 가격 작성 양식

◉ 관련된 작업 기술서(SOW, Statement of Work)

◉ 관련 계약서 조항, 표준 계약서, 사후보증(유/무상 지원), 저작권 소유, 비밀보호 조항 등이 포함된다.

## 4. 공급자 선정 기준(Source Selection Criteria)

공급자 선정기준은 제안서에 등급 및 점수를 부여하는데 사용되는 객관적/주관적 기준으로 평가 기준은 일반적으로 조달문서(Procurement Document)에 포함된다.

| 평가 기준 | 평가방법 |
|---|---|
| 요구조건에 대한 판매자의 이해 | 판매자의 제안서를 통해 평가 |
| 전체 또는 생애주기 원가 | 어떤 판매자의 원가 총액(구매가격 및 운영원가)이 가장 적합한가? |
| 기술적인 능력 | 판매자가 필요한 기술과 지식을 갖추고 있거나, 갖출 수 있다는 합리적인 배경이 있는가? |
| 프로젝트 관리능력/방법론 | 판매자가 프로젝트의 성공을 보장하기 위한 관리 프로세스와 절차를 개발할 수 있는 능력이 있거나 그에 대한 합리적인 배경을 갖고 있는가? |
| 재무적인 능력 | 판매자가 필요한 재정 자원을 확보하고 있거나, 그에 대한 합리적인 배경이 있는가? |
| 생산능력과 의욕 | 판매자가 잠재적인 미래의 요구사항을 충족시킬 능력과 의욕을 가지고 있는가? |
| 사업규모와 유형 | 판매자가 특정 유형 또는 사업규모를 갖추고 있는가? |
| 구축 경험 | 판매자가 기존에 구축한 고객으로부터 구축 경험에 대한 보증을 받을 수 있는가? |
| (지식)재산권 | 판매자가 작업 프로세스, 서비스 또는 최종 생산제품에 대한(지식)재산권을 요구하는가? |

## 5. 제작 - 구매 결정(Make-or-buy Decisions)

제작 또는 구매결정(Make-or-buy Decisions)들은 어떤 프로젝트 제품, 서비스 혹은 결과물을 자체 제작 혹은 외부에서 획득할 것인지를 결정한 문서로 조달관리 계획수립 프로세스에서 결정된다.

## 6. 변경 요청(Requested Changes)

변경 요청은 구매와 조달관리 계획수립 프로세스 수행 시 반영해야 할 변경들로 수시로 제작 및 구매 결정이 바뀔 수 있다. 조달 관리 계획은 계약과 관련된 준비이므로 계약조항과 관련하여 수시로 변경이 이루어진다. 또한, 판매자의 정보 요청에 따른 답변서나 견적에 의해 조달

문서들이 변경될 수 있다.

## 7. 프로젝트 문서 갱신(Project Documents updates)

조달관리 계획서를 작성하면서 요구사항 문서, 요구사항 추적 매트릭스, 리스크 등록부 등의 다양한 프로젝트 문서가 갱신될 수 있다.

[12.1 조달관리 계획수립] 프로세스는 외부에서 조달할 물품에 대한 조달관리 계획서를 작성하는 프로세스이다. 즉, 제안요청서를 작성하여 잠재적인 판매자들이 입찰하도록 유도하기 위한 "준비"를 하는 프로세스이다.

그림 12-3 ◆ 조달관리 계획수립의 투입물 흐름도

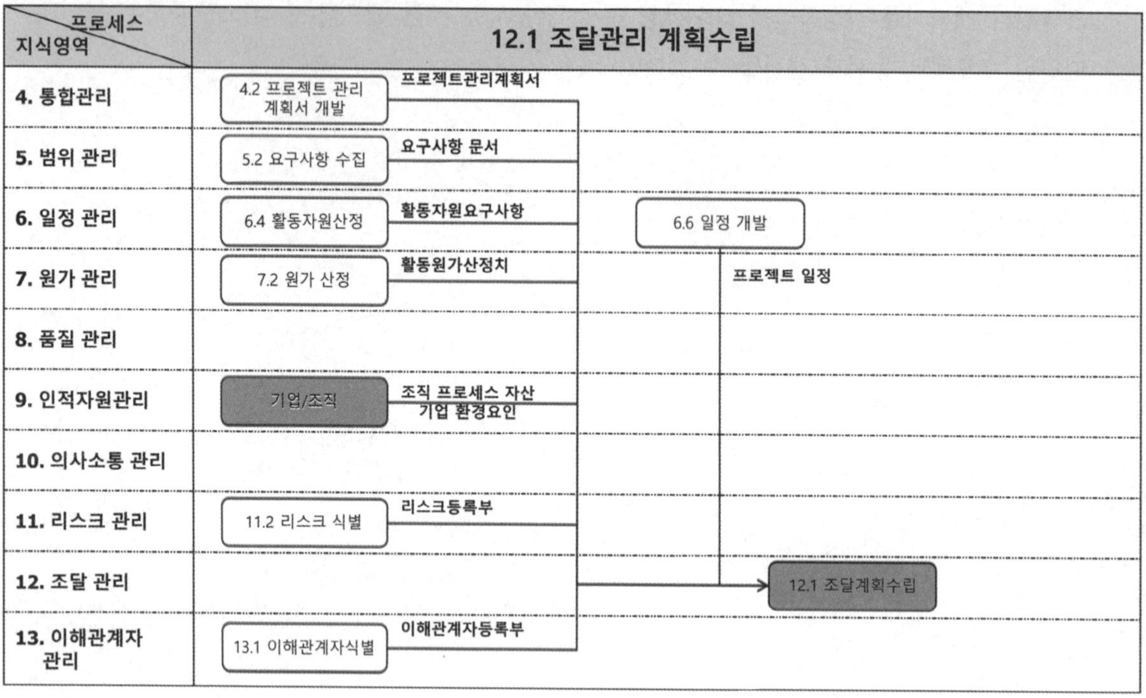

| 프로세스<br>지식영역 | 12.1 조달관리 계획수립 | | |
|---|---|---|---|
| 4. 통합관리 | 4.2 프로젝트 관리<br>계획서 개발 | 프로젝트관리계획서 | |
| 5. 범위 관리 | 5.2 요구사항 수집 | 요구사항 문서 | |
| 6. 일정 관리 | 6.4 활동자원산정 | 활동자원요구사항 | 6.6 일정 개발 |
| 7. 원가 관리 | 7.2 원가 산정 | 활동원가산정치 | 프로젝트 일정 |
| 8. 품질 관리 | | | |
| 9. 인적자원관리 | 기업/조직 | 조직 프로세스 자산<br>기업 환경요인 | |
| 10. 의사소통 관리 | | | |
| 11. 리스크 관리 | 11.2 리스크 식별 | 리스크등록부 | |
| 12. 조달 관리 | | | 12.1 조달계획수립 |
| 13. 이해관계자<br>관리 | 13.1 이해관계자식별 | 이해관계자등록부 | |

434

[12.1 조달관리 계획수립 프로세스의 최종적인 산출물은 조달관리 계획서, 조달 작업 기술서, 공급업체선정기준과 조달문서이다. 이러한 산출물들이 어떤 프로세스의 투입물로 사용되는지 살펴보자.

**그림 12-4** ◆ 조달관리 계획수립 프로세스의 산출물 흐름도

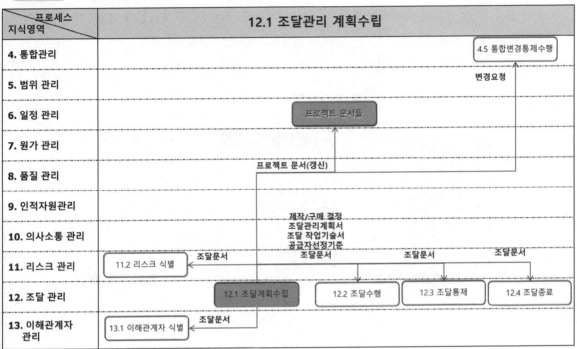

## 12.2 조달수행(Conduct Procurements)

조달수행 프로세스는 조달관리 계획서에 따라 입찰자 회의를 개최하고 잠재적 판매자들에게 조달 물품, 조달 절차와 계약방식 등을 설명하고 제안에 참여하도록 독려한다. 또한, 제출된 제안서를 공급자 선정기준에 의해 선정한 후 협약을 체결하는 프로세스이다.

조달 수행 프로세스의 투입물, 도구 및 기법과 산출물은 다음과 같다.

그림 12-5 ◆ 조달수행 프로세스의 ITTO

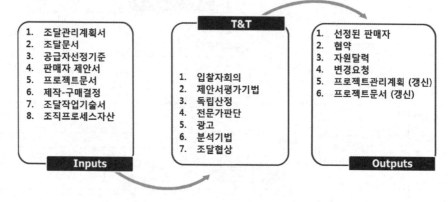

### 12.2.1 조달 수행 프로세스 투입물

**1. 프로젝트 관리 계획서(Project Management Plan)**

특정한 날에 입찰자 회의를 진행하고, 정해진 날짜까지 잠재적 판매자들의 제안서를 받아 최종 판매자를 선정하기 위해 조달관리 계획서를 참고한다. 또한, 협약을 진행하면서 범위, 일정, 및 원가 등을 참고하기 위해 프로젝트 관리 계획서를 참고한다. 범위, 일정, 원가, 품질 등의 계획서가 변경될 수 있기 때문에 변경관리 계획서, 형상관리 계획서 등을 참고한다.

**2. 조달문서(Procurement Documents)**

조달문서는 조달감사와 추적방법을 제공하며 잠재적 판매자들이 제안(Proposal) 요청을 하는데 사용되는 문서이다. 입찰자 회의를 하기 위해 입찰 요청서, 제안요청서 등을 잠재적 판매자에게 송부하여 입찰자 회의에 참석을 요청하거나 제안에 참여하도록 독려할 수 있다.

**3. 공급자선정기준(Source Selection Criteria)**

조달 수행은 프로젝트에 필요한 물품, 인적자원을 제공할 판매자를 선정하여 협약을 체결해야 하기 때문에 그들이 제출한 판매자 제안서를 객관적인 공급자선정기준을 토대로 평가해야 한다.

### 4. 판매자 제안서(Seller Proposals)

판매자의 제안서는 잠재적인 판매자들이 조달작업 기술서나 조달문서 등을 통해 조달해야 할 물품, 서비스 등에 대해 정확하게 이해하였는지를 판단할 수 있는 문서이다. 따라서 판매자의 제안서를 공급자선정기준에 의해 객관적으로 평가한다. 일반적으로 제안서의 목차, 평가방법 및 배점은 제안요청서에 포함되어 있다.

### 5. 프로젝트 문서(Project Documents)

조달해야 할 물품, 서비스 등이 누락된 것은 없는지 등을 확인한다. 특히, 요구사항 문서를 참고하여 빠진 것이 있는지 확인할 수 있다.

### 6. 제작-구매 결정(Make-or-buy Decisions)

제품, 서비스 혹은 결과물을 자체 제작 혹은 외부에서 획득할 것인지를 결정한 문서이므로 참고한다.

### 7. 조달 작업기술서(Procurement Statement of work)

조달할 물품이나 인적자원의 정확한 규격, 수량, 품질수준, 성과자료, 성과주기, 작업위치 등이 기술되어 있다. 따라서 잠재적 판매자들의 제안서는 조달 작업기술서를 기반으로 평가한다.

### 8. 조직 프로세스 자산(Organizational Process Assets)

자격을 갖춘 판매자 리스트, 과거에 경험한 판매자 등의 정보가 포함된 조직 프로세스 자산이 조달 수행에 영향을 줄 수 있다.

## 12.2.2 조달수행 프로세스 도구 및 기법

### 1. 입찰자 회의(Bidder Conferences)

제안서 작성 전에 잠재적 판매자들과 갖는 회의로 모든 잠재적 판매자들이 조달에 대해 분명하고 공통된 이해를 얻도록 보증하는 것이 입찰자 회의의 목적이다. 유사한 용어로는

Contractor conferences, vendor conferences, pre-bid conferences 등이 있다.

## 2. 제안서 평가 기법(Proposal evaluation techniques)

제안서 평가기준에는 주관적, 객관적인 부분이 모두 포함된다. 제안서 평가 기법으로 전자적인 제안평가 시스템을 채택할 수 있으며, 판매자 등급 시스템을 거쳐 만들어진 데이터를 이용할 수도 있다. 또한, 제안서 평가에 대한 내용은 제안 요청서에 명확하게 기술되어야 향후 평가 결과에 대한 입찰자들의 분쟁 발생을 사전에 방지할 수 있다.

## 3. 독립 산정(Independent estimates)

구매자는 판매자가 구매 대상 업무나 제품 혹은 서비스에 대해 정확하게 이해하였는지 평가하기 위하여 구매 조직에서 사전에 독립적으로 가격을 추정하여 차이가 큰 업체를 제외한다. 금액차이가 큰 경우는 판매자가 조달 작업기술서를 잘못 이해하였거나 제안요청서(RFP)를 오해하여 발생할 수도 있으므로 상호 확인하는 것이 중요하다. 특히, 독립산정을 위한 기초 자료는 [7.2 원가 산정] 프로세스의 산출물인 '활동 원가 추정치(Activity cost estimate)'를 기초로 한다.

## 4. 전문가 판단(Expert Judgment)

제안된 판매자 제안서를 계약, 법률, 재무, 회계, 연구, 개발, 영업, 생산 등 기능 부서의 전문 지식을 가진 전문가들과 함께 검토하는 것이 좋다.

## 5. 광고(Advertizing)

신문이나 텔레비전 등과 같은 매체를 통해 홍보하면 잠재적 판매자들이 늘어날 수 있다. 일부 공공기관의 조달은 법률적으로 광고를 반드시 해야 한다. 조달청은 나라장터라는 시스템을 이용하여 조달에 대한 모든 제안 요청을 관리하고 있다.

## 6. 분석 기법(Analytical Techniques)

제안서 평가, 독립산정 등을 전문가들과 함께 검토하는 동시에, 잠재적 판매자들의 제안 내용을 통해 프로젝트의 범위, 품질, 일정, 원가가 만족될 수 있는지 분석한다. 또한, 프로젝트의 특성에 따라 판매자의 제안내용에 리스크는 없는지 분석한다.

## 7. 조달 협상(Procurement negotiations)

최종적으로 계약서에 서명하기 전에 계약의 구조와 요구조건을 상호간에 합의하는 것이다. 최

종 계약서에는 도출된 모든 합의 사항들이 반영되어야 한다. 조달 협상을 통해 조달의 범위, 일정, 원가 및 품질 등의 다양한 문서들이 변경될 수 있다. 협상의 주요 대상은 다음과 같다.

◎ 책임, 권한, 적용 법률 및 조항, 기술, 관리 접근 방법
◎ 기술적인 솔루션, 계약자금 조달방법
◎ 일정, 가격 등

## 12.2.3 조달수행 프로세스 산출물

### 1. 선정된 판매자(Selected Sellers)

제안서/입찰 평가 결과 우수업체로 판단되는 판매자로 계약서 초안으로 협상 후 실제 계약으로 이어지는 판매자를 말한다. 우리나라에서는 '우선 협상 대상자'라고 부르기도 한다.

### 2. 협약(Agreements)

협약을 체결하면서 다음과 같은 항목을 정의한다.

◎ 인도물, 일정 기준선
◎ 성과 보고의 주기와 방법, 이행기간
◎ 역할과 책임, 판매자의 이행장소, 가격, 지급조건, 인도장소
◎ 검사 및 인수기준
◎ 보증보험
◎ 분쟁 발생시 관할 조정 법원 및 절차 혹은 대안적 분쟁해결 방법(ADR) 등

### 3. 자원 달력(Resource calendar)

선정된 판매자와 협약을 체결하면 조달 물품 혹은 인적 자원들을 협약에 따라 언제까지 어디에 납품한다는 정보를 자원 달력에 기록한다.

### 4. 변경 요청(Change request)

구매자와 판매자간의 조달 협상 과정에서 프로젝트 관리 계획서, 프로젝트 문서 등이 변경될 수 있다.

### 5. 프로젝트 관리 계획서 갱신(Project management plan updates)

변경 요청에 의해 범위 기준선, 일정 기준선, 조달관리계획서 등의 프로젝트 관리 계획서가 갱신될 수 있다.

### 6. 프로젝트 문서 갱신(Project documents updates)

변경요청에 의해 요구사항문서, 요구사항 추적서, 리스크 등록부, 자원달력 등의 프로젝트 문서가 갱신될 수 있다.

조달수행 프로세스는 판매자의 제안서를 조달관리 계획서 및 선정기준에 의해 객관적으로 평가하고 협약을 체결하는 프로세스이다.

**그림 12-6** ◆ 조달 수행 프로세스의 투입물 프로세스 흐름도

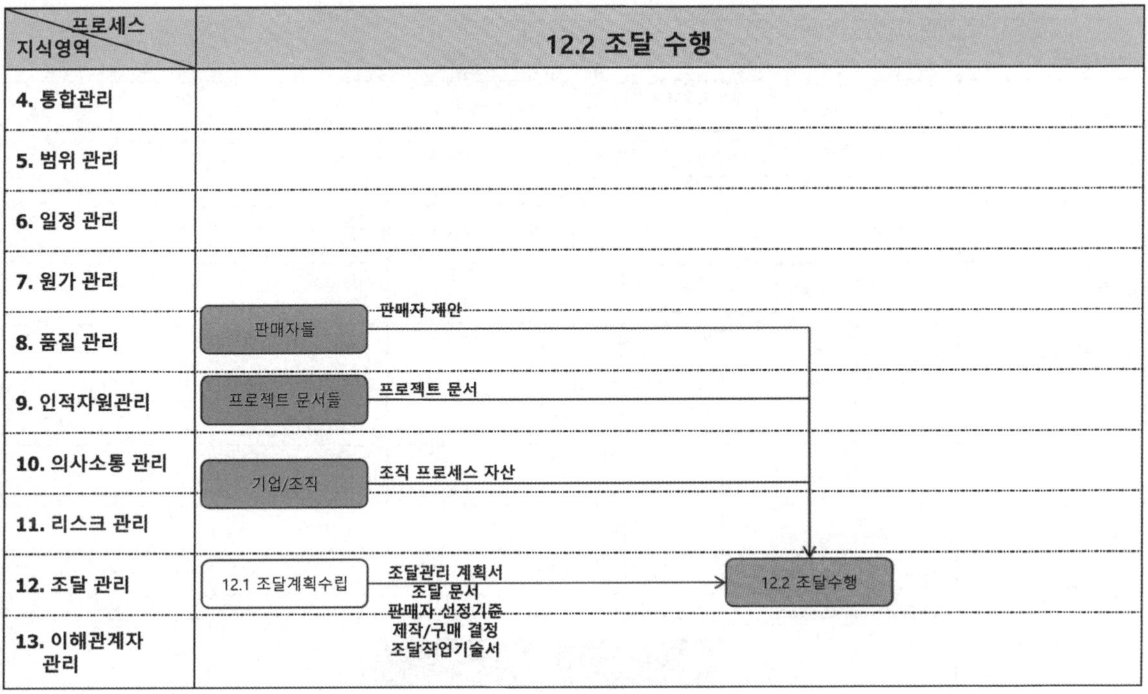

| 프로세스<br>지식영역 | 12.2 조달 수행 |
|---|---|
| **4. 통합관리** | |
| **5. 범위 관리** | |
| **6. 일정 관리** | |
| **7. 원가 관리** | |
| **8. 품질 관리** | 판매자들 ─ 판매자 제안 |
| **9. 인적자원관리** | 프로젝트 문서들 ─ 프로젝트 문서 |
| **10. 의사소통 관리** | 기업/조직 ─ 조직 프로세스 자산 |
| **11. 리스크 관리** | |
| **12. 조달 관리** | 12.1 조달계획수립 ─ 조달관리 계획서 / 조달 문서 / 판매자 선정기준 → 12.2 조달수행 |
| **13. 이해관계자 관리** | 제작/구매 결정 / 조달작업기술서 |

[12.2 조달 수행]의 주요 결과물인 선정된 판매자와의 조달 협상을 통해 협약을 체결한다. 이러한 조달협상을 통해 다양한 프로젝트 관리 계획서 및 프로젝트 문서가 변경될 수 있다.

**그림 12-7** ◆ 조달 수행 프로세스의 산출물 프로세스 흐름도

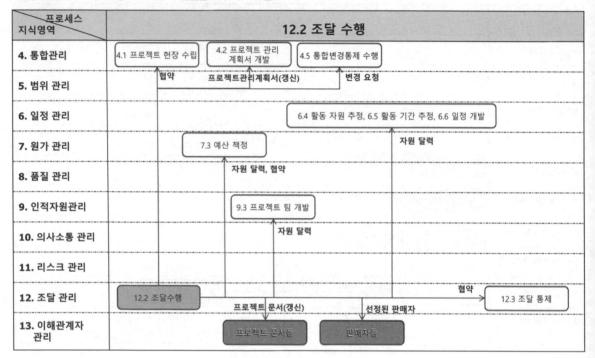

## 12.3 조달 통제(Control Procurements)

조달 통제 프로세스는 조달 관계를 관리하고 계약의 이행 성과를 감시하며 필요시 조달 계약이나 조달절차 등 조달과 관련된 다양한 사항을 변경하는 프로세스이다. 구매자와 판매자 간의 관계를 관리하는 부분이며 주로 구매자가 판매자를 통제하는 개념의 프로세스이다. 판매자의 조달성과가 계획한대로 나오지 않으면 협약에 기술한 절차와 방법을 통해 판매자를 통제(인센티브 혹은 패널티 등)한다.

조달은 프로젝트 팀 내부가 아닌 프로젝트 팀 외부에서 일어나기 때문에 다음과 같은 프로젝트 관리 프로세스에서 함께 검토함으로써 통합 관리가 되어야 한다.

- ◉ [4.3 프로젝트 작업지시 및 관리] : 적절한 시점에서 판매자의 조달 작업을 지시하고 승인
- ◉ [8.3 품질통제] : 판매자가 납품한 제품, 서비스 혹은 결과물에 대한 품질 검사
- ◉ [4.4 프로젝트 작업감시 및 통제] : 판매자로부터 작업성과보고서를 받아 검토하고, 프로젝트 관리 계획에 맞추어 진척되는지 감시하고 통제
- ◉ [4.5 통합변경통제 수행] : 변경요청을 적절히 승인하고 변경의 확인을 통해 해당 내용을 관련 이해관계자에게 통보
- ◉ [11.6 리스크 통제] : 조달 수행과정에서의 리스크 발생 여부 식별, 리스크 완화 활동 수행

조달 통제 프로세스의 투입물, 도구 및 기법과 산출물은 다음과 같다.

**그림 12-8** ◆ 조달통제 프로세스의 ITTO

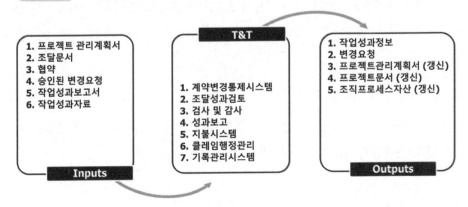

### 12.3.1 조달통제 프로세스 투입물

**1. 프로젝트 관리 계획서(Project Management Plan)**

프로젝트 관리 계획서에는 조달문서 작성부터 계약 종료에 이르는 조달 프로세스 관리절차가 기술된 조달관리 계획서, 변경에 대한 절차와 형상 관리에 대한 변경관리 계획서와 형상관리 계획서를 참고한다. 또한, 조달 수행이 일정 기준선과 원가 기준선에 따라 진행되고 있는지 검토하여 판매자의 성과를 통제해야 한다.

**2. 조달문서(Procurement documents)**

조달에 대한 협약과 조달 작업 기술서 등이 조달 통제에 필요한 문서이다.

**3. 협약(Agreements)**

협약은 구매자와 판매자간의 합의 사항이므로 조달 수행이 계획대로 진행되고 있는지 확인하기 위해 참고한다.

**4. 승인된 변경 요청(Approved Change requests)**

변경요청으로 조달 물품, 문서 등에 대한 변경요청이 승인된 변경요청대로 이루어졌는지 확인하기 위해 참고한다. 승인된 변경요청으로 계약서 조항, 가격, 작업 기술서, 제공될 제품/서비스/결과물에 대한 계약 조항 등이다.

**5. 작업성과 보고서(Work Performance reports)**

판매자는 조달 수행의 결과를 협약한 바에 따라 주기적으로 작업성과 보고서로 작성하여 구매자에게 제출해야 한다. 구매자는 판매자의 작업성과 보고서를 토대로 전체 프로젝트 관리 계획서에서 계획한대로 조달이 수행되고 있으며, 추후 프로젝트의 일정에 리스크는 없는지 검토하게 된다.

**6. 작업 성과 자료(Work Performance Data)**

작업성과자료는 완성된 인도물과 그렇지 않은 인도물은 무엇인지를 기술하며, 품질 표준이 충족된 정도, 발생원가, 판매자의 대금청구 등에 대한 정보 등이 기술된다.

## 12.3.2 조달통제 프로세스 도구 및 기법

### 1. 계약 변경통제 시스템(Contract change control system)

계약 변경통제 시스템은 협약의 개별 항목을 변경할 수 있는 시스템이다. 문서작업, 계약 변경 추적시스템, 변경 프로세스, 변경에 대한 승인 등의 기능이 포함되어 통합 변경통제 시스템에 통합된다.

### 2. 조달 성과 검토(Procurement performance review)

구매자는 계약 내용과 비교하여 판매자가 주어진 비용과 일정 내에서 프로젝트 범위, 품질을 제공하는지 작업성과보고서 및 작업성과자료를 통해 검토한다. 판매자가 작성한 문서에 대한 검토, 납품한 인도물에 대한 구매자의 검사, 품질검토 등이 포함된다.

### 3. 검사 및 감사(Inspection and audits)

검사 및 감사는 계약서에 기술된 내용에 따라 구매자의 요구에 판매자가 지원을 제대로 하고 있는지 여부 확인 및 판매자의 작업 프로세스 또는 인도물 상의 결함을 찾아내는데 목적이 있다.

### 4. 성과 보고(Performance reporting)

판매자가 제출한 작업성과자료 및 작업성과보고서를 토대로 프로젝트 관리 계획서와 비교하여 성과의 차이를 경영진에게 보고한다. 또한, 판매자의 성과 분석을 위해 판매자의 계획과 실적을 분석한다.

### 5. 지불 시스템(Payment system)

계약조건에 따라 판매자의 성과가 협약한 대로 진행되고 납품한 인도물 또한 납기내에 원하는 품질 수준으로 제공되었다면 계약 조건에 따라 지불 시스템을 통해 납품 대금을 지불한다.

## 6. 클레임 행정(Claims Administration)

만약 납품된 인도물에 대해 구매자와 판매자간에 만족스럽지 않을 경우에는, 클레임이나 분쟁 또는 항의를 통해 이의를 제기한다. 이러한 클레임의 처리도 협약서에 정의한 절차와 방법에 따라 진행한다. 마지막까지도 분쟁이 해결되지 않을 경우에는 소송을 통해 해결해야 한다. 법률적인 소송의 경우에는 구매자와 판매자간 막대한 자금과 시간이 소모되기 때문에, 법적인 소송으로 가기 전에 대안적 분쟁해결(ADR, Alternative Dispute Resolution)을 통해 해결하는 것을 추천한다.

**대안적 분쟁 해결**(ADR, Alternative Dispute Resolution)

법원의 소송에 의하지 않고 법원 외의 공정하고 중립적인 제 3의 조정자로 하여금 분쟁을 해결하도록 하는 소송 외적 분쟁해결 제도이다. 소송 비용과 시간을 절약할 수 있기 때문에 분쟁 당사자에게 유익한 제도이다. 이 제도의 유형에는 크게 조정(Mediation)과 중재(Arbitration)가 있다. 조정과 중재는 제 3의 조정 또는 중재자의 합의 결정에 구속력의 유무에 따라 구분된다. 최근에는 컴퓨터를 통해 입찰과 유사한 방식으로 분쟁(주로 금전적 분쟁) 당사자 간 자동 합의가 이루어지는 새로운 방식이 등장하였다.

**조정**(Mediation) : 중재 재판관과 중재법률을 모두 계약으로 체결하고, 중재 계약에 의해 분쟁을 해결. 양 당사자가 합의하여 선정한 제 3자가 재판을 하며 국가의 법률이 아닌 양 당사자가 합의한 근거 규범으로 재판함.
**중재**(Arbitration) : 법원의 판결이 아닌 조정위원의 권고에 의해 양 당사자가 합의로서 해결하는 자주적 분쟁해결
**협상**(Negotiation) : 분쟁의 당사자들이 상호간의 합의를 통해 해결하는 것.

**출처** 시사경제용어사전, 네이버 지식백과

## 7. 기록관리 시스템(Records Management System)

기록관리 시스템은 프로젝트 관리자가 조달에 관련된 조달문서, 협약 내용, 조달성과, 분쟁 내용 및 해결 사항 등 모든 사항들을 기록하고 관리하는 시스템이다. 일반적으로 프로젝트 관리 정보 시스템을 기록관리 시스템으로 사용하기도 한다.

### 12.3.3 조달통제 프로세스 산출물

## 1. 작업 성과 정보(Work Performance Information)

446

작업 성과 정보는 판매자의 조달성과에 대한 계획과 실적을 비교하여 향후 조달 진행이 어떠할 것인지에 대한 예측 정보까지 기술한다. 작업 성과 보고서를 통해 전체 프로젝트의 일정, 원가 및 리스크에 대한 예측이 가능할 수 있다.

## 2. 변경 요청(Change Requests)

조달에 대한 진행을 관리하고 통제하면 조달에 대한 성과로 인해 프로젝트 관리 계획서나 프로젝트 일정, 조달 관리 계획서와 같은 문서에 대한 변경 요구가 발생할 수 있다. 즉, 예를 들어, 초기에는 조달에 대한 계약을 확정 고정가 방식으로 하였으나, 리스크의 긍정적 대응을 위해 조달 계약 방식을 원가정산 방식으로 변경하는 활용(Exploit) 전략을 사용할 수 있다.

## 3. 프로젝트 관리 계획서 갱신(Project Management Plan updates)

조달 작업 성과에 따라 프로젝트의 일정, 원가, 리스크 및 조달 관리 계획서가 변경될 수 있다.

## 4. 프로젝트 문서 갱신(Project Documents updates)

조달 통제를 통해 조달 문서가 변경될 수 있다. 특히, 작업성과보고서, 작업성과자료, 협약 등의 다양한 프로젝트 문서가 갱신될 수 있다.

## 5. 조직 프로세스 자산 갱신(Organizational Process assets updates)

조직 프로세스 자산으로 공문 등 주요 문서가 갱신될 수 있다. 공문은 구매자/판매자간 의사소통의 측정 측면에 대해서 공식화된 문서이다. 판매자가 프로젝트 작업을 얼마나 잘 수행하였는지에 대한 내용을 구매자가 작성하여 향후 프로젝트 참여 허용 여부를 결정하는 판매자 성과 평가 문서도 갱신된다. 또한, 조달 수행 혹은 분쟁 해결에 대한 교훈 사항도 수집하고 분석하여 갱신할 수 있다.

조달통제 프로세스는 조달에 대한 계획인 프로젝트 관리 계획서, 조달문서, 협약과 실적 정보인 작업성과 보고서 및 작업성과자료를 비교함으로써 조달의 성과를 감시하고 통제한다.

그림 12-9 ◆ 조달통제 프로세스의 투입물 흐름도

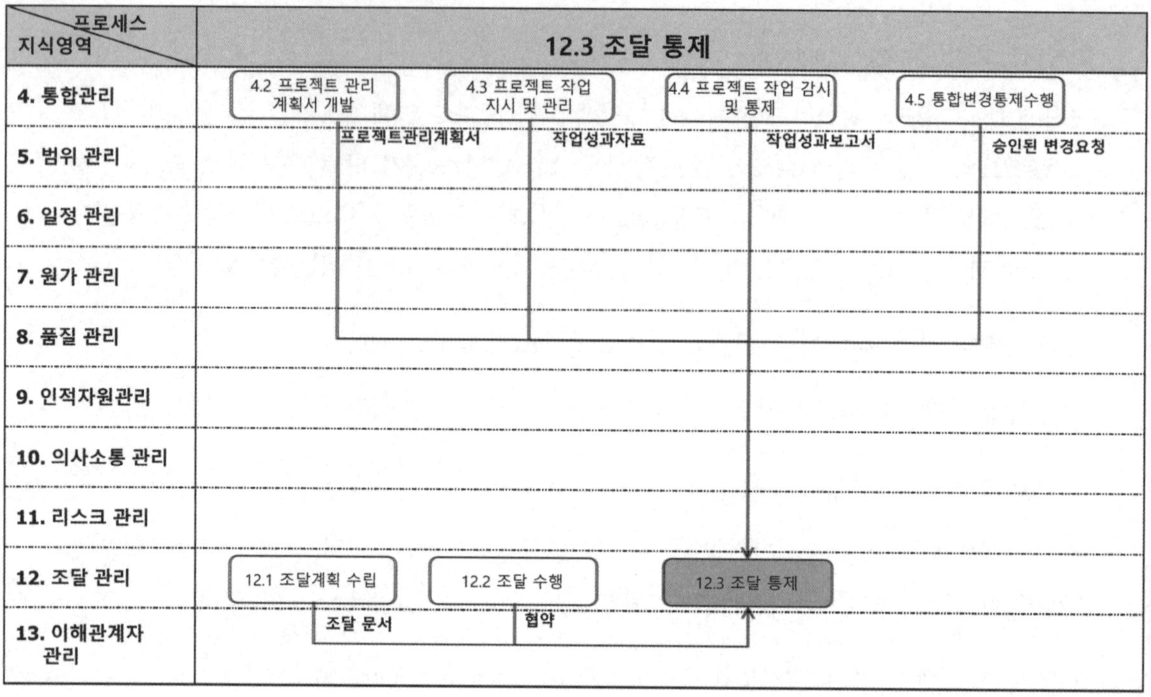

| 프로세스 / 지식영역 | 12.3 조달 통제 | | | |
|---|---|---|---|---|
| **4. 통합관리** | 4.2 프로젝트 관리 계획서 개발 | 4.3 프로젝트 작업 지시 및 관리 | 4.4 프로젝트 작업 감시 및 통제 | 4.5 통합변경통제수행 |
| **5. 범위 관리** | 프로젝트관리계획서 | 작업성과자료 | 작업성과보고서 | 승인된 변경요청 |
| **6. 일정 관리** | | | | |
| **7. 원가 관리** | | | | |
| **8. 품질 관리** | | | | |
| **9. 인적자원관리** | | | | |
| **10. 의사소통 관리** | | | | |
| **11. 리스크 관리** | | | | |
| **12. 조달 관리** | 12.1 조달계획 수립 | 12.2 조달 수행 | 12.3 조달 통제 | |
| **13. 이해관계자 관리** | 조달 문서 | 협약 | | |

448

그 결과로 작업성과정보를 작성하고 이를 [4.4 프로젝트 감시 및 통제] 프로세스로 전달하여 프로젝트의 전체적인 작업성과 보고서를 작성한다.

그림 12-10 ◆ 조달통제 프로세스의 산출물 흐름도

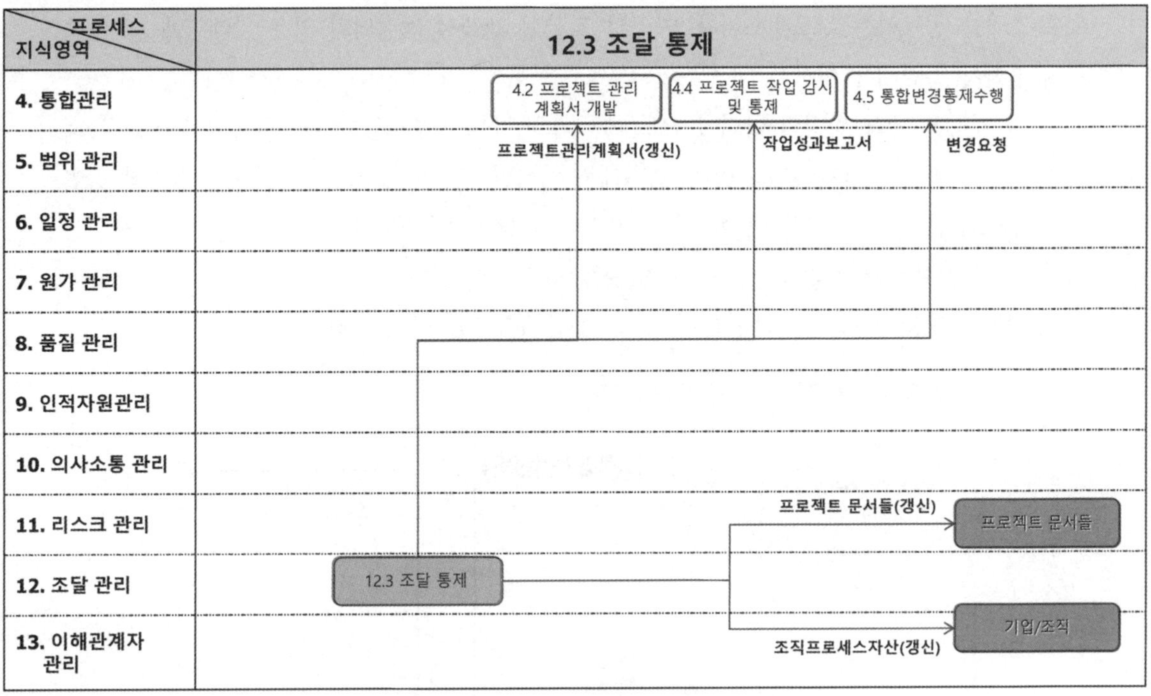

| 프로세스 지식영역 | 12.3 조달 통제 | | |
|---|---|---|---|
| **4. 통합관리** | 4.2 프로젝트 관리 계획서 개발 | 4.4 프로젝트 작업 감시 및 통제 | 4.5 통합변경통제수행 |
| **5. 범위 관리** | 프로젝트관리계획서(갱신) | 작업성과보고서 | 변경요청 |
| **6. 일정 관리** | | | |
| **7. 원가 관리** | | | |
| **8. 품질 관리** | | | |
| **9. 인적자원관리** | | | |
| **10. 의사소통 관리** | | | |
| **11. 리스크 관리** | | 프로젝트 문서들(갱신) | 프로젝트 문서들 |
| **12. 조달 관리** | 12.3 조달 통제 | | |
| **13. 이해관계자 관리** | | 조직프로세스자산(갱신) | 기업/조직 |

## 12.4 조달 종료(Close Procurements)

조달종료 프로세스는 판매자의 작업 결과가 계약내용 대로 이행되었는지 최종 검토 후 공식적으로 조달을 종료하는 프로세스이다. 따라서 조달 통제에서 해결되지 않은 클레임에 대한 종료 여부까지 확인해야 한다.

조달 계약은 계약 쌍방의 합의나 어느 한쪽의 계약 불이행 혹은 조달 물품의 불필요 등의 사유에 의해 조기 해지가 될 수 있다. 협약에는 이러한 조달의 조기 종료에 대한 절차와 방법에 대해서도 명시해야 한다. 조달에 대한 실제 납품여부나 산출물에 대한 확인은 이미 끝난 상태에서 행정적으로만 조달을 종료하는 것으로 이해할 수 있다.

조달종료 프로세스의 투입물, 도구 및 기법과 산출물은 다음과 같다.

그림 12-11 ◆ 조달종료 프로세스의 ITTO

| Inputs | T&T | Outputs |
|--------|-----|---------|
| 1. 프로젝트관리계획서<br>2. 조달문서 | 1. 조달감사<br>2. 조달협상<br>3. 기록관리시스템 | 1. 종료된 조달<br>2. 조직프로세스자산 (갱신) |

### 12.4.1 조달종료 프로세스 투입물

**1. 프로젝트 관리 계획서(Project Management Plan)**

조달 수행이 협약대로 이루어졌는지 최종적으로 확인해야 하기 때문에 일정 기준선, 원가 기준선 및 조달 종료에 대한 세부사항이 기술된 조달관리 계획서를 참고한다.

**2. 조달 문서(Procurement documentation)**

계약 종료를 위해서는 조달과 관련된 문서를 수집하고 정리한 뒤 시스템에 보관해야 한다. 조달과 관련된 문서로는 제안요청서, 제안서, 계약 변경 서류, 지급 기록, 인도물 검사 결과, 조달 성과와 관련된 각종 보고서 등이 포함된다. 이 문서들을 기록관리 시스템에 저장한다.

## 12.4.2 조달종료 프로세스 도구 및 기법

### 1. 조달 감사(Procurement Audit)

조달 감사는 조달 계획부터 조달 통제까지의 조달 프로세스가 계획한대로 체계적인 절차와 규정에 따라 진행되었는지 검토하는 것이다. 조달 감사의 목적은 해당 프로젝트의 조달에 대한 성공과 실패 및 그 이유와 모범사례를 식별하여 조직내에 배포하는 것이다. 물론, 이때도 교훈사항을 수집하여 저장하고 배포해야 한다.

### 2. 조달 협상(Procurement Negotiation)

조달협상의 주된 목표는 해결되지 않은 모든 미결된 문제점, 클레임, 분쟁을 협상에 의하여 최종적으로 해결하는 것이며 직접 협상에 의한 해결이 안 되는 경우에는 중재(Arbitration)를 활용할 수 있다, 법정소송은 최후의 방안이다.

### 3. 기록관리 시스템(Records Management System)

기록관리 시스템을 통해 조달과 관련된 모든 문서와 내용을 기록한다.

## 12.4.3 조달종료 프로세스 산출물

### 1. 종료된 조달(Closed Procurements)

구매자는 조달 감사와 조달 협상을 통해 조달 종료 조건이 충족된다면 조달관리 계획서 상의 조달종료 절차에 따라 판매자에게 조달계약이 종료되었다는 사실을 문서로 공식 통보한다.

### 2. 조직 프로세스 자산 갱신(Organizational Process Assets Updates)

다음과 같은 것들이 갱신된다.

- **계약 파일(Contract file)** : 최종 프로젝트 기록에 포함시킬 색인화된 완전한 계약 문서의 집합이 준비되어야 한다.
- **인도물 승인(Deliverables acceptance)** : 일반적으로 산출물의 공식 승인에 대한 기준과 승인이 기각된 산출물에 대한 처리 기준은 계약서에 정의되어 있다.
- **교훈의 문서화(Lessons Learned documentation)** : 교훈은 기업의 경쟁력이다. 추후의 조달 계획과 수행을 위하여 교훈에 대한 분석과 프로세스 개선에 대한 권고안이 잘 작성되고

유지되어야 한다.

 심화학습

### 조달 종료와 프로젝트 종료의 차이점

| 구분 | 조달 종료 | 프로젝트 종료 |
| --- | --- | --- |
| 시점 | 조달 종료 시 계약 해제 | 프로젝트 혹은 프로젝트 단계 종료 시 |
| 공통점 | 제품 검증, 행정적인 처리 | – |
| 주요 인도물 | –종결된 계약<br>–조달 감사 결과 | –최종 제품, 서비스의 인수 진행<br>–조직 프로세스 자산 갱신 |
| 진행 주관 | 구매자 관점 진행 | 판매자 관점 진행 |
| 중요 도구 | 조달 감사 | 전문가 판단 |

조달 종료 프로세스는 협약의 내용대로 판매자가 모든 납품을 완료하였는지 확인하고, 혹시 구매자와 판매자간 해결되지 않은 분쟁 사항은 없는지 확인하여 공식적인 조달을 종료하는 프로세스이다. 따라서 조달에 대한 계획인 프로젝트 관리 계획서와 조달 수행의 성과 내역이 포함된 조달문서를 참고하여 검토 후 조달을 종료한다.

그림 12-12 ◆ 조달종료 프로세스의 투입물 흐름도

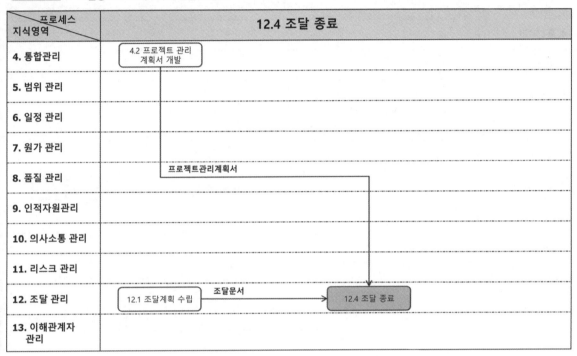

조달의 내용이 모두 만족하였다면 조달을 종료하고, 조달과 관련된 교훈사항이나 각종 문서 등의 조직 프로젝트 자산을 갱신한다.

**그림 12-13** ◆ 조달종료 프로세스의 산출물 흐름도

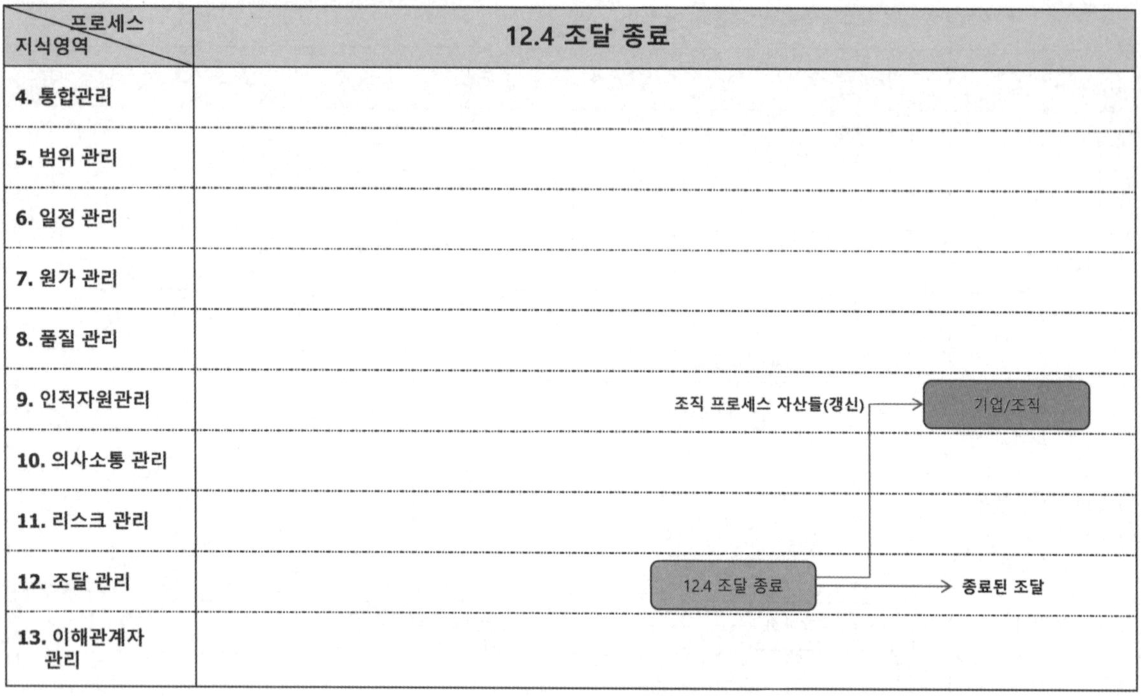

| 프로세스<br>지식영역 | 12.4 조달 종료 |
|---|---|
| **4. 통합관리** | |
| **5. 범위 관리** | |
| **6. 일정 관리** | |
| **7. 원가 관리** | |
| **8. 품질 관리** | |
| **9. 인적자원관리** | 조직 프로세스 자산들(갱신) → 기업/조직 |
| **10. 의사소통 관리** | |
| **11. 리스크 관리** | |
| **12. 조달 관리** | 12.4 조달 종료 → 종료된 조달 |
| **13. 이해관계자<br>관리** | |

**01** 당신은 정유공장 건설을 책임지는 프로젝트 관리자이다. 조달 관리 중 중요한 자재에 대해 조달 수행 프로세스를 실행 중에 있다. 다음 중 조달 수행 프로세스 범위에 해당되지 않는 것은 무엇인가?

① 제작 – 구매 결정의 완료
② 공급업체의 선정 및 협약
③ 제안 설명회 개최
④ 공급자 선정 기준의 실행

**02** 구매자에게 있어서 고정가 계약(Fixed Price Contract)의 장점은 무엇인가?

① 구매자에게는 별다른 이득이 없다.
② 고정가 계약이기 때문에 조달의 안정성을 기할 수 있다.
③ 향후 원자재 등의 가격 상승요인들을 판매자에게 전가하고 구매자는 책임지지 않을 수 있다.
④ 원자재 가격이 인하되면 구매자는 가격 인하를 판매자에게 요구할 수 있다.

**03** 당신은 프로젝트 관리자이다. 조달 관리 중 갑자기 한 외주업체에서 뜻하기 않은 자연재해가 발생하여 시설 일부가 피해를 입었다. 이로 인해 일정 준수에 문제가 생겨 외주업체에서는 2개월이 지연될 것으로 보인다고 보고하였다. 이런 경우 프로젝트 관리자와 팀원은 어떤 조치를 취하는 것이 바람직한가?

① 다른 업체를 찾아 업체를 변경한다.
② 일정 변경에 대한 손해 배상을 준비한다.
③ 자연재해를 입어서 발생한 것이니 인정하고 프로젝트 일정을 2개월 지연한다.
④ 일정 지연으로 인한 영향력과 대안분석 후 변경조치를 취한다.

**04** 당신은 프로젝트 관리자로 외주 업체와 계약을 체결한 상태에서 업무를 수행하고 있다. 그러나 좀처럼 외주 업체는 프로젝트 회의에 참석하거나 의사소통에 있어서 비협조적이다. 이런 경우 당신은 프로젝트 관리자로서 어떤 조치를 취하는 것이 가장 바람직한가?

① 외주 업체의 경영층을 불러서 업체 담당자를 즉시 교체하라고 요청한다.
② 프로젝트 성과와는 직접 연관이 없으므로 아무 조치를 취하지 않는다.
③ 해당 업체가 현재까지 수행한 부분에 대해서 면밀한 검토를 한다.
④ 앞으로 어떤 조치를 취하지 않으면 문제 발생이 예상되므로 업체에 대한 변경요청을 스폰서에게 한다.

**05** 당신은 프로젝트 관리자로서 팀원들과 계약을 준비하고 있다. 이때 계약초기에 조달을 준비하기 위해 조달관리 계획수립시 중요하게 참고해야 하는 내용은 다음 중 무엇인가?

① 범위 기준선 ② 원가 기준선
③ 리스크 등록부 ④ 이해관계자 등록부

**06** 조달관리에서 조달계획에 포함되는 문서 중 조달 작업 기술서에 포함되지 않아도 되는 사항은 무엇인가?

① 제품 사양서 ② 제품의 구체적인 성능
③ 협약의 클레임 내용 ④ 품질 수준

**07** 프로젝트의 종료 프로세스 그룹에는 프로젝트 전체 종료와 조달 종료 두 가지 프로세스가 있다. 통합 관리 영역의 프로젝트 또는 단계 종료와 조달 종료의 설명 중 내용이 잘못된 것은 무엇인가?

① 조달종료는 계약종료를 의미하며, 조달감사와 조달협상을 통해 계약을 종료시킨다.
② 조달종료 시에는 계약관련 파일을 저장하고 인도물 승인을 계약서에 정의해야 한다.
③ 프로젝트 종료는 프로젝트 전체 종료를 의미하며, 교훈사항을 정리하고 문서들을 조직 프로세스 자산으로 저장하는 조치를 해야 한다.
④ 조달 종료는 범위 검수에서 들어오는 검증된 인도물을 스폰서나 고객이 검사하여 인수 후 종료한다.

**08** 아웃소싱 업체가 계약하기 전에 작업을 시작하였다. 그런데 회사 내부적으로 프로젝트를 검토 중에 프로젝트가 취소되었다. 프로젝트 관리자가 해야 할 일은?

① 변경 요청한다.
② 프로젝트 관리 계획서를 검토한다.
③ 조달 관리 계약서를 검토한다.
④ 작업을 중단하도록 지시한다.

**09** 조달관리 계획수립에서 원가산정의 산출물인 활동원가 산정치가 필요한 이유는 무엇인가?

① 조달관리는 조달 계획에서부터 조달통제까지 변경요청을 하게 되는데 조달작업기술서에 대한 변경이 많이 발생하기 때문에 변경 요청시마다 원가에 대한 영향력을 파악하여 변경 요청의 실행여부를 판단하기 위해서이다.
② 계약을 수행하기 위해서는 계약자문 등 전문가의 도움이 필요하기 때문이다.
③ 조달 수행 및 통제시 발생되는 계약의 변경에 대비하기 위한 예비비를 파악하기 위해서이다.
④ 제작－구매 결정시 원가 내용을 보고 내부적인 원가 경쟁력을 분석하고 조달을 결정하기 위해서이며, 잠재적인 판매자로부터 입수한 입찰 또는 제안의 합리적인 평가를 위해서이다.

**10** 조달 종료시에 실시하는 조달 협상에 대한 내용이다. 다음 중 조달 협상 내용과 관련하여 타당하지 않은 것은 무엇인가?

① 양측 모두 최선을 다해 협상 타결에 임해야 하고, 법정소송은 최후의 방법이다.

② 조달 협상 과정에서 해당 프로젝트 및 기타 조달 항목들이나 수행 조직 내 다른 프로젝트로 전수해 줄 수 있는 성공과 실패를 식별하는 중요한 활동도 한다.

③ 조달 관리 과정에서 발생된 미해결 이슈 및 잔여 클레임, 기타 분쟁은 조달 종료시 조달 협상에 의하여 최종적으로 해결하는 것이 주된 목표이다.

④ 조달 협상시 중요 이슈에 대해 직접 협상에 의한 해결이 안되는 경우에는 계약에 의거하여 중재를 활용할 수 있다.

**11** 프로젝트에 컨설팅 업체가 아웃소싱 되었다. 그들은 프로젝트의 프로세스를 따르지 않고 자신들의 프로세스대로 업무를 처리하길 원한다. 그러나 스폰서는 이를 검토 후 그렇게 하지 말도록 지시했다. 프로젝트 관리자인 당신이 사용해야 할 갈등관리 기법은 무엇인가?

① 협상                      ② 회피

③ 문제해결              ④ 강요

**12** 특정 부분에 대해서 아웃소싱 업체를 선정하였다. 업체에서 납기를 맞추기 어려우니 계약 전이지만 작업을 미리 시작해도 되는지 문의하였다. 다음으로 프로젝트 관리자가 검토해야 할 것은 무엇인가?

① 사내 관련 규정          ② 조달관리 계획서

③ 제안 요청서             ④ 조달 작업 기술서

**13** 제안서 작성 전에 잠재적 판매자들과 가지는 회의로 모든 잠재적 판매자들이 조달에 대해 분명하고 공통된 이해를 얻도록 보증하기 위해 조달 수행에서 사용되는 도구 및 기법은 무엇인가?

① 입찰자 회의            ② 제안서 평가기법

③ 광고                      ④ 조달협상

**14** 프로젝트가 원가정산 방식 중 성과급 가산 원가정산 방식(CPIF)으로 계약되었다. 프로젝트는 최종 원가가 예상원가보다 적다면 구매자와 판매자간 80 : 20으로 성과를 나누기로 하였다. 목표 원가는 500,000달러이며 10%의 인센티브로 계약되었다. 만약 최종 450,000달러에 마무리가 되었다면, 총 금액은 얼마인가? 단, Fee는 50,000 달러이다.

① $495,000            ② $510,000

③ $505,000            ④ $550,000

**15** 컴퓨터를 임대하려면 설치비 $1,500, 임대료 $250/일이 소요된다. 만일 구매하려면 배송료 $1,500, 구매비 $3,500, 일일 유지비 $75가 사용된다고 한다. 이런 경우 프로젝트 관리자는 어떤 결정을 해야 가장 경제적인가?

① 25일까지 임대한다.　　　　　　　② 21일 이후 구매한다.

③ 15일 이후 구매한다.　　　　　　　④ 15일까지 임대한다.

→ 프로젝트 조달 관리

# 연습문제 정답과 해설

**01** 제작–구매 결정은 조달관리계획 수립 프로세스의 산출물이며, 조달 수행 프로세스의 투입물이다.

**02** 고정가 계약은 업무가 명확하게 정의되었을 때 적합하며, 업무가 명확하지 않은 상태에서는 원가 정산방식이 적합하다. 일반적으로 원자재나 임금은 지속적으로 상승하는 경향이 있기 때문에 변동요인에 대해서 구매자는 판매자에게 위험부담을 전가한다. 이러한 방식의 계약이 고정가 계약 방식이다.

**03** 일정 지연 등의 문제 상황에서 우선적으로 해야할 일은 문제에 대한 영향력 분석이며, 그 다음이 대안을 찾아내는 일이다.

**04** 해당 업체의 수행실적을 면밀하게 분석하는 이유는 이미 업체와 계약을 체결한 상태에서 일단 성과 부분 등을 종합적으로 분석하고 협조문제가 성과부분까지 영향을 미쳤는지 확인하기 위해서다. 성과는 좋으나 협조가 좋지 않다면 대인관계 기술을 이용하여 접근하는 것이 좋다.

**05** 조달관리 계획수립은 조달해야 할 물품을 식별하면서 시작한다. 범위기준선에서 조달해야 할 물품에 대해 확인하고 구매–제작 결정을 수행해야 한다.

**06** 조달작업 기술서에는 충분히 상세하고 명확하며 완전하게 조달할 물품에 대한 사양, 품질 수준, 성능 수준, 작업기간 및 기타 사항들이 포함되어야 한다. 일반적으로 클레임 사항은 계약(협약)에는 포함되지만 조달작업 기술서에는 포함되지 않는다.

**07** 프로젝트 종료는 인수된 인도물이 투입되어야 한다.

**08** 프로젝트가 일단 중단되었기 때문에 최대한 빨리 아웃소싱 업체의 작업을 중단시켜야 한다.

**09** 활동원가 산정치는 잠재적 판매자의 제안 금액이 타당한지 판단하기 위해서이다. 이는 추후 조달 수행에서 독립산정의 기초가 된다.

**10** 조달 감사의 목적은 해당 프로젝트 및 기타 조달 항목들이나 수행 조직 내 다른 프로젝트로 전수할 성공과 실패 사례를 식별하는 것도 있다.

**11** 컨설팅 업체가 자신들의 프로세스로 프로젝트를 하길 원하나 스폰서가 그 부분에 대해서 반대하였고, 아웃소싱 업체도 프로젝트에서 진행하는 프로세스에 맞추어야하기 때문에 아웃소싱 컨설팅 업체에게 프로세스를 맞추어 달라고 지시한다.

**12** 계약 전에 작업을 시작해도 되는지에 대해서 조직내에 아웃소싱 계약에 대한 규정 중 계약 전에 작업을 수행해도 되는지 확인해봐야 한다.

**13** 입찰자 회의는 잠재적 판매자들이 조달에 대한 명확한 이해를 위한 회의이다. 유사 용어로는 contractor conferences, vendor conferences, pre–bid conferences가 있다.

**14** 목표원가 – 실제원가 = 500,000 – 450,000 = $50,000이다.
이를 80 : 20으로 나누기로 했으므로 50,000 * 20% = $10,000 이다.
따라서 450,000 + 50,000 + 10,000 = $510,000 이다.

**15** 설치비는 $1,500+250x$, 구매비는 $1,500+\$3,500+\$75x$이다. $175x=\$3,500$으로 $x=20$이다. 따라서 20일이 지나면 구매하는 것이 유리하다.

# 프로젝트 이해관계자 관리

학습목표

- 이해관계자 관리 지식 영역의 필요성을 이해한다.
- 이해관계자 분석 방법을 이해한다.
- 이해관계자 등록부를 작성할 수 있다.
- 이해관계자 관리 계획서를 작성할 수 있다.
- 이해관계자 참여 평가 측정을 할 수 있다.

### 들어가며…

매년 Standish Group에서 발표하는 Standish Chaos Report에는 IT 프로젝트를 성공으로 이끄는 중요한 요소 1위와 2위로 경영진의 지원(Executive Support)과 사용자의 적극적인 참여(User Involvement)를 꼽고 있다. 경영진과 사용자는 모두 프로젝트 혹은 프로젝트 인도물에 영향을 주거나 받는 사람들로서 이해관계자들이라 할 수 있다.[1] 따라서 프로젝트에서 모든 이해관계자들을 식별하고 그들을 프로젝트에 적극적으로 참여하도록 독려하며 관리하는 것은 프로젝트 성공에 큰 영향을 준다고 할 수 있다.

프로젝트 관리자는 모든 시간을 이해관계자를 관리하는데 사용할 수 없다. 따라서, 이해관계자와 프로젝트 팀 간의 새로운 관계를 생성하고 관리하기 위해 이해관계자 분석과 관리 계획서 작성을 통해 시간을 효율적으로 관리해야 한다.

## 프로젝트 이해관계자란?

프로젝트의 이해관계자는 프로젝트에 적극적으로 참여하거나 프로젝트의 결과에 긍정적 또는 부정적 영향을 미치는 개인 또는 조직을 말한다. 이러한 이해관계자들은 단순히 프로젝트 관리자와 프로젝트 팀 및 고객만 있는 것이 아니라 프로젝트를 둘러싼 다양한 환경에서 활동하고 있으면서 영향을 주고받는 다양한 객체들을 모두 포함한다. 따라서 이해관계자들을 식별하고 분석하는 것도 중요하지만, 그들의 요구 사항과 기대사항들을 지속적으로 파악하고 이해관계자들을 만족시키기 위한 꾸준한 의사소통과 노력이 필요하다.

그림 13-1 ◆ 프로젝트 이해관계자 분류

---

1 Chaos Manifesto 2013 Think Big, Act Small

### ◉ 최고 경영자

프로젝트에 관심을 가지고 자금을 후원하는 스폰서의 역할을 하며, 조직 전체의 분위기와 환경 형성에 큰 영향을 주기 때문에 프로젝트의 성공과 실패에 최종 책임을 진다. 따라서 최고 경영자의 지원을 확보하는 것은 프로젝트 성공에 매우 중요하다.

### ◉ 상급자

일반적인 업무 환경을 조성하는 역할로 내부 자원을 통제하는 권한을 가지고 있는 경우가 많으며, 프로젝트의 원활한 진행에 도움을 주거나 부정적인 영향을 줄 수 있다.

### ◉ 동료

프로젝트 입장에서 도움을 받을 수 있는 대상인 동시에 경쟁자이기도 하다. 프로젝트와 관련된 중요한 정보나 인적 및 물적 자원을 제공하고 조직 내에서 일이 추진되도록 도움을 주는 조력자이기도 하지만, 승진이나 프로젝트의 성공에 필요한 핵심 인력들의 확보에서는 경쟁자이기도 하다.

### ◉ 고객

프로젝트의 결과로 인해 직접적인 영향을 받거나 관심을 가지고 상황 보고를 받기 원하는 조직 혹은 개인이나 그룹이다. 조직이나 그룹의 내부에 있으면 내부 고객, 외부에 있으면 외부 고객이라 한다. 특히, 계약에 의한 프로젝트의 경우 외부 고객은 프로젝트를 발주한 주체라고 할 수 있다.

### ◉ 스태프

한시적으로 투입되는 경우가 많은데, 이들은 프로젝트 팀원이거나, 프로젝트의 행정 업무를 도와주는 사람일 수 있다.

### ◉ 정부

법적인 규제와 정책을 통해 기업의 외부 환경을 형성하는데 큰 영향을 준다. 터널 공사전에 반드시 환경 영향 평가를 해야 한다던가 기업 회계의 투명성을 위한 다양한 법률과 규제의 적용 지시 등이 그 예라 할 수 있다.

### ◉ 협력업체

프로젝트의 일부분을 하청 받아 작업을 수행하는 외부 용역 업체이다. 따라서 프로젝트의 성공이 부분적으로 협력 업체의 작업성과에 의존되기 때문에 협력 업체 또한 이해관계자에 포함되어야 한다.

### ◉ 공급업체

협력 업체와 유사하지만, 군이 구분을 한다면 공급 업체는 프로젝트에 자재와 장비, 혹은 인력을 공급하는 외부의 개인이나 조직으로 이해하면 된다. 따라서 협력 업체나 공급 업체는 신뢰할 수 있는 개인이나 업체와 함께하는 것이 프로젝트 성공에 중요하다.

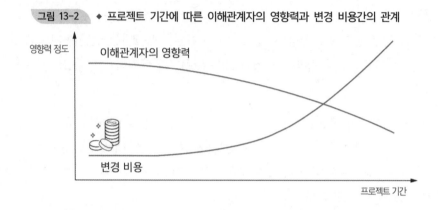

그림 13-2 ◆ 프로젝트 기간에 따른 이해관계자의 영향력과 변경 비용간의 관계

[그림 13-2]를 살펴보면 프로젝트 착수시점부터 이해관계자의 영향력이 상당히 크다. 그 이유는 프로젝트 초반에 이해관계자들간의 프로젝트에 대한 영향력 다툼이나 정치적인 문제들도 발생할 수 있다. 또한, 프로젝트 이해관계자를 잘못 식별할 수 있기 때문이다.

반대로 프로젝트 초반에는 이해관계자들에 의한 변경 요청이 아무리 많이 있다고 하여도, 아직은 요구사항 수집이나 분석 등을 수행하고 있기 때문에 요구사항 문서나 프로젝트 관리 계획서 등 문서 위주의 갱신이 대부분이다. 문서 수정은 대체로 비용이 적게 든다.

그러나 프로젝트 중반을 넘어가면서 구체적인 인도물이 만들어지는데, 이때 요구사항의 변경이나 이해관계자 식별 오류로 인한 인도물의 들어가는 비용은 예상외의 큰 비용이 들어간다. 예를 들어 IBM의 자료에 의하면 소프트웨어 개발의 경우, 디자인 단계에서 결함이 발견될 경우 결함에 대한 수정 비용은 작은 비용이 들어가는 반면, 소프트웨어가 고객에게 인수된 후 발견된 하나의 결함을 수정하기 위해서는 100배의 비용이 투입된다고 하였다.[2]

이해관계자의 영향력은 프로젝트 초반에 컸지만 프로젝트 후반으로 갈수록 그 영향력은 줄어든다. 그러나 이해관계자 관리를 잘못하여 프로젝트 중반 이후 변경요청이나 이슈들이 많아지면 많아질수록 프로젝트에서 결함처리 비용, 이슈처리 비용, 의사소통 비용의 지출 및 재작

---

**2** http://www.isixsigma.com/industries/software-it/defect-prevention-reducing-costs-and-enhancing-quality/ 참고

업 비용은 프로젝트의 원가에 엄청난 영향을 미칠 것이다.

　13장 프로젝트 이해관계자 관리 지식영역은 이해관계자들을 프로젝트 착수 시점부터 식별하여 이들이 프로젝트에서 무엇을 원하는지, 프로젝트에 대해 긍정적인지 혹은 부정적인지 등 개인성향까지도 분석하여 프로젝트에서 그들의 적극적인 참여를 끌어내기 위한 다양한 전략을 수립하고, 이해관계자들과 적극적으로 의사소통하여 프로젝트에 참여시키는 프로세스들로 구성되어 있다.

**표 13-1 ◖◗ 이해관계자 관리 프로세스**

| 프로세스 | 프로세스 그룹 | 설명 |
|---|---|---|
| 13.1 이해관계자 식별<br>(Identify Stakeholders) | I | 프로젝트의 의사결정, 활동, 결과에 영향을 주거나 받는 모든 사람, 단체 및 조직을 식별하고 그들의 관심사항, 참여도, 상호의존관계, 영향력 및 잠재적 영향, 프로젝트에 대한 태도 및 프로젝트 성공에 미치는 영향력에 관한 정보를 수립하고 문서화하는 프로세스 |
| 13.2 이해관계자관리 계획수립<br>(Plan Stakeholder Management) | P | 프로젝트 성공에 대한 이해관계자들의 요구사항, 관심, 잠재적 영향력 등에 대한 분석을 기반으로 프로젝트 생애주기 동안 이해관계자들을 효과적으로 프로젝트에 참여시킬 수 있는 적합한 관리전략을 수립하는 프로세스 |
| 13.3 이해관계자 참여관리<br>(Manage Stakeholder Engagement) | E | 프로젝트 전체 생애주기 동안 이해관계자들의 요구사항 및 기대사항을 의사 소통하면서 만족시키고, 이슈를 해결하며, 이해관계자들을 프로젝트 활동에 적극적으로 참여시키는 프로세스 |
| 13.4 이해관계자 참여통제<br>(Control Stakeholder Engagement) | M&C | 이해관계자들의 지속적인 프로젝트 참여를 위해, 전체 이해관계자들간의 관계를 감시하고, 이해관계자에 대한 전략과 계획을 실행에 맞추어 적절히 변경하는 프로세스 |

## 13.1 이해관계자 식별(Identify Stakeholders)

이해관계자 식별 프로세스는 프로젝트의 의사결정, 프로젝트의 다양한 활동 및 결과에 영향을 주거나 혹은 영향을 받는 모든 사람이나 단체 혹은 조직을 식별하고, 그들의 관심사항이나 요구사항 및 프로젝트의 참여도, 이해관계자들간의 상호 의존관계 및 직·간접적인 영향력 등의 정보를 수집하고 문서화하는 프로세스이다.

　프로젝트 초반에 이해관계자들을 식별하여 그들의 요구 사항과 기대 사항 뿐 아니라, 그들의 프로젝트에 대한 관심도와 영향력을 파악하는 것은 프로젝트의 성공에 매우 중요하다. 프로젝트 관리자는 한정된 시간에 많은 이해관계자들을 상대하기 때문에 이해관계자들의 프로젝트에 대한 관심도와 프로젝트에 미치는 영향도 및 참여도 등에 따라 그들을 분류하고 분석해

야 한다.

또한, 이해관계자들은 프로젝트를 수행하면서 부서 이동 혹은 업무 변경이나 이직 등의 다양한 원인에 의해 바뀔 수 있기 때문에 이해관계자에 대한 분석 및 평가는 프로젝트 생애주기 동안 주기적으로 검토되고, 수정되어야 한다.

[13.1 이해관계자 식별] 프로세스의 투입물, 도구 및 기법과 산출물은 다음과 같다.

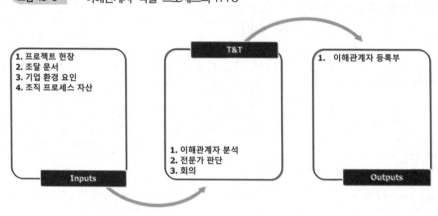

그림 13-3 ◆ 이해관계자 식별 프로세스의 ITTO

### 13.1.1 이해관계자 식별 프로세스 투입물

**1. 프로젝트 헌장(Project Charter)**

프로젝트 헌장에는 프로젝트 자금을 지원하는 프로젝트 스폰서, 프로젝트를 승인한 승인자, 프로젝트에 반드시 참여를 해야 하는 팀원, 중요한 고객 명단 혹은 프로젝트 조직과 신뢰관계에 있는 공급업체나 협력업체 등이 기술되어 있으므로 이해관계자 식별시 참고한다.

**2. 조달 문서(Procurement documents)**

프로젝트에서 외부 조달이 필요한 경우 정보요청서(RFI), 견적요청서(RFQ)나 제안요청서(RFP) 등의 조달문서를 작성한다. 따라서, 조달문서는 향후 공급업체나 협력업체가 될 수 있는 조달업체가 식별될 수 있기 때문에 참고한다.

**3. 기업 환경 요인(Enterprise environmental factors)**

터널 공사와 같은 경우 작업 전에 공사에 따른 환경영향 평가를 받아야 하거나, 기업 회계의 투명성을 위해 국제 회계기준을 따라할 필요성이 있다. 이와 같이 조직 또는 기업의 문화 및 구조나 프로젝트를 둘러싼 정부 또는 산업 표준, 국제적 혹은 지역적 동향 등이 이해관계자 식별에 중요한 영향을 줄 수 있다.

그림 13-4 ◆ 이해관계자 분석 절차

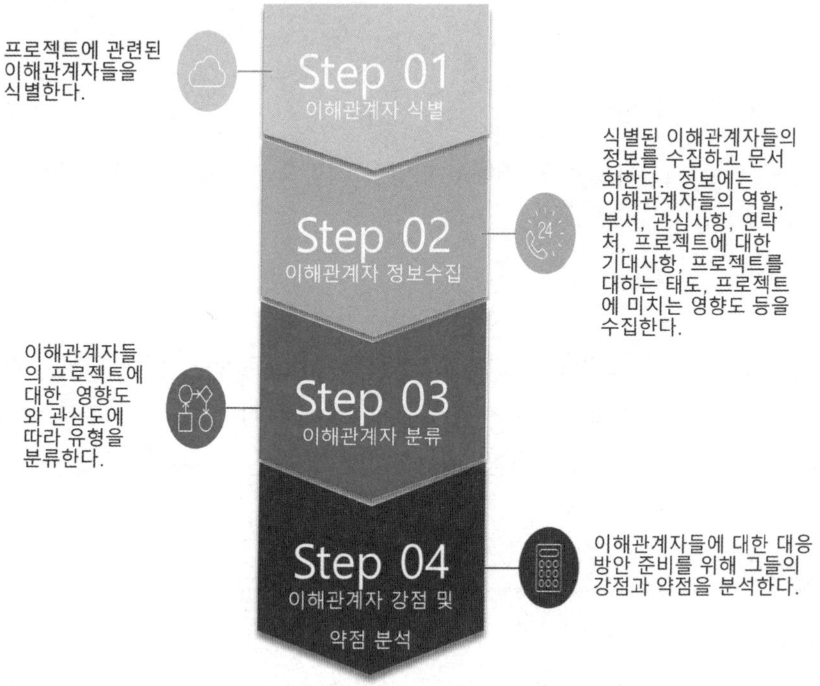

프로젝트에 관련된 이해관계자들을 식별한다.

## Step 01
이해관계자 식별

식별된 이해관계자들의 정보를 수집하고 문서화한다. 정보에는 이해관계자들의 역할, 부서, 관심사항, 연락처, 프로젝트에 대한 기대사항, 프로젝트를 대하는 태도, 프로젝트에 미치는 영향도 등을 수집한다.

## Step 02
이해관계자 정보수집

이해관계자들의 프로젝트에 대한 영향도와 관심도에 따라 유형을 분류한다.

## Step 03
이해관계자 분류

## Step 04
이해관계자 강점 및 약점 분석

이해관계자들에 대한 대응 방안 준비를 위해 그들의 강점과 약점을 분석한다.

### 4. 조직 프로세스 자산(Organizational process assets)

기존에 조직에서 사용하던 이해관계자 등록부 템플릿이나 과거 유사 프로젝트에서 습득한 이해관계자 식별과 관련된 교훈 사항 및 과거 프로젝트에서 작성한 이해관계자 등록부 등의 자료가 있다면 참고한다.

### 13.1.2 이해관계자 식별 프로세스 도구 및 기법

#### 1. 이해관계자 분석(Stakeholder analysis)

프로젝트를 수행하는 동안 이해관계자들의 프로젝트에 대한 이해정도, 관심도, 기대사항 및 영

향력 등의 정성적 및 정량적 정보를 체계적으로 수집하고 분석한다. 이해관계자들은 프로젝트의 각 단계별로 서로 다른 관심과 영향력 등을 미칠 수 있기 때문에 프로젝트 착수부터 종료까지 지속적으로 정보를 수집하고 분석해야 한다. 다음은 이해관계자를 분석하는 절차이다.

이해관계자 분석에는 그들의 권한 - 관심도 그리드 혹은 권한-영향도 그리드와 같이 2개의 요소를 적절히 조합하여 분석하는 방법이 있고, 이해관계자의 특성인 권한(Power), 합법성(Legitimacy), 및 긴급성(Urgency)을 기반으로 이해관계자를 분류하는 현저성 모델(Sailence Model)이 있다.

## 2. 전문가 판단(Expert judgment)

이해관계자들에 대한 식별과 분석을 위해서 다양한 경험과 지식을 보유한 사내외 전문가들의 조언을 참고한다.

## 3. 회의(Meetings)

프로젝트 관리자와 프로젝트 팀원들 그리고 전문가들이 프로파일 분석[3] 회의(Profile analysis meeting)를 통해 프로젝트에 참여하는 각 이해관계자들에 대한 역할, 지식 수준, 직급, 관심도, 영향도, 참여도 등 다양한 정보들을 서로 공유하고 분석한다.

**이해관계자 분석 모델**

이해관계자들을 분석하는 방법은 일반적으로 이해관계자들이 프로젝트에 대해 갖고 있는 권한, 관심도, 참여도, 및 역할들을 2차원적으로 배치한 후 분석한다.

**권한(Power)** : 이해관계자가 갖고 있는 권한의 수준
**관심도(Interest)** : 이해관계자가 프로젝트에 갖고 있는 관심 수준
**참여도(Influence)** : 이해관계자가 프로젝트에 적극적으로 참여하는 수준
**영향도(Impact)** : 이해관계자가 프로젝트의 계획이나 실행에 미치는 영향의 수준

이 4가지 요소를 각각 $x$축과 $y$축에 배치하여 권한/관심도 그리드(P-I Grid), 권한/참여도 그리드(P-I Grid), 참여도/영향도(I-I Grid) 그리드로 조합하여 분석할 수 있다. 혹은 프로젝트 관리자가 분석하고자 하는 요소로 변경하여 분석해도 무방하다.

다음은 프로젝트에 대한 이해관계자의 참여/관심도 그리드로써 이해관계자들을 분류한 사례이다. 용환성 이사와 이두표 이사는 프로젝트에 대한 참여도가 매우 높으면서 동시에 관심도가 높기 때문에 밀착 관리를 해야 하는 반면, 오민정 이사는 프로젝트에 대한 참여도와 관심도가 모두 낮기 때문에 단순히 감시만 하는 것으로 분류했다.

---

3 http://www.accel-team.com/job_interviews/job_selct_interviews_05.html 참고

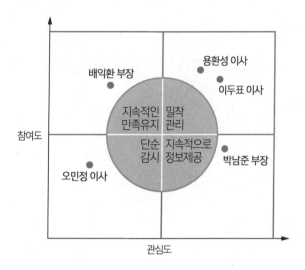

그림 13-5 ◆ 이해관계자 식별 사례

이해관계자 식별시 그들의 참여도-관심도 그리드만 그려서는 안 된다. 리스크 관리에서 언급한 바와 같이 분석도구를 참여도-관심도로 구분했다면 참여도의 범위를 0.1 ~ 0.9, 영향력을 0.1 ~ 0.9 등으로 그 범위(Scale)를 구체적으로 설정해야 한다. 또한 설정된 권한, 영향력 값을 계산하여 그 값을 토대로 중요한 이해관계자와 그렇지 않은 이해관계자로 구분할 수 있다.

또한, 지속적인 만족유지, 밀착관리, 단순감시, 지속적으로 정보제공 등의 상태에 따른 이해관계자에 대한 관리 정책도 사전에 기술되어야 한다. 위의 그림에서 "지속적으로 정보제공"으로 분류된 박남준 부장에게는 주간 보고서나 월간보고서를 주기적으로 보냄으로써 관심도를 만족시켜주어야 하고, 프로젝트 관리자가 주기적인 비공식 만남을 통해 참여도를 높일 수 있는 전략을 수행할 수 있다.

이해관계자를 4분위로 분류함으로써 추후 이해관계자 관리 계획 수립시 이해관계자의 중요도에 따라 현재 상태를 식별한 후, 이해관계자 참여도 측정 매트릭스(Stakeholder Engagement Assessment Matrix)에서 이해관계자의 참여도 수준의 변경에 사용할 수 있다.

### 현저성 모델(Sailence Model)

이해관계자에 대한 분석은 프로젝트에 대한 권한, 참여도 및 관심도를 기반으로 한 분석하는 방법 외에 현저성 모델(Sailence Model)이라는 것이 있다. 현저성 모델은 이해관계자를 고유한 특징 즉, 프로젝트의 인도물이나 조직에 끼치는 영향인 권한(Power), 프로젝트와 상호 작용하는 것이 적합한지에 대한 합법성(Legitimacy) 및 의사소통 등에 대한 긴급성(Urgency)의 3가지 특징으로 구분하여 8가지의 이해관계자 유형으로 분류한 모델이다.

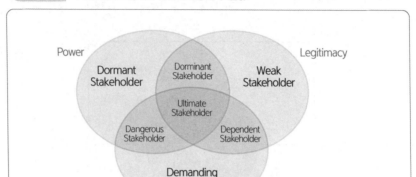

그림 13-6 ◆ 현저성 모델에 따른 이해관계자 분류

이해관계자를 8가지로 분류하기 때문에 이해하기 어려울 수 있으나 다음과 같이 생각하면 쉽게 구분할 수 있을 것이다.

### Dormant Stakeholder(쉬고 있는 이해관계자)

적법성이나 긴급성은 없고, 다만 권력만 있는 사람이다. 따라서 이 분류에 속하는 이해관계자는 잠자고 있다고 보면 된다. 잠에서 깨면 어떻게 돌변할지 모른다.

### Weak or Discretionary Stakeholder(약한 혹은 임의의 이해관계자)

권력도 긴급성도 없이 오직 합법성만 가지고 있는, 즉 권한은 없고 책임만 있는 힘이 없는 이해관계자이다.

### Demanding Stakeholder(요구만 하는 이해관계자)

권력도 합법성도 없으면서 프로젝트 관리자나 프로젝트 팀에 프로젝트에 대한 정보나 회의 등을 지속적으로 요청하는 이해관계자다. 매우 귀찮은 사람들이다.

### Dominant Stakeholder(지배적인 이해관계자)

권력과 합법성을 함께 보유하고 있는 이해관계자이다. 따라서 여러 회의나 워크숍 등에서 주도적인 역할을 하는 사람들이다.

### Dangerous Stakeholder(위험한 이해관계자)

합법성은 없으면서 권력과 급하게 정보만 요청하는 사람이다. 권력이 있기 때문에 요구를 무시할 수 없고, 급하게만 정보를 달라고 하니 매우 피곤할 것이다.

### Dependent Stakeholder(의존적인 이해관계자)

권력은 없고 합법성과 급하게 정보만 요청하는 이해관계이다. 따라서 프로젝트 팀에게 윗선에서 시킨 일이니 무조건 해 달라고 무릎을 꿇고 빌 수도 있다.

### Ultimate or Definitive Stakeholder(명확한 이해관계자)

권력, 정당성, 및 긴급성을 모두 갖고 있는 이해관계자이다. 따라서 아마도 프로젝트 팀이 가장 많이 신경써야 할 이해관계자이다.

### Non Stakeholder(아직 인지되지 않은 이해관계자)

어떤 특성을 갖고 있는 이해관계자인지 혹은 저 사람이 이해관계자는 맞는지 아직 모르는 사람이다. 그러나 향후 어떻게 변할지 모른다.

**표 13-2** ☞ 현저성 모델의 이해관계자 분류

| | | | |
|---|---|---|---|
| 높음 | 관심을 높일 이해관계자 | 7. Ultimate | 명확한 이해관계자임. 가장 신경을 많이 써야 함. |
| | | 4. Dominant | 우세한, 지배적인 이해관계자 |
| | | 5. Dangerous | 위험한 이해관계자 |
| | | 6. Dependent | 의존적인 이해관계자 |
| | 이해관계자의 현저성 | 1. Dormant | 휴지(休止) 상태인 이해관계자 |
| | | 2. Discretionary | 자유재량이 많은 이해관계자 |
| 낮음 | | 3. Demanding | 무언가 요구만 이해관계자 |
| | | 8. Non stakeholder | 이해관계자로 아직 식별되지 않은 사람 |

현저성 모델에 대한 보다 자세한 정보를 원하시는 분은 아래의 홈페이지를 방문해 보시기 바란다.
http://www.expertprogrammanagement.com/2010/10/salience-model/

## 위치 프로파일 분석(Position Profile Analysis)

TV에서 방영하는 프로그램들을 보면 가끔씩 프로파일러들이 나온다. 이들은 범죄자의 성격, 행동유형, 성별, 나이, 직업, 취향, 컴플렉스 등의 분석을 통해, 범죄자들의 도주경로나 은신처, 다음 행동패턴 등을 추정하는 역할을 수행한다. 이해관계자 분석에서도 회의를 통해 이해관계자들의 다양한 특성을 구분하여 이해관계자들을 더욱 잘 알고자 할 때 이해관계자들의 프로파일을 작성하여 분석한다.

이해관계자들의 특성들을 스파이더웹(Spider Web)으로 배치하고, 이해관계자별로 각 요소에 대한 점수를 기재하고 연결한 것이다. 또 다른 쓰임새로는 팀원들의 기본 역량을 세팅하고, 각 팀원들별로 역량을 측정하여 기준을 넘어간 역량 및 부족한 역량을 찾아낼 수 있다. 향후 부족한 역량은 교육/훈련을 통해 능력을 키우게 할 수 있다.

위치 프로파일 분석에 대한 보다 자세한 정보를 원하시는 분은 아래의 홈페이지를 방문해 보시기 바란다.
참고사이트 http://www.accel-team.com/job_interviews/job_selct_interviews_05.html

그림 13-7 ◆ 위치 프로파일 분석도

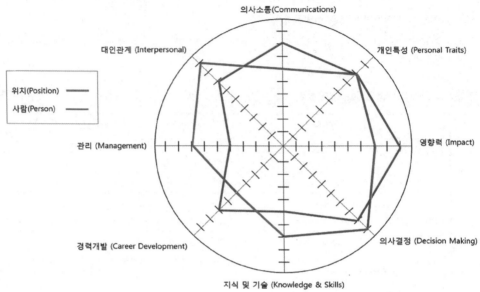

### 13.1.3 이해관계자 식별 프로세스 산출물

#### 1. 이해관계자 등록부(Stakeholder register)

이해관계자 식별 프로세스의 가장 중요한 산출물은 이해관계자 등록부이다. 이 문서는 프로젝트 생애주기 동안 주기적으로 수정되어야 한다. 이해관계자 등록부에는 식별된 이해관계자들에 대한 모든 상세 정보들을 기술한다.

- ◉ **식별 정보** : 이름, 직급, 역할, 핸드폰 번호, 회사 전화번호, 이메일 등
- ◉ **평가 정보** : 주요 요구사항, 기대사항, 잠재적 영향력, 관심사항, 태도 등
- ◉ **이해관계자 분류** : 외부/내부 이해관계자 여부, 지지자/중립자/반대자 등

이해관계자 등록부에는 이름, 직급, 위치, 역할, 연락처와 같은 식별정보와 평가 정보 및 이해관계자들에 대한 분류 정보들이 포함된다.

**표 13-3 ○ 이해관계자 등록부 예시**

# 이해관계자 등록부

프로젝트명 : PM119          작성일자 : 2014-08-31

| 이름 | 직급 | 역할 | 연락처 | 요구사항 | 기대사항 | 영향력 | 관심도 | 분류 | 대응전략 |
|------|------|------|--------|----------|----------|--------|--------|------|----------|
| 용환성 | 이사 | 요구사항 제출 | 010-1234 -○○○○ | 프로젝트가 정해진 기간에 반드시 마무리되어야 함 | 빅데이터 시스템 구축을 통해 새로운 시장 분석을 하고자 함 | 0.9 | 0.9 | 밀착 관리 | |
| 오민정 | 이사 | 인력소싱 | 010-4321 -○○○○ | 없음 | 없음 | 0.1 | 0.3 | 단순 감시 | |
| | | | | | | | | | |
| | | | | | | | | | |
| | | | | | | | | | |
| | | | | | | | | | |
| | | | | | | | | | |

이해관계자 등록부를 작성하기 위한 이해관계자 식별 프로세스에서는 이해관계자들이 기술되어있는 프로젝트 헌장과 조달 문서를 참고하고 이해관계자 등록부 템플릿, 조직내 이해관계자 식별 및 분석에 대한 노하우와 지식 등과 대내외적인 국가 정책이나 산업분야 트렌드를 참고해야 한다. 이를 바탕으로 프로젝트 관리자가 프로젝트 팀원이나 전문가와 함께 이해관계자 분석을 통해 이해관계자 등록부를 작성한다.

**그림 13-8** ◆ 이해관계자 식별 프로세스의 투입물 흐름도

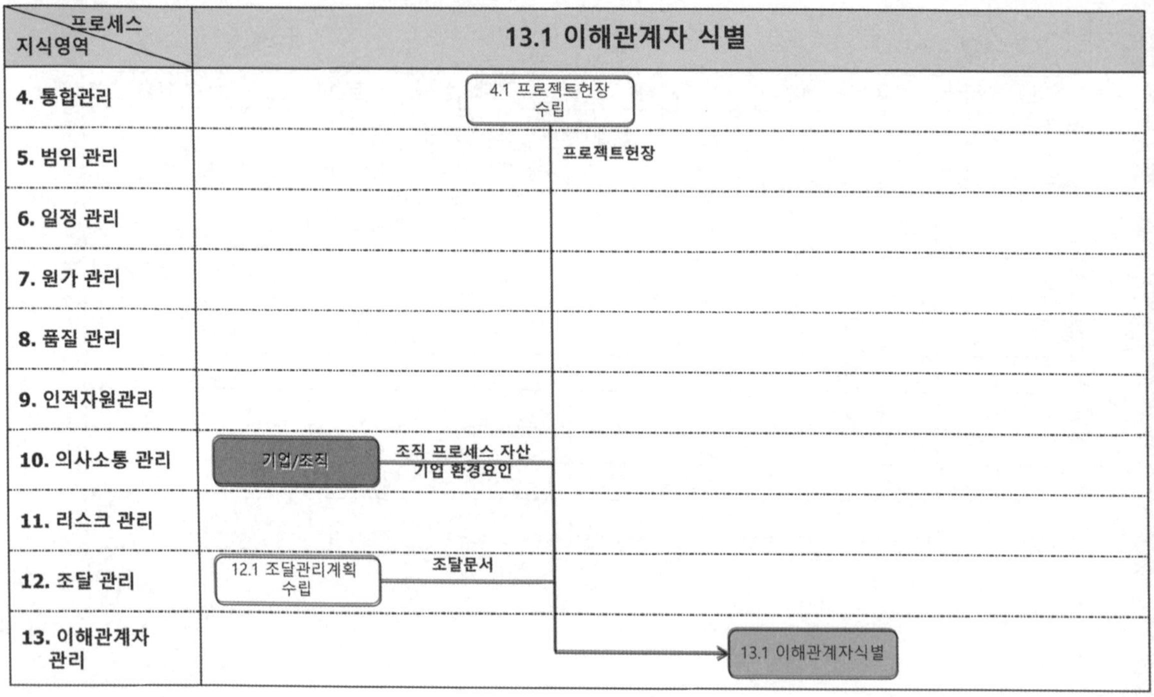

| 프로세스<br>지식영역 | 13.1 이해관계자 식별 |
|---|---|
| **4. 통합관리** | 4.1 프로젝트헌장<br>수립 |
| **5. 범위 관리** | 프로젝트헌장 |
| **6. 일정 관리** | |
| **7. 원가 관리** | |
| **8. 품질 관리** | |
| **9. 인적자원관리** | |
| **10. 의사소통 관리** | 기업/조직    조직 프로세스 자산<br>기업 환경요인 |
| **11. 리스크 관리** | |
| **12. 조달 관리** | 12.1 조달관리계획<br>수립    조달문서 |
| **13. 이해관계자<br>관리** | 13.1 이해관계자식별 |

작성된 이해관계자 등록부는 [13.2 이해관계자관리 계획수립] 프로세스나, [5.2 요구사항 수집] [8.1 품질관리 계획수립], [10.1 의사소통관리 계획수립], [11.1 리스크관리 계획수립], 및 [11.2 리스크 식별] 과 [12.1 조달관리계획 수립] 프로세스 등의 투입물로 사용된다는 것을 이해해야 한다.

**그림 13-9** ◆ 이해관계자 식별 프로세스의 산출물 흐름도

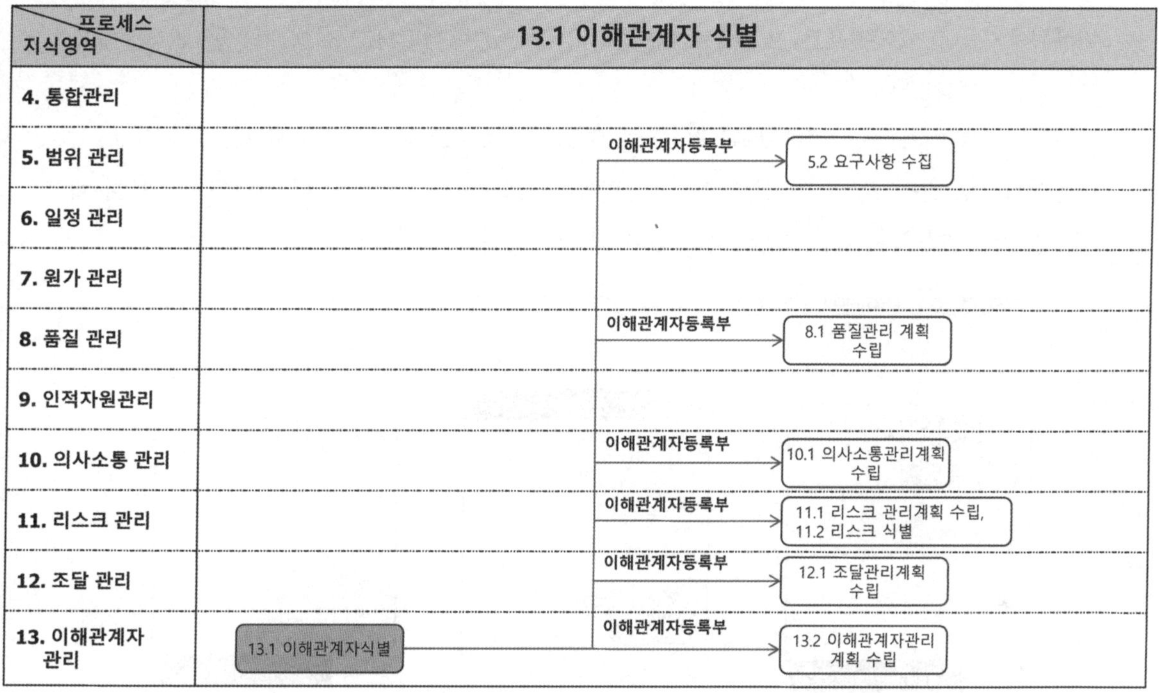

| 프로세스<br>지식영역 | 13.1 이해관계자 식별 | | |
|---|---|---|---|
| **4. 통합관리** | | | |
| **5. 범위 관리** | | 이해관계자등록부 → | 5.2 요구사항 수집 |
| **6. 일정 관리** | | | |
| **7. 원가 관리** | | | |
| **8. 품질 관리** | | 이해관계자등록부 → | 8.1 품질관리 계획<br>수립 |
| **9. 인적자원관리** | | | |
| **10. 의사소통 관리** | | 이해관계자등록부 → | 10.1 의사소통관리계획<br>수립 |
| **11. 리스크 관리** | | 이해관계자등록부 → | 11.1 리스크 관리계획 수립,<br>11.2 리스크 식별 |
| **12. 조달 관리** | | 이해관계자등록부 → | 12.1 조달관리계획<br>수립 |
| **13. 이해관계자<br>관리** | 13.1 이해관계자식별 → | 이해관계자등록부 → | 13.2 이해관계자관리<br>계획 수립 |

## 13.2 이해관계자관리 계획수립(Plan Stakeholder Management)

이해관계자관리 계획수립 프로세스는 이해관계자들의 프로젝트에 대한 요구사항이나 관심 혹은 잠재적 영향력 등에 대한 분석을 기반으로 프로젝트 생애주기 동안 프로젝트 성공을 위해 이해관계자들을 효과적으로 프로젝트에 참여시킬 수 있는 적합하고 실행 가능한 관리전략을 수립하는 프로세스이다.

즉, 이해관계자들을 프로젝트에 적극적으로 참여시켜 프로젝트는 성공적으로 완료되고, 이해관계자들도 만족하도록 이해관계자 관리 활동을 계획하는 프로세스이다. 이해관계자관리 계획수립 프로세스의 투입물, 도구 및 기법과 산출물은 다음과 같다.

그림 13-10 ◆ 이해관계자 계획수립 프로세스의 ITTO

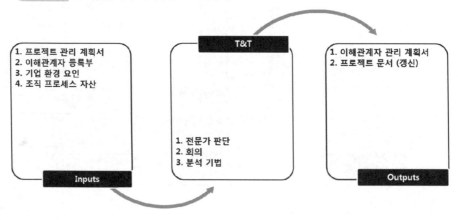

### 13.2.1 이해관계자관리 계획수립 프로세스 투입물

#### 1. 프로젝트 관리 계획서(Project Management Plan)

이해관계자 관리 계획서를 작성하기 위해서는 프로젝트 관리 계획서의 다음 내용들을 고려하여 작성한다.

◉ 이해관계자 관리를 프로젝트의 어느 단계에서 할 것인지 결정하기 위한 프로젝트 생애주기나 프로젝트 관리 프로세스들

◉ 인적자원 요구사항, 책임과 역할, 보고 체계 및 프로젝트 조직도 등

◉ 이해관계자 관리 계획서의 변경을 어떻게 감시하고 통제할 것인지를 기술한 변경관리

계획서 및 형상관리 계획서

◉ 이해관계자들과의 의사소통에 대한 요구와 기법들 등 다양한 계획들을 참고한다.

## 2. 이해관계자 등록부(Stakeholder Register)

이해관계자들에 대한 관리 계획을 세우기 위해서는 관리의 대상인 이해관계자들을 분석한 이해관계자 등록부를 참고한다.

## 3. 기업 환경 요인(Enterprise environmental factors)

이해관계자 분석 및 관리 계획 수립에 대한 조직 문화나 조직 구조 및 사내 정치적인 환경 등이 이해관계자들을 관리하기 위한 계획서 작성에 중요한 요인으로 작용한다.

## 4. 조직 프로세스 자산(Organizational process assets)

과거 유사 프로젝트에서 이해관계자 관리 계획 수립시 결정한 의사결정들과 결과 및 그에 따른 교훈사항들을 참고한다.

### 13.2.2 이해관계자관리 계획수립 프로세스 도구 및 기법

## 1. 전문가 판단(Expert Judgment)

이전 프로젝트에서 이해관계자에 대한 분석과 계획 수립에 대한 경험이 있는 전문가나 특정 산업 분야의 전문가 혹은 고객사에 대한 전문 지식이 있는 전문가들이 이해관계자 관리 계획 수립시 참여할 수 있다.

## 2. 회의(Meetings)

모든 이해관계자들의 참여수준을 정의하는데 프로젝트 관리자와 함께 전문가 및 프로젝트 팀원들이 회의를 통해 계획을 수립한다.

## 3. 분석 기법(Analytical Techniques)

프로젝트 관리자는 프로젝트 팀원이나 전문가들과 함께 회의를 진행하면서 각 이해관계자들의 현재 프로젝트 참여수준이 어떤 상태인지를 분석하고, 프로젝트 성공을 위하여 해당 이해관계자의 참여가 어떤 수준이 되어야 하는지를 정의한다. 즉, 현재의 수준(AS-IS)을 파악하고, 목표로 하는 수준(TO-BE)을 정립함으로써 현재와 목표간의 차이를 극복하기 위한 계획을 수립한다. 다음은 이해관계자들의 상태 분석을 위한 상태값이다.

**표 13-4 ← ◦ 이해관계자의 프로젝트에 대한 상태**

| 상태값 | 내용 |
| --- | --- |
| Unaware(미확인) | 프로젝트의 이해관계자 및 잠재적인 영향에 대해 미확인된 상태 |
| Resistant(저항) | 프로젝트의 이해관계자로 확인하고 잠재적인 영향을 확인하였으나 프로젝트와 변화에 저항하는 상태 |
| Neutral(중립) | 프로젝트의 이해관계자로 확인하였으나, 프로젝트를 지지하지도 저항하지도 않는 상태 |
| Supportive(지지) | 프로젝트를 지지하고 변화에도 적극적인 상태 |
| Leading(선도) | 프로젝트의 성공을 확신하며 적극적으로 프로젝트에 참여하는 상태 |

**이해관계자 참여도 측정 매트릭스(Stakeholder Engagement Assessment Matrix)**

이해관계자 참여도 측정 매트릭스는 이해관계자 분석 기법 중 하나로 각 이해관계자들의 현재 참여수준을 C(current), 원하는 참여수준은 D(Desirable)로 정의한다. 아래의 홍길동 부장은 현재 프로젝트 혹은 프로젝트로 인한 변화에 저항하는 상태이다. 만약 홍길동 부장이 프로젝트에서 중요한 역할을 해야 한다면, 홍길동 부장을 "지지(Supportive)" 상태로 변화하도록 적절한 전략을 계획해야 하고, 최소한 중립적인(Neutral)한 상태로 만들어야 한다. 이를 위한 전략으로는 프로젝트 관리자가 프로젝트의 당위성에 대해서 지속적으로 홍길동 부장에게 설명을 할수 있고, 별도로 매일 매일 프로젝트의 진행 상태를 일일보고를 하거나 비공식적으로 잦은 만남을 가질 수 있다. 이와 같이 홍길동 부장을 "저항"에서 "지지"의 상태로 바꾸도록 꾸준한 노력을 하여 향후 프로젝트 종료 시점에서 홍길동 부장이 프로젝트 종료에 걸림돌이 되지 않도록 해야 한다.

**표 13-5 ← ◦ 이해관계자 참여도 측정 매트릭스**

Stakeholders Engagement Assessment Matrix

| 이해관계자 | 미확인 | 저항 | 중립 | 지지 | 선도 |
| --- | --- | --- | --- | --- | --- |
| 홍길동 부장 | | C | | D | |
| 김철수 부장 | | | C | D | |
| 김영희 차장 | | | C | D | |
| 이석준 과장 | | | | CD | |
| 김준희 차장 | | C | D | | |

－C : 현재 참여 수준
－D : 미리 정의한 참여 수준(기대 수준)

### 13.2.3 이해관계자관리 계획수립 프로세스 산출물

**1. 이해관계자 관리 계획서**(Stakeholder Management Plan)

이해관계자 관리 계획 프로세스의 주요 산출물로는 프로젝트 관리 계획서의 하나인 이해관계자 관리 계획서가 작성된다. 다음은 이해관계자 관리 계획서에 포함되는 내용들이다.

- ◉ 이해관계자들의 현재 참여수준과 목표 참여수준
- ◉ 어떤 이해관계자가 어떤 분야에 영향을 미치며, 그 영향은 어떠할 것인지에 대한 기술
- ◉ 이해관계자 상호간의 관계 및 역할이나 업무의 중복정도
- ◉ 프로젝트 단계별 의사소통에 대한 이해관계자들의 요구사항들
- ◉ 이해관계자들에게 배포되어지는 정보(언어, 형식, 내용, 상세의 정도)
- ◉ 정보배포 이유와 이해관계자 참여로 인해 예상되는 영향
- ◉ 이해관계자들에게 필요한 정보의 배포 시기와 주기
- ◉ 프로젝트 진행에 따른 이해관계자 관리 계획의 수정 및 상세화 방법
- ◉ 이해관계자의 상태를 변화시키기 위한 공식/비공식적인 활동

> **Tips**
>
> 이해관계자가 프로젝트에 긍정적 영향을 줄 수 있도록 관리를 해야 한다.
>
> 이해관계자 등록부, 이해관계자 관리 계획서 등의 이해관계자 관리와 관련된 문서들은 이해관계자에 대한 민감한 정보들이 포함될 수 있기 때문에 프로젝트 관리자는 문서들의 관리에 세심한 주의를 기울여야 한다.

**2. 프로젝트 문서 갱신**(Project document updates)

이해관계자 관리 계획서의 수정으로 인해 이해관계자 등록부, 프로젝트 달력, 프로젝트 일정, 이슈로그 등의 다양한 프로젝트 문서들이 함께 수정될 수 있다.

이해관계자 관리 계획서를 작성하기 위한 이해관계자 관리 계획 프로세스에서는 프로젝트 관리 계획서와 이해관계자 등록부를 참고하고 이해관계자 관리 계획서 템플릿, 조직내 이해관계자 관리에 대한 노하우와 지식 등을 참고해야 한다. 이를 바탕으로 프로젝트 관리자가 프로젝트 팀원이나 전문가와 함께 회의를 통해 이해관계자 관리 계획서를 작성한다.

그림 13-11 ◆ 이해관계자 계획수립 프로세스의 투입물 흐름도

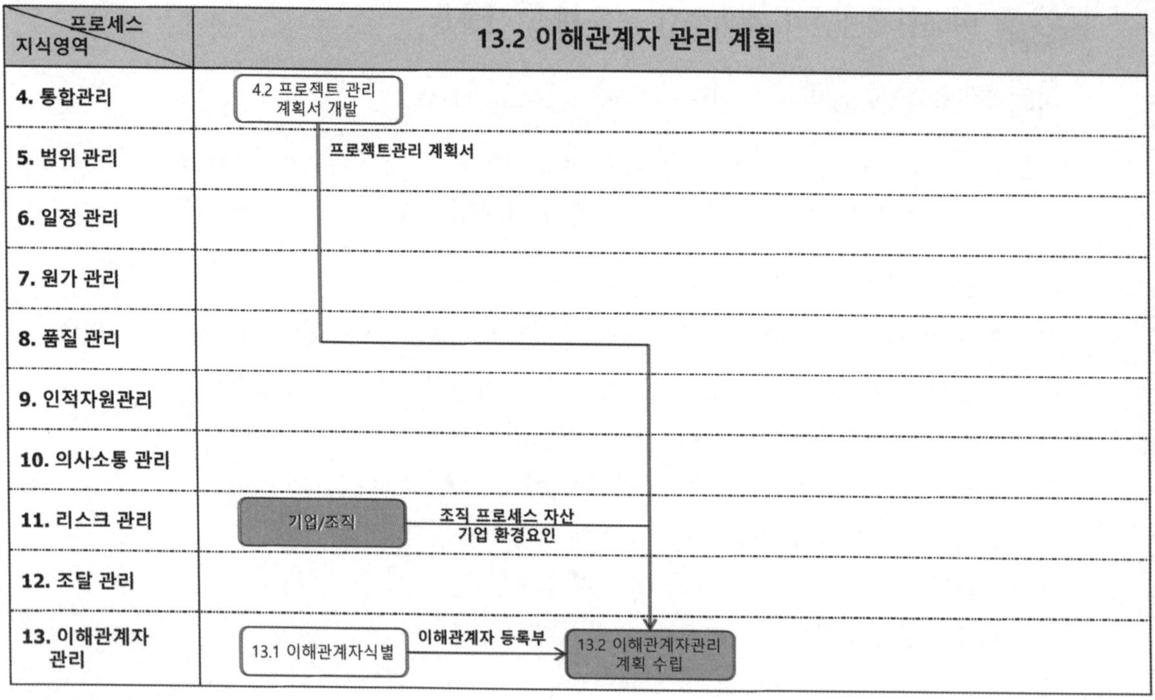

| 프로세스 / 지식영역 | 13.2 이해관계자 관리 계획 |
|---|---|
| 4. 통합관리 | 4.2 프로젝트 관리 계획서 개발 |
| 5. 범위 관리 | 프로젝트관리 계획서 |
| 6. 일정 관리 | |
| 7. 원가 관리 | |
| 8. 품질 관리 | |
| 9. 인적자원관리 | |
| 10. 의사소통 관리 | |
| 11. 리스크 관리 | 기업/조직    조직 프로세스 자산 / 기업 환경요인 |
| 12. 조달 관리 | |
| 13. 이해관계자 관리 | 13.1 이해관계자식별    이해관계자 등록부    13.2 이해관계자관리 계획 수립 |

작성된 이해관계자 관리 계획서는 [13.3 이해관계자 참여관리] 프로세스나, [5.2 요구사항 수집] 프로세스의 투입물로 사용된다는 것을 이해해야 한다.

**그림 13-12** ◆ 이해관계자 계획수립 프로세스의 산출물 흐름도

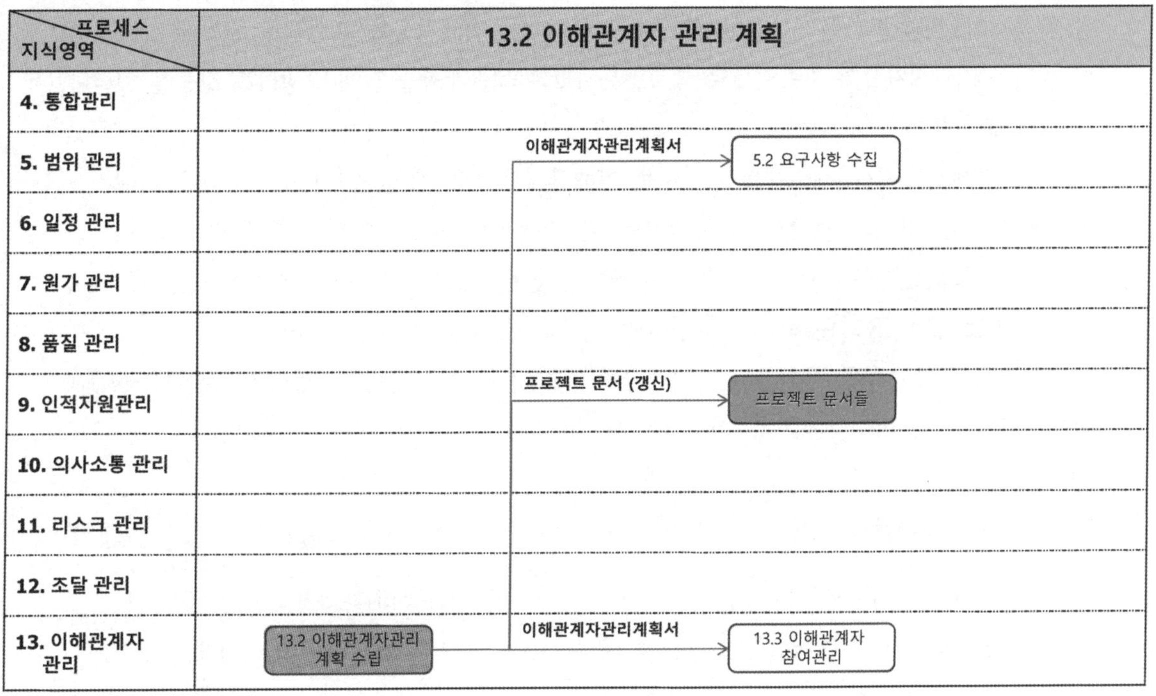

| 프로세스<br>지식영역 | 13.2 이해관계자 관리 계획 | | |
|---|---|---|---|
| 4. 통합관리 | | | |
| 5. 범위 관리 | | 이해관계자관리계획서 → | 5.2 요구사항 수집 |
| 6. 일정 관리 | | | |
| 7. 원가 관리 | | | |
| 8. 품질 관리 | | | |
| 9. 인적자원관리 | | 프로젝트 문서 (갱신) → | 프로젝트 문서들 |
| 10. 의사소통 관리 | | | |
| 11. 리스크 관리 | | | |
| 12. 조달 관리 | | | |
| 13. 이해관계자<br>관리 | 13.2 이해관계자관리<br>계획 수립 | 이해관계자관리계획서 → | 13.3 이해관계자<br>참여관리 |

## 13.3 이해관계자 참여관리(Manage Stakeholder Engagement)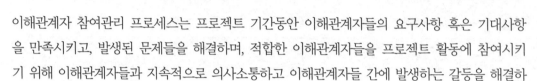

이해관계자 참여관리 프로세스는 프로젝트 기간동안 이해관계자들의 요구사항 혹은 기대사항을 만족시키고, 발생된 문제들을 해결하며, 적합한 이해관계자들을 프로젝트 활동에 참여시키기 위해 이해관계자들과 지속적으로 의사소통하고 이해관계자들 간에 발생하는 갈등을 해결하는 프로세스이다.

이 프로세스를 통해 프로젝트 관리자는 이해관계자 관리 계획서에서 계획한 대로 이해관계자에게 다양한 전략을 실행한다. 프로젝트를 지지(Supportive)하는 이해관계자들과는 관계를 돈독하게 유지하고, 저항(Resistance)하는 이해관계자들은 프로젝트에 대해 최소한 중립 혹은 지지의 단계로 끌어 올리는 전략을 실행하며, 중립(Neutral)인 이해관계자들은 중립적인 상태를 지속적으로 유지하거나, 지지하는 단계로 끌어 올리는 전략을 실행함으로써 이해관계자들에게 프로젝트의 목표, 목적, 이점 및 리스크들을 이해시켜, 이해관계자들의 적극적인 참여를 유도한다.

따라서 이해관계자 참여관리 프로세스는 다음과 같은 활동들을 포함한다.

◉ 프로젝트의 성공을 위한 지속된 헌신을 유지하기 위한 이해관계자들의 참여 독려
◉ 프로젝트의 목표 달성을 위해 협상이나 의사소통 기법을 사용하여 이해관계자들의 기대사항을 관리
◉ 아직 이슈화되지 않은 잠재적 문제점들이나 향후 문제가 될 것으로 보이는 것들을 프로젝트 리스크와 연관지어 식별하고 평가
◉ 식별된 이슈들을 명확하게 하거나 해결

> **Tips**
>
> **관리(Management)와 참여(Engagement)의 차이점**
>
> 관리의 의미는 사후(事後)적인 의미가 크며, 결과를 놓고 이야기를 한다. 즉, 계획과 실적이 다르기 때문에 계획한대로 프로젝트를 진행하기 위해 "이제부터 관리에 들어간다"라는 이야기를 한다.
>
> 반면에, 참여는 사전(事前)적인 의미가 크며, 계획 및 과정 지향적인 의미이다. 따라서 이해관계자들을 프로젝트에 적극적으로 참여시켜 프로젝트에 긍정적인 영향을 주도록 계획! 하는 것이 바로 참여의 의미이다. 이는 긍정적 리스크 대응계획에서 활용(Exploit)의 수단으로도 사용할 수 있다.

이해관계자 참여관리 프로세스의 투입물, 도구 및 기법과 산출물은 다음과 같다.

그림 13-13 ◆ 이해관계자 참여관리 프로세스의 ITTO

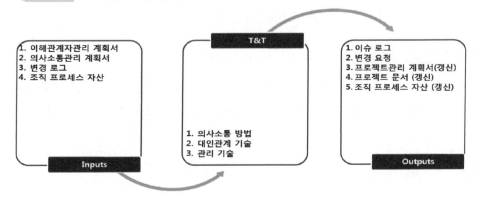

## 13.3.1 이해관계자 참여 관리 프로세스 투입물

### 1. 이해관계자 관리 계획서(Stakeholder Management Plan)

이해관계자들의 프로젝트 참여 관리를 위해서는 이해관계자 관리 계획서에서 기술한 이해관계자별 관리 전략을 계획대로 수행해야하기 때문에 이해관계자 관리 계획서를 참고한다.

### 2. 의사소통 관리 계획서(Communication Management Plan)

의사소통 관리 계획서에는 이해관계자들의 기대사항을 만족시키기 위해 어떤 정보들을 누구에게 어떤 방법으로 전달할지 기술되어 있기 때문에 참고한다.

- ◉ 이해관계자들의 의사소통 관련 요구사항
- ◉ 의사소통에 필요한 정보(언어, 형식, 내용 및 내용의 상세 수준)
- ◉ 정보 배포의 사유
- ◉ 정보를 받아야 하는 사람 또는 그룹
- ◉ 의사소통에 대한 단계적 진행(Escalation process)
- ◉ 의사소통 도구와 기법
- ◉ 의사소통 주기

### 3. 변경로그(Change log)

이해관계자들에게 프로젝트 중 발생되는 변경사항들 특히, 일정, 원가, 범위 및 품질이나 리스크 관련 사항들에 대해서 정확히 알려주어야 하기 때문에 변경 로그가 투입물로 사용된다. 변경 로그는 [4.5 통합변경통제 수행] 프로세스의 산출물이다.

**4. 조직 프로세스 자산(Organizational process assets)**

조직의 의사소통 관련 요구사항, 이슈 관리 절차, 변경 통제 절차, 및 이전 프로젝트들에 대한 정보나 교훈들과 같은 조직 프로세스 자산이 이해관계자 참여관리의 투입물로 사용된다.

### 13.3.2 이해관계자 참여 관리 프로세스 도구 및 기법

**1. 의사소통 방법(Communication methods)**

의사소통관리 계획서에 정의된 방법(대화식, 전달식, 유인식)대로 식별된 이해관계자들에게 적합한 의사소통 방법을 사용한다.

> **Tips**
>
> 이해관계자 관리 계획서에는 그들의 참여를 독려하기 위한 방법들이 기술되어 있다. 공식적인 방법도 있겠지만, 금요일마다 삼겹살에 소주 한잔하는 계획이나 매일 점심식사 후 커피 한잔하는 등의 비공식적인 방법들도 기술될 수 있다.

**2. 대인관계 기술(Interpersonal Skills)**

이해관계자들에게 의사소통을 하기 위해서는 단순히 프로젝트와 관련된 정보만을 전달하는 것이 아니라 다음과 같은 대인 관계 기술들이 필요하다.

- ◉ 상호간에 신뢰 구축
- ◉ 리더십
- ◉ 프로젝트 내에서 발생한 갈등의 적극적인 해결
- ◉ 회의나 대화 시 타인의 이야기에 대한 적극적인 청취
- ◉ 변경에 대한 저항을 극복할 수 있도록 설득

**3. 관리기술(Management Skills)**

프로젝트 관리자는 프로젝트와 관련된 모든 이해관계자들이 프로젝트의 목표를 달성할 수 있

도록 서로의 이해관계를 조정하고 조화를 이루도록 다음과 같은 다양한 관리 기법들을 적용해야 한다.

- ◉ 프로젝트의 목표에 대한 의견 일치
- ◉ 프로젝트를 지지(support)하도록 사람들에 영향력 행사
- ◉ 프로젝트의 요구사항을 만족시키기 위한 계약내용 협상
- ◉ 프로젝트 결과물을 받아들이도록 조직의 행동 개선

### 13.3.3 이해관계자 참여 관리 프로세스 산출물

#### 1. 이슈 로그(Issue log)

이해관계자들과 함께 프로젝트에 대한 지속적인 의사소통을 하면, 당연히 이해관계자들은 프로젝트의 진척사항이나 일정, 인도물의 품질, 보고서 등에 대해서 새로운 이슈사항들을 제기한다. 이러한 이슈 로그들은 [9.4 프로젝트 팀 관리], [10.3 의사소통 통제], [13.4 이해관계자 참여 통제] 프로세스의 투입물이 되어 해당 프로세스에서 해결되어야 한다.

#### 2. 변경 요청(Change Requests)

이해관계자들이 프로젝트에 적극적으로 참여를 하기 때문에 프로젝트 범위나 일정이나 혹은 품질 제품에 대한 다양한 변경 요청들이 발생하는 것은 당연하다. 또한, 이해관계자 관리 계획서의 이해관계자 전략이 변경될 수 있다.

#### 3. 프로젝트 관리 계획서 갱신(Project management plan updates)

이해관계자에 대한 새로운 요구사항이 식별되었거나 기존의 프로젝트에 대한 요구사항들이 변경되면 이해관계자 관리 계획서나 프로젝트 관리 계획서가 갱신 될 수 있으며, 이해관계자들이 의사소통 방법에 대해서 변경을 요청하는 경우, 의사소통 관리 계획서도 갱신 될 수 있다.

#### 4. 프로젝트 문서 갱신(Project documents updates)

프로젝트 수행 중 이해관계자가 교체되거나 이해관계자의 프로젝트 요구사항이나 기대 사항 등의 변경으로 인해 이해관계자 등록부가 갱신 될 수 있고, 이슈로그나 프로젝트 일정 등도 갱신이 필요할 수 있다.

## 5. 조직 프로세스 자산 갱신(Organizational process assets updates)

이해관계자 참여관리 프로세스의 결과로 다음을 포함한 조직 프로세스 자산들이 수정될 수 있다.

- ◉ **이해관계자 통보** : 해결된 이슈사항, 승인된 변경, 프로젝트 상태 등에 대한 정보 제공
- ◉ **프로젝트 보고서** : 교훈, 이슈로그, 프로젝트 종료 보고서 등의 공식/비공식 보고서
- ◉ **프로젝트 발표** : 프로젝트 이해관계자에게 실시한 공식/비공식 발표
- ◉ **프로젝트 기록** : 메모, 서신, 미팅 등
- ◉ **이해관계자 피드백** : 프로젝트의 진행에 대해 이해관계자로부터 받은 정보
- ◉ **교훈 사항 문서** : 이슈에 대한 원인/결과 분석, 조치사항, 조치에 대한 결과 등

이해관계자 참여관리는 이해관계자 관리 계획서의 관리 전략 활동을 공식/비공식적으로 수행하여, 이해관계자가 프로젝트에 지속적인 관심을 갖도록 프로젝트의 원가, 일정, 품질, 리스크의 변경사항을 지속적으로 의사소통하는 프로세스이기 때문에 이러한 정보인 변경 로그를 이해관계자 관리 계획서와 의사소통 관리 계획에 따라 이해관계자에게 전달해야 한다.

**그림 13-14** ◆ 이해관계자 참여관리 프로세스의 투입물 흐름도

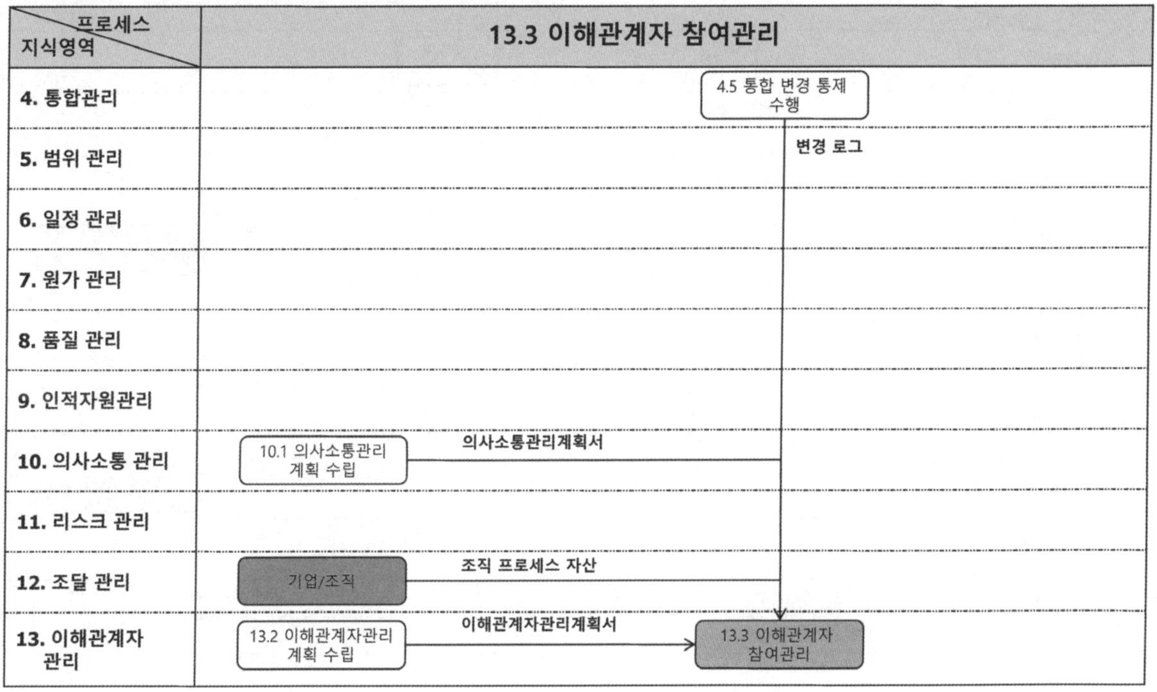

| 프로세스<br>지식영역 | 13.3 이해관계자 참여관리 | | |
|---|---|---|---|
| **4. 통합관리** | | | 4.5 통합 변경 통제<br>수행 |
| **5. 범위 관리** | | | 변경 로그 |
| **6. 일정 관리** | | | |
| **7. 원가 관리** | | | |
| **8. 품질 관리** | | | |
| **9. 인적자원관리** | | | |
| **10. 의사소통 관리** | 10.1 의사소통관리<br>계획 수립 | 의사소통관리계획서 | |
| **11. 리스크 관리** | | | |
| **12. 조달 관리** | 기업/조직 | 조직 프로세스 자산 | |
| **13. 이해관계자<br>관리** | 13.2 이해관계자관리<br>계획 수립 | 이해관계자관리계획서 | 13.3 이해관계자<br>참여관리 |

작성된 변경요청은 [4.5 통합변경통제 수행] 프로세스로 입력되고, 이슈로그는 [9.4 프로젝트 팀 관리], [10.3 의사소통 통제], [13.4 이해관계자 참여통제] 프로세스의 투입물로 사용된다는 것을 이해해야 한다.

그림 13-15 ◆ 이해관계자 참여관리 프로세스의 산출물 흐름도

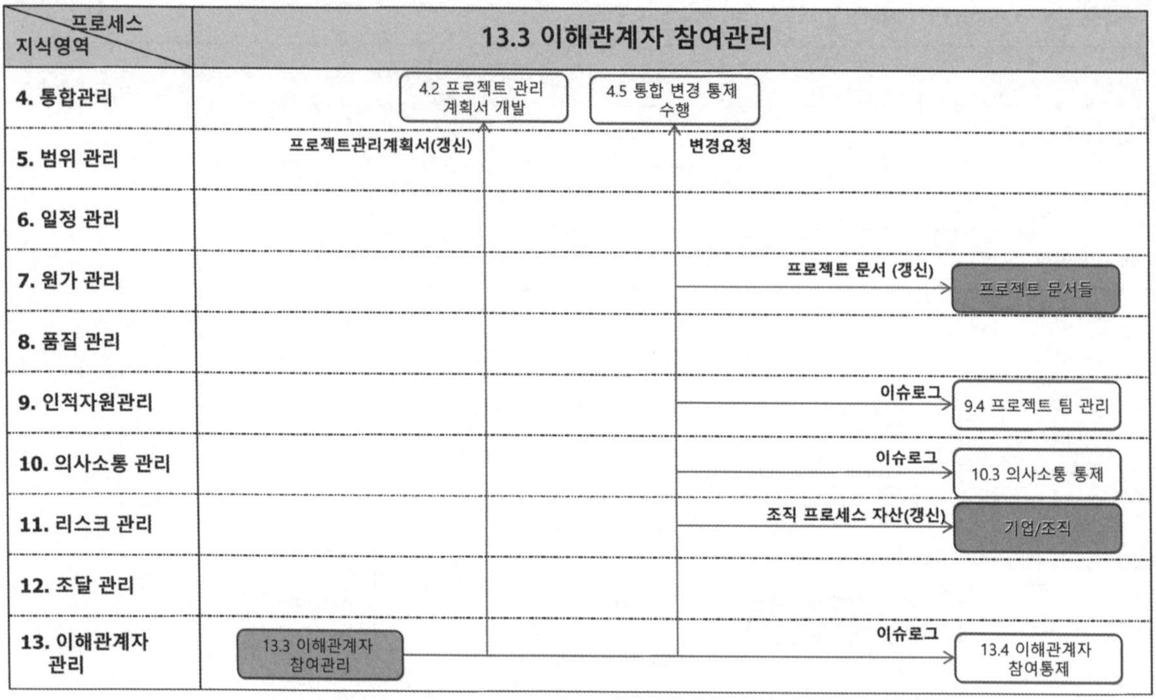

| 프로세스 \ 지식영역 | 13.3 이해관계자 참여관리 | | |
|---|---|---|---|
| 4. 통합관리 | | 4.2 프로젝트 관리 계획서 개발 | 4.5 통합 변경 통제 수행 |
| 5. 범위 관리 | 프로젝트관리계획서(갱신) | | 변경요청 |
| 6. 일정 관리 | | | |
| 7. 원가 관리 | | | 프로젝트 문서 (갱신) → 프로젝트 문서들 |
| 8. 품질 관리 | | | |
| 9. 인적자원관리 | | | 이슈로그 → 9.4 프로젝트 팀 관리 |
| 10. 의사소통 관리 | | | 이슈로그 → 10.3 의사소통 통제 |
| 11. 리스크 관리 | | | 조직 프로세스 자산(갱신) → 기업/조직 |
| 12. 조달 관리 | | | |
| 13. 이해관계자 관리 | 13.3 이해관계자 참여관리 | | 이슈로그 → 13.4 이해관계자 참여통제 |

Memo

## 13.4 이해관계자 참여통제(Control Stakeholder Engagement)

[13.3 이해관계자 참여관리] 프로세스가 프로젝트의 성공을 위해 이해관계자들의 적극적인 프로젝트 참여를 유도하거나 프로젝트나 제품에 대한 다양한 요구사항이나 의사소통을 촉진시키기 위한 프로세스였다면, 이해관계자 참여통제 프로세스는 전체 이해관계자들간의 관계를 감시하고, 이해관계자 관리 계획서에서 정의한 이해관계자에 대한 전략과 계획을 이해관계자 참여관리의 결과를 토대로 적절히 변경하는 프로세스이다.

따라서 이해관계자 참여통제 프로세스의 목적은 프로젝트가 진척되고, 프로젝트의 환경 변화에 따른 이해관계자 참여활동의 효율성과 효과성을 유지하고 증진시키는데 있다고 할 수 있다.

이해관계자 참여통제 프로세스의 투입물, 도구 및 기법과 산출물은 다음과 같다.

그림 13-16 ◆ 이해관계자 참여통제 프로세스의 ITTO

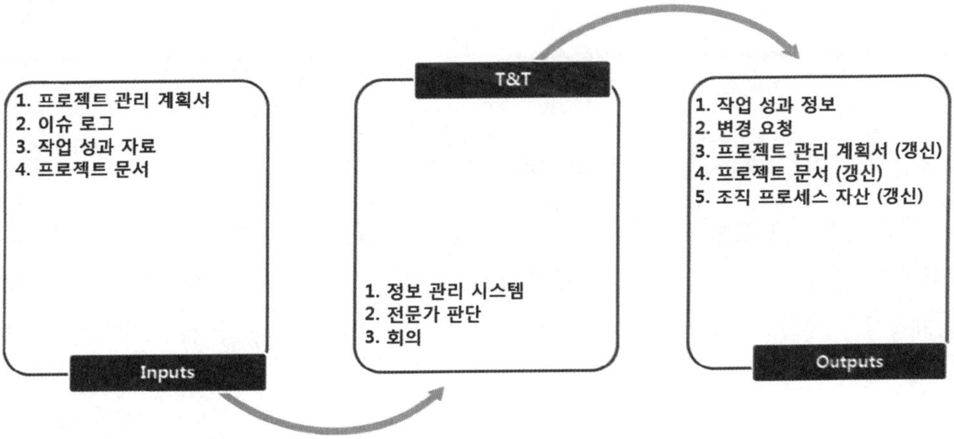

**Inputs**
1. 프로젝트 관리 계획서
2. 이슈 로그
3. 작업 성과 자료
4. 프로젝트 문서

**T&T**
1. 정보 관리 시스템
2. 전문가 판단
3. 회의

**Outputs**
1. 작업 성과 정보
2. 변경 요청
3. 프로젝트 관리 계획서 (갱신)
4. 프로젝트 문서 (갱신)
5. 조직 프로세스 자산 (갱신)

### 13.4.1 이해관계자 참여 통제 프로세스 투입물

**1. 프로젝트 관리 계획서(Project management plan)**

프로젝트 관리 계획서는 이해관계자 관리 계획서 작성시에도 사용되지만, 아래의 정보들이 이해관계자 참여통제 프로세스에서 투입물로써 사용될 수 있다.

◎ 각 단계에 적용되는 프로세스와 프로젝트를 위한 생애주기

◎ 프로젝트 목표 달성을 작업 수행 방법

◉ 인적자원 관리 계획서에서 정의된 인적자원 요구사항에 대한 해결 방법, 프로젝트에 대한 자원들의 역할과 책임, 보고 체계, 조직도 등

◉ 변경관리 계획서에서 정의된 변경 관리 절차

◉ 의사소통 관리 계획서에서 정의된 이해관계자간 의사소통 요구사항과 기법

◉ 이해관계자 관리를 위한 전략

## 2. 이슈로그(Issue log)

이해관계자 참여관리를 통해 생성된 이슈로그가 이해관계자 참여통제의 투입물로 사용된다.

> **Tips**
>
> 이해관계자 참여통제에서 필요한 작업성과자료(WPD)는 이해관계자에 대한 Plan vs. Actual 에 대한 비교를 위한 Actual 정보가 필요하다.
>
> 즉, A라는 이해관계자에게 매주 주간보고를 계획한대로 했는데, 이해관계자 A는 주간회의보다 월간회의를 선호한다는 정보가 WPD로 포함된다.

## 3. 작업성과 자료(Work Performance Data)

프로젝트 작업들의 실행 결과물로써 작업의 진척률, 기술적 성과 측정치, 작업의 시작일과 종료일, 변경 요청의 수, 결함 개수, 실제 비용, 실제 소요기간 등이 포함한 정보를 이해관계자에게 제공한다. 추가적으로 이해관계자 관리 계획서대로 이해관계자 참여관리에 대한 실제 정보가 제공되어야 한다.

## 4. 프로젝트 문서(Project Documents)

많은 문서들이 사용되는데 대표적으로 예를 들면 다음과 같다.

◉ 프로젝트 일정

◉ 이해관계자 등록부

◉ 이슈로그

◉ 변경로그

◉ 프로젝트 의사소통

490

## 13.4.2 이해관계자 참여 통제 프로세스 도구 및 기법

### 1. 정보관리 시스템(Information Management System)

정보관리 시스템은 프로젝트 관리자가 프로젝트의 원가, 일정 진척도 혹은 프로젝트의 성과 등에 대한 정보를 수집하고 저장하여 이해관계자에게 배포하도록 표준화된 도구를 제공한다. 따라서 이해관계자들에 대한 적절한 통제 활동을 하는데 많은 도움을 줄 수 있다.

### 2. 전문가 판단(Experts Judgment)

새로운 이해관계자를 식별하거나 현재 파악된 이해관계자들에 대한 재평가를 위해서는 다양한 분야에 종사하는 전문가들의 판단을 필요로 한다.

### 3. 회의(Meetings)

전문가 및 프로젝트 팀원들과 이해관계자 참여 관리와 관련된 회의를 진행함으로써 이해관계자에 대한 정보를 교환하고 분석하는데 유용하다.

## 13.4.3 이해관계자 참여 통제 프로세스 산출물

### 1. 작업 성과 정보(Work Performance Information)

작업 성과 자료를 프로젝트의 상황에 맞게 분석하고 다른 프로젝트 관리 영역과 통합적으로 고려하여 작업 성과 정보로 변환한 후, 의사결정시 사용한다. 따라서 이해관계자 관리에서의 작업성과정보는 프로젝트 진척에 대한 계획대비 실적 정보를 포함하면서도 이해관계자 참여관리에 대한 계획대비 실적 정보도 포함되어야 하며, 그 결과 변경 요청을 생성하여 프로젝트 관리 계획서에 있는 이해관계자 관리 계획서 및 관련 문서를 수정한다.

### 2. 변경 요청(Change Requests)

이해관계자 참여관리의 결과 고객이 요청한 변경요청이나 이해관계자 참여관리 프로세스의 결과를 바탕으로 이해관계자 관리 계획서 등의 변경이 필요한 경우 변경요청한다.

### 3. 프로젝트 관리 계획서 갱신(Project management plan updates)

전반적인 이해관계자 관리 전략의 효과성 평가를 토대로 다음을 포함한 프로젝트 관리 계획서

가 수정될 수 있다.

- ◉ 변경관리 계획서 /의사소통관리 계획서
- ◉ 원가관리 계획서 /인적자원 관리 계획서
- ◉ 조달관리 계획서 / 품질관리 계획서
- ◉ 요구사항 관리 계획서 /리스크 관리 계획서
- ◉ 일정관리 계획서 / 범위관리 계획서
- ◉ 이해관계자관리 계획서 등

### 4. 프로젝트 문서 갱신(Project document updates)

새로운 이해관계자가 식별되거나 등록된 이해관계자가 더 이상 유효하지 않다면 해당 이해관계자를 삭제하는 등의 변경이 발생되므로 이해관계자 등록부가 수정되며, 새로운 이슈가 발생하거나 이슈가 해결되는 등 이슈에 대한 상태가 변경되므로 이슈로그도 수정된다.

### 5. 조직 프로세스 자산 갱신(Organizational process assets updates)

이해관계자 참여통제 프로세스의 결과로 다음을 포함한 조직 프로세스 자산들이 수정될 수 있다.

- ◉ **이해관계자 통보** : 해결된 이슈사항, 승인된 변경, 프로젝트 상태 등에 대한 정보 제공
- ◉ **프로젝트 보고서** : 교훈, 이슈로그, 프로젝트 종료 보고서 등의 공식/비공식 보고서
- ◉ **프로젝트 발표 자료** : 프로젝트 이해관계자에게 실시한 공식/비공식 발표
- ◉ **프로젝트 기록** : 메모, 서신, 미팅 등
- ◉ **이해관계자 피드백** : 프로젝트의 진행에 대해 이해관계자로부터 받은 정보
- ◉ **교훈 사항 문서** : 이슈에 대한 원인/결과 분석, 조치사항, 조치에 대한 결과 등

이해관계자 참여통제는 이해관계자 관리 계획서의 실제 수행 결과를 감시 및 통제하는 프로세스이다. 따라서 이해관계자 관리 계획서와 이해관계자 참여에 대한 수행 결과 및 이해관계자들의 이슈 사항들이 투입물이 되어야 한다.

**그림 13-17** ◆ 이해관계자 참여통제 프로세스의 투입물 흐름도

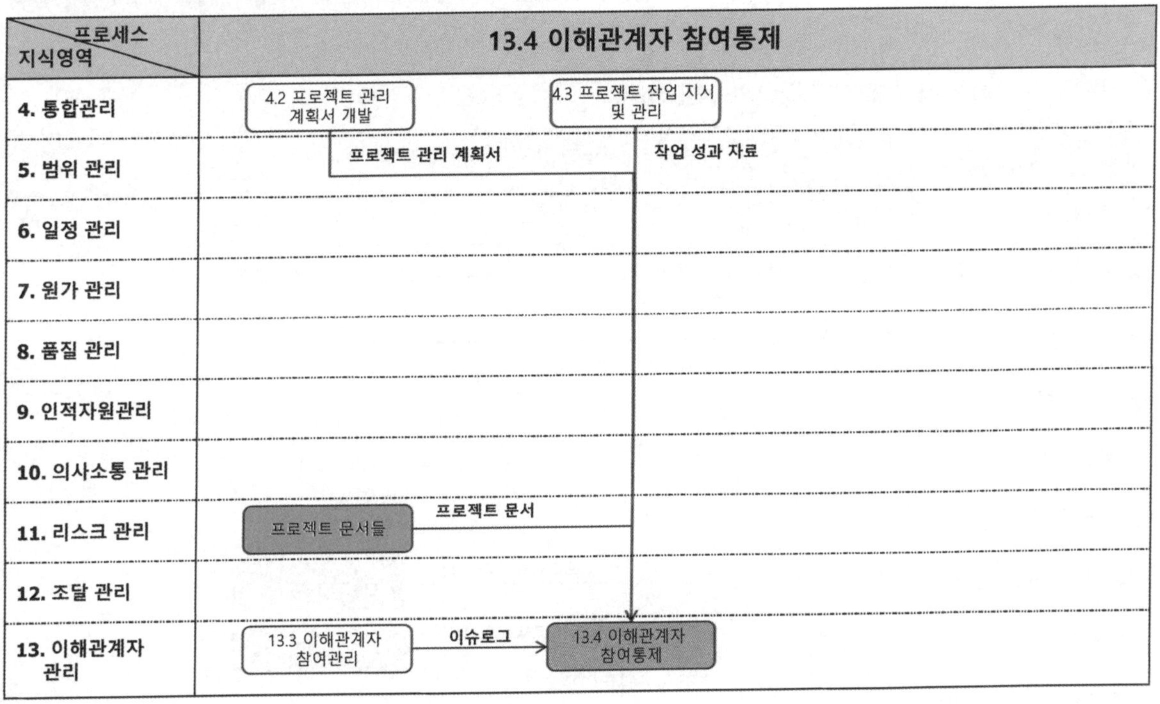

| 프로세스<br>지식영역 | 13.4 이해관계자 참여통제 | |
|---|---|---|
| **4. 통합관리** | 4.2 프로젝트 관리<br>계획서 개발 | 4.3 프로젝트 작업 지시<br>및 관리 |
| **5. 범위 관리** | 프로젝트 관리 계획서 | 작업 성과 자료 |
| **6. 일정 관리** | | |
| **7. 원가 관리** | | |
| **8. 품질 관리** | | |
| **9. 인적자원관리** | | |
| **10. 의사소통 관리** | | |
| **11. 리스크 관리** | 프로젝트 문서들 → 프로젝트 문서 | |
| **12. 조달 관리** | | |
| **13. 이해관계자<br>관리** | 13.3 이해관계자<br>참여관리 →이슈로그→ 13.4 이해관계자<br>참여통제 | |

[13.4 이해관계자 참여통제]는 작업 성과 자료를 전문가 혹은 팀원들과 회의를 통해 계획대비 실적 자료를 기반으로 이해관계자 참여관리에 대한 작업 성과 정보를 생성하여 [4.4 프로젝트 작업 감시 및 통제] 프로세스로 전달함으로써 작업성과보고서를 생성한다. 계획 대비 실적을 비교하여 차이가 있다면 변경 요청을 작성하여 [4.5 통합변경통제 수행] 프로세스로 보내야 한다. 또한, 이를 통해 이해관계자 관리 계획서 혹은 의사소통관리 계획서 등의 문서에 변경이 필요한 경우 수정을 하도록 한다.

그림 13-18 ◆ 이해관계자 참여통제 프로세스의 투입물 흐름도

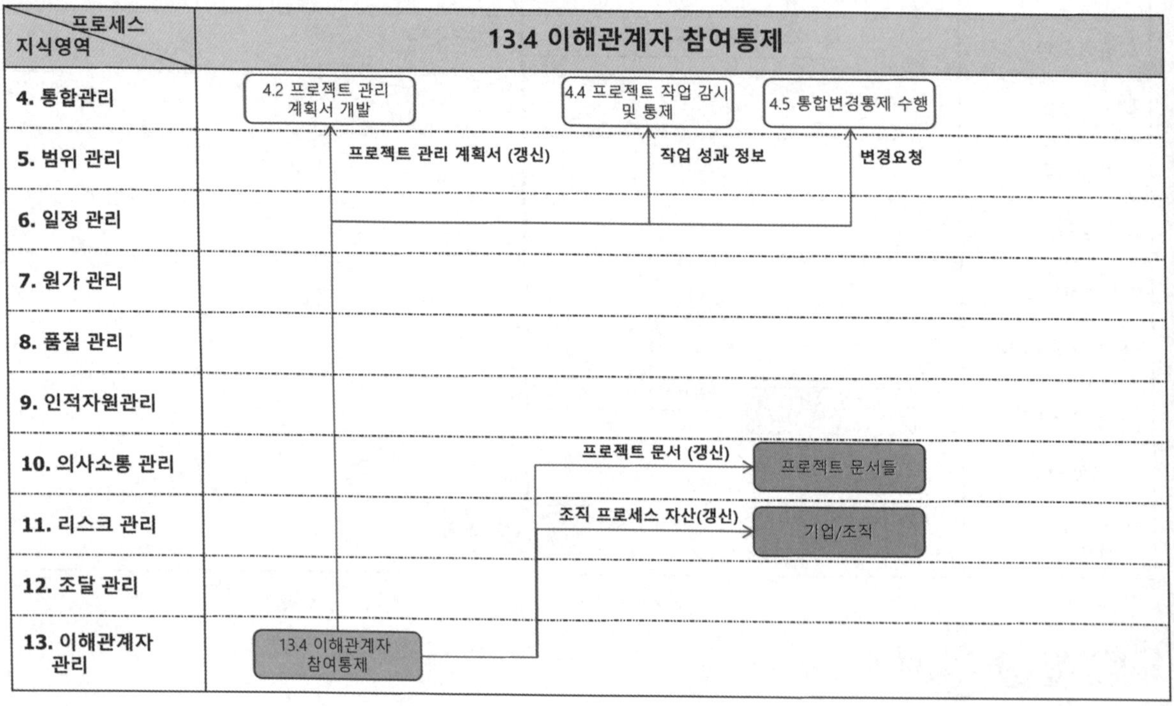

| 프로세스<br>지식영역 | 13.4 이해관계자 참여통제 | | |
|---|---|---|---|
| **4. 통합관리** | 4.2 프로젝트 관리<br>계획서 개발 | 4.4 프로젝트 작업 감시<br>및 통제 | 4.5 통합변경통제 수행 |
| **5. 범위 관리** | 프로젝트 관리 계획서 (갱신) | 작업 성과 정보 | 변경요청 |
| **6. 일정 관리** | | | |
| **7. 원가 관리** | | | |
| **8. 품질 관리** | | | |
| **9. 인적자원관리** | | | |
| **10. 의사소통 관리** | | 프로젝트 문서 (갱신) | 프로젝트 문서들 |
| **11. 리스크 관리** | | 조직 프로세스 자산(갱신) | 기업/조직 |
| **12. 조달 관리** | | | |
| **13. 이해관계자<br>관리** | 13.4 이해관계자<br>참여통제 | | |

494

# Chapter 13 연습문제

**01** 이해관계자들은 프로젝트의 어느 시점에서 가장 큰 영향을 미치는가?

① 프로젝트 착수 시점          ② 프로젝트 중간 시점

③ 프로젝트 종료 시점          ④ 프로젝트 전체 시점

**02** 홍길동 PM은 현재 빅데이터 분석 시스템 개발을 맡고 있다. 현재 프로젝트는 실행 중에 있다. 프로젝트의 기획단계에서 홍길동 PM은 프로젝트의 이해관계자 관리를 위해 이해관계자 관리 계획서를 작성했었다. 홍길동 PM이 이해관계자 관리 계획서를 실행 단계에서 다시 검토해보니 이해관계자에 대한 검토 주기를 작성하지 않았다. 이해관계자 계획서의 검토 주기는 어떻게 해야 하나?

① 주간보고 주기인 일주일에 한번

② 기획단계에서 만들어졌기 때문에 실행단계에서는 검토를 하지 않아도 된다.

③ 검토 주기는 홍길동 PM이 결정하면 된다.

④ 이해관계자 관리 계획서의 검토는 팀원들이 자주하면 된다.

**03** 프로젝트 관리자가 프로젝트의 현재 상태에 대하여 이해관계자에게 보고하였다. 이후, 이해관계자로부터 스폰서에게 현재 지연된 활동들에 대해 검토하라는 지시를 받았다. 스폰서는 왜 프로젝트 현황을 직접 보고 하였는지 질책하였다. 프로젝트 관리자는 어떻게 해야 하는가?

① 이해관계자 등록부와 이해관계자 관리 계획서를 검토한다.

② 다음부터 보고하지 않겠다고 스폰서에게 이야기 한다.

③ 스폰서를 설득하여 해당 이해관계자도 중요한 사람이므로 보고해야 한다고 한다.

④ 이해관계자 등록부와 의사소통 관리 계획서를 검토한다.

**04** 프로젝트 중간에 새로운 이해관계자가 추가되었다. 이 이해관계자는 중요한 의사결정에 큰 영향을 미친다. 프로젝트 관리자는 어떻게 해야 하는가?

① 이해관계자 관리 계획서를 검토한다.

② 이해관계자 등록부에 기재한다.

③ 대인관계 기술을 이용한다.

④ 스폰서와 논의하여 해당 이해관계자를 제외하도록 노력한다.

**05** 김철수 이사는 신경치료용 의료기기 개발 프로젝트를 관리하고 있다. 그는 최근 국내 PM 컨퍼런스에서 경쟁 회사의 유능한 프로젝트 관리자인 김영희 이사를 만났다. 그녀는 해당 분야에서 다양한 프로젝트를 수행하면서 잔뼈가 굵은 능력있는 프로젝트 관리자이며 전문가이다. 만약 김철수 이사가 김영희 이사에게 그의 프로젝트에서 이해관계자 관리 경험을 공유해주길 원한다면 어떻게 될 것인가?

① 김영희 이사는 경쟁사의 사람이므로 경험 공유를 요청하면 안된다.

② PM컨퍼런스에 참여한 모든 사람들은 전문가이므로 그들의 경험을 공유해 달라 할 수 있다.

③ 김영희 이사는 해당 분야의 전문가이고 회사의 비밀을 누설하는 것이 아닌 이해관계자 관리에 대한 노하우를 공유해 달라는 것이라 괜찮다.

④ 스폰서에게 먼저 이야기 한 후, 김영희 이사를 접촉한다.

**06** 이해관계자 관리의 주요 목적은 무엇인가?

① 이해관계자와의 의사소통  ② 이해관계자간의 이해관계 조정

③ 이해관계자들의 만족  ④ 이해관계자와의 관계증진

**07** 용환성 씨는 수산물이력제 정보시스템 개발을 관리하고 있다. 이 프로젝트는 규모가 크며, 프로젝트의 성공은 해당 조직뿐만 아니라 공공기관에도 매우 중요하다. 아주 중요한 이 프로젝트의 모든 프로젝트 이해관계자의 가장 바람직한 참여수준은 무엇인가?

① 저항하는 이해관계자(Resistant)  ② 선도하는 이해관계자(Leading)

③ 중립적인 이해관계자(Neutral)  ④ 지지하는 이해관계자(Supportive)

**08** 당신은 정보시스템 프로젝트 관리자이다. 현재 프로젝트는 이제 최종 승인만을 남겨두고 있으며, 최종 승인은 모든 이해관계자가 만족하지 않아도 된다. 그런데, 이해관계자 중 한 명이 회의가 중복되어 다른 회의에 참석하였는데, 이후 해당 이해관계자가 최종 승인 때 인도물의 승인을 거부했다. 어떻게 해야 하나?

① 해당 이해관계자의 불만족 항목을 듣고, 인도물에 반영할 계획을 수립한다.

② 모든 이해관계자가 승인을 해야 하는 것은 아니기 때문에 다음 절차를 진행한다.

③ 스폰서에게 이야기하여 일정과 자금 지원을 부탁한다.

④ 스폰서에게 이야기하여 해당 이해관계자를 제외시키도록 한다.

**09** 다음 중 프로젝트 관리자의 책임이 아닌 것은?

① 프로젝트에 대한 적절한 이해관계자들을 선택한다.

② 요구사항이 완전히 정리되었다는 이해관계자들의 승인을 받아낸다.

③ 이해관계자들이 프로젝트에 언제 참여하고 어느 정도 참여할지 파악한다.

④ 프로젝트 의사소통과 관계에서 문제가 발생할 경우 알려달라고 요청한다.

**10** 주요 이해관계자에게 주간 보고시 주경로(Critical Path) 상 몇 가지 주요 활동이 수행되지 않아 프로젝트에 영향을 줄 것 같다고 불만을 토로했다. 회의가 끝나가는 시점에서 이해관계자는 프로젝트 관리자와 프로젝트 팀에게 야근 및 주말근무 할 것을 요청했다. 프로젝트 관리자인 당신은 무엇을 해야 하는가?

① 프로젝트 팀이 잘못한 것이 때문에 수긍하고 야근 준비한다.

② 팀원들과 회의하여 대안을 분석한다.

③ 스폰서에게 추가 인력 투입을 요청한다.

④ 해당 이슈를 이슈로그에 기록한다.

**11** 이종범 부장은 최근 조직 내 ERP구축 프로젝트의 책임자로 임명되었다. 이종범 부장은 조만간 이해관계자 관리 계획에 대한 회의를 진행할 예정이다. 그런데, 프로젝트 스폰서는 이해관계자 관리는 필요 없다며 이종범 부장에게 범위, 일정, 원가에 대한 관리 계획서만 작성하라고 압력을 행사하고 있다. 이러한 요청에 이종범 부장이 대처해야 할 알맞은 방법은?

① 회의의 목적은 프로젝트 이해관계자 등록부를 만드는 것이라고 설득한다.

② 스폰서에게 프로젝트 관리 지식 체계를 준수해야 한다고 설득한다.

③ 회의의 목적은 프로젝트에 영향을 미치는 이해관계자들을 식별하고 분석하여 효율적으로 관리 하는 것이라고 이해관계자를 설득한다.

④ 회의의 목적은 이해관계자를 식별하고 분류하는 것이라고 반드시 필요하다고 설득한다.

**12** 오지은 차장은 연구과제 프로젝트의 책임자로 임명 받았다. 그러나 오지은 차장은 회사에 입사한 지 얼마 되지 않아 회사의 사정이나 조직 문화 등에 대해서 잘 알지 못한다. 연구 과제의 이해관계자들을 잘 관리하기 위해서는 회사의 조직구조, 조직문화 등에 대해서 잘 파악해야만 한다. 다음의 항목 중 오지은 차장이 조직 내 과거 유사 연구과제 프로젝트의 이해관계자 관리 정보를 얻을 수 있는 것은?

① 프로젝트 관리 계획서　　　　　② 기업 환경 요인

③ 조직 프로세스 자산　　　　　　④ 프로젝트 헌장

**13** 한승진 씨는 게임개발 프로젝트의 관리자이다. 그는 최근 조직의 재무이사가 프로젝트에 저항하고 있는 것을 알게 되었다. 재무이사는 프로젝트의 아주 중요한 이해관계자이다. 한승진 PM은 무엇을 해야 하는가?

① 프로젝트 스폰서로부터 전문가 판단을 기대한다.

② 프로젝트의 의사결정시 스폰서의 지원을 받도록 한다.

③ 재무이사와 저녁 식사를 한다.

④ 재무이사의 인식을 변화시키기 위한 다양한 대안 등을 분석한다.

**14** 당신은 회사에서 진행하는 차세대 뱅킹 시스템의 프로젝트 관리자이다. 프로젝트의 착수시점에서 이해관계자들을 식별하였다. 프로젝트의 주요 이해관계자들 15명이 서로 개인감정이 쌓여 과거 프로젝트에서도 갈등이 많이 발생했던 것을 알게 되었다. 프로젝트 관리자인 당신은 어떤 조치를 취해야 하는가?

① 변화 관리(Change management)  ② 경청(Active listening)
③ 갈등 해결(Conflict resolution)  ④ 신뢰 쌓기(Trust building)

**15** 김철민 부장은 인터넷 전자상거래 시스템 구축을 맡아 진행하고 있다. 프로젝트가 절반 정도 진행된 상태인 지금 그는 이해관계자 관리 계획서를 재확인하고 있다. 그런데 프로젝트에 저항하던 이해관계자들이 지금은 프로젝트를 지지하는 상태로 바뀐 것을 확인했다. 김철민 부장은 어떤 조치를 취해야 하는가?

① 상태를 더 살펴본 후에 결정하기 위해 이해관계자 관리 계획서를 갱신하지 않는다.
② 이해관계자들을 프로젝트 지지(Supportive)그룹에 포함시키고 해당 그룹에 맞는 이해관계자 관리를 수행한다.
③ 이해관계자들이 긍정적인 결과를 보여주기 전까지 프로젝트 저항(Resistance) 그룹에 계속 포함한다.
④ 이 이해관계자들을 프로젝트 지지(Supportive)그룹에 포함시키지만, 관리 전략은 프로젝트 저항(Resistance) 그룹의 관리 전략을 수행한다.

해설

**01** 이해관계자의 영향력은 프로젝트 초기에 가장 크고, 프로젝트가 진행되면서 점차 줄어든다. 그러나 프로젝트 후반의 이해관자의 영향에 따른 변경은 큰 파급효과를 가져와 일정과 원가에 큰 영향을 준다.

**02** 프로젝트 관리자는 이해관계자 등록부와 이해관계자 관리 계획서의 검토를 프로젝트 착수부터 종료시까지 주기적으로 수행해야 한다. 프로젝트 관리자는 검토 주기를 프로젝트의 상황에 맞게 설정하여 이해관계자 관리 계획서에 정의해야 한다. 이후 검토 주기에 맞게 해당 문서들을 검토한다.

**03** 이해관계자의 프로젝트에 대한 요구사항이나 기대사항을 수집하고 분석하여 이해관계자 등록부에 기입한다. 특히, 이해관계자의 의사소통 관련 요구사항은 의사소통 관리 계획서에 반영되어 해당 이해관계자에게 적절한 정보가 배포되도록 해야 한다. 또한 정보 배포에 대한 승인 체계와 보안성 여부를 반드시 검토해야 한다. 따라서 이해관계자 등록부와 의사소통 관리 계획서를 검토한다.

**04** 프로젝트 중간에 중요한 이해관계자가 식별되면 이해관계자 등록부에 기재한 후 분석한다.

**05** PM컨퍼런스는 프로젝트 관리자들이 정보를 교류하는 네트워크 장소이다. 특히, 김영희 이사는 경쟁사 직원이긴 하지만 업계에서 인정받는 해당 분야 전문이다. 회사의 비밀 사항을 제외하고 일반적인 프로젝트의 경험과 관련하여 도움을 받을 수 있다.

**06** 이해관계자 관리의 가장 큰 목적은 이해관계자들의 프로젝트에 대한 요구사항 및 기대사항에 대한 만족이다. 그들의 프로젝트에 대한 만족도가 높을수록 프로젝트의 참여수준이 높아진다. 또한 그들의 참여수준이 높을수록 프로젝트의 성공률도 높아진다.

**07** 모든 이해관계자들이 프로젝트에 선도(Leading)상태로 참여할 수 없다. 따라서 프로젝트에 대한 지지 상태로 만드는 것이 가장 바람직하다.

**08** 모든 이해관계자가 최종 인도물의 승인을 할 수는 없다. 대다수의 이해관계자가 승인을 하였다면 다음 절차를 진행하는 것이 맞다.

**09** 프로젝트에 참여하는 이해관계자들을 선택할 권한은 프로젝트 관리자에게 없다.

**10** 이해관계자가 제기한 이슈이다. 따라서 이슈로그에 먼저 등록한 후 팀원들과 대안을 논의해야 한다.

**11** 이해관계자 관리의 목적은 프로젝트에 영향을 주는 이해관계자들을 식별하고 분석하여 그들을 효율적으로 관리하는 것이다.

**12** 오지은 차장은 조직 프로세스 자산 중 이해관계자 관리에 대한 과거 프로젝트의 교훈 사항이나 프로젝트 문서 혹은 이해관계자 관리 계획서 등을 참고할 수 있다.

**13** 이해관계자들의 인식 변화를 꾀하여 프로젝트에 적극적인 참여를 유도하는 것이 이해관계자 관리 영역이다.

**14** 이미 사이가 좋지 않은 이해관계자들이기 때문에 프로젝트 초반에 최대한 이들 간에 신뢰가 쌓이도록 프로젝트 관리자가 부단히 노력해야 한다. 또한 교훈 사항이나 과거 프로젝트 문서 등을 참고하여 적절한 정보를 획득해야 한다. 갈등해결의 경우에는 이해관계자들간의 갈등은 프로젝트 관리자가 해결하기 어려울 것이다.

**15** 이해관계자들의 상태값이 변화되었기 때문에 그에 맞는 관리 전략을 수행하면 된다. 동시에 이해관계자들의 상태
가 나빠지지 않도록 관리해야 한다.

PMP®의정석
# PM Perfect

발 행 일 | 2017년 4월 7일
저　　자 | 용환성
발 행 인 | 박승합
발 행 처 | 노드미디어
등　　록 | 제 106-99-21699 (1998년 1월 21일)
주　　소 | 서울특별시 용산구 한강대로 320
전　　화 | 02-754-1867, 0992
팩　　스 | 02-753-1867
홈페이지 | http://www.enodemedia.co.kr
I S B N | 978-89-8458-310-8

정가 35,000원